R
JAC

L'HOMME QUI PARLAIT À LA NUIT

Titre original :
The Sleepwalker's Guide to Dancing
Éditeur original :
Random House, New York
© Mira Jacob, 2014

© ACTES SUD, 2015
pour la traduction française
ISBN 978-2-330-05184-6

MIRA JACOB

L'homme qui parlait à la nuit

roman traduit de l'anglais (États-Unis)
par Christine Le Bœuf

ACTES SUD

Pour mon père, Philip Jacob (1939-2006).

PROLOGUE : LE CHOIX DE LA FOLIE

Seattle, juin 1998

C'était une fièvre, une rage brûlante de mots. Trois nuits de suite, Thomas Eapen demeura dans la véranda, acteur unilatéral d'une conversation furieuse qui déboulait de sa langue pour se répandre à travers les fenêtres à moustiquaire. Les voisins l'entendaient ; son épouse, Kamala, ne pouvait pas dormir. Prince Philip, leur labrador vieillissant et arthritique, n'arrêtait plus de marcher de long en large dans le vestibule en gémissant. Kamala raconta tout ça à sa fille au téléphone un des premiers soirs de juin, de la voix douce d'une présentatrice des informations.

"Je pense qu'il s'en va, conclut Kamala, et Amina se figura son père, à la limite du désert, en train d'attendre un bus.

— Vraiment ?

— Qui sait ? Je n'ai plus tout mon jugement. Je n'ai plus dormi depuis samedi.

— C'est une blague !

— Je ne blague pas", fit Kamala en reniflant ; sa capacité de dormir quoi que pût concocter son mari insomniaque (chasses au raton laveur, fossés en feu, accidents de tracteur) avait long-temps fait sa fierté. Amina laissa tomber ses clés sur le plan de travail de la cuisine.

"C'est maintenant que tu rentres du travail ? demanda Kamala.

— Oui." Amina déposa son courrier et son appareil photographique à côté des clés. Le répondeur clignotait avec impatience. Elle lui tourna le dos. "Trois nuits ? Sérieusement ?

— Comment va le travail ?

— À fond. Tout Seattle se marie le mois prochain.

— Toi pas."

Amina l'ignora. "Que veux-tu dire, « il parle » ? Il parle de quoi ?

— Il raconte des histoires.

— Quel genre d'histoires ?

— Quel genre de n'importe quoi, tu veux dire ? Des balivernations et maintenant il n'arrête plus de jacasser comme un idiot, dit Kamala. J'ai eu beau l'avertir que sa langue allait tomber et pourrir comme un légume, il ne se tait pas.

— Tu dis toujours ça.

— Non, pas vrai.

— Maman.

— Mais ceci est différent, *koche*", soupira Kamala. Des bruits nocturnes se faufilaient au long de la ligne, amenant le Nouveau-Mexique à l'oreille d'Amina – les applaudissements assourdis du vent roulant à travers les peupliers, l'écho renvoyé par les mesas de la stridulation creuse des grillons, le claquement de la bâcle du portail dans le jardin. En fermant les yeux, Amina avait l'impression de se retrouver là-bas, au crépuscule, et de sentir les herbes folles lui chatouiller le creux des genoux.

"Tu es au jardin ? demanda-t-elle à sa mère.

— Mmm. Et toi, sous la pluie ?

— Je suis dans la cuisine." Amina regarda le linoléum, à ses pieds. Ses bords jaunes évoquaient une vie antérieure, une vie où les Crown Hill Apartments avaient été considérés comme un bon début pour des familles à revenus moyens, avec leurs cheminées en marbre véritable et leurs sols de cuisine ensoleillés. Ceux-ci étaient désormais d'une teinte pisseuse et parsemés de bulles d'air qui éclataient quand on marchait dessus.

"Quel temps fait-il ? demanda Kamala.

— Il pleuvine.

— Personne ne sait pourquoi tu restes là.

— On s'y fait.

— Ce n'est pas une bonne raison pour rester quelque part. Pas étonnant que ce sale type se soit flingué – tout le temps sans soleil, et cette diablesse qui déchirait ses collants.

— Kurt Cobain était un junkie, maman.

— Parce qu'il manquait de soleil!"

Amina soupira. Si elle avait su que le numéro de *Rolling Stone* qu'elle avait laissé dans la salle de bains lors de son dernier séjour allait transformer Kamala en experte autoproclamée sur tout ce qui touchait à Seattle ("Le grunge! Les Starbucks! Les start-up!"), elle aurait fait plus attention, mais enfin, ce mépris de sa mère pour le lieu de résidence qu'elle s'était choisi n'était pas sans avantage. Ne fût-ce que parce qu'il limitait ses visites. ("Impossible de me réchauffer ici!" ne manquait jamais de protester Kamala, en se frottant les mains et en lançant autour d'elle des regards soupçonneux. Un jour, dans un café du quartier d'Amina, elle avait dit au très aimable *barista* qu'il avait une odeur bizarre, due à "trop d'humidité".)

"Je t'ai dit que la menthe pousse comme une forêt? demandait maintenant sa mère d'une voix plus allègre. Encore plus que l'an dernier!

— Formidable." Amina ouvrit son frigo. Une collection de plats à emporter effondrés les uns sur les autres comme des petits vieux dans le mauvais temps. Elle le referma.

"J'ai fait du chutney et j'ai invité les Ramakrishna et les Kurian hier soir, et ils ont adoré! Bala a voulu la recette, évidemment.

— Qu'est-ce que tu n'as pas mis?

— Rien. Poivre de Cayenne et coriandre."

La cuisine était chez sa mère une faculté qu'Amina considérait souvent comme évolutionnaire : un moyen pour Kamala de se survivre en conservant ses amis. Tel le plumage se déployant en arc-en-ciel d'un oiseau *a priori* banal, la capacité que possédait Kamala de transformer des ingrédients bruts en repas somptueux lui valait la sorte d'affection que sa personnalité, à elle seule, aurait peut-être repoussée.

"Alors, qu'est-ce qu'ils ont pensé de papa?

— Quoi, papa?

— Le fait qu'il parle tout seul, je ne sais pas, moi.

— Je ne leur ai rien dit! Ne sois pas stupide!

— C'est un secret? s'étonna Amina. Tu n'en parles pas à la famille?"

Un secret entre les Ramakrishna, les Kurian et les Eapen, ça n'arrivait qu'une fois tous les cinq ans, environ, pour être généralement dévoilé au bout de quelques mois ; ceux qui le partageaient affirmaient aux autres qu'il n'y avait là rien de personnel, rien que des affaires de famille, et les autres tenaient des propos réconfortants sur *la grande famille qu'on était de toute façon dans ce pays*, même en l'absence de liens du sang.

"Pas secret !" s'exclama Kamala avec un peu trop d'emphase. Elle rabattit sa voix d'un cran. "Ce n'est pas toute une affaire. N'allons pas embêter tout le monde avec ça, d'accord ?

— Mais, est-ce que quelqu'un a trouvé son comportement bizarre ?

— Son comportement n'est pas bizarre.

— Je croyais que tu disais…

— Non, pas comme ça. Il va à son travail, et tout, il est parfait avec tout le monde. En salle d'op, toutes les infirmières continuent de le suivre toujours en gloussant comme des oies. C'est seulement tard le soir."

Il fallait que ce soit tard. Thomas s'efforçait de rester à l'hôpital jusqu'au coucher du soleil, et son insomnie le tenait souvent éveillé entre minuit et six heures du matin. C'était à ce moment-là qu'il s'asseyait sous le porche et bricolait quelque objet énigmatique : un pistolet à sauterelles, un distributeur de caresses pour animaux.

"Il parle sans doute au chien, maman, tout simplement. Il fait ça tout le temps.

— Non, ce n'est pas ça.

— Comment le sais-tu ?

— Je viens de te le dire. Le chien est enfermé, en train de gémir. Et d'ailleurs je l'ai entendu.

— Et ?

— Il parlait à Ammachy."

Amina s'immobilisa. Sa grand-mère était morte depuis près de vingt ans. "Tu veux dire qu'il lui adressait des prières ?"

Le bruit rêche de mauvaises herbes arrachées à la terre lui parvint de l'autre bout de la ligne, accompagné d'un bref grognement. "Non. Je veux dire qu'il parlait. Il racontait des histoires.

— Des histoires ?"

Kamala souffla par le nez. Arracha d'autres herbes. Grogna. "Maman !

— Des histoires idiotes, pas plus! Comment tu as gagné ce prix de photographie au lycée. Comment j'ai supplié le vendeur de Hickory Farms de commander du gingembre mariné, en 1982, et cet imbécile est allé commander du gingembre confit!

— Et tout ça devant toi? Tu étais là?

— J'écoutais de la buanderie."

Vivre chez les Eapen, c'était admettre la rigueur de frontières invisibles, les séparations qui, depuis 1983, divisaient la maison comme en deux pays. Il y avait des années qu'Amina n'avait plus vu sa mère s'aventurer dans la lumière jaune de la véranda paternelle et, à ce qu'elle en savait, Thomas n'avait pas une seule fois franchi la barrière donnant accès au potager de Kamala.

"Et tu es sûre que c'était Ammachy?"

Kamala hésita un instant. "Il la voyait."

Amina se redressa. "Qu'est-ce que tu racontes?

— Il lui a dit d'aller s'asseoir ailleurs.

— *Quoi?*

— Oui. Et puis je crois qu'il a peut-être vu…" La voix de Kamala s'éteignit, l'océan de chagrin qui s'étendait, invisible, entre tous les Eapen, se matérialisant soudain, tel un visage derrière les rideaux.

"Qui?" La voix d'Amina se coinçait dans sa gorge. "Qui d'autre a-t-il vu?

— Je ne sais pas." Sa mère semblait très lointaine.

Silence.

"Maman, fit Amina, inquiète maintenant, il est déprimé?

— Sois pas sotte, souffla Kamala." Une recrudescence d'activité se manifesta au long de la ligne téléphonique, comme si on traînait quelque chose de lourd. "Personne n'est *déprimé*. Je t'en parle, c'est tout, comme ça. Je suis sûre que tu as raison, tout va bien. Ce n'est rien.

— Mais s'il croit qu'il voit…

— OK. Je te rappelle plus tard.

— Non, attend!

— Quoi?

— Il est là, papa? Je peux lui parler?

— Il est à l'hôpital. Un cas sérieux. Une jeune mère qui s'est tapé la tête au fond d'une piscine il y a deux jours et qui ne s'est

13

pas réveillée." Les Eapen n'avaient jamais épargné à leur fille les détails de la profession de son père, de sorte qu'à peine âgée de cinq ans Amina avait entendu des phrases comme : *elle a un bâton de ski planté dans son bulbe rachidien* ou *sa femme lui a tiré un coup de feu en pleine figure mais il devrait s'en tirer.*

"Tu es certaine qu'il a raison de travailler en ce moment?" Amina avait un jour accompagné son père en chirurgie, quand elle était à l'école primaire. Elle se rappelait l'odeur âcre et amère de la salle d'opération, les yeux de son père étincelants au-dessus du masque, la vitesse à laquelle le sol s'était rué vers elle pour l'accueillir quand il avait tracé avec son scalpel une ligne rouge sur le crâne de son premier patient. Elle avait passé le restant de la journée à manger des bonbons dans le bureau des infirmières.

"Il va bien, dit Kamala. Ce n'est pas comme ça. Tu n'écoutes pas.

— J'écoute! Tu viens de me dire qu'il délire et je demande…

— JE N'AI PAS DIT QU'IL DÉLIRE. J'AI DIT QU'IL PARLAIT À SA MÈRE.

— Qui est morte, dit Amina d'une voix douce.

— Effectivement.

— Et ce n'est pas du délire?

— Il y a des *choix*, Amina! Des choix que nous faisons en tant qu'êtres humains sur cette planète Terre. Si on décide de laisser entrer le diable, on voit évidemment des démons partout où on regarde. Ce n'est pas du *délire*. C'est de la *faiblesse*.

— Tu ne le penses pas vraiment." C'était un souhait plus qu'une affirmation, car Amina se rendait bien compte que Kamala, avec son Jésus, ses émissions religieuses à la radio et son talent pour citer la Bible à tort et à travers, pouvait croire et croyait en effet tout ce qu'elle voulait.

"Je ne fais que rapporter les faits, dit sa mère.

— Bon. D'accord. Écoute, il faut que j'y aille.

— Tu viens de rentrer! Où vas-tu?

— Je sors.

— Maintenant? Avec qui?

— Dimple.

— *Dimple*", répéta sa mère, comme une imprécation. Si l'on en croyait Kamala, Dimple Kurian était affligée d'insuffisance morale depuis que ses parents lui avaient donné ce prénom ridicule de starlette gujaratie. Selon Dimple, Kamala avait *un complexe de Jésus à la place du cœur*. "Elle continue à libérer ses relations ?

— On dit : avoir des relations libres – peu importe. Oui.

— Comme ça elle peut aller avec un garçon, et puis un autre, tous la même semaine.

— Sortir.

— *Tchi !* Saleté. Pas étonnant qu'ils aient dû l'envoyer en centre de redressement. On se balade avec n'importe qui et puis on pleurniche : « Oh, non, il me prend pour une putain, il me prend pour une putain », quand il pense qu'on est une putain.

— Quand as-tu vu Dimple pleurnicher à propos de quoi que ce soit ?

— J'ai vu ça au cinéma. *Quand Henri rencontre Sally.*

— *Quand Harry rencontre Sally… ?*

— Oui, cette idiote qui a trop d'hommes et qui se plaint partout que « Personne ne l'aime », et alors elle va avec ce pauvre garçon et elle s'attend à ce qu'il l'aime !

— Tu crois que c'est ça, *Harry rencontre Sally* ?

— Et alors qu'est-ce qu'il est censé faire ? S'engager envers elle ?

— C'est ce qu'il fait, maman. C'est comme ça que finit le film.

— Pas après ! Après, il la quitte." La conviction de sa mère que les films continuent hors écran dans un monde à part avait toujours paru à Amina aussi déroutante qu'irréfutable. Des scénarios entiers s'étaient trouvés victimes des ré-imaginations de Kamala, *happy ends* détournés, tragédies corrigées. "En tout cas, *quelqu'un* devrait dire à Dimple d'appeler chez elle. Comment ses parents peuvent savoir qu'elle va bien si elle ne téléphone pas ?

— Parce que je la vois tous les jours et que si elle n'allait pas bien je les avertirais.

— Cette petite inconsidérée. Bala se fait beaucoup de souci pour elle, tu le sais.

— Dis à tante Bala qu'elle va très bien. Et j'appellerai papa demain."

Au bout de la ligne, le silence s'arrondit. Avait-elle raccroché ? "Maman ?

— N'appelle pas.

— Quoi ?

— Ce n'est pas une chose pour au téléphone."

Incrédule, Amina fit des yeux ronds à ses armoires de cuisine. "Alors quoi, il faut que j'attende de venir à la maison pour lui parler?

— Oh! fit Kamala d'une voix riche de surprise feinte. Bien sûr, si tu penses que c'est le mieux.

— Quoi?

— Quand peux-tu venir?

— Tu veux… Je devrais… attends, vraiment?" Amina lança un regard paniqué au mur de la cuisine, sur lequel était accrochée une liste de choses à faire pour le mariage Beale, flagrante comme une accusation. "On est en juin.

— C'est une grosse affaire? Alors ne vient pas.

— C'est juste le mauvais moment. C'est ma période la plus occupée.

— Oui, je comprends. Il ne s'agit que de ton père.

— Oh, arrête. Si tu as vraiment besoin que je vienne, alors je viendrai évidemment, mais…" Amina s'appuya les doigts sur les paupières. Abandonner son travail au plus fort de la saison? De la folie.

Sa mère prit une profonde inspiration. "Oui. Ce serait très gentil, si tu pouvais t'arranger."

Écartant le combiné de son oreille, Amina le contempla fixement. Elle n'avait jamais entendu une phrase qui eût moins l'air d'être sortie de la bouche de Kamala, et pourtant c'était ça, cette tentative d'accommodement de sa mère, aussi discordante que le message caché dans un enregistrement passé à l'envers. *Il y a quelque chose qui ne va pas. Quelque chose qui ne va pas du tout.*

"Je vais prendre un billet pour la semaine prochaine", s'entendit-elle dire. Elle se tut, espérant un *Pas la peine*, un *Ne t'en fais pas*. Mais ce qu'elle entendit, ce fut un long grognement fatigué et un chœur satisfaisant de racines arrachées au sol. Le claquement étouffé de paumes sur un pantalon parcourut la ligne téléphonique et Amina vit sa mère telle qu'elle devait être à ce moment : debout dans le jardin, avec les nuages minuscules de graines de peuplier flottant autour de ses cheveux noirs, telles des fées dans le crépuscule.

"Bon, d'accord, dit Kamala. Reviens à la maison."

LIVRE 1

CE QUI SE PASSE EN INDE
NE RESTE PAS EN INDE

Salem, Inde, 1979

1

"Traîtres! Lâches! Bons à rien!" avait hurlé Ammachy en 1979, mettant fin à la conversation qui mettrait fin à sa relation avec son fils, puisque Thomas ne reviendrait en Inde que pour l'enterrer.

Mais quelle calamité! Divorcé en un seul coup de la mère et de la terre natale? Qui aurait vu venir une chose pareille? Certes pas Amina qui, à onze ans, était suffisamment versée en tragédie (elle avait vu *Le Champion* et *Kramer contre Kramer*) pour comprendre qu'elle s'accompagnait de musique retentissante et de mauvais temps.

Et qu'y avait-il à craindre de la lumière ensoleillée qui tachetait la gare de Salem le jour de leur arrivée, donnant à toutes choses – les bagages entassés, les coolies en chemise rouge et jusqu'aux mendiants – un air doux et plein de promesses? Rien, pensait Amina tandis qu'elle descendait sur le quai dans l'odeur fétide des aisselles d'autrui. Des bras dodus gainés dans des hauts de sari lui frôlaient les joues, des vendeurs de thé criaient aux fenêtres des voitures et un coolie s'empara avec impatience de sacs qu'elle ne portait pas. Quelque part, par-dessus le brouhaha, elle entendit qu'on criait le nom de son père.

"Par-là, papa", dit Akhil en désignant quelque chose qu'Amina ne voyait pas, et Thomas la prit par les épaules et la poussa en avant.

"Babou!" Il saluait un vieillard d'une claque dans le dos. "Content de te voir!"

Enveloppé dans un *dhobi* volumineux et aussi maigre que jamais, Babou sourit d'un sourire édenté; sa ressemblance avec un bébé sous-alimenté contredisait sa capacité de se balancer de gros objets sur la tête et de leur faire traverser des foules, comme il le fit avec les quatre valises de la famille. Devant la gare, Preetham, le chauffeur, chargea l'Ambassador polie de frais, tandis que des mendiants s'assemblaient autour d'eux, montrant du doigt les tennis des enfants et puis leurs propres bouches affamées, comme si leurs appétits pouvaient être satisfaits par des Nike.

"Ami, viens", dit Kamala en ouvrant la portière de la voiture, et lorsque tous eurent pris place (Preetham et Thomas sur le siège avant, Akhil, Kamala et Amina à l'arrière, Babou perché fièrement sur le pare-chocs arrière), ils entreprirent le trajet vers la maison, quatre rues plus loin.

Contrairement au reste de la famille, les parents de Thomas avaient depuis longtemps quitté le Kerala pour les plaines plus sèches du Tamil Nadu. Installés dans une grande maison aux limites de la ville, Ammachy et Appachen avaient ouvert ensemble une clinique privée (elle était ophtalmologue et lui ORL). Avant qu'il ne décède soudainement d'une crise cardiaque à l'âge de quarante-cinq ans, ils avaient vu soixante-dix pour cent des têtes de Salem.

"Un âge d'or", postillonnait Ammachy, poursuivant par l'énumération de tout ce qui, depuis lors, l'avait déçue. En tête de sa liste : son fils aîné qui avait préféré épouser "la noiraude" et s'en aller en Amérique alors qu'elle avait arrangé son mariage avec une cousine nettement plus pâle de Kamala et son installation à Madras ; son fils cadet, qui était devenu dentiste et avait fabriqué le "sans-cervelle" au lieu de devenir médecin et de fabriquer encore un médecin ; les nombreux cinémas et hôpitaux qui avaient surgi autour de la maison, l'envahissant de leurs bruits et de leurs odeurs.

"Sacré bon Dieu, laissa échapper Thomas lorsqu'ils s'engagèrent dans Tamarind Road, et Amina suivit son regard. On ne voit même plus la maison!"

C'était vrai. Il était vrai aussi que ce qu'on voyait, ou plutôt ce qu'on ne pouvait ignorer, c'était le Mur, solution opposée par Ammachy au monde en train de changer autour d'elle. Bâti en plâtre et bouteilles cassées, le Mur s'élevait, plus biscornu, plus haut et plus jauni à chaque visite, au point de ne ressembler à rien tant qu'à la denture d'un monstre, tombée d'un autre monde et oubliée sur le bord poussiéreux de la voie publique.

"Ce n'est pas si mal, fit Kamala sans conviction.

— Ça donne la chair de poule", dit Akhil.

"Nouveau portail!" Preetham klaxonna et la famille garda le silence pendant que les vantaux s'ouvraient vers l'intérieur, attirant dans l'allée la voiture et son contenu.

La maison, elle, n'avait pas du tout changé, avec ses deux étages peints en rose et jaune affaissés dans la chaleur comme un gâteau d'anniversaire en train de fondre. Une petite foule était assemblée sur le seuil, et Amina l'observa par la fenêtre : oncle Sunil, noir et ventripotent ; sa femme, tantie Divya, blafarde et chétive ; leur fils Itty, tête ballottante de droite à gauche, tel un Stevie Wonder décharné ; Mary-la-Cuisinière, la cuisinière, et deux nouvelles servantes. Des lumières et des guirlandes de Noël scintillaient dans les grenadiers.

"Mikhil! Mittack!" gargouilla Itty à l'arrivée de la voiture, en gesticulant furieusement. Il était devenu aussi grand que Sunil depuis leur dernière visite et Amina lui rendit son salut avec appréhension. *Mittack*, c'était elle, selon Itty, et *excitabilité* était, selon la famille, le nom de la disposition à cause de laquelle il lui était arrivé de la mordre. Amina palpa la légère demi-lune sur son avant-bras et se renfonça un peu dans son siège.

"Salut-salut-salut! cria Sunil tandis que la voiture s'arrêtait. Bienvenue, bienvenue!

— Ho, Sunil." Thomas ouvrit la portière et traversa la pelouse à grandes enjambées pour aller serrer des mains. "Content de te voir."

C'était un mensonge, bien sûr, aucun des deux frères n'étant jamais particulièrement heureux de voir l'autre, mais c'était la seule façon convenable de commencer une visite.

Sunil darda sur Kamala un sourire éblouissant. "Belle comme une rose, ma chère!" Il posa sur ses joues et sur celles d'Amina des baisers fleurant l'eau de Cologne, avant de se détourner, les mains serrées sur son cœur. "Et qui est ce superbe tigre? Mon Dieu, Akhil? C'est toi? En train de devenir un roi de la jungle, pas vrai?

— Je sais pas", soupira Akhil.

Tout à coup, deux mains entourèrent le cou d'Amina et serrèrent fort, lui écrasant le larynx. Elle les agrippa frénétiquement, vaguement consciente de sa mère en train de saluer Divya d'une caresse sur le bras, et de l'haleine brûlante dans son oreille.

"Mittack!" Itty lâcha prise et lui tapota la tête.

"Nom d'un chien! haleta Amina, les larmes aux yeux. Maman!"

"Itty." Kamala souriait. Elle étreignit le garçon qui, avec un grognement, s'enfouit le visage dans son cou.

"Bonjour." Divya se tenait devant Amina : menue, marquée par la petite vérole et par l'expression de quelqu'un qui s'attend au pire. "Comment était le train?

— C'était bien." Amina adorait prendre le train de nuit depuis Madras. Elle aimait le cri des marchands de thé à chaque étape, les odeurs des repas en train de cuire dans les villes traversées. "On a eu des sandwiches aux œufs."

Divya hocha la tête. "Tu as mal au cœur, maintenant?

— Non.

— Mal au cœur!" Une voix claqua derrière Divya. "Déjà? Qui ça?"

Sous la chaleur, la maison et les lumières clignotantes, Ammachy était assise sur la véranda dans son fauteuil d'osier, transpirant abondamment dans un sari vert écume de mer. Les deux années écoulées depuis leur dernière visite n'avaient rien fait pour adoucir son visage. De longs poils blancs lui poussaient au menton et, au bout de son épine dorsale tassée par des décennies de récriminations, sa tête flottait à quelques pouces de ses genoux.

"Bonjour, Amma." Les doigts fermement plantés sur les cous d'Amina et d'Akhil, Thomas leur faisait monter les quelques marches vers l'endroit où elle était assise. "Content de te voir."

Ammachy montra du doigt le rouleau de chair qui dépassait du polo d'Akhim. "*Thuddya*. Qu'est-ce que c'est que ces hanches de fille que tu attrapes?

— 'jour, Ammachy." Akhil se pencha pour l'embrasser sur la joue.

Elle se tourna vers Amina avec une grimace de douleur. "Ach. Je sens du *Fair and lovely*, non? Elle ne s'en est pas mis?

— Elle est sage, Amma", dit Thomas, mais comme Amina se penchait pour l'embrasser, Ammachy lui saisit le visage, le coinçant entre des doigts crochus.

"Il faudra que tu sois très intelligente si tu n'es pas jolie. Es-tu très intelligente?"

Amina dévisagea sa grand-mère, ne sachant trop quoi dire. Elle ne s'était jamais considérée comme particulièrement intelligente. Jamais non plus comme particulièrement laide, bien que ce fût évident maintenant à voir la vague répugnance dont frémissaient les poils sur la lèvre d'Ammachy.

"Amina a remporté le concours d'orthographe intercités", déclara Kamala en poussant en avant la tête de sa fille de façon que ses lèvres atterrissent droit sur la joue d'Ammachy. Amina eut juste le temps de s'étonner du goût de menthol et de rose, avant d'être entraînée dans la maison trop obscure et dans le couloir passant devant les chambres de Sunil et Divya, d'Itty et d'Ammachy, jusqu'à une salle à manger où le thé était servi.

"Alors le train était bondé? Rien à manger? Elle est si heureuse de vous voir." Divya fit signe à Kamala et aux enfants de s'asseoir et poussa vers eux une assiette de gâteaux à l'orange. "Elle ne parle de rien d'autre depuis un mois."

"Itty, claironna Sunil, qui arrivait en traînant une lourde valise. Ton oncle insiste pour que nous regardions les cadeaux qu'il a apportés. On regarde?

— Allô? Itty hochait vigoureusement la tête. Regarde? Regarde?

— C'est peu de chose, à vrai dire." Thomas s'assit près d'Amina.

"Des toutes petites choses, ajouta Kamala."

Ammachy arrivait en boitant, les sourcils froncés. "Qu'est-ce que c'est que toutes ces bêtises?"

C'étaient : deux Levi's, une bouteille de Johnnie Walker rouge, trois sachets de noix (amandes, cajou, pistaches), une paire de Reebok à scratch, une paire plus grande de chaussures de randonnée, deux flacons de parfum (Anaïs, Chloé), quatre cassettes (les Beatles, les Rolling Stones, Kenny Rogers, Exile), deux pots de lotion parfumée Avon pour la peau (une Topaze et une Unspoken), plusieurs paires de chaussettes tube blanches, du talc, un tube en forme de canne de Noël rempli de marshmallows, de la *root beer* et du baume à la menthe pour les lèvres.

"C'est trop." Sunil tenta de rendre les cassettes. "Vraiment, nous n'avons pas besoin…

— Quoi, besoin?" Thomas souriait en regardant Divya qui plongeait le doigt dans un pot de crème Avon. "C'est bon à avoir, c'est tout. Qu'en penses-tu, Itty? Ça te plaît, les scratchs?"

Accroupi sur le sol dans une pose à la Spiderman, Itty se balan-çait lentement d'un côté à l'autre en contemplant, fasciné, ses pieds volumineux et blancs.

"Vous le gâtez." Sunil attrapa la bouteille de scotch et l'éleva vers la lumière en examinant l'étiquette. "On essaie un peu de ça?

— Après le dîner", dit Thomas, et Sunil versa deux doigts dans sa tasse à thé vide et huma.

"Les scratchs, c'est la grande mode aux États-Unis, expliqua Kamala à tout le monde d'un air averti. Facile comme tout, au lieu de devoir faire les lacets."

Ammachy renifla. "Qui d'autre que ce sans-cervelle ne sait pas comment nouer ses lacets?"

"Sclatch!" s'écria Itty inopportunément, en attachant et déta-chant ses Reebok jusqu'à ce qu'Ammachy le gifle de sa paume poudreuse. Elle flaira les trois parfums de baume pour les lèvres et lécha le bout de l'un d'eux avant de les pousser dans la pile de Divya.

"Alors, vous avez fait bon voyage en avion?" demanda-t-elle.

Thomas hocha la tête. "Pas mal.

— Vous êtes passés par où?

— San Francisco-Honolulu-Taiwan-Singapour."

Ammachy grogna. "Singapore Airlines?

— Oui.

— Les filles sont jolies, non?" Elle remplit la tasse de Kamala en disant : "Un beau teint."

"Essaie les chaussures de randonnée, Sunil." Thomas poin-tait le menton vers elles. "Il y a des amortisseurs de choc dans les talons!

— Plus tard. J'ai du travail.

— Ah, oui, celui-là avec sa *clientèle*, fit Ammachy, les yeux au ciel. On croirait que c'est bel et bien des vies qu'il sauve et non des dents.

— Les dents, ce sont des vies, Amma, répliqua Sunil, furibond. Les gens ont besoin de manger pour vivre.

— Alors, qui voulez-vous voir? demanda-t-elle à Thomas.

— Je ne sais pas. Je n'y ai pas encore pensé.

— Oui, eh bien, ton vieux condisciple Yohan Varghese deman-dait de tes nouvelles, l'autre jour. Je t'ai dit que l'épouse est morte, non ? Ce n'est pas qu'elle ait été d'un grand secours, sotte créature, mais deux fils à élever tout seul ! Ach. Et nous devrions voir Saramma Kochamma, bien sûr, juste un déjeuner. Et le Dr Abraham voudrait te parler. Il est en train de monter ce centre de réhabilitation, celui dont je t'ai parlé. Pourrait être intéressant à voir." Cette dernière information proférée avec une indifférence si étudiée que même Amina se sentit gênée.

Thomas se servit d'un *jalebi* et présenta le plat à Amina, qui refusa d'un signe de tête.

"En tout cas, il a besoin de quelqu'un pour les lésions à la tête, alors je lui ai dit que tu appellerais." Ammachy versa du lait dans son thé et le remua. "Demain, peut-être ?

— Ce n'est pas vraiment mon rayon." Thomas croqua un morceau de son *jalebi*. "Et puis, ils n'auraient qu'exceptionnellement besoin de chirurgie.

— Personne ne t'a demandé de devenir neurochirurgien, fit Ammachy, cassante.

— Non, répondit Thomas en mâchant avec prudence, c'est vrai."

Akhil tendit la main vers un *jalebi* et Ammachy l'écarta d'une chiquenaude.

"C'est juste une possibilité." Ammachy gratta quelque chose sur la toile cirée. "Mais, bon, je suppose que ça lui plaît, là-bas, à Kamala ? Toutes ces histoires de libération de la femme, ces soutiens-gorge qu'on brûle ?

— Quoi ? Kamala se redressa un peu sur son siège.

— Je suis sûre que c'est pour ça qu'elle était si excitée de partir, d'abord. On veut toujours plus et plus de libertés, c'est ça ?

— Qui brûle des soutiens-gorge ? demanda Kamala, indignée.

— Comment je saurais ?" Les yeux d'Ammachy lançaient des éclairs. "C'est toi qui as choisi de vivre là-bas. Dans ce pays de perdition.

— C'est moi ?

— Qui d'autre ? Si tu voulais revenir chez nous, Thomas reviendrait. Les hommes ne vont que là où leur femme permet.

— Ah oui ?" Kamala se pencha par-dessus la table. "Eh bien, voilà qui est très intéressant, n'est-ce pas, Thomas ?

— Maman, je t'en prie, nous arrivons à peine.

— C'est quoi, merdition? demanda Amina. Tout le monde la regarda.

— Ce pays de merd…" répéta Amina et, sous la table, Akhil lui envoya un coup de pied dans le tibia. "Aïe!

— Qu'est-ce qu'elle dit, cette enfant?" Le visage d'Ammachy était rigide.

"C'est l'heure de la sieste! Kamala désignait l'escalier. Montez. Vous tombez de fatigue.

— Mais il est à peine midi, protesta Akhil. On vient juste d'arriver.

— Décalage horaire. Vous serez grognons demain si vous ne vous reposez pas un peu. Montez!" Kamala se leva et les escorta jusqu'au bas de l'escalier, Itty sur ses talons. "Itty, tu restes ici avec nous, d'accord? Tes cousins ont besoin de dormir.

— Oh? Cricket? demanda Itty, et Kamala secoua la tête.

— Pas maintenant. Il faut qu'ils dorment. Tu restes avec moi.

— Bien joué, grommela Akhil pendant qu'ils quittaient la table et se traînaient en haut des marches. Maintenant on va rester là-haut en pleine chaleur pendant des heures.

— C'est quoi, un pays de mer… demanda Amina.

— *Perdition*, cruche. Ça veut dire pays abandonné par Dieu.

— Oh." À chaque marche, la chaleur augmentait. Amina se sentait les jambes curieusement lourdes, comme si elles étaient déjà endormies. "Dieu a abandonné l'Amérique?

— Probablement." Akhil ouvrit la porte de la chambre qu'ils partageaient et fit marcher le ventilateur à fond, disséminant en tous sens un petit nuage de moustiques. "C'est ce que pense Ammachy.

— Papa pense ça aussi?

— Non, idiote. Papa aime l'Amérique. C'est pour ça qu'ils se disputaient.

— Ils se disputaient?

— Il se passait quoi, à ton avis? Qu'est-ce qui se passe, tu crois, chaque fois qu'on est ici? Ammachy voudrait que papa revienne. Papa n'a pas envie de revenir. Ammachy se met en colère contre maman à cause de ça. Dysfonctionnement immigrant classique, c'est clair.

— Ouais, je sais, *c'est clair*", fit Amina, contrariée de n'en rien savoir. Akhil était un tel "je-sais-tout" dès qu'il s'agissait de l'Inde, comme s'il était un grand expert simplement parce qu'il avait trois ans de plus qu'elle et qu'il était né là et non, comme elle, aux États-Unis. Soulevant la moustiquaire sur le côté d'un des lits jumeaux, elle se glissa dessous. "Mais maman aimerait rentrer, elle aussi.

— Et alors?" Akhil se laissa tomber sur le lit voisin.

"Alors pourquoi Ammachy est en colère contre elle?"

Akhil réfléchit une minute, puis haussa les épaules. "Parce qu'elle ne veut pas être en colère contre papa.

— Oh." La tête d'Amina s'enfonça dans l'oreiller. "Tu as envie de rentrer, toi?

— Non. L'Inde, c'est nul."

Amina se sentit soulagée. Ça, même elle le savait. Elle ferma les yeux, surprise de la rapidité avec laquelle montait pour l'accueillir l'obscurité du sommeil, aussi leste et persuasive que la sincérité.

"Elle est moitié grand-mère, moitié loup, tu sais", chuchota Akhil quelques secondes plus tard et, déjà presque en train de rêver, elle prit cela comme une vérité de la même nature que celle des choses insondables. Elle avait vu la lueur froide et sauvage dans les yeux de sa grand-mère, ses mains arthritiques recroquevillées, telles des pattes. Durant les jours qui suivirent, elle se couvrit instinctivement la gorge de la main chaque fois qu'Ammachy la regardait en face.

Où étaient-ils tous? Le bleu profond du soir noyait dans l'ombre le lit vide d'Akhil lorsque Amina ouvrit les yeux. Elle se leva, laissa la pression dans sa tête s'apaiser avant de glisser les pieds dans ses *chappals* et de traverser le couloir pour entrer dans la chambre de ses parents.

"Maman?"

Kamala était occupée à fourrer des vêtements dans une commode noire. À l'entrée d'Amina, elle leva les yeux. "Ah, c'est bien. Il faut que tu te réveilles, pour que tu puisses dormir ce soir.

— Où est tout le monde?

— Papa et Sunil et les autres sont allés voir les voisins.

— Où est Akhil?

— Dans la cuisine."

Amina cligna des yeux dans l'air sec ; elle se sentait vaguement malade. "J'ai mal à la tête."

Aussitôt, Kamala fut près d'elle, une main sur son front. "Tu as bu un peu d'eau ?

— Non." L'eau, à Salem, avait un goût de métal brûlant. Amina essayait de ne s'en servir que pour se brosser les dents.

"Descends, va boire un peu maintenant."

Amina gémit.

"Non. Pas de ça, mademoiselle j'ai-eu-besoin-d'un-lavement-la-dernière-fois.

— *Maman.*

— Tu veux que ça recommence ? Quatre jours sans crotte ?

— Bon ! Bon ! J'y vais !"

Le soleil avait déjà disparu derrière le Mur lorsque Amina traversa la cour assombrie en direction de la cuisine. La plus grande des servantes la regarda passer tout en écrasant une noix de coco sur le ciment. Amina la salua puis, comme la fille ne lui rendait pas son salut, fit mine de n'en avoir rien fait.

"Pas les doigts dans le *ghi*, ou je te les coupe !" criait Mary-la-Cuisinière comme Amina entrait dans la cuisine. "Combien de fois je dois te le répéter ? Ah ! La petite est réveillée, maintenant. Qu'y a-t-il, *koche* ? Tu veux un peu de pain avec du sucre ?

— Maman dit qu'il me faut de l'eau.

— Bien, bien." Noire comme un pneu et en lutte perpétuelle contre le poids de ses seins gros comme des oreillers, Mary-la-Cuisinière avait exactement le même âge qu'Ammachy, réalité rendue incroyable par la façon dont le temps avait amplifié son corps aux endroits précis où il avait réduit celui d'Ammachy. Il en résultait un visage sans la moindre ride, un corps qui bougeait comme une boulette de viande cahotante. "Del'eaudel'eaudel'eau. Toute la semaine, j'ai préparé de l'eau pour vous autres ! Tu te rappelles la fois dernière ? Quatre jours et tu n'avais toujours pas...

— Je sais, je sais." Amina prit la tasse que lui tendait Mary. "Il y a quoi pour le dîner ?

— Du *biryani*." La cuisinière désigna d'un hochement de tête triomphant une carcasse de poulet posée, sanglante, sur le plan de travail. "Et peut-être un petit bout de cet idiot s'il continue à raconter de telles bêtises.

— Ce n'est pas des bêtises, protesta Akhil. D'ailleurs, comment tu le saurais ? Ce n'est pas comme si tu avais pris le thé avec nous.

— Le thé ? *Le thé ?* Je m'occupe de cette maison depuis que le père de ce gamin a eu ses six ans, et il croit que je dois prendre *le thé* pour savoir ce qui se passe ?

— Tout ce que je dis, c'est qu'Ammachy était en rogne contre papa, *encore une fois*. C'est comme si elle ne pouvait même pas le voir.

— *En ronne ?*

— En colère. Ça veut dire en colère.

— Personne n'est en colère ! Trop d'amour, c'est tout ! Pendant toutes ces années, Amma travaille et travaille pour envoyer Thomas à l'école, et puis il va épouser votre noiraude de mère et étudier en Amérique, et quoi ? Rien !" Pour des raisons obscures aux yeux de tous, Mary-la-Cuisinière avait toujours été l'alliée la plus farouche d'Ammachy, dont elle citait régulièrement le fait qu'elle lui eût appris l'anglais comme preuve d'une gentillesse que nul autre n'avait perçue. "Comme n'importe quel rien-du-tout d'ici à Bombay, ce garçon s'en va et il travaille et travaille et ne revient pas à la maison ! Elle est censée faire quoi ?

— Elle pourrait déménager aux États-Unis, dit Akhil.

— Ne sois pas stupide ! Quel déménager ? Elle est trop âgée." Mary fronça les sourcils. "D'ailleurs, c'est le devoir des enfants, tout le monde sait ça. Et elle devient vieille ! Et s'il lui arrivait quelque chose ?

— Elle a oncle Sunil."

Mary-la-Cuisinière eut un reniflement méprisant. "Celui-là, c'est un bon à rien. C'est déjà un miracle qu'elle lui permette de vivre ici ! Ça crie sur tout le monde, c'est somnambule comme un bébé éléphant, c'est jamais content !

— Attends, quoi ? Akhil avait les yeux écarquillés.

— Oncle Sunil est somnambule ?" Amina n'avait jamais vu de somnambule ailleurs que dans les dessins animés de Scoubidou. Elle ne savait pas que ça pouvait exister en vrai.

Mary-la-Cuisinière fronça les sourcils. "Pas important. Akhil, passe-moi un oignon.

— Où est-ce qu'il va ?" Amina imaginait oncle Sunil dans la cuisine, en train de se faire un sandwich de deux mètres de long.

"Akhil! Oignon!"

Akhil plongea la main dans le panier derrière lui. "Sérieusement? Tout le temps? Genre toutes les nuits?

— Pas important, fit Mary-la-Cuisinière. Tout ce que je dis, c'est que Thomas devrait revenir à la maison. S'il attend encore, ce sera trop tard.

— Tu as essayé de le réveiller? demanda Akhil. Parce que c'est dangereux, tu sais. Il pourrait t'attaquer.

— Le réveiller? Quel idiot essaierait de le réveiller? On a assez à faire à essayer de se protéger nous-mêmes.

— Il t'a fait mal?

— Non, pas à moi, à des *choses*. Il ne s'en prend qu'à des choses.

— Quelles choses?

— Des choses qu'il a achetées lui-même! La porcelaine pour le soixantième anniversaire d'Amma. Ce poste de télévision – tu te rappelles? Écrasé comme un jouet sans valeur. La chaise de dentiste inclinable à trois positions *avec* la lampe par-dessus."

Les yeux d'Akhil s'étrécirent. "Comment tu sais qu'il est somnambule?

— Quel imbécile irait casser des choses alors qu'il a économisé si longtemps pour pouvoir les acheter? C'est pas Thomas, il peut pas tout le temps casser et acheter du nouveau. Et tu devrais voir comme il pleure dessus le lendemain!

— Ouah." Akhil semblait impressionné. "Un psychopathe.

— Psychopathe", confirma Mary-la-Cuisinière en tranchant les extrémités de l'oignon à l'aide d'un couteau rouillé.

"Cela dit, reprit Akhil après un silence, Papa raconte toujours qu'oncle Sunil n'avait pas envie de vivre ici ni d'être dentiste, que c'est Ammachy qui l'y a obligé quand il n'est pas entré en fac de médecine. Peut-être qu'il fait ça pour…

— Tu écoutes ce que je dis ou pas? demanda Mary-la-Cuisinière. Il *fait* rien, il dort!

— Je veux dire au niveau subconscient, fit Akhil, les yeux au ciel.

— *Sub*?

— Tu sais, comme ce qu'il souhaiterait pouvoir faire quand il est éveillé, mais qu'il peut pas.

— Et qu'est-ce que c'est que ça, au juste?" La voix d'Ammachy, tranchante comme une lame, transperça le seuil assombri.

Elle apparut un instant plus tard, courbée comme une crevette, les yeux dardés furieusement sur Mary-la-Cuisinière.

"Oh, Ammachy." Akhil souriait bravement. "Nous étions justement…

— Je croyais vous avoir interdit l'accès à la cuisine." Ses dents luisaient dans la pénombre.

"On est juste venus chercher de l'eau. Aïe!" Akhil poussa un glapissement quand sa grand-mère empoigna ses rondeurs.

"Si je vous attrape encore ici, je vous battrai avec une canne. Compris?"

Que pouvait-on ne pas comprendre? Amina se hâta vers la porte, Akhil sur ses talons. Il la poussa dehors et tous deux se carapatèrent dans la cour obscure, contournant une pile de noix de coco et se glissant entre les grenadiers, jusqu'à l'escalier de la véranda. Ce ne fut qu'après l'avoir gravi sains et saufs qu'ils osèrent se retourner vers la cuisine, où Ammachy déversait un flot de tamil sur Mary-la-Cuisinière, qui émincait l'oignon avec un empressement un peu honteux.

"Putain!" Akhil fulminait. "Qu'est-ce qu'elle… Elle *espionnait*? Elle nous espionne, maintenant?

— Elle nous a espionnés la dernière fois aussi, tu te souviens? lui rappela Amina. Elle espionne tout le monde, tout le temps. De toute façon, tu n'aurais pas dû dire ça d'oncle Sunil.

— Pourquoi pas? Tout le monde sait qu'il est malheureux depuis, je ne sais pas, des années. Même papa dit qu'il y a longtemps qu'il aurait dû quitter Salem, quand il avait la possibilité." Akhil se frotta la taille là où Ammachy l'avait pincée. "Alors la vérité lui fait mal! Qu'elle aille se faire foutre!

— Se faire foutre!" cria Itty dans leur dos, et Amina poussa un hurlement. Les tennis blanches de son cousin resplendirent tandis qu'il se dépliait, apparaissant derrière le fauteuil d'Ammachy. Il les regarda d'un air réjoui. "Cricket?

— Il fait trop noir", répondit Akhil, et le visage d'Itty s'effondra. Il semblait à Amina que leur cousin passait la totalité des deux ans séparant leurs visites à guetter anxieusement près du portail, une balle à la main.

"On jouera demain", promit-elle, et Itty acquiesça d'un hochement de tête déconfit.

"Toit ? essaya-t-il : tout de suite après sur la liste de ses activités favorites.

— Nan, fit Akhil.

— Je viens avec toi", dit Amina.

Quelques minutes après, tous deux passaient de la véranda de l'étage à son rebord étroit, pour grimper à l'échelle qui les mènerait au toit. Là, dans les derniers rougeoiements du soleil couchant à l'horizon et les fumées qui montaient des feux du prochain repas, Amina put enfin voir au-delà du Mur. La voie publique était encombrée de son habituelle vie stagnante, bus et cars apathiques, voitures klaxonnant en files ininterrompues autour desquelles grouillaient, tels des insectes, rickshaws et vélos. Les petits mendiants du matin s'étaient éparpillés dans la rue et s'approchaient de tout véhicule ralentissant assez longtemps pour qu'ils puissent passer une main par la fenêtre. Amina inspira profondément, absorbant l'odeur d'essence et d'oignons en train de frire, de bouse de vache, d'égouts et de sueur ; Itty chantonnait sous cape. Amina le regarda regarder Salem jusqu'à ce qu'il fasse trop sombre pour voir quoi que ce soit, et prit la main qu'il lui offrait pour la ramener en bas, à la sécurité de sa chambre.

Le dîner, ce soir-là, fut extravagant et coriace. Brûlé par une Mary-la-Cuisinière mortifiée, il fut consommé sans joie tandis que les adultes discutaient de l'état d'urgence d'Indira Gandhi ("une erreur colossale", selon Thomas) et quelque chose qu'ils appelaient le "Janata party", qui semblait, à ce qu'en entendait Amina, être quelque chose qui pouvait impliquer des pyjamas et du gâteau.

"Vous verrez, déclara Ammachy en retirant d'entre ses dents un petit os de poulet qu'elle posa au bord de son assiette. Ces gens-là sont les mêmes que tous les autres groupes politiques. Ils parlent sans cesse de changement, et puis ils feront de leur mieux pour mettre le pays à genoux.

— Absurde." Thomas se resservit de riz. "On a survécu aux Anglais. Tu crois vraiment qu'on ne peut pas se gérer nous-mêmes ?"

Sunil ricana à l'autre bout de la table, où il s'était installé, les yeux rougis et l'élocution pâteuse.

"Pas pareil, Thomas, dit Ammachy. Il est plus facile d'avoir affaire à un ennemi extérieur qu'à un chaos intérieur. Et maintenant il y a un tel nombre de factions en train de naître! Antimusulmans, antichrétiens, anti-tout le monde!

— Ah, non! gloussa Kamala.

— T. C. Roy en personne a dit qu'il y avait une émeute à Madras." Divya s'efforçait d'introduire une pincée de riz dans la bouche d'Itty. "Il n'a même pas pu sortir de la voiture, il craignait pour sa vie!

— Sérieusement? Akhil paraissait inquiet.

— Bah… Roy est un hystérique." Thomas agita une main dédaigneuse. "Vous verrez, les choses vont se rééquilibrer. C'est un pendule, non? Ça balance d'un côté, et puis de l'autre, mais l'Inde elle-même se porte toujours bien.

— Tout ça c'est facile à dire quand on est parti, hein?" Sunil malaxait du riz entre ses doigts.

Thomas s'énerva un peu. "Alors je n'ai pas le droit d'avoir une opinion, c'est ça?

— Je dis simplement que c'est facile de regarder derrière soi à travers des lunettes roses quand on habite à l'autre bout du monde. Mais nous qui vivons ici, on doit se coltiner les réalités, tu vois. Alors c'est très différent pour nous.

— Évidemment. Je ne disais pas qu'il est facile de vivre en Inde, je…

— Ce n'est pas un pays difficile à vivre, interrompit Sunil, indigné. Nous avons toutes les commodités modernes que vous avez, maintenant. Réfrigération. Télévision. Cinéma et tout le bazar. Regarde autour de toi, frérot. Les choses ont changé.

— Qui veut de l'eau? demanda Kamala.

— C'était une simple constatation, Sunil." Thomas faisait voyager des petits tas de nourriture sur son assiette. "Je disais simplement que l'Inde a survécu à trois mille ans de changements ; elle survivra à quelques-uns de plus.

— Elle *ssssurvivra*! croassa Sunil en agitant ses poings en l'air. Est-ce que tout le monde a entendu? Le bon docteur a dit que nous survivrons! Dieu lui-même soit béni!"

Et qu'allait-il se passer à présent ? Dans le silence envahissant qui suivit, Amina observa la pulsation des veines qui enflaient sur le front de Thomas ; Sunil se pencha en avant.

"Tu es un ivrogne, dit Thomas.

— Tu es un crétin, répartit Sunil.

— Assez !" Ammachy frappa la table du plat de sa main. "Mon Dieu, des hommes adultes qui se conduisent comme des petits garçons ! On ne peut pas passer ce premier soir sans que vous le gâchiez ?"

Le nuage qui descendit sur la table était assez dense pour que même Amina comprenne que le premier soir était déjà gâché. Elle regarda successivement sa grand-mère, Divya, Kamala et Akhil, chacun paraissant plus mal à l'aise que l'autre à l'exception d'Itty qui contemplait avec ravissement, sous la nappe, ses chaussures dont il venait de se souvenir.

"Ne t'inquiète pas, Amma", dit enfin Thomas, rompant son échange de regards avec Sunil. On discutait, c'est tout, pas vrai, frérot ?"

Au bout de la table, Sunil restait les yeux fermés, un doigt tendu en l'air comme pour en prendre la température. Il le dirigea vers Thomas et actionna une détente imaginaire avant de rouvrir les yeux. Alors il leva son verre et avala les derniers centimètres de liquide doré.

"Parfaitement", dit-il.

2

Le lendemain matin, le soleil se leva, brut et dur.

Chaud. Elle avait déjà chaud. Comment pouvait-on être en hiver ? Amina tenta d'imaginer le Nouveau-Mexique qu'elle venait de quitter, les étoiles éparpillées sur le noir du ciel, l'air de décembre transformant son haleine en petits nuages blancs, et s'aperçut qu'elle n'y arrivait pas. L'Inde était trop présente, impossible d'imaginer autre chose.

Dans le miroir craquelé de la salle de bains, ses cheveux noirs se hérissaient sur sa tête et son nez était tacheté de petites piqûres de moustique rouges. Cela accentuait l'effet d'ensemble de son visage (long, mince, trop pointu pour être jamais trouvé beau) et la rendait, craignait-elle, aussi laide que l'avait prédit sa grand-mère. Elle recula, espérant contre toute attente qu'il s'était passé quelque chose qui ait fait pousser ses seins pendant la nuit. Rien. Passant dans le bassin carrelé derrière elle, elle plongea la main dans le seau en plastique rose et se versa sur la tête une louche d'eau tiède.

Lorsqu'elle descendit l'escalier dix minutes plus tard, elle trouva Ammachy, Divya et ses parents penchés sur un petit-déjeuner épicé. Elle chercha des yeux Mary-la-Cuisinière, qui aurait pu lui donner en douce un toast à la cannelle, mais en vain : il n'y avait que les servantes et aucune ne paraissait particulièrement obligeante.

“Salut, ouistiti.” Thomas sourit et désigna la chaise voisine de la sienne. “*Assieds-toi.* Bien dormi ?”

Amina hocha la tête. “Où est Akhil ?

— Dehors, il joue au cricket avec Itty.

— Ils ne mangent pas ?

— Ils ont déjà mangé.

— Ah." L'odeur de *sambar* lui donnait un peu mal au cœur. "Je peux y aller aussi ? je n'ai pas très faim, de toute façon.

— Non." Ammachy posa trois *idlis* ronds sur son assiette. "Mange.

— Je peux pas manger tout ça.

— Allez."

Maussade, Amina saisit un *idli*. L'Inde, c'était vraiment nul.

"Donc Preetham va nous emmener au zoo avec les enfants aujourd'hui, dit Kamala. Est-ce qu'on devrait prendre un rickshaw pour le retour ? Thomas, qu'en penses-tu ? Ou bien, Sunil et toi, vous pouvez nous déposer avant d'aller ensemble à la banque ?

— Sûr." Thomas prit une gorgée de café. "Comme vous voulez.

— En réalité, Thomas et moi, nous allons au bureau du Dr Abraham à onze heures, annonça Ammachy. Nous aurons donc besoin de Preetham.

— Quoi ?" La surprise haussait les sourcils de Thomas.

"Il a prévu de nous faire faire un petit tour de l'établissement. Ensuite nous irons déjeuner chez lui.

— Mais on ne peut pas." Thomas s'efforçait de garder l'air calme. "J'ai dit à Sunil que j'irais à la banque avec lui aujourd'hui pour les papiers.

— Où il est, oncle Sunil, d'ailleurs ? demanda Amina.

— Chutney ou *sambar* ? Kamala tendait la main vers son assiette.

— Du sucre."

Ammachy déversa sur l'assiette d'Amina une louche de *sambar* assez grosse pour noyer une légion d'*idlis*, tout en disant à Thomas : "Sunil ne sortira pas de son lit avant midi, si nous avons de la chance. Vous pourrez y aller après, lui et toi.

— Midi ? Pas avant midi ? demanda Amina.

— Tais-toi et mange", fit Kamala.

Thomas dardait sur Ammachy un regard furibond. "Je t'ai déjà dit…

— C'est *arrangé*, Thomas. J'ai arrangé ça *moi-même*. S'il te plaît, ne fais pas d'histoires."

Oncle Sunil devait avoir été somnambule, de nouveau ! Amina en était sûre. Pour quelle autre raison resterait-il au lit jusqu'à midi ? Elle se l'imagina, flânant dans le jardin au milieu de la nuit, les bras tendus devant lui, indifférent aux racines et à l'herbe qu'il foulait aux pieds.

"Tout le monde a bien dormi ?" demanda-t-elle, en regardant avec espoir les adultes entourant la table. Aucun ne lui rendit son regard, pas même Kamala.

Ammachy frotta de l'index une tache de *sambar* sur la table. "Ce n'est qu'une visite, Thomas, rien de plus. Tu peux décider toi-même si c'est quelque chose que tu souhaites approfondir ensuite."

Les narines de Thomas frémissaient. "Nous n'irons pas, dit-il calmement. Je t'ai dit que je n'avais pas envie de le rencontrer, et je n'ai pas envie de le rencontrer. Un point, c'est tout."

Ammachy releva les yeux de la toile cirée, les paupières en berne d'une façon qu'on eût pu attribuer à l'ennui sans le regard perçant qui filtrait dessous. Elle haussa les épaules. "Très bien. Je vais annuler.

— Amma, tu ne peux pas simplement…

— J'ai dit que j'allais annuler."

Thomas, le corps incliné en avant, prêt à encaisser le choc du combat, vacilla sur sa chaise. Il ouvrit la bouche pour parler, la referma.

"Merci, dit-il.

— Ne me remercie pas, répliqua Ammachy, glaciale. Ce n'est pas pour te faire plaisir.

— Bon, Ami, dit Kamala d'un ton un peu trop joyeux. Prête à aller au zoo ?"

Amina confirma d'un hochement de tête, poussa vers sa mère son assiette presque pleine et attendit qu'un des adultes s'indignât du peu qu'elle avait mangé. Aucun ne le fit.

"Ils peuvent mesurer presque vingt mètres ! Et ils tuent les éléphants d'une seule morsure ! Et ils grondent comme des chiens !" raconta Amina à son père à l'heure du thé, tandis que sa mère et son frère dormaient à l'étage. "Et quand ils sont en colère, vraiment en colère, ils peuvent gonfler leur capuche et elle devient plus grande qu'un parapluie. Genre, on pourrait se tenir dessous, toi et moi, pendant une averse, et on ne serait même pas mouillés.

— Oh là, vraiment ?" Thomas paraissait impressionné.

Ammachy déposa bruyamment sur la table un petit plat de mixture.

"Et…" Amina se racla la cervelle, en quête de détails qu'Akhil aurait voulu raconter. "C'était une femelle ! Une dame cobra ! Mais on l'appelle quand même un roi, je crois. Et elle avait construit un nid, même si elle n'avait pas de mâle et pas d'œufs !

— Arrête de crier, grimaça Ammachy en s'asseyant. T'es-tu passé un peigne dans les cheveux, ce matin ? Pourquoi tu as toujours l'air si négligée ?

— Et, poursuivit Amina, ignorant sa grand-mère, elle a failli s'échapper et nous attaquer.

— Mon Dieu ! Qu'est-ce que vous avez fait ?

— Ne l'encourage pas, Thomas." Ammachy, les sourcils froncés. "Jamais vu une pareille complaisance.

— Akhil et moi, on est restés calmes mais Itty s'est arraché genre la moitié de ses cheveux." Amina jeta un regard dans le couloir, vers la porte de la chambre d'Itty. "Il est où, d'ailleurs ?

— Parti à la banque avec Sunil." Ammachy caressait la nappe du bout des doigts. Depuis le matin, de la dentelle avait remplacé la toile cirée. "Ils reviendront dès qu'ils auront déposé les papiers.

— Quels papiers ?

— Les papiers pour la maison. J'ai signé la donation à Sunil.

— Ah." Amina hocha la tête sans comprendre.

"Mon père nous avait légué à chacun une partie de la maison, expliqua Thomas. J'ai donné la mienne à Sunil."

Amina leva les yeux vers le haut plafond de la salle à manger, la peinture qui s'écaillait autour du lustre. "Cette maison était à toi ?

— Elle leur appartient encore à tous les deux, marmonna Ammachy.

— Elle appartient à Sunil, déclara fermement Thomas. C'est lui qui y vit et qui l'entretient. Les papiers n'étaient qu'une formalité.

— Peu importe. Tu peux signer tout ce que tu veux, tu seras toujours chez toi dans cette maison."

Thomas la fit taire et Amina se sentit étrangement déçue. Elle avait ignoré qu'une partie de la maison appartenait à son père. Elle se demanda quelle partie c'était. Les chambres à l'étage ? Le toit ? La sonnette de la porte d'entrée retentit avant qu'elle pût poser la question.

"Ah ! fit Ammachy, se dressant sur des jambes branlantes.

— J'y vais, Amma.

— Non, non." Ammachy fit signe à Thomas de se rasseoir. "Reste là."

Mais déjà Thomas quittait la salle à manger. Ammachy le suivit, essoufflée.

"Thomas... je t'ai dit..."

Sentant qu'il se passait quelque chose de bien plus excitant que le thé, Amina suivit aussi. Elle s'arrêta au milieu du vestibule quand Thomas ouvrit la porte où, sur la lueur plate du soleil de fin d'après-midi, se découpait une haute silhouette.

"Bonjour ? fit une voix interrogatrice.

— Bonjour ?

— Bon Dieu, Thomas, c'est vous ?"

La silhouette entra dans la maison ; sa soudaine définition ne lui fit rien perdre de sa magnificence. Avec sa peau couleur café clair et ses cheveux courts et blancs, son pantalon de lin blanc et sa chemise rose impeccables, l'homme debout sur le seuil semblait pouvoir être difficilement sorti de la même Salem qu'Amina avait traversée quelques heures à peine auparavant.

"Docteur Abraham, fit Thomas, reculant vivement. Quel plaisir de vous voir. Je ne vous attendais pas.

— Chandy." Ammachy rayonnait. "Comme c'est aimable à vous d'avoir pu venir nous voir. J'espère que ça ne vous a pas trop dérangé ?

— Pas le moindre dérangement !" s'exclama le Dr Abraham en franchissant la porte du vestibule. Il salua aimablement les murs d'un hochement de tête. "Heureux d'être là."

Amina tirait son père par la main. "Qui est-ce ?"

"Voulez-vous prendre le thé avec nous, docteur ? demanda Thomas, ignorant sa fille. Nous allions commencer.

— Avec grand plaisir, merci." L'homme se tourna vers Ammachy. "Miriamma, vous me semblez en forme. Vous nous manquez, à l'hôpital, vous savez.

— Oh, bah." Ammachy avait l'air ravie.

"Et comment va Sunil ces temps-ci?

— Bien, bien." Ammachy le précéda vers la salle à manger, où Amina vit que quelqu'un – Mary-la-Cuisinière? – était venu subrepticement déposer sur la table un assortiment de douceurs, ainsi qu'une nouvelle théière et des assiettes propres. "On aura toujours besoin de dentistes, vous le savez.

— Mais moins depuis le départ des Britanniques." Le Dr Abraham attendait un rire, et Ammachy y pourvut, tout en servant une tasse de thé.

"Du sucre?

— Oui, s'il vous plaît. Rien n'est jamais trop sucré pour moi." Le Dr Abraham en versa quatre cuillerées dans sa tasse, remua et but une gorgée. "Alors, Thomas, qu'est-ce qui vous ramène?"

Thomas hocha la tête comme s'il s'agissait de la première des nombreuses questions d'un examen oral. "Simple visite aux parents, docteur. Il y a trop longtemps que ma femme n'a plus vu ses sœurs et, bien sûr, nous souhaitons que les enfants connaissent la famille.

— Ah oui, les enfants." Le Dr Abraham considéra Amina, qui lui rendit son regard, muette. "Et celle-ci, qui est-ce?

— C'est mon unique petite-fille, Amina." Ammachy versait du thé dans sa propre tasse. "Elle a onze ans, et elle est première de sa classe, là-bas. Championne d'orthographe, même.

— Vraiment? Le Dr Abraham prit une gorgée de thé. Et plus tard? Seras-tu chirurgien comme papa?

— Je serai vétérinaire, rien que pour les chiots et les chatons, répondit Amina.

— Je vois. "Le Dr Abraham ne paraissait pas impressionné." Et que penses-tu de l'Inde?

— C'est bien. Il fait chaud. Aujourd'hui nous avons vu un cobra et…

— Vous avez rencontré Akhil, le fils de Thomas?" Ammachy présentait au docteur un bol de chips de bananes.

"Oui, je crois bien que oui, lors du premier séjour de Thomas. Quel âge avait alors ce garçon ? Six ans ?

— Quatre. Il a quatorze ans maintenant, dit Thomas.

— Et il est là-bas, aux États-Unis ?

— Non, Docteur, il est ici, en haut, avec sa mère, ils font la sieste. Je regrette de ne pas l'avoir fait descendre pour vous, mais je ne…

— Pas question ! Pas le moindre problème. C'est un grand bouleversement pour des enfants, non ? Mais ils récupèrent vite, je trouve. Je pense qu'ils savent qu'ils sont chez eux, oui ? Au niveau physiologique, bien entendu. Quelle est l'expression ?" Il marqua une pause et Amina se demanda s'il attendait réellement une réponse ou s'il se posait simplement des questions à haute voix. "Ah oui, c'est dans leurs gènes ! N'est-ce pas, Amina ?"

Il la regardait d'un air interrogateur et Amina fit signe que oui, car cela semblait préférable à ne rien faire.

"Et comment allez-vous, docteur ?" demanda Thomas en faisant passer un plat de bonbons fluo. "Partagez-vous toujours votre temps entre ici et vos cours à Vellore ?

— Pas de cours en ce moment. Tout est passé un peu au second plan par rapport à la mise au point de ce centre de réhabilitation dernier cri." Le Dr Abraham déposa sur son assiette deux boulettes dodues de *ladoo*, comme si c'étaient de petits poussins. "Cela me chagrinerait si je ne pensais pas que ce travail est d'une importance vitale, bien sûr, mais quelle opportunité… votre mère vous a un peu décrit ce que nous faisons ?

— Un peu, oui."

Le Dr Abraham hocha la tête, encourageant.

"Cela semble très intéressant, avança Thomas.

— Comme je suis content que vous le pensiez !" Le Dr Abraham sourit. "Évidemment, ce n'est pas un service de neurochirurgie, ainsi que vous le savez, j'en suis sûr, mais nous mettons sur pied un établissement de premier ordre pour les traumatismes et la rééducation.

— Oui." Thomas paraissait vaguement paniqué. "Quel beau projet pour vous tous.

— Vous vous souvenez de M. K. Subramanian, votre condisciple ? Il s'occupe en ce moment d'interviewer les thérapeutes

41

physiques et cognitifs, cependant que je recrute des médecins dans tout le pays. Et quel coup de chance que vous soyez ici juste au bon moment! Quand votre mère m'a appelé, je n'en croyais pas mes oreilles. Peut-être aimeriez-vous le rencontrer demain?"

Thomas sourit, manifestement peiné. "Eh bien, c'est que, voyez-vous…

— Parfait! Demain, c'est parfait." Ammachy déposa un *pakoda* sur l'assiette du docteur. "Nous avions l'intention de venir à l'hôpital de toute façon en fin d'après-midi ; nous pourrions prendre le temps de vous rencontrer tous les deux par la même occasion.

— Merveilleux. J'aimerais vous faire visiter l'établissement, et rencontrer quelques membres de l'équipe." Le Dr Abraham glissa le coin de sa serviette dans le col de sa chemise. "Est-ce que ceci n'a pas l'air délicieux!"

Occupé à tartiner généreusement ses *pakodas* de chutney, il ne remarqua pas que Thomas, tête baissée entre ses mains, se frottait les tempes de ses poings fermés comme pour repasser des nœuds.

"Cela vient de chez Sanjay?" Le docteur porta un *ladoo* à ses lèvres. "J'adore leurs sucreries, le savez-vous?

— Je m'en souviens." Ammachy souriait. "Je les ai achetés exprès.

— Vous n'auriez pas dû vous donner cette peine…

— Ce n'est rien du tout, rien du tout."

Un miaulement s'échappa des profondeurs de la gorge de Thomas, figeant les autres lorsqu'il se transforma en un gémissement sonore. Les sourcils du docteur se relevèrent et le dos d'Ammachy se raidit ; Thomas écarta son siège de la table.

"Docteur Abraham, cela vous ennuierait-il beaucoup que nous allions faire un tour ensemble au jardin?

— Maintenant?

— Mangez d'abord, vous parlerez ensuite!" Ammachy poussa vers le docteur un bol de mixture.

— Je regrette affreusement." Thomas paraissait un peu malade. "S'il vous plaît?

— Oh. Non." Le Dr Abraham jeta à son assiette un regard désolé. "Non, bien sûr."

Thomas se leva, révélant un *U* sombre là où la transpiration avait imprégné le dos de sa chemise, et sortit de la pièce sans attendre. Le Dr Abraham ôta sa serviette de son col et la plia avec soin, en adressant un hochement de tête à Ammachy, dont la bouche se réduisit à une ligne dure lorsqu'il suivit Thomas dans le jardin.

Et que se disaient les hommes, à l'ombre des feuillages? Amina les observait à travers le lattis de la fenêtre, têtes détournées de l'assaut du soleil blanc, bras bien croisés sur la poitrine. Ils fixaient les plantes devant eux avec une telle concentration qu'ils auraient pu être en train de discuter de procédés de fertilisation ou d'arrosage. Le Dr Abraham hocha brièvement la tête, une fois, et puis une seconde fois un peu plus fort. Les bras furent dépliés, les mains serrées. Les hommes se dirigèrent à pas lents vers l'avant de la maison, où le grincement de la serrure du portail et le grondement de la circulation cédèrent bientôt la place au silence. Amina attendit que son père revienne finir son thé. Des minutes passèrent.

"Où est allé papa?" demanda-t-elle enfin.

Ammachy, qui semblait examiner la nappe très intensément, ne répondit pas. Amina allait reposer sa question lorsqu'une larme coula sur la joue de la vieille dame, aussi rapide et inattendue qu'un lézard vivant. Amina fut prise de panique. Devait-elle lui dire quelque chose? L'embrasser? L'un paraissait aussi impossible que l'autre. Pourtant, comme une autre larme suivait la première, Amina se vit saisir la main de sa grand-mère. Une main fine, pâle et fraîche comme du marbre, la peau presque humide de douceur. Ammachy la retira lorsque Kamala entra dans la pièce.

"Ah", bâilla Kamala, en s'asseyant lourdement sur une chaise et en se servant une tasse de thé. Encore somnolente, elle y mêla du sucre et finit par apercevoir les assiettes pleines et les sièges vides. "Où est passé tout le monde?"

Ammachy pinça les lèvres, comme pour cracher.

"Oncle et Itty sont allés à la banque", expliqua Amina.

Kamala souffla sur son thé. "Et ton père?

— Papa est sorti avec le Dr Abraham.

— Vraiment?" Kamala regarda vivement Ammachy. "Quand?"

Même sans la regarder directement, Amina sentit que sa grand-mère semblait prendre feu tout à coup, un feu palpable, prêt à saccager tout ce qu'il pourrait. Elle garda le silence si longtemps qu'Amina pensa qu'elle n'avait peut-être pas entendu la question de Kamala. Et puis la vieille dame se pencha en travers de la table.

"Dodu comme un ange, cracha-t-elle. Thomas est né si fort et si gros que je savais qu'il deviendrait quelque chose. Ingénieur, commandant en chef de l'Armée nationale indienne, le meilleur neurochirurgien de toute l'Amérique. Il aurait pu épouser n'importe qui ! Quelles dots on nous a offertes !"

Kamala la regarda froidement. "Vous auriez dû les accepter.

— Ça n'a pas été ma décision." Ammachy se leva et ramassa les assiettes des hommes, en les entrechoquant avec un fracas qui menaçait de les briser entre ses mains. Tournant le dos à la table, elle s'en fut vers la cuisine, les épaules raidies. "Ce n'était pas du tout ma décision."

Mais où était parti son père ? Disparu depuis plus de six heures, maintenant, Thomas avait provoqué le chaos dans la maison en son absence. Ammachy errait de chambre en chambre et cherchait querelle à quiconque croisait son chemin. Sunil, qui avait déjà croisé deux fois son chemin, avait trouvé une bouteille d'alcool et l'engloutissait dans le salon rarement occupé. Divya s'était calée dans un coin de la véranda. Itty courait en rond sur le toit. Kamala, Akhil et Amina, assis sur le lit à l'étage, jouaient leur quatrième partie de dames chinoises.

"C'est à toi, maman, dit Akhil.

— Oui." Kamala regarda sa montre et avança une bille bleue vers un triangle jaune.

"Quelle heure est-il ? demanda Amina.

— Neuf heures et demie."

Akhil accomplit une série complexe de sauts et fit parvenir une bille de plus à destination.

Amina soupira. "Je n'ai plus envie de jouer.

— Ça, c'est juste parce que je gagne, riposta Akhil.

— Tu gagnes chaque fois !

— Alors ne joue plus." Kamala se massa le front, gommant les rides qui s'y étaient installées.

"Mais il n'y a rien d'autre à faire !

— Assez de jérémiades ! Va voir ce que fabrique Itty."

Mais Amina n'avait pas plus envie de voir Itty que de voir le damier chinois ou l'intérieur de la chambre étouffante de ses parents, ou Akhil triomphant pour la millionième fois d'affilée. Elle se leva du lit, lui préférant l'étuve qu'était la cage d'escalier dépourvue de ventilateur, et s'étendit en haut des marches, se laissant pénétrer par la fraîcheur momentanée du marbre. Tout un monde étouffé grondait sous ses oreilles, les claquements et soupirs de la maison, des flap-flap de savates, de longs gémissements qu'elle imaginait montant, tel un chant de baleine, du fond d'un océan immense et frais. Le sol était dur sous ses hanches, et elle entendit autre chose. Une chanson. Quelqu'un chantait ? Amina releva la tête.

"*... fingers in my hair, that sly come-hither stare...* "

De la musique ! ça venait d'en bas. Amina se pencha sur la balustrade. Elle descendit silencieusement quelques marches, et puis quelques-unes encore avant d'apercevoir l'intérieur du salon.

"*Witchcraft...* "chantaient une voix et, avec elle, Sunil, les yeux fermés, le visage illuminé. Un disque décrivait des ronds réguliers sur le tourne-disque et, à côté, son oncle suivait, les bras étreignant l'air devant lui, les genoux bondissant.

Amina, déconcertée, vit son oncle pivoter d'un pied sur l'autre, fendre l'air de mouvements vifs de ses hanches. C'était comme lorsqu'on voyait un rat musqué plonger dans le Rio Grande, toute sa balourdise métamorphosée en grâce instinctive. Son torse replet se courbait, frôlait le sol, se redressait.

"*I know it's strictly taboo...* "

La légèreté qu'exprimait son visage était une chose qu'Amina n'avait encore jamais vue. Pour la première fois, elle se rendit compte qu'il était bel homme. Pas de la beauté d'une star de cinéma comme Buck Rogers, pas même d'un grand type au menton volontaire, comme Thomas, mais attirant tout de même. Il fit un pas rapide en arrière et tourbillonna vers sa droite, guidant d'une main une partenaire invisible.

"Sunil !"

Sunil et Amina sursautèrent tous deux à l'apparition d'Ammachy sur le seuil, bras serrés contre sa poitrine, flairant la pièce. Amina se retourna et monta rapidement quelques marches, si bien qu'elle ne sut pas ce qui se passa ensuite, si sa grand-mère envoya réellement l'aiguille valdinguer sur le disque ou si Sunil le fit lui-même, mais le silence qui suivit bourdonnait d'une potentielle catastrophe.

"Encore ça!", fit Ammachy.

Bruit de pas. De liquide versé. Un verre plaqué sur une table.

"Tu en as eu assez comme ça, Sunil. Va te coucher."

Silence. Amina se pencha en avant. Ils passèrent rapidement de l'anglais au malayalam, qui ne ressemblait à son oreille qu'à *ragada-ragada*, jusqu'à ce que sa grand-mère demande : "Et où est ton frère, au juste?

— Je t'ai déjà dit que je n'en sais rien.

— Et alors? Ça te fatiguerait de le chercher?"

Un soupir, un ricanement. "Maman, s'il te plaît.

— C'est ton *frère*! gronda Ammachy.

— *Ragadagada*.

— C'est censé signifier quoi, ça?"

Sunil laissa échapper un autre soupir, mais forcé, celui-ci, dissimulant la colère sous un ennui feint. "Ça signifie que Thomas est Thomas et qu'il va où il veut quand il veut. Tu devrais savoir ça mieux que personne.

— Oh, arrête ça. Tes jacasseries n'intéressent personne.

— Surprise!

— Idiot! Tu es ivre. *Argada-ragada-gada*.

— On ne peut pas mieux dire."

Amina glissa les pieds en bas d'une marche, puis d'une autre. À l'angle du mur, un coup d'œil furtif lui permit d'apercevoir son oncle affalé dans un fauteuil du salon, vidé de toute trace de musique et de mouvement. Ammachy rôdait autour du fauteuil, la soie vert vif de son sari flamboyait.

"Comment oses-tu faire ça?

— Quoi donc?" Sunil ferma les yeux, la tête appuyée au dossier du fauteuil.

"T'apitoyer sur ton sort, une fois de plus. Aujourd'hui en plus!

— Je ne sais pas ce que...

— La maison! Tu as fini par obtenir qu'il te la donne."

Il se passa un moment avant que ces mots ne pénètrent et que la tentative de détachement de Sunil ne change de sens. "Tu crois... Tu crois que cette donation de la maison, c'était *mon* idée?

— Tout le temps il te donne des choses, il te plaint ! *Le pauvre Sunil n'a pas eu les mêmes chances, le pauvre Sunil n'a pas assez !* Et maintenant tu as pris la maison !

— Il me l'a *donnée*.

— Parce qu'il s'occupe toujours de toi.

— Parce qu'il *voulait que je l'en débarrasse.*" Sunil se leva du fauteuil. "Tu crois qu'il a envie de vivre ici ?

— Il ne sait pas encore ce dont il a envie !

— Il ne... Tu *crois* ça, Amma ? Que Thomas est parti depuis dix ans parce qu'il ne sait pas ce dont il a envie ?" Sunil rit mais, sous son rire, sa voix était tendue. "Tu penses qu'il a envie de rester à pourrir ici un peu plus chaque jour au lieu de filer en Amérique et d'envoyer des chèques ?

— Il envoie de l'argent pour toi.

— Il l'envoie pour *lui-même*, Amma ! Il l'envoie pour ne pas avoir à venir. Mon Dieu, tu devrais savoir ça, maintenant."

Si elle le savait, Ammachy n'en montra rien, préférant enrouler étroitement l'extrémité de son sari autour de ses épaules. "Va te coucher !

— Tu crois que Thomas me donnerait quelque chose dont il aurait vraiment *envie* ?" cria Sunil pendant qu'elle s'éloignait dans le couloir, et Amina se couvrit les oreilles, comprenant soudain qu'elle en avait trop entendu. Elle chercha à tâtons la marche derrière elle avec un pied, puis l'autre, avec l'espoir insensé que si elle marchait à reculons jusqu'à la chambre de ses parents, elle éliminerait tout souvenir de cette conversation. La poignée était fraîche sous sa paume quand elle la tourna et se traîna dans la chambre.

"Qu'est-ce qui t'arrive ?"

Amina se retourna ; sa mère la regardait en fronçant les sourcils.

"Rien." Amina s'assit sur le lit.

"Tu te sens malade ?

— Non.

— Tu as été à la selle aujourd'hui ?

— Oui."

Akhil leva les yeux au ciel. "Sûr que t'y as été, chieuse.

— Akhil ! fit Kamala, sèchement. Assez. C'est à toi de jouer.

— Allô, Maman, il y a quelqu'un là-dedans ? J'ai *déjà* gagné.

— Très bien, fais quelque chose de tes dix doigts.

— Comme quoi ? Faire chier Amina ?"

Amina se rua sur lui et lui enfonça ses ongles dans le ventre ; il cria, renversa le damier et les billes, qui s'éparpillèrent sur le lit, devenant un improbable instrument de torture lorsqu'il la plaqua sur le dos. Il tourna la tête pour cracher sur elle et Amina, attrapant une oreille, tira de toutes ses forces.

"AMINAKHIL ! ARRÊTEZ-MOI CE CIRQUE TOUT DE SUITE !" Kamala s'interposa entre eux, mains fermes autour de leurs cous. Elle les força à se séparer.

"Crétin !

— Sac à merde."

Amina lui envoya un coup de pied et sa mère la prit à la gorge. "Aïe !

— Bon Dieu, fit Thomas, sur le seuil. Qu'est-ce qui se passe ici ?"

La famille se tourna vers lui, hors d'haleine, et Thomas pénétra dans la chambre, entouré d'un doux et odorant nuage d'alcool. Il souriait de son sourire en coin, et personne ne savait que dire.

"Tu as manqué le dîner, remarqua enfin Kamala.

— Je sais, je sais. Désolé.

— Où étais-tu ?

— Dehors.

— Où ça, dehors ? Tu faisais quoi ?

— Eh bien… Thomas les contemplait, comme s'il réfléchissait. Je faisais des projets, en fait.

— Quels projets ?

— Eh bien…" Il les regarda successivement, Akhil, Amila, Kamala, et retour. "Bon, écoutez. J'ai une grande nouvelle.

— Ah oui ?" Les mains de Kamala s'étaient relâchées et l'excitation lui faisait la voix douce.

"Nous partons en voyage !

— Quoi ?

— À la plage ! La femme de Sandar Mukherjee est agent de voyages, elle nous a réservé des chambres au Royal Crown Suites de Kovalam.

— C'est quoi, Kovalam ? demanda Akhil.

— Des chambres ? Le visage de Kamala s'était assombri. Pour quoi faire ?

— Kovalam, c'est la plage de la péninsule, expliqua Thomas à Akhil. C'est très joli.

— Mais on n'a pas le temps, Thomas! Mes sœurs seront... commença Kamala.

— On sera à temps chez Lila. On partira simplement d'ici un peu plus tôt.

— Plus tôt? fit Kamala. De combien, plus tôt?

— Demain midi.

— Quoi?

— Nous avons besoin de repos, *koche*. De vraies vacances.

— De vacances?" Le ton de Kamala avait baissé d'une octave, comme si elle évoquait une orgie de drogue ou de folles dépenses. "Thomas, qu'est-ce que tu racontes?

— Une pause! Un peu de paix et de tranquillité. Une possibilité de nous détendre, simplement.

— Je suis détendue, protesta Kamala, qui paraissait tout le contraire.

— Non, tu ne l'es pas. Et comment le pourrais-tu, avec ma mère qui n'arrête pas de t'asticoter." Thomas leva les mains en l'air. "Impossible. Elle a rendu tout ça impossible. C'est injuste envers toi, et envers les enfants. Pas étonnant que tout le monde se dispute.

— Une plage comme à Hawaï? demanda Akhil. Y a la télé à l'hôtel?

— Oui, je crois bien.

— Y a une piscine? s'enquit Amina.

— Une très belle piscine, lui apprit Thomas. Je crois même qu'il y a un bar au milieu, on peut y aller en nageant et commander un soda."

Amina déglutit, ivre de possibilités.

"*Thomas*, fit Amina sèchement, on ne peut pas simplement partir.

— Pourquoi pas?

— Tu sais pourquoi!" D'un haussement de sourcils, elle désigna la porte de la chambre comme si ç'avait été Ammachy en personne. "Tu lui as dit?

— Ne t'en fais pas pour ça! Je lui expliquerai demain. Je suis sûre qu'elle comprendra.

— Demain ? Comprendre ? Tu as perdu la tête ? D'ailleurs, que vont penser les voisins ? Tout le monde va en parler !

— Qui se soucie de ce que pensent les voisins !

— *Tout le monde se soucie de ce que pensent les voisins !*

— Kamala, soupira Thomas en se massant la nuque, ce n'est pas si grave. Nous partons quelques jours plus tôt pour aller sur la côte, c'est tout. N'en fais pas une affaire d'État, d'accord ?"

Kamala se leva du lit et ouvrit la porte de la chambre. Elle s'adressa aux enfants. "Dehors.

— Quoi ? Non, maman, c'est une discussion *familiale*, pas vrai ? On a le droit de... commença Akhil.

— DEHORS."

Akhil et Amina filèrent du lit aussi vite que le leur permirent les billes et la literie, et allèrent tout droit dans leur chambre de l'autre côté du couloir. Ils attendirent exactement cinq secondes après que Kamala eut refermé la porte pour se glisser sur la véranda, d'où ils pouvaient observer leurs parents tout en restant cachés dans l'obscurité.

"... ne peut pas. Ça ne se fait pas", disait Kamala.

Thomas ouvrit la bouche pour protester, mais elle le coupa du plat de la main.

"Comme si ça ne suffisait pas que son fils s'en aille en Amérique, alors il revient et *il ne reste que trois jours ?*"

Thomas renifla. "Ne recommence pas avec tout ça.

— Je ne recommence rien. C'est toi qui as commencé cette histoire !

— Assez, Kam. Je t'avertis.

— Ne m'avertis pas quand c'est moi qui t'avertis !

— Elle m'a *menti*.

— Et alors, maintenant tu veux t'enfuir ? Tout ça parce que le Dr Abraham est venu ?

— Elle lui a dit que j'avais besoin d'un emploi !

— Et toi, tu lui avais dit, à elle, que tu reviendrais après tes études ! Alors ? Vous êtes deux menteurs. Et alors ?" Kamala pivota vers la fenêtre et Amina se baissa vivement, mais sa mère ne la regardait pas. Elle ramassait les billes éparpillées et les remettait dans leur boîte.

"Je n'ai pas *menti*, Kam. Ce n'est pas comme si je l'avais planifié.

— Non, bien sûr que non, Votre Éminence des Saints et des Anges! Jamais tu ne ferais une chose pareille! Kamala enfonça le couvercle de la boîte. Tu as seulement étudié l'unique branche de toute la médecine qui serait difficile à pratiquer ici, et tu as été choqué à mort d'apprendre que *tu ne pouvais pas la pratiquer ici*!"

Thomas resta bouche bée. Il cligna des yeux plusieurs fois avant de répondre. "Tu m'as *vu*, Kamala. J'ai demandé à Vellore. Je me suis informé à Madras. J'ai même cherché à Delhi, pour l'amour du ciel!

— Oui, c'est ce que tu as dit.

— Et quoi? Tu crois que je te mens, maintenant?

— Non, répondit Kamala, dont le visage était gagné par l'incertitude.

— La technologie manque encore, ici. Qu'est-ce que tu veux? Tu voudrais que j'accepte un emploi minable juste pour que nous puissions être ici?

— Je dis seulement…

— Réponds-moi! Est-ce ça que tu veux? Et si je me faisais dentiste? On pourrait vivre ici même, à l'étage.

— Ce n'est pas ce que je… et, d'ailleurs, est-ce que ça serait si grave? Tu ne fais plus de chirurgie, et alors? Tu es toujours médecin! On pourrait encore avoir une bonne vie."

Amina avait ignoré, jusqu'à ce moment, que son père pouvait paraître aussi exsangue, la couleur désertant son visage jusqu'à lui donner l'air d'une enveloppe vide. "Qu'est-ce qu'elle a de si mal, ta vie?

— Ce n'est pas de moi qu'on parle!

— De quoi te sens-tu privée? Quelles possibilités t'ont été refusées?"

Kamala dardait vers le sol un regard furibond. "Ce n'est pas de ça qu'il est question.

— C'est la maison? Elle n'est pas assez grande? Tu n'aimes pas ta voiture?

— Ne fais pas l'idiot.

— Tu voudrais revenir ici, c'est ça? Après toutes ces années, après tout ce que nous avons construit là-bas, après tout ce que j'ai essayé de te donner, tu voudrais déraciner les gosses de tout ce qui fait leur vie juste pour revenir ici?"

Les lèvres de Kamala restèrent scellées.

"Que peux-tu avoir ici que tu ne puisses avoir à la maison?" Thomas fit un pas en avant. "Vraiment, dis-le-moi. Tu restes assise là comme une pauvre sirène qui regrette son océan, mais qu'y a-t-il ici que tu n'aies pas aux États-Unis. Tes sœurs, qui vivent de toute façon chacune dans une ville différente? Ton indépendance? Une aide suffisante dans la maison? Quelqu'un pour…

— *Moi*", dit Kamala.

Thomas vacilla un peu, comme sous le coup d'une gifle.

"Moi", répéta Kamala, dont les yeux se remplissaient de larmes qu'elle chassa précipitamment, et les bras de Thomas lui en tombèrent. Ils ne se regardaient plus, alors, mais fixaient le plancher. Au bout d'un instant, Thomas se retourna et sortit de la chambre ; ses chaussures résonnèrent lourdement sur les marches. Amina se pencha au bord de la véranda quelques secondes plus tard pour le voir traverser la cour, se dirigeant à nouveau vers le portail. Akhil la prit par le bras.

Viens, articula-t-il sans bruit.

La serrure grinça cette fois encore, laissant Thomas accéder à la rue. Kamala restait assise sur le lit. Quelque chose de rond et dur passa de la gorge d'Amina à son ventre, lui rendant la respiration difficile. Akhil fronça les sourcils.

"Allons-nous-en, idiote", souffla-t-il, et elle se retourna pour le suivre à l'intérieur, contente d'avoir un endroit où aller.

Qu'était-ce qui l'avait tirée du sommeil? Tard, cette nuit-là, Amina se retrouva éveillée, clignant des yeux dans l'obscurité. Des pas grincèrent, un poids s'affaissa. Elle contempla pendant plusieurs secondes le ventilateur qui tranchait l'air au-dessus d'elle, et puis elle sortit de son lit. La véranda était déserte, mais sur le toit le goudron était encore tiède du soleil de la journée quand Amina y remonta. Les mélodies aiguës et gazouillantes des nouvelles amours tamiles montaient du cinéma voisin, en même temps que la fumée des feux des mendiants et celle du bidi que fumait Thomas, le dos avachi dans une chaise jaune, une bière entre les pieds. À son approche, il jeta un coup d'œil par-dessus son épaule.

"'soir, papa.

— Ami." Il n'avait l'air ni surpris ni mécontent de la voir, et bien que la nuit fût trop chaude et qu'elle fût un peu grande pour ça, elle s'installa sur ses genoux, fourrant la tête sous son menton.

"Tu devrais être en train de dormir, lui dit-il ; son haleine lui brûlait les yeux.

— *Tu* devrais être en train de dormir, répliqua-t-elle, et il grogna.

— Tu es contente, ici ?

— Sûr, mentit-elle. Et toi ?" Il hocha la tête, une fois, lourdement. Il soupira, et elle soupira avec lui, sentant le ventre de son père monter et descendre dans son dos, son cœur battre derrière le sien.

"Elle n'est jamais satisfaite", dit-il.

Kamala ? Ammachy ? Amina eut peur de poser la question. "Où es-tu allé ?" demanda-t-elle plutôt.

Il haussa les épaules.

"On va toujours à la plage ?"

En faisant signe que oui, il lui gratta le front, de son menton mal rasé.

Amina ferma les yeux. La piscine. Demain, elle nagerait dans une transparence turquoise entourée de murs mouchetés de lumière. Jusqu'à avoir mal aux oreilles. Jusqu'à ce que ses doigts se fripent. Il y aurait même peut-être un toboggan, une de ces longues glissoires recourbées comme des langues de géants qui vous crachent dans l'eau fraîche.

"Comment va ton frère ?"

Pourquoi lui demandait-il ça ? Amina ouvrit les yeux sur la nuit lourde. "Il est méchant."

Thomas rit.

"Non, c'est vrai, papa. Il est pire ici qu'à la maison.

— C'est parce que c'est dur pour lui, ici.

— C'est dur pour moi aussi.

— Pas de la même façon, *koche*. Il est né ici. Il a plus de souvenirs."

Cela semblait être un de ces cas où son père se trompait, comme le jour où il avait dit qu'être célèbre devait être terrible. Pourquoi serait-il plus dur de se trouver quelque part où on a *plus* de souvenirs ? Et quand on ne se souvenait de rien, même si on avait su quelque chose pour commencer, et que tout le monde échangeait des regards sombres à ce propos comme si vous étiez aveugle ou stupide ou ne compreniez pas à quoi ressemble le mépris ?

"Ce garçon va devenir quelqu'un", déclara soudain Thomas, comme s'il apercevait la fin d'un film qu'elle ne voyait pas. "Il est difficile, maintenant, mais un jour il deviendra lui-même et alors, attention. Il sera plus brillant que le reste d'entre nous réuni."

Le cœur d'Amina se fronça de jalousie. Elle voulut rappeler à son père que, parfois, Akhil parlait si vite qu'on ne pouvait même pas le comprendre, et que, même quand on le comprenait, ce qu'il disait n'avait pas toujours de sens, mais à ce moment-là une masse s'écrasa en dessous d'eux dans le jardin.

"Qu'est-ce que c'était ?" Elle se leva d'un bond et courut regarder au bord du toit ; il y eut un vacillement blanc, suivi d'un choc sourd, et puis d'un chapelet d'imprécations et d'un grognement.

"Merde." À côté d'elle, Thomas fronçait les sourcils.

En bas, divagant comme un fantôme dans une forêt, Sunil errait dans la cour, vêtu de son *mundu* blanc. Il avança de quelques pas et puis se retourna et se pencha sur quelque chose, qu'il traîna vers le Mur.

"Merde", fit Thomas. Amina clignait des yeux dans l'obscurité, tâchant de voir. Que traînait-il ? C'était lourd, apparemment. Et sombre. Un frisson la parcourut. Un corps ? Était-ce *Ammachy* ? Quoi que ce fût, Sunil atteignit le portail et s'efforça de le faire passer par-dessus. Ça lui retomba sur le pied.

"Aaaaïe !

— Sunil, s'il te plaît !" Et voilà que tatie Divya arrivait, traversant le jardin en courant, en chemise de nuit. "Arrête ces sottises et remets tout en place ! Tu vas réveiller toute la maison."

Qu'est-ce qu'il pouvait bien fabriquer ? Amina vit son oncle se pencher, tirer sur quelque chose.

"Sunil…

— ÉCARTE-TOI DE MOI !" rugit Sunil, qui trébucha en arrière, permettant enfin à Amina de voir ce qu'il avait traîné.

"C'est notre valise ?" Amina regarda son père.

"Merde", répéta Thomas.

"FOUTU ARTISTE À LA NOIX!" Sunil frappa la serrure de la valise, qui s'ouvrit.

"Papa, qu'est-ce qu'il fait?"

"Merde."

Le premier objet à voler par-dessus le portail fut une chaussure de randonnée. La seconde suivit bientôt, touchant le sol juste devant le groupe de petits mendiants. L'un d'eux courut les ramasser, et un autre hurla quand une cassette atterrit au milieu d'eux. Il y eut des froissements, et Amina vit une petite ombre courir vers le portail en le montrant du doigt. Le reste des enfants suivit en regardant en l'air avec stupéfaction. À ce moment, Sunil choisit de se débarrasser des chaussettes tubes. L'une après l'autre, les balles blanches volèrent dans la nuit et, de l'autre côté de la barrière, les enfants zigzaguaient et sautaient, les attrapaient avant qu'elles n'atterrissent.

"Sunil, arrête!" criait Divya, accrochée à son bras. Il la repoussa d'une claque.

Trois autres cassettes audio suivirent, provoquant un certain remue-ménage jusqu'à ce que l'un des jeans Levi's s'envole par-dessus le Mur et que commence une véritable guerre. Quelqu'un frappa quelqu'un. Quelqu'un d'autre hurla. L'un des pots de crème Avon s'écrasa par terre mais le suivant fut attrapé, occasion d'acclamations. Les cannes de Noël remplies de baume à lèvres volèrent dans des mains tendues. Il y eut une pause brève, et puis Sunil éleva au-dessus de sa tête les tennis d'Itty.

"Non, non, Sunil!" hurla Divya en se précipitant sur lui. "Non-non-noooon!"

Mais il était trop tard. Les chaussures valsaient en l'air par-dessus le portail, satellites jumeaux tournant en orbite et saisis par des mains lestes. Divya se rua sur la serrure, se jetant contre elle de tout son corps jusqu'à ce que le portail s'ouvre avec un déclic. Elle se força un passage et s'arrêta. Les enfants l'observaient. Elle respirait fort. Elle fit un pas en avant, les mains tendues, et ils reculèrent. Amina vit sa tante dire quelque chose, tendre les mains aux enfants, et ils s'égaillèrent en courant en tous sens dans la rue, chaussures, crèmes et cassettes bien coincées sous les bras tandis qu'ils disparaissaient.

Amina tremblait. Elle ne s'en était pas rendu compte avant que son père, posant une main sur chacune de ses épaules, ne l'ait attirée contre lui et immobilisée. Le visage écrasé contre les côtes de Thomas, elle claquait des dents.

"P-p-p…

— Ça va aller, dit son père, mais elle entendait le calme forcé de sa voix.

— I-il faut qu'on récupère les tennis d'Itty! Ou qu'on lui en trouve une autre paire! Il va devenir fou sans eux!

— Ça va, dit-il. Ça va aller."

Pourquoi son père la prenait-il dans ses bras? Il ne l'avait plus portée depuis des années, mais voilà qu'il la ramassait et la serrait, la forçant à poser la tête sur son épaule comme si elle était un très, très petit enfant. Amina se cambra, elle aurait voulu lui crier dessus ou lui griffer la figure et, au lieu de ça, se retrouva en train de pleurer plus fort.

"Ça va aller", chuchota son père en lui massant le dos, comme si elle ne savait pas le contraire.

Leurs bagages étaient faits. Comment ils l'avaient été, c'était un mystère pour Amina qui, ainsi qu'Akhil, avait été éveillée, nourrie d'un petit-déjeuner de toasts et de thé et emmenée dans l'allée d'accès par une Kamala crispée. Le soleil se levait rapidement, épandant sur eux un air lourd comme un tapis. Mary-la-Cuisinière et les servantes balayaient consciencieusement la cour en glissant vers eux des regards obliques mais sans rien dire, tandis qu'Itty hurlait sur la pelouse en étreignant ses pieds nus.

"Itty, *koche*, mon pauvre", disait Divya d'une voix apaisante. Ses cheveux jaillissaient de son chignon, telle une auréole désordonnée. Ses yeux étaient bordés de rouge.

Comme Amina l'avait prévu, Itty s'était montré inconsolable depuis que ses premiers hurlements avaient déchiré le matin rose. Depuis deux heures, il alternait sanglots déchirants et faibles gémissements avec la régularité d'un train de banlieue sur son circuit.

Akhil alla vers lui, lui tapota timidement l'épaule. "Tu veux jouer au cricket quelques minutes? On ne part pas tout de suite."

Itty fit non de la tête d'un geste misérable, un peu de morve vola sur sa chemise. Divya soupira mais se força à sourire quand Amina la regarda et, à cause de ce sourire autant que de tout le reste, celle-ci se sentit malade de honte.

Mal. Ils étaient en train de faire quelque chose de mal. Quoi exactement, elle ne savait pas trop, parce qu'aucun élément en particulier – les bagages emballés, le petit-déjeuner pris à l'étage, le fait de se retrouver maintenant dehors à transpirer – ne semblait être en soi une action horrible, et pourtant cela avait fait d'eux des ennemis dans la maison de Salem, échoués dans l'allée comme des pillards en fuite emportant l'orgueil d'un pays. À l'extérieur du Mur, la circulation matinale augmentait en un flot incessant, sonneries de klaxon et cris se multipliant à l'envi.

"Ammachy sait qu'on part? demanda Akhil.

— Oui, bien sûr, dit Kamala.

— Alors où est-elle?

— Elle ne se sent pas bien ce matin."

Akhil lança à sa mère un coup d'œil sceptique. "On ne va même pas dire au revoir?

— Évidemment! fit-elle, hérissée. Qui ne dit pas au revoir?"

"Bon, cria Thomas qui descendait du seuil en portant deux sacs. Ça y est presque, ici!

— Thomas, s'il te plaît." Divya serrait étroitement son sari rose autour d'elle. "Toute l'année, elle a attendu ta venue et celle des enfants, que vont penser les voisins, toute cette agitation, ce départ soudain?

— Ah, bah." Thomas haussa les épaules et fourra le sac à dos d'Akhil dans la malle. "Ne t'en fais pas pour ça, ce n'est pas un…

— Et la fête?

— Quelle fête?

— Elle allait organiser une fête pour toi et les enfants vendredi."

Thomas parut momentanément décontenancé. "Elle ne m'a rien dit.

— C'était une surprise."

Amina vit son père encaisser. "Alors je lui dirai que je regrette."

En secouant la tête, Divya rentra dans la maison et Itty se remit à pousser ses gémissements aigus. Akhil lui caressa la tête avec douceur et Amina traversa la pelouse pour venir s'accroupir près de lui.

"Eh", fit-elle de la même voix apaisante qu'utilisaient tous les parents, et cela paraissait la bonne chose à faire jusqu'à ce qu'Itty lève les yeux vers elle et qu'elle ne trouve plus rien à dire.

"Sclatch, chuchota-t-il, paniqué, tremblant.

— Je sais", dit-elle, et il frissonna, la tête basse.

Le son de pas précipités parvint de l'intérieur de la maison, suivi de Divya et d'un Sunil apparemment très mal en point.

"Oh, Thomas, qu'est-ce qui se passe?" Tout en marchant, il nouait à la hâte un *lungi* autour de sa taille ronde. "Divya dit que tu pars?"

Thomas confirma d'un bref hochement de tête, sans le regarder en face.

"Je croyais que tu restais jusqu'à samedi.

— Nous partons maintenant, fit Thomas froidement, en contemplant le Mur. Nous avons besoin d'un peu plus de confort.

"Confort... tu... tu as dit ça à maman? parvint à dire Sunil, dont le visage passa de l'indignation à l'inquiétude.

— Oui."

Sunil fit quelques pas vers la voiture et revint. "Tu ne peux même pas tenir quelques jours de plus?

— Nuits, en fait."

Le sang montant au visage de Sunil l'assombrit comme une ombre, et Amina se réfugia plus près d'Itty et de son frère, craignant une nouvelle explosion. Mais son oncle déglutit et dit calmement : "Thomas, ce n'est pas une raison pour partir.

— Oh, c'est bien assez...

— Non, ce que je veux dire..." Sunil se racla la gorge. "Tu ne veux plus me voir? Très bien, je m'en vais. Mais tu restes.

— Je ne peux pas.

— Tu ne *peux* pas?" Sunil, incrédule, s'étranglait. "Comment, *peux* pas? Qui ne *peut* pas?"

Il y eut un long silence pendant que Thomas s'efforçait de trouver une réponse.

"Nous ne pouvons pas, dit Kamala, faisant sursauter Amina et Akhil. Les enfants sont malades de chaleur, et j'ai demandé à Thomas de réserver une chambre à la plage."

C'était un mensonge et tous le savaient, mais évoquer les enfants avait accompli la belle ouvrage de rendre impossible le reste de la conversation, et Sunil, vaincu, détourna les yeux.

"Vous n'avez qu'à dire aux voisins que les gosses ne sont pas habitués à ce climat, poursuivit Kamala. Ils comprendront. Faible constitution américaine et tout ça."

Amina ne pouvait regarder personne, ni Sunil, ni Sivya, ni certainement Itty. Elle sentit sur ses épaules les mains de sa mère qui la poussaient en avant, à travers le jardin, en haut des marches de la véranda, dans le corridor, au-delà du salon, de la salle à manger et de toutes les autres chambres, jusqu'à celle qui sentait le camphre et les roses et autre chose, doux et pourrissant, comme un petit pain au caramel oublié sous le lit. L'ombre d'un ventilateur se découpait sur le mur bleu pâle et, dans le lit, Ammachy était tassée sous ses draps, ses longs cheveux défaits de leurs nattes habituelles, les yeux fixés sur l'oreiller à côté d'elle.

"Les enfants voudraient dire au revoir", annonça Thomas et, si elle l'entendit, cela ne modifia pas sa position. Allant le premier vers elle, Akhil se pencha rapidement pour l'embrasser sur la joue et puis se redressa. Amina en fit autant et courut aussitôt à la porte de la chambre.

"Amma." Thomas s'agenouilla près de sa mère.

Kamala le rejoignit, et à peine s'était-elle penchée en avant que la main d'Ammachy, surgissant des couvertures, la gifla avec violence. Pendant quelques secondes, un silence terrible suivit la brutalité du choc ; Kamala se tenait le visage. Ensuite elle laissa tomber sa main, exposant une marque rouge, et tout le monde se mit à crier.

"Maman! cria Amina.

— Espèce de salope, explosa Akhil en se jetant sur Ammachy. Espèce de foutue salope!

— Akhil!" Rapide, Thomas l'attrapa dans ses bras.

"Quoi? C'est vrai! Maman est tellement gentille avec elle tout le temps et pourquoi? Pour pouvoir entendre qu'elle a la peau trop sombre pour compter? Pour qu'elle puisse la *frapper*?

— Calme-toi.

— Et toi! La seule chose qu'Ammachy fasse, c'est te mettre mal à l'aise. Elle ne te mérite pas!" La voix d'Akhil se brisa. "Elle ne mérite aucun de nous!"

Thomas resserra ses avant-bras contre le torse d'Akhil et se mit à chuchoter fermement, tendrement. *Tout va bien*, vit Amina plus qu'elle ne l'entendit ; *tu vas bien*, *nous allons bien*, jusqu'à ce que les blancs des yeux d'Akhil cessent de cingler autour de la chambre, jusqu'à ce qu'il cesse de se débattre et reste immobile, essoufflé, l'air prêt à pleurer.

"J'ai besoin que tu emmènes ta mère à la voiture. Peux-tu faire ça pour moi ?" demanda Thomas, et Akhil se pencha pour entourer de son bras Kamala qui déjà se relevait sur des jambes mal assurées. Ils sortirent ensemble. Thomas attendit que le bruit de leurs pas s'atténue avant de se retourner vers Ammachy.

"Toi", dit-il d'une voix farouchement basse, et Amina se blottit contre le mur tandis qu'il se mettait à marcher de long en large. "C'est quoi, ton problème ? Frapper ! Mon Dieu ! Il ne reste donc pas une once de santé mentale dans cette maison ?"

Ammachy fixait sur lui des yeux furibonds.

"Tu crois que les enfants auront envie de revenir après ça, Amma ? Tu crois qu'un seul d'entre nous aura envie…

— Dehors, glapit Ammachy. Pars si tu dois partir !

— Tu n'es même pas contente quand nous sommes là. Tu ne t'en es pas aperçue ? Tu es si occupée à penser à ce qui devrait être que tu ne peux même plus apprécier…

— Lâches ! rugit Ammachy. Traîtres ! Bons à rien !"

La voix de Thomas s'éleva en un rapide et furieux tourbillon de malayalam, précipitant Amina hors de la chambre et dans le vestibule. Les derniers mots que son père adressait à sa mère étaient dans une langue qu'elle ne comprenait pas, et ne souhaitait pas comprendre. Il hurlait encore lorsqu'elle jaillit de la porte d'entrée.

"Que s'est-il passé ?" cria Divya, et Kamala, qui entrait déjà dans la voiture avec Akhil, ne répondit pas. Les servantes regardaient, bouche bée, Babou allait et venait et Preetham faisait semblant de polir le volant. Mary-la-Cuisinière cracha quelque chose sur le sol, les mains sur les hanches, mais même elle recula de quelques pas lorsque Thomas sortit en trombe de la maison quelques secondes plus tard, le regard noir et furibond.

"Au revoir, dit-il, avec un bref hochement de tête à son frère.

— Thomas, s'il te plaît !" implora Sunil, mais Thomas était déjà derrière Amina et la poussait vers la portière de la voiture.

Elle grimpa sur le siège arrière près de sa mère et son frère tandis que Babou déverrouillait la lourde grille d'acier et invitait du geste la voiture à passer.

"Ça va?" Thomas tendait la main vers le visage de Kamala, mais elle s'inclina aussi loin de lui que possible, les yeux tournés vers la route.

"Lâche! Tu ne vaux pas mieux qu'elle!" cria Sunil à Thomas par la fenêtre. Il courait derrière la voiture en frappant du plat de la main sur le coffre. "Attends voir! Tes propres enfants te quitteront et ne reviendront jamais!"

Et enfin ils furent au-dehors, de l'autre côté du Mur, de retour, passés les petits mendiants, à la gare d'où le Kanyakumari Express les emmènerait à la plage de Kovalam. Ils passeraient trois journées entières dans un lieu de villégiature pour riches Européens. Akhil et Amina mangeraient des pizzas et des frites, et recommenceraient à se disputer sans la crainte de leur grand-mère pour les unir. Kamala et Thomas échangeraient des plaisanteries et des considérations logistiques, cependant qu'une froideur palpable s'enracinait entre eux. Mais ce furent les derniers mots de Sunil qui provoquèrent le plus de dégâts, et plus d'une fois Amina, en se retournant, trouva son père en train de les fixer, elle et son frère, comme s'ils lui étaient déjà devenus étranges. Quatre ans plus tard, quand Akhil mourut, elle sut que les paroles de son oncle résonnaient plus fort dans la tête de Thomas que toutes les consolations que l'officiant avait à offrir.

LIVRE 2

L'HOMME QUI TOMBE

Seattle, 1998

1

"Je dois retourner à la maison lundi, voir mes parents", annonça Amina en se glissant dans le box en bois, face à sa cousine. Bien qu'il fût tôt, il y avait foule pour un jeudi. Baissant la tête vers la bière fraîche qui l'attendait devant Dimple, elle en but une gorgée.

"Il y a vingt minutes que je suis là.

— Désolée. Je parlais à maman."

Dimple la contemplait froidement. "Tu es allée voir tes parents le mois dernier.

— Il y a trois mois. Et, à propos, tante Bala voudrait que tu appelles.

— Oh pour l'amour du ciel, Amina." Sa cousine secoua la tête, boucles chatoyantes à la lumière des bougies. Sortant deux cigarettes du paquet sur la table, elle les alluma et en tendit une. "C'est quoi, cette fois ? Faut que tu nettoies les tapis à la vapeur ? Que tu retournes le compost ?"

La dernière fois qu'Amina était rentrée chez elle, Kamala l'avait envoyée sur le toit pour débarrasser les gouttières des feuilles mortes, et pendant deux jours pleins avait refusé de la passer au téléphone, se bornant à dire à Dimple : "Elle est sur le toit et elle ne descend pas."

"Non, ce n'est pas ça. Il y a quelque chose qui ne va pas.

— Il y a toujours quelque chose qui ne va pas chez ta mère. Et toi ? Et ces vacances que tu disais vouloir prendre ?"

Évitant son reflet dans le miroir derrière sa cousine, Amina regarda autour d'elle. Elle détestait voir son propre visage à côté de celui de Dimple – tout en bec et long menton, avec des auvents en guise de sourcils, alors que celui de Dimple était un cœur vif et mutin.

"Pourquoi y a tant de monde, ici?

— Parce que ces foutus connards d'Internet ont découvert cet endroit et fait monter tous les prix. Qu'est-ce qui se passe à Bali?

— Mon père ne va pas bien." Amina tira une brève bouffée de sa cigarette tandis que l'inquiétude assombrissait le visage de Dimple. De toute la parentèle, c'était Thomas – qui l'avait défendue dans ses pires escapades au lycée et avait protesté vigoureusement contre son exil, en seconde, en maison de redressement – que Dimple aimait le plus.

"Comment ça? Tu veux dire malade? Comment ça se fait que mes parents ne m'aient pas appelée?

— Personne n'est au courant.

— C'est un secret? Dimple ouvrait de grands yeux.

— Non, bien sûr.

— Qu'est-ce qu'il a?

— C'est… je ne sais pas. Il est incohérent, apparemment. Maman dit qu'il parle toute la nuit.

— Il parle?

— Il raconte des histoires."

La cousine d'Amina leva les yeux au ciel, son visage se détendait. "C'est pas franchement nouveau. Pourquoi il y a urgence à prendre un avion?

— Maman pense qu'il y a quelque chose d'anormal." Amina frotta sur son verre un ruban dans la condensation. "De toute façon, je veux aller me rendre compte.

— Et ton père, qu'est-ce qu'il en dit?

— Maman ne veut pas que je lui en parle au téléphone.

— Donc lui ne t'a pas dit que quelque chose n'allait pas.

— Non, mais ce n'est pas…

— Et quand est-ce que tu lui as parlé pour la dernière fois?

— La semaine passée.

— Et il avait l'air normal?"

Amina haussa les épaules. "Bon, c'est papa."

Les yeux mi-clos, Dimple souffla de la fumée. "C'est un piège.

— Arrête!

— C'est un truc de Kamala pour te ravoir à la maison. Où elle peut te marier." Elle pointa sa cigarette sur Amina. "Avant que ton utérus ne se dessèche.

— Arrête. Il y a plus d'un an qu'elle n'a pas suggéré quelqu'un.

— Preuve!

— Non, c'est pas ça.

— Pourquoi pas? Parce que l'idée que ta mère fasse un projet stupide sans ta permission est impensable?"

Amina but une gorgée de bière afin de ne pas avoir à répondre. Kamala lui avait présenté différents chrétiens de Syrie (des "possibles", comme elle les appelait), une douzaine en tout. Onze sans l'accord d'Amina.

"Parce qu'elle ne s'obstinerait pas à réessayer la même connerie jusqu'à ce que ça marche?"

Amina se racla la gorge. "C'est pas ça, je te jure. Et, d'ailleurs, il ne reste même plus de bons Surianis, tu te rappelles? Elle a renoncé.

— Il n'y a jamais eu de bons Surianis. Notre culture a fait long feu."

C'était l'une des théories préférées de Dimple : l'obsession millénaire pour un dieu chrétien dans un subcontinent où cohabitaient des religions plus dynamiques avait pétrifié la communauté chrétienne de Syrie, en faisant ce qu'elle appelait "la communauté la plus éculée du monde", ou "les WASP de l'Inde". Amina se prépara à subir un discours enflammé, mais Dimple se contenta de souffler du coin de la bouche un épais nuage de fumée.

"Ce que tu dis, je le sais, concéda-t-elle. Mais ce serait trop mesquin, même pour ma mère. Elle ne prétendrait jamais que papa est malade."

Tendant le bras par-dessus la table, Dimple saisit le menton de sa cousine au creux de sa main en se penchant si fort que l'odeur familière et fleurie de son parfum parvint à Amina, dominant la fumée du bar. "Idiote", murmura-t-elle, non sans tendresse.

Amina s'adossa à son siège. La bataille au sujet de son âme et de son avenir faisait rage entre Kamala et Dimple depuis tant d'années qu'elle n'arrivait plus à se sentir concernée. Le bar se remplissait, bourré de pantalons flottants, de vestes en peau de mouton, de sacs d'ordinateur et de baskets. Dimple parcourut la salle des yeux d'un air malheureux.

"Tu crois que ça va vraiment durer ?" demanda-t-elle. C'était, depuis quelque temps, la question qui revenait à chaque sortie des cousines, sur un ton oscillant entre sarcasme et découragement. Nul n'avait été plus démoralisé par le développement d'Internet que Dimple, dont les doléances allaient de la gentrification de son quartier au danger, pour la galerie qu'elle gérait, de ce qu'elle décrivait, en des tons fondamentalistes, comme "la corruption de l'image de qualité à l'ère du numérique".

Moins verbale, sinon moins pessimiste en réalité, Amina se faisait également du souci au sujet d'Internet, ne serait-ce que parce qu'elle se sentait repoussée en dehors d'une chose qui risquait d'entraîner une transformation générationnelle, à l'instar du Mouvement des droits civiques ou de Woodstock. Dans la ville envahie de "jeunes" qui n'avaient que quelques années de moins qu'elles, collectaient des brassées de mobilier vintage et circulaient en scooter dans les quartiers, elle étreignait son fidèle Leica avec l'impression de se cramponner à une roue de chariot face à la Révolution industrielle.

"Je les déteste, déclara Dimple avant qu'Amina ait pu réagir. Je déteste ce qu'ils font, je déteste qu'ils gagnent plus d'argent que je n'en aurai jamais. Je t'ai dit que quelqu'un m'a suggéré de « webcaster » une partie de la galerie ? Je sais même pas ce que ça veut dire."

Les cousines regardaient un type hilare, en casquette de baseball, qui agitait un billet de vingt en direction du barman.

"Alors comment ça marche avec Damon ?

— Terminé.

— Je croyais que ça allait bien.

— Il est retourné chez son ex.

— Tu es sérieuse ?

— C'est très bien comme ça, fit Dimple en haussant les épaules. Honnêtement, ça m'a évité la peine de m'impliquer."

De cinq mois l'aînée d'Amina et, par conséquent, "carrément trentenaire", Dimple avait calmement fait le tour des hommes "éligibles" que Seattle avait à offrir avec une voracité qui parfois effrayait Amina. Ce n'était pas le nombre des hommes que voyait sa cousine qui la déconcertait (à dire vrai, Amina avait probablement couché avec plus d'hommes, plus souvent) mais plutôt l'impatience avec laquelle Dimple passait de l'un à l'autre, les amenant dans des bars pour les présenter à Amina et puis se déconnectant pendant qu'ils parlaient en fronçant les sourcils comme si elle avait fait un mauvais choix dans un menu.

Si d'aucuns auraient pu interpréter cela comme de l'indifférence, Amina savait que c'était tout le contraire. Peu importait le nombre de liaisons que Dimple entamait ou terminait dans un haussement d'épaules ; la seule chose qu'elle voulait vraiment – et avait toujours voulu, même au lycée, quand elle avait fait de la crainte qu'elle inspirait aux garçons une sorte de performance artistique –, c'était quelqu'un qui vale qu'elle s'attache à lui. À présent, la seule chose plus humiliante que l'échec d'une nouvelle relation serait qu'Amina le reconnaisse ouvertement.

"Et toi? demanda sa cousine. Tu as déjà réussi à avoir une conversation avec un des gars avec qui tu couches?"

Amina but une gorgée de bière. "Pourquoi commencer maintenant?"

Les haut-parleurs crachèrent une vieille chanson de Van Halen, et la moitié des mecs au bar levèrent leurs doigts de rockeurs. Les cousines soupirèrent.

"On se tire", dit Amina.

Il tombait une petite pluie quand elles sortirent du bar, cette pluie douce, incessante et rythmée qui est la berceuse de Seattle. Elles s'arrêtèrent sur le trottoir mouillé pendant que Dimple faisait sortir trois cigarettes du paquet et les fourrait dans la main d'Amina.

"Merci.

— Oh!" fit Dimple en portant la main à sa poitrine. "J'ai failli oublier. J'ai dit à Sajeev qu'on sortirait avec lui samedi soir."

Amina gémit.

"Je pouvais pas faire autrement, Ami. Il a appelé deux fois depuis qu'il s'est installé ici, et on n'arrête pas de reporter. Mes parents me rendent cinglée à force de me laisser des messages." Adoptant le rauque chuchotement indo-britannique de sa mère, et reproduisant à la perfection la moue de tante Bala, "*Dimple, ma chérie*, dit-elle, *je t'en prie, sors ce charmant jeune homme. Mary Roy appelle tout le temps. Tout le monde veut savoir comment il va.*"

Le fait que leur antipathie pour Sajeev Roy n'était pas très justifiée n'empêchait pas les cousines de le craindre. Au jardin d'enfants, c'était sa vulnérabilité qui le faisait remarquer, sans cesse à se débattre entre les mains des petits Américains, son empressement à faire partie de leur petit groupe. Les fillettes avaient été soulagées quand sa famille était partie dans le Wyoming, même si l'admiration débordante de leurs deux mères pour ses succès récents (étudiant au MIT, une licence d'ingénieur) le rendait moins attirant encore.

"Tu ne peux pas y aller pour nous deux ? Je serai crevée, vraiment."

Dimple la regarda fixement.

"Bon, fit Amina, renfrognée. Mais je travaille au moins jusqu'à vingt-deux heures, il faudra que ce soit après.

— Ouais, d'accord, peu importe. Sûre que tu ne veux pas que je te ramène ?

— Nan." Elles étaient arrivées près du vieux pick-up Chevrolet bleu de Dimple, en train de moisir sur le parking comme un éléphant mouillé. Dimple ouvrit la portière et monta. Elle paraissait ridiculement petite là-dedans, comme une gamine jouant à l'adulte. Même avec le siège avancé au maximum, elle avait les jambes à peine assez longues pour atteindre les pédales.

"Appelle ta mère", dit Amina comme sa cousine baissait sa vitre, et Dimple acquiesça, même si elles savaient toutes les deux qu'elle ne le ferait pas.

2

"Merci de me recevoir", dit Amina en entrant dans le bureau de Jane, le lendemain. Jane pivota avec son fauteuil, complet noir impeccablement repassé, chevelure rousse au carré valsante. Elle pointa le doigt sur le téléphone calé contre sa tête et puis vers le siège en face d'elle. Amina s'assit.

"Oui, mais c'était une bar-mitsvah. Comment as-tu pu rater la *hora*?" demandait Jane d'un ton irrité. Amina détourna son attention vers la vue panoramique du Puget Sound afin d'éviter de perdre contenance. Cela arrivait assez facilement dans le bureau de Jane, dont les proportions (murs blancs interminables, fenêtres du sol au plafond) lui donnaient toujours l'impression d'être un moucheron suspendu dans un bocal en verre.

La personne à l'autre bout du fil parlait encore lorsque Jane raccrocha sèchement. Elle fronça les sourcils, se repositionna dans son fauteuil. "J'ignorais que nous avions rendez-vous.

— J'ai une urgence dans ma famille, il faut que j'y aille.

— Une urgence?

— Mon père n'est pas bien.

— Désolée de l'apprendre."

Amina broncha : dans l'implacable efficacité de Jane, dans son regard inquisiteur, quelque chose lui donnait la sensation d'être une menteuse. "Ça devrait ne prendre que quelques jours."

Jane se tourna vers son ordinateur, consulta le calendrier, fit la moue. Elle regarda Amina. "Tu veux me faire marcher?

— Non, attendez…

— C'est inacceptable.

— Ce n'est pas ce que vous pensez.

— Sûr. C'est ton père. Qu'est-ce qu'il a? Calcul rénal? Diabète? Cancer du poumon?

— Non, mais…

— Tu m'as dit que tu assurerais ce samedi." Elle tapotait son bureau de l'index. "Si j'avais voulu quelqu'un qui foute ça en l'air, j'aurais pu envoyer Peter.

— Je partirais lundi.

— Sans compter que j'ai déjà reçu deux messages de Lesley qui s'inquiète de ta capacité à couvrir l'événement.

— Lundi, c'est après le mariage Beale."

Jane la regardait, froide, en réévaluant.

"De lundi à vendredi, dit Amina en s'essuyant discrètement les paumes sur son pantalon. Ça devrait me laisser relativement à jour, sauf le dîner pour le cinquantième anniversaire des Johnson, jeudi soir."

Se retournant vers son ordinateur, Jane fit apparaître la semaine suivante.

Amina toussota. "Deux messages?

— Ridicules, tous les deux. M'en suis occupée. Mais j'ai besoin de savoir si tu gères la situation.

— Absolument", dit Amina, d'une voix où perçait l'agacement. Jane parut amusée.

"Il semblerait qu'Earl soit ton meilleur choix pour jeudi. Peter est en vacances et Wanda a une fête en l'honneur d'une remise de diplômes de fin de collège.

— Une fin de collège? C'est sérieux?

— Je t'ai dit qu'elle est morte de faim."

Être mort de faim, de même qu'être loyal et prêt à travailler à des heures peu conventionnelles, était une qualité que Jane appréciait dans son équipe. Lorsqu'elle avait créé la société dix ans auparavant, elle travaillait en solo et s'était fait une place dans les mariages en ne faisant payer que ses tirages, pas son temps, stratégie qui lui avait permis de se ménager une base de clients fidèles en à peine un an. À présent que les Studios Wiley employaient douze personnes, elle était toujours à la recherche de nouvelles perspectives. ("S'il plaît à Dieu, avait-elle un jour murmuré à Amina dans un rare instant de laisser-aller, nous photographierons tous les événements incluant des bougies de ce côté-ci des Cascades.")

Non qu'Amina eût encore à démontrer sa valeur à Jane comme dans les premières années. En tout cas, le fait qu'elle ait été chargée du contrat Beale était une marque de confiance manifeste même si, dans la réalité, avoir affaire à Lesley Beale ressemblait à une mesure disciplinaire.

"Alors, les Beale, ça se passe où?" demanda Jane tout en notant un numéro de téléphone sur un post-it.

"Les Highlands.

— Bien sûr. Combien de fois y es-tu allée?

— Trois, la semaine dernière."

Jane éleva un sourcil. "Nerveuse?

— Non, c'est juste…

— Évidemment, tu es nerveuse. Lesley est une garce légendaire. Mais fais-lui plaisir et nous devenons *la* référence pour tous ces gens, et ça, ça me fera plaisir à *moi*." Jane frappa la table du plat des deux mains, signifiant la fin de la conversation, et Amina se leva. "Fais-moi savoir si tu n'arrives pas à avoir Earl."

Travailler pour Jane Wiley n'avait pas été l'idée d'Amina. C'était Dimple qui avait rencontré Jane chez des amis communs, Dimple qui avait obtenu pour Amina l'interview aux Studios Wiley après que sa carrière au *Seattle Post-Intelligencer* avait déraillé, Dimple qui l'avait sortie de son lit et fourrée sous la douche cinq ans plus tôt, prétendant lui avoir parlé de l'entretien d'embauche une semaine plus tôt.

"Quelle importance que ce soient des événements mondains? Ce qu'il faut, c'est que tu reviennes sur scène. Ce truc noir, c'est ta seule tenue?" avait-elle lancé pendant qu'Amina soumettait sa gueule de bois au pilonnage de l'eau et détestait sa cousine.

La "scène", c'étaient les Studios Wiley, à Belltown, où Amina arriva ce matin-là avec un furieux mal au crâne, son portfolio et son CV à la main. Après une attente de dix minutes, on l'avait menée par un long couloir au vaste bureau de Jane où, dans un cahier noir ouvert au centre d'un bureau, elle aperçut une liste de choses à faire qui en totalisait une cinquantaine. Elle y figurait sous le numéro 14.

Jane tendit une main pâle. "Voyons ce que vous avez."

Amina lui tendit son portfolio et détourna les yeux quand Jane l'ouvrit, avec l'impression, comme chaque fois, que c'était comme de voir enfoncer une aiguille dans son bras. Jane hochait la tête devant les photos.

"Qu'est-ce que c'est?"

Amina jeta un coup d'œil. Un jeune garçon souriant, penché, si proche que ses traits étaient presque flous. À l'arrière-plan, son grand frère, assis dans une cage d'escalier en ciment, vêtu d'un tee-shirt des Knicks et fumant une cigarette.

"C'est à Brooklyn. Pour un article sur les jeunes sans abri à New York.

— C'est là que vous avez rencontré Dimple? À NYU?

— Oui. Je veux dire, non. Enfin, nous nous sommes rencontrées au Nouveau-Mexique, mais ensuite nous sommes aussi allées à NYU.

— Et puis vous l'avez suivie ici?

— C'est *elle* qui *m*'a suivie ici", fit Amina, un peu hérissée, et Jane la regarda brièvement avant de continuer. La suivante était une vieille femme avec une houppe de cheveux blancs, effondrée dans un transat.

"Record de chaleur dans le Queens", commenta Amina.

Sur la suivante, un jeune Asiatique en chemise tachée se tenait le ventre, les yeux révulsés.

"Champion des mangeurs de hot-dogs détrôné.

— C'est dans le *Post-Intelligencer* que j'ai vu ça?

— Oui."

La photo suivante était celle d'un officier de police, une mère et son fils. L'officier et la jeune femme se faisaient face et le petit garçon, appuyé contre sa mère, lui entourait les genoux de ses mains. L'atmosphère était sombre entre les adultes, mais le gamin souriait, joyeusement inconscient, les mains de sa mère plaquées sur ses oreilles. Il y avait des taches de glace au chocolat sur le devant de son tee-shirt.

"Ça?

— La famille du pompier qui est mort l'an dernier.

— L'un des quatre dans l'accident de l'entrepôt?

— Oui."

Jane reposa le portfolio. "Eh bien, il ne manque plus qu'une photo de quelqu'un effectivement en train de se tuer pour compléter le tableau."

Amina resta immobile, le visage picotant de chaleur.

"Pourquoi n'avez-vous pas inclus celle-là?

— J'ai pensé qu'elle ne correspondait pas… à ce travail. Qu'elle ne conviendrait pas.

— Et vous aviez raison." Jane posa le portfolio sur le bureau, entre elles, et le referma. "En même temps, aucune de ces photos ne convient réellement. Pour ce travail.

— Vous ne les avez pas toutes vues.

— Pas nécessaire. Ce n'est pas ce que je cherche.

— Mais il pourrait y avoir quelque chose…"

Jane éleva une main. "Vous avez des mariages là-dedans?"

Amina fit non de la tête.

"Des anniversaires? D'autres célébrations? Des baptêmes? Des bar-mitsvah?

— Non.

— Bien sûr que non. Parce que ce n'est pas vraiment ce que vous faites, n'est-ce pas?" Elle avait moins l'air de poser une question exigeant une réponse que de penser à voix haute, et Amina remua inconfortablement quand Jane lui sourit avec froideur. "Ce que vous faites, c'est surprendre les choses que les gens regardent malgré eux. Moi, ce dont j'ai besoin, c'est quelqu'un qui peut faire de bons portraits, qui sait comment trouver l'instant du sourire et le saisir. Quelqu'un qui puisse me remplacer à l'occasion." Amina eut un léger sursaut lorsque Jane la congédia d'une main plaquée sur son bureau. "Merci d'être venue. Et mon bon souvenir à Dimple."

Amina ne bougea pas. Elle savait qu'elle devait se lever, remercier et se diriger, calme et maîtresse d'elle-même, vers le bar le plus proche, mais elle ne pouvait pas. Bouger la ramènerait chez elle, au lit dont elle ne se trouvait plus jamais assez loin désormais. Ça signifierait qu'elle n'avait rien d'autre à faire de sa semaine. Et elle était bien dans le bureau de Jane, mieux qu'elle ne s'était sentie n'importe où depuis longtemps. Elle contemplait les dossiers, les notes et le calendrier où les journées étaient divisées en impeccables unités de temps, consciente de l'irritation croissante de Jane devant son immobilité prolongée.

"Je comprends votre hésitation", finit-elle par dire, d'une voix qui sonnait plus faiblement qu'elle n'aurait voulu. Elle se racla la gorge. "Mais je suis vraiment capable de faire ça."

Jane fronça les sourcils. "Je ne suis pas sûre que vous compreniez…

— Non, je peux faire ça bien." Elle avait les joues en flammes. "Je peux. J'ai d'excellentes références du *New York Post*, et le directeur photo du *P-I* peut témoigner pour moi.

— Écoutez." La voix de Jane avait baissé d'une octave. "Votre cousine m'a dit que vous aviez de grosses difficultés après tout ce tapage, et j'ai accepté de vous rencontrer, mais je ne peux pas me mettre à donner du boulot aux gens simplement parce qu'ils ont des diff…

— Je ne m'attendrais pas à être payée", lâcha Amina.

Jane cligna des yeux. "Quoi?

— Je…" Amina se lécha les lèvres et sentit les mots jaillir rapidement, sur sa langue en même temps que dans son cerveau. "Pas avant que vous sachiez que je conviens, bien sûr. Avant que j'aie fait mes preuves. En couvrant un mariage. Ou des mariages. Un mois de mariages."

Jane faisait la moue.

"Si vous me laissez travailler avec l'un de vos autres photographes, vous verrez, poursuivit Amina, le souffle court, terrifiée. Je ne gênerai pas, et je vous montrerai le produit fini. Si vous aimez certaines de mes photos, elles peuvent être disponibles pour vos clients. Et si je ne suis pas ce que vous cherchez, vous n'aurez rien perdu." Elle se laissa retomber contre le dossier de sa chaise.

"C'est ridicule, dit Jane.

— C'est gratuit."

Jane la considérait, méfiante.

"Très bien, dit-elle enfin. Soyez à Saint-Joe, au Capitol Hill, samedi matin. Un beau grand mariage catholique irlandais."

Amina se leva silencieusement, reprenant rapidement son portfolio avant que Jane n'ait pu changer d'avis.

"Merci, chuchota-t-elle en se dirigeant vers la porte.

— Dix heures précises", répliqua Jane.

Ce samedi-là, quand elle arriva au mariage Murphy-Patrick, Amina vit quelqu'un qu'elle reconnut à peine. Disparus, l'attitude

tendue et le complet noir de Jane, remplacés par une femme pétil-
lante qui donnait des surnoms à tout le monde et clignait de l'œil
comme si elle souffrait d'un tic nerveux.

"Merci, mes chéries! avait-elle crié en agitant une main pour
renvoyer les demoiselles d'honneur. Maintenant j'en veux une
avec Blanche-Neige, Elvis et les Choristes! Ouiii, tous en rang,
comme ça!"

Le jeudi suivant, Amina s'était retrouvée dans le bureau de Jane,
avec ses planches-contacts étalées sur la table lumineuse, dans un
coin. Elle écoutait le silence dans lequel Jane les examinait – cette
femme pouvait rester silencieuse une éternité..

"Oh, fit enfin Jane. Celle-ci est bonne.

— Laquelle?

— La-mariée-se-recoiffe-avant-la-cérémonie." Elle releva les
yeux. "L'angle est bon."

Elle passa à la planche suivante. "Pas mal. La plupart de celles
avec les demoiselles d'honneur sont convenables. Vous devriez
faire un peu attention aux ombres, assurez-vous de toujours tri-
cher pour que la mariée soit mieux que toutes les autres.

— Bien."

Jane revint sur les photos prises pendant la cérémonie.

"La mère de la mariée en train de pleurer, ça marche, dit-elle.
Elle va se trouver l'air noble."

Surprise de l'importance que cela avait pour elle, Amina serrait les mains derrière son dos en une sorte de prière inversée.
Jane parcourut rapidement les planches suivantes. Elle arriva aux
portraits devant l'église.

— Oh." Elle paraissait déçue. "Vos portraits sont ratés."

Le ventre d'Amina palpita un peu. "Quoi?

— Ils ont l'air mal à l'aise." Jane lui tendit la loupe. "Regardez.
Vous voyez comme votre groupe semble souhaiter être ailleurs? À
mon idée, vous arrivez en retard, quand les sourires deviennent
un peu crispés et les yeux moins brillants. Il faut parler entre les
prises, pour les garder avec soi." Amina entendit Jane fourrager
à côté d'elle. "Regardez les miennes."

Sur la planche-contact que Jane déposa sur l'écran lumineux,
on voyait des garçons d'honneur souriants, les yeux brillants et
les joues luisantes.

Jane reprit la loupe, regarda rapidement. "Vos photos de danseurs sont bonnes, mais vous devez vous approcher davantage pendant les discours.

— Je ne voulais pas déranger.

— Ne vous en faites pas pour ça. Soyez rapide, c'est tout."

Elle continuait, hochant la tête devant plusieurs photos, en entourant d'autres au crayon rouge gras. Arrivée à la dernière planche, elle se figea soudain.

"Qu'est-ce que c'est que ça?"

C'était la meilleure photo qu'Amina eût prise de toute la soirée.

"Une demoiselle d'honneur.

— Ça je le vois. Je reconnais le bouquet et les chaussures."

C'était une vue de profil d'une cabine de WC. Le bouquet gisait au pied de la cuvette, telle une offrande devant un autel. Derrière lui, deux genoux couverts de taffetas reposaient sur le sol, suivis de chevilles et de pieds chaussés d'escarpins de satin éraflés. Et si Amina savait que la mariée n'aimerait pas voir cette image, quelque chose – la vanité? – l'avait convaincue que Jane l'apprécierait en tant que composition, qu'elle comprendrait soudain le talent qu'elle avait chez elle.

"Qu'est-ce qu'elle fait? demanda Jane.

— Elle vomit."

Jane se redressa et la regarda ; la peau de ses joues se marbrait. "Vous avez pris une femme en train de vomir.

— Ça s'est passé très vite, dit Amina. Elle ne savait pas que j'étais là.

— À un mariage. Vous avez pris une femme en train de vomir à un mariage.

— Juste quelques prises.

— Une demoiselle d'honneur, pas moins. Pas quelqu'un d'assez anonyme pour n'avoir pas d'importance.

— Non, mais...

— Taisez-vous", lança Jane, violente, au visage d'Amina, en lui coupant la parole. "Avez-vous la moindre idée des ennuis que ça pourrait nous valoir?

— Je ne les aurais jamais montrées à personne.

— Vous auriez sacrément raison... *les*? Il y en a d'autres?"

Il y en avait deux autres. L'une de la jeune fille se lavant le visage, prise de la cabine dans laquelle Amina s'était enfermée, et l'autre où elle se penchait pour présenter son visage au souffle du séchoir à mains.

"Elle ne vous a pas vue?

— Non.

— Comment le savez-vous?

— Parce qu'elle ne m'a pas vue. Il y a des gens qui ne voient rien."

Jane grimaça. "J'ai remarqué ça en ce qui vous concerne."

Amina rougit.

"Vous vous rendez compte à quel point ces photos pourraient perturber la cliente?

— Oui. Je veux dire, maintenant, oui.

— Pas sur le moment?

— Non, je n'ai pas réfléchi… ça me semblait n'être qu'une scène de plus du mariage jusqu'à ce que je voie les planches-contacts hier, et…

— C'est de l'amateurisme, et c'est stupide."

Amina s'attendait à une engueulade, à un conseil ou à un autre, mais comme le silence durait au point qu'elle n'entendait plus que son propre cœur battant dans sa poitrine, elle comprit qu'il lui fallait s'en aller rapidement. Elle remballa ses affaires, les doigts tremblants, faisant glisser les négatifs de l'écran lumineux à son portfolio, honteuse à la vue des quelques photos qu'elle était allée jusqu'à imprimer. Assise lourdement à son bureau, Jane ne disait rien.

"Merci", fit Amina quand elle eut fini, ne sachant quoi dire d'autre. Elle se dirigea vers la porte.

"Vous ne pouvez plus jamais prendre des photos pareilles", dit Jane.

Amina s'arrêta, se retourna.

"Et que je ne reçoive pas un coup de fil de quelqu'un qui me dise que je leur ai envoyé une foutue voyeuse. Les mariages, c'est une affaire de fantasmes – vous comprenez? Votre boulot consiste à photographier le fantasme, pas la réalité. Jamais la réalité. Si jamais je vois une autre photo comme celles-là, vous êtes virée."

Elle ouvrait son carnet.

"Ça veut dire que je suis embauchée ? demanda Amina, calmement.

— Non. Pas avant que je sache que vous êtes capable de faire de bons portraits." Jane glissait le doigt sur la page, parcourant l'agenda. "J'ai un autre mariage après-demain, à l'église luthérienne unifiée, à Queen Anne."

Ce fut une formation accélérée, un mois de mariages, deux par week-end. Jane et Amina circulaient entre des parents en larmes et des couples tendus, et consacraient une demi-heure dans la semaine à commenter le travail d'Amina. Jane était capable de parcourir rapidement une centaine de photos, critiquant les unes, en écartant d'autres, attentive à repérer celles qui n'étaient pas dans sa ligne. Au dernier mariage de juin qu'elles couvrirent ensemble, elle se glissa derrière la tente du jardin avec deux flûtes de champagne et annonça à Amina qu'elle était embauchée.

"Je t'ai inscrite pour six mariages en juillet et, ensuite, tu devras racoler rapidement tes propres clients si tu veux survivre", avait-elle dit.

Amina avait voulu la remercier, mais craignit de faire quelque chose de stupide, comme pleurer ou l'étreindre trop fort. Jane ne la regardait pas, de toute façon.

"Cinq messages ?" Devant le bureau de Jane, des post-it à la main, Amina contemplait les petits papiers roses que la réceptionniste lui avait passés. "Je ne suis restée là-dedans que dix minutes.

— Il y en a quatre d'une même femme. Et José est passé aussi, il te cherchait. Il a dit quelque chose à propos d'un tirage Lorber qui serait prêt, mais il me semblait que je les avais envoyés la semaine dernière, ceux-là ?"

Ignorant la question et l'expression qui l'accompagnait, Amina s'avança dans le couloir en examinant, sourcils froncés, les billets marqués d'une écriture serrée. *Lesley Beale, Lesley Beale, Lesley Beale.* "Il est dans la chambre noire ?

— Oui.

— Merci."

Amina poursuivit son chemin jusqu'à la chambre noire ; dans la porte à tambour, elle se trouva face aux règles de José. Affichées sur la vitre, elles spécifiaient qu'il ne fallait frapper en aucune circonstance, que nul ne devait entrer sans être annoncé ni téléphoner entre dix et dix-huit heures. Bien que certains, au bureau, aient fait des réserves quant au sens donné par José à la notion d'"être au travail", les photographes étaient tous bien trop amoureux de ses tirages pour jamais le lui dire.

Amina frappa doucement. Le métal résonna autour d'elle et elle entendit quelque chose tomber de l'autre côté, suivi d'un chapelet de jurons espagnols.

"José, c'est Amina. Je regrette, chuchota-t-elle.

— C'est plus la peine de chuchoter, bordel, maintenant que tu m'as fait merder! hurla José à travers la porte. Elles disent quoi, les règles? Faites merder José, ou foutez-lui la paix?

— Je sais, je sais, c'est juste que je dois partir dans une demi-heure, alors si tu as quelque chose pour moi, il me le faudrait maintenant.

— *Puta!* Ton bureau, dans dix minutes."

Amina se glissa hors du tambour et parcourut le couloir sur la pointe des pieds jusqu'à son bureau, dont elle ferma prudemment la porte derrière elle.

Contrastant avec le bureau de Jane, où les piles bien triées et les post-it aux couleurs codées donnaient l'impression d'une sorte d'organisation collective, les empilements dans celui d'Amina ne suggéraient rien de tel. Elle n'avait jamais réussi à faire bon usage du classeur, préférant laisser ses papiers dessus, tandis que des surplus de serviettes en papier et de sachets de ketchup tapissaient le tiroir de sa table. Une seule lampe pendait au-dessus de celle-ci, et elle l'alluma.

Lesley Beale. Ses derniers messages en rejoignirent plusieurs autres qui vivaient entassés au coin de la table d'Amina et, quand le téléphone sonna, elle inspira un grand coup avant de décrocher.

"Amina! cria Kamala. Tu ne devinerais jamais ce qui vient de se passer!

— Maman?"

Bruit de bousculade à l'autre bout de la ligne, et Amina entendit sa mère hurler : "Donne-moi le téléphone, Thomas! Laisse-moi raconter à ta fille ce que le génial chirurgien a fait ce matin!"

Il y eut encore des bruits étouffés, puis celui des pas de Thomas montant quatre à quatre ce qui ne pouvait être que l'escalier. Il respirait bruyamment dans le combiné. Une porte claqua.

"Amina-Amina-Amina, j'ai volé le téléphone! cria-t-il d'une voix qui résonnait comme s'il se trouvait dans une caverne à chauves-souris. Je suis dans la salle de bains. La voilà!

— Thomas! Kamala martelait la porte. Laisse-moi lui parler!

— Non!

— Lâche! Dis-lui!

— Non!

— Dis-moi quoi? demanda Amina.

— Rien, fit la voix de Thomas, respirant une innocence feinte. Rien du tout. Et comment vas-tu, par cette belle matinée d'été?

— Il a perdu la voiture", hurla Kamala. Martèlements. "Sa propre voiture!

— Tu as *quoi*?

— Non non non, cria Thomas. Ne bourre pas la tête de ta fille de pareils mensonges!"

Il fit une pause, attendant la réplique de Kamala, qui n'arrivait pas.

"Elle doit être en train de préparer une attaque-surprise, chuchota Thomas à l'appareil.

— Tu as perdu la voiture? chuchota Amina en réponse.

— Oh, elle bourdonne comme un nid de frelons aujourd'hui, je t'assure.

— Qu'est-ce qui s'est passé?

— Pas grand-chose, en réalité. Ta mère adore inventer des histoires, rien de neuf.

— DANS LE CENTRE COMMERCIAL!" hurla Kamala, qui avait trouvé un autre combiné, et Amina faillit laisser tomber le sien.

"Méchante créature, va-t'en! répliqua Thomas.

— Et devine qui a dû venir à son secours?

— Oh là là, nous y voilà. C'est une sainte! C'est une sainte!

— Perdue? Tu ne savais vraiment pas où elle était? demanda Amina.

— Et ce n'était même pas chez Sears, comme il disait, c'était chez *Dillard*! ricana Kamala. Et, le bouquet! Dis-lui ce que tu faisais là.

— Je faisais des courses, dit Thomas.

— N'importe quoi! Il était à la quincaillerie, pour se faire refaire des clés, parce qu'il les avait perdues. D'abord les clés, et puis la voiture!

— *Edy, penay*", interrompit Thomas en malayalam. Amina ne put saisir que quelques mots. Quelque chose à propos d'une chèvre. Autre chose à propos d'idiots. Amina éloigna le combiné de son oreille. Après un silence, un léger glapissement résonna dans le téléphone : "Amina!

— Oui.

— Tu as dit que tu vas venir? (C'était Kamala.)

— Mon avion arrive lundi après-midi.

— Eh! s'exclama Thomas, ravi. Tu viens?

— Elle a un peu de temps libre, alors elle a décidé de venir nous voir, répondit promptement Kamala. Pas comme les filles de certaines personnes.

— Combien de temps? demanda Thomas.

— Juste cinq jours. J'arrive lundi.

— Fantastique."

Amina se mordillait un ongle. Elle imaginait son père au milieu d'une mer de voitures inconnues, de pare-brise aussi vides que des yeux de requin. Alzheimer? Était-ce ainsi que ça commençait? Le bipeur de Thomas se mit à sonner et elle l'entendit farfouiller à sa recherche.

"Dis, *koche*, je dois…

— Je sais, je sais, je l'entends. On se rappelle." Amina écouta pendant quelques secondes avant qu'il ne raccroche. "Il n'est plus là?

— Hm, hm." Sa mère semblait distraite. "Mon stylo ne marche pas ; attends. À quelle heure arrives-tu?

— Il a perdu la *voiture*?"

Kamala rit. "Je sais! Incroyable, hein?

— Et tu es sûre que c'est sans danger qu'il travaille?

— Que veux-tu dire?

— Il voit Ammachy, il perd la voiture?

— Quoi? Non! Pas en même temps, idiote. Il a perdu la voiture *ce matin*", dit Kamala, comme si ça expliquait tout. "L'autre chose, ça se passe pendant la nuit.

— Mais tu ne penses pas que les deux sont liés ?

— Évidemment, non ! Pouh, cette fille. Toujours ces réactions exagérées.

— Je n'exagère rien. Je dis seulement que s'il…

— Ça fait vingt-cinq ans que ton père perd tout deux fois par mois. C'est drôle, c'est pour ça qu'on te l'a raconté. Tout le monde perd sa voiture au centre commercial."

Amina tiraillait le cordon du téléphone. Un coup frappé à la porte lui fit relever brusquement la tête ; les yeux reptiliens de José lui lançaient un regard oblique sous des paupières mi-closes.

"Il faut que j'y aille, dit-elle à sa mère.

— Tu ne m'as pas donné l'heure de ton vol", protesta Kamala pendant que José passait la porte avec, à la main, une enveloppe jaune et plate sur laquelle était inscrit "Amina exclusivement".

"Je te rappellerai."

Kamala raccrocha brutalement. Amina fixait le combiné. José toussota.

"D'accord." Elle leva les yeux vers lui. "Excuse-moi.

— Ça va ? demanda-t-il.

— Ouais.

— Ça n'a pas l'air d'aller.

— Je vais bien." Elle regarda l'enveloppe. "Qu'est-ce que c'est ?

— Une beauté. C'est pas que tu la mérites." José fit glisser la photo sur son bureau. Ils contemplèrent une femme aux cheveux blancs allongée sur une table noire, les bras étendus à ses côtés. Elle était vue à partir des pieds, les semelles usées de ses chaussures précédant la racine tordue de son corps. Des chaises vides étaient alignées de part et d'autre, tel un public invisible, et sa bouche était béante. Elle était entourée d'un halo à peine perceptible, une légèreté qui élevait son corps au-dessus de la table. Un homme se recroquevillait auprès d'elle, les lèvres pincées.

"Nom d'un chien, fit Amina.

— C'est exactement ce que j'ai pensé, dit José, dont la voix trahissait l'excitation. J'ai mis un peu de lumière autour de sa tête et de son corps. J'ai fait ressortir les détails des souliers, tu vois, comme ça. Et je peux renforcer le visage de l'homme, dans le coin, si tu veux. C'est juste que ça me plaisait bien, tu sais, que ce soit elle le centre d'intérêt.

— Non, ça me plaît qu'il soit pâle." Amina regarda les mains de la femme, ses doigts repliés. "Les mains aussi sont bien. C'est un de tes meilleurs.

— De *tes* meilleurs. Ma vieille, je ne sais pas ce que je foutrais ici si tu ne m'approvisionnais pas régulièrement en obscénités. Elle n'est pas morte, hein ?

— Non, juste dans les pommes d'excitation. Elle allait bien quand je suis partie." Amina ramassa la photo avec soin et la remit dans l'enveloppe, qu'elle glissa dans son sac. "OK, quel genre de garniture tu veux ?

— Végétarienne. Il me faudrait aussi encore un peu de ce truc vert.

— Du chutney.

— Ouais."

Amina nota la commande dans son carnet. "Ma cousine et moi, on retrouve quelqu'un dans ton quartier, dimanche, alors je peux les déposer chez toi si ça t'arrange."

Deux ans auparavant, lorsque José s'était mis en quatre pour imprimer en grand format une photo d'Amina, il l'avait presque fait virer. Avec juste ce qu'il fallait de lumière et d'ombre pour mettre en valeur la mariée, Janine Trepolo, recevant en pleine figure le gâteau lancé à la volée par un marié un peu trop costaud, Amina avait été certaine que c'était une façon pour Jane de lui annoncer son licenciement lorsque la grande enveloppe jaune était arrivée sur son bureau, adressée à AMINA EXCLUSIVEMENT. Elle se rendait chez sa patronne quand José lui demanda si elle aimait. Ce n'était qu'après avoir eu confirmation que personne d'autre n'avait vu la photo qu'Amina put avouer qu'elle l'adorait, et alors, n'ayant rien d'autre à offrir, elle lui avait donné la moitié de son déjeuner. Lorsque le tirage suivant fut prêt, José demanda d'autres samoussas. "Échange de spécialités", avait-il dit, une idée qui semblait tant lui plaire qu'Amina ne vit aucune raison de le détromper. Peu importait qu'elle achetât ladite spécialité dans un restaurant bien caché à Magnolia.

"Dimple et toi, vous venez dans mon coin ? Et je ne suis pas invité ?

— C'est comme ça.

« — Ma vieille, quand est-ce que tu vas nous présenter ? Cinq ans que tu es là, et je ne connais toujours pas cette fille.

— Tu es marié, lui rappela Amina.

— Nous avons un accord.

— Que tu dis.

— Tu ne me crois pas ?

— Je crois que tu serais prêt à me raconter plein de choses pour rencontrer Dimple.

— Dimple, déclara José en se léchant la lèvre inférieure, est un samoussa humain.

— Arrête. »

Il se fendit d'un large sourire qui, avec ses dents courtes et plates, le faisait ressembler à un gremlin. « Vas-y, fais-moi ce discours sur le sexisme-racisme-ismisme maintenant, tu sais que tu en meurs d'envie. »

Le téléphone sonna et Amina le chassa d'une main vers la porte. « Fais-le-toi toi-même, ce discours. J'ai du travail. »

3

Il y a de petits bonheurs, tout petits, qui surviennent spontané-
ment et allègent un peu une dure journée. Le temps qui accueillit Amina en route vers le quartier des Highlands pour le mariage
Beale, le samedi après-midi, était de ceux-là. Certes, il faisait
un peu frais pour un mois de juin, mais le ciel était parsemé de
quelques nuages légers – parfait pour une union éternelle. Les
Commodores chantaient *Easy* à la radio, et elle chantait avec eux,
Why would anybody put chains on me, ça lui plaisait, sur le plan
existentiel. Elle se sentait à l'aise. Lesley Beale serait contente
d'elle. À treize heures cinquante, elle se garait dans le parking du
Golf Club de Seattle, où l'un des nombreux gardiens vêtus de
vert lui fit signe de se diriger vers l'entrée de service.

"Elle a fait livrer des arbres à la dernière minute pour la grande
salle", expliqua Dick, le gérant de l'établissement gaulé comme
un haricot, en portant un mouchoir de lin à sa lèvre supérieure,
quand Amina franchit le seuil. "Personne ne peut entrer avant
environ une heure.

— Elle est déjà là?

— Elle est depuis dix heures en train d'aménager le salon des
dames pour les jeunes filles. Eunice aussi est là.

— Qu'est devenue la bibliothèque?

— Changé d'avis, changé d'avis", fit Dick, qui se détourna
alors brusquement pour répondre à la question d'une femme
chargée d'une brassée de lys.

Bien sûr qu'elle avait changé d'avis. Changer d'avis était une
sorte de sport pour Lesley, dont le charme soigné, la beauté
chevaline et le mariage avec l'héritier de la fortune des grands

87

magasins Beale avaient fait d'elle depuis longtemps le type exact d'individu qui ne se souciait guère de ce que changeait chaque changement. Un bataillon d'élégants serveurs passa près d'Amina pendant qu'elle traversait la salle.

"Bonjour?" Amina entra dans le salon.

"Ah, bien, je commençais justement à me demander où vous étiez." Lesley, vêtue d'un pimpant et impeccable origami de lin blanc, surveillait une femme plus âgée occupée à placer un vase en cristal devant chaque miroir. "Plus à gauche, Rosa. Encore. Encore un petit peu. Bien."

Amina déposa son sac et jeta un regard rapide autour d'elle. La pièce était une mêlée de roses concurrents. Rideaux, murs et moquette roses luisaient sous les lustres. Devant chacun des huit miroirs enguirlandés de petites ampoules rose bonbon, une bergère couleur pêche attendait, tel un cacatoès égaré.

"Il faudra que vous mettiez vos affaires au vestiaire, dit Lesley.

— Pas de problème. Laissez-moi juste me préparer.

— Bonne idée." Eunice, l'organisatrice de mariages à l'air perpétuellement stupéfait, se releva de sa position accroupie, une main crispée sur un rouleau de ruban blanc. "Les jeunes filles ont déjà fini, au salon de coiffure, elles arrivent."

Amina hocha la tête calmement, sortit un posemètre et se mit à mesurer la lumière dans toute la pièce.

"Où sont les lys, Eunice? demanda Lesley.

— Pardon?

— Pour les vases. Il faut qu'ils soient en place avant l'arrivée des filles.

— Oui. Je n'ai simplement… ah, je crois, parce que nous devions être dans la bibliothèque et vous avez décidé qu'il y aurait conflit de textures?

— Mais nous sommes dans le salon des dames.

— Bien sûr! Permettez…" La sortie précipitée d'Eunice ne fut qu'un flou dans le coin de l'œil de plus en plus soucieux d'Amina. Il fallait qu'elle se règle sur une lumière faible et rose sans quoi tout le monde ressortirait avec l'air de poulets frits sous une lampe à chaleur.

"Amina, pouvez-vous mettre vos affaires au vestiaire, au bout du couloir? Elles encombrent, ici."

— Oui, juste une seconde.

— Plus à gauche, Rosa."

Amina approcha du mur et actionna les quelques interrupteurs qui restaient, transformant la pièce en un tutu flamboyant. Grands dieux, les miroirs. Autant faire des photos dans une baraque de foire.

"Maman?" Le soupir de la porte du dressing room révéla la future épouse, mignonne et minuscule en chemise d'homme trop grande pour elle et pantalon corsaire.

"Jessica!" Sourire carnivore de Lesley. "Tu es en avance!

— Ouais. L'autre mariée avait une demi-heure de retard, alors ils nous ont prises d'abord. J'étais triste pour elle, mais, quoi, c'est comme ça, hein?

— C'est comme ça, fit Lesley en écho, avec un sourire benêt. Alors, voyons ça."

Jessica tourna sur elle-même et Amina courut prendre son appareil au moment précis où la porte se rouvrait, livrant passage au reste des jeunes filles – peaux bronzées, cheveux lisses, surchargées de sacs multiples, de robes sous plastique, de boîtes à chaussures et d'un lecteur de CD. Accessoires disséminés sur les tablettes, Jackie, la première demoiselle d'honneur, annonça qu'elle avait enregistré pour l'occasion une compilation spéciale sur le thème de "l'amour". Amina monta précipitamment sur une chaise afin d'avoir une vue d'ensemble du brouhaha tandis que Madonna imprégnait l'atmosphère.

"Quelqu'un a apporté un rasoir?

— Moi." Jackie le brandit comme un trophée, une photo géniale si le déclenchement n'avait fait exploser le flash dans les miroirs ; le pouls d'Amina battait la chamade.

"Amina, votre sac?"

Un coup retentit sur la porte, accompagné d'une voix de basse : "Tout le monde est dans une tenue décente?" Une demi-seconde plus tard, Brock Beale la poussait, cheveux gris acier et nez retroussé, regard onctueux sur les demoiselles. "Et comment vont mes préférées, aujourd'hui?"

Absorbées par la fermeture d'un bracelet de perles, Lesley et Jessica levèrent à peine la tête, mais Jackie se retourna avec un sourire suave. "Ouh là, Brock, tu es splendide en smoking.

— Tu trouves ?" Il contempla son profil dans le miroir en tapotant une panse contractée. "Je n'arrive jamais à me sentir tout à fait à l'aise."

C'était un mensonge, un mensonge charmeur car il ne faisait aucun doute, dans l'esprit d'Amina, que Brock Beale se sentait tout aussi à l'aise en smoking qu'en pyjama, mais il atteignit son but en rendant Jackie d'autant plus catégoriquement rassurante, ce qui, à son tour, fit paraître l'intéressé d'autant plus à l'aise. Le flash, en se déclenchant, les fit tressaillir tous les deux.

"Amina, le vestiaire, répéta Lesley.

— Il me faut juste encore quelques prises."

Lesley vint se placer devant l'objectif. "Maintenant serait parfait."

Ravalant un éclair d'irritation, Amina esquissa délibérément un panoramique de la pièce, mais les jeunes filles étaient soudain devenues trop conscientes de sa présence, membres raidis, dans le bruit imperceptible d'applications de déodorants et de sprays capillaires.

"Allez-y, dit Lesley. Une petite pause vous fera du bien."

Un air plus frais souffla au visage d'Amina lorsque, sortant du salon des dames, elle repartit dans le couloir. Elle frissonna un peu au moment de tourner en direction de la salle de bal en traînant ses sacs en désordre. Les arbres de Lesley montaient la garde à gauche et à droite, momifiés sous plastique. Quelques hommes mesuraient l'espace les séparant.

"Vestiaire ?" leur demanda Amina sans s'arrêter.

"Continuez par-là", répondit l'un d'entre eux, et Amina, pressant le pas, dépassa la salle de bal, puis la cuisine, jusqu'au fond du salon d'accueil. Elle trouva le vestiaire – quelques porte-cintres juste à côté d'une porte de service – et attrapa le premier cintre à sa portée.

"Je peux vous aider, miss ?" Un adolescent aux cheveux blonds et ras, qui ressemblait à un furet, surgit apparemment de nulle part, en tirant sur les poignets qui dépassaient d'une courte veste bordeaux.

"Je ne fais que pendre mon manteau.

— Je vais le faire.

— C'est déjà fait.

— Vous avez votre numéro ?"

Amina le fixa sans comprendre jusqu'à ce qu'il saisisse le ticket suspendu au crochet du cintre, le déchire et le lui donne.

"Merci."

Le gamin lui fit un sourire comique, comme s'ils se trouvaient à l'intérieur de la blague de quelqu'un d'autre. "Je m'appelle Evan.

— Amina."

Il regarda le salon de réception derrière elle. "Ça va être super emmerdant, non?

— Sans doute.

— Bonne chance.

— Toi aussi."

Lesley avait vu juste. Se l'avouer irritait et soulageait également Amina, mais la marche jusqu'au vestiaire l'avait requinquée. Revenue au salon des dames, elle avait trouvé la bonne perspective, qui consistait en définitive à se placer près de n'importe lequel des miroirs, en évitant d'un rien le centre de la pièce.

À présent, quatre heures plus tard, elle vacillait au milieu de la piste de danse. Les couples passaient autour d'elle en paires embrassées, et lui souriaient à travers l'objectif. L'atmosphère était lourde des senteurs de la célébration : lys, eaux de toilette pour hommes, vin et peaux moites.

Une fois la cérémonie terminée et le repas en cours, la mariée s'était laissé aller contre le corps du marié, sa petite silhouette enveloppée des bras en smoking du jeune homme évoquant une colombe entre des paumes. Jessica paraissait plus douce et plus tendre que pendant la cérémonie et quand elle leva la tête vers son nouveau mari en quête d'un baiser, Amina sut qu'elle avait pris la photo qu'ils désiraient par-dessus tout.

Les images de la journée plairaient à Lesley, elles mettaient en valeur le style, le goût, l'extravagance des Beale. Lesley avait réellement pensé au moindre détail : fruits, champagne et truffes en chocolat, cartons de placement ornés de rubans de soie, jeux pour les enfants et miniatures en argent de la *Space Needle** comme

* La *Space Needle* ("aiguille de l'espace") est une tour futuriste construite à Seattle pour l'Exposition universelle de 1962.

souvenirs. Et si, pour les photos de famille, Brock avait entouré son épouse d'un bras aussi raide que si elle avait été un mini-frigo, les autres invités au mariage étaient d'une beauté insouciante et désinvolte, les hommes grands et commençant à peine à prendre le poids qui les ferait enfler comme leurs pères, les jeunes femmes minces, soignées et fastueuses.

En se retournant sur la piste de danse, Amina vit Lesley et un homme d'un certain âge en train de valser lentement à côté d'elle et elle les suivit en mesure afin de trouver l'angle le meilleur. Ils baissèrent la tête en même temps.

"On va couper le gâteau dans un quart d'heure, fit Lesley entre ses dents. Si vous voulez faire une pause ou manger quelque chose, faites-le maintenant, d'accord?"

Elle n'avait faim que d'air et d'espace. Dans le couloir, les serveurs passaient avec des plateaux chargés d'assiettes empilées et de verres vides. Il faisait clair et frais dans la grande salle, une lumière dorée rebondissait des murs crème à la moquette bordeaux. Amina dépassa la cuisine, avec ses tintements assourdis, ses odeurs de sauce et d'eau de vaisselle.

Lesley avait eu raison aussi pour les arbres. Déballés, il apparut que c'étaient de très grands buissons taillés en cônes parfaits, comme si on venait de les déraciner dans une forêt de gnomes. L'effet était d'une magie étrange. Amina promena la main sur le flanc hérissé de l'un d'eux avant de se glisser derrière, de manière à saisir la rangée entière, une longue succession d'obliques.

Dans la salle de bal, l'orchestre annonça la satisfaction d'une demande spéciale et, après une pause, la chanteuse entama d'une voix feutrée les premières mesures d'*At Last*, d'Etta James. Les convives firent rugir leurs chaises en se levant pour saluer la championne des chansons de mariage, celle qui entraînait toujours sur la piste de danse, le temps d'une réconciliation momentanée, les couples indifférents, en brouille ou séparés. Si elle n'avait pas déjà pris trop de photos de danseurs, Amina y serait retournée, mais elle continua son chemin, poursuivie au long du couloir par *"My lonely days are over"*, comme par un fantôme mélancolique.

Les porte-cintres étaient surchargés à présent, vit-elle en s'en approchant. Telle la victime d'une noyade, une manche de sa veste ressortait sur le noir de la plupart des manteaux et elle la regarda avec envie. Qu'elle aurait aimé franchir les quelques mètres de tapis, récupérer son vêtement, le mettre et s'en aller. Elle faillit hurler quand il remua.

Le portant gémit. L'estomac d'Amina lui remonta dans la poitrine à la vue d'une tête surgissant au milieu des manteaux pour disparaître aussitôt.

"Merde", entendit-elle. Elle se réfugia derrière l'arbre à sa gauche.

Le portant remuait maintenant, les manteaux tremblaient comme de froid. La tête réapparut, et Amina éleva son appareil à hauteur de son visage, cœur battant staccato jusqu'au bout de ses doigts. La tête se baissa, puis se tourna soudain, face à elle. Amina se figea, s'attendant à être vue, mais les yeux de la demoiselle d'honneur étaient fermés et le restèrent tandis qu'Amina zoomait. La bouche rose béait, lèvres humides. La tête de la jeune femme bougeait en rythme, de haut en bas, et Amina mit au point sur le visage de Jackie, en retenant son souffle au moment de déclencher l'obturateur. Elle le déclencha à nouveau quand la jeune femme tendit un bras pour se stabiliser, entourant d'une main manucurée les crochets de fil de fer des cintres, la tête affaissée de côté. Quand elle gémit de nouveau, une main d'homme se plaqua sur sa bouche. Elle se pencha vers cette main. Le portant s'effondra dans un fracas de tonnerre.

Vus dans l'objectif d'Amina, ils étaient beaux : cloués, telles des créatures marines, sur une marée de manteaux noirs, les membres entremêlés en un spasme fantastique, blancs sur le fond sombre. La jeune femme gisait sur le ventre, les fleurs dans ses cheveux réduites en pulpe. Sous elle, deux chevilles entravées par un pantalon couraient sur place, s'efforçant de trouver une prise dans l'amoncellement d'étoffes. Envahie par un calme limpide, doigts, yeux et objectif suspendus en l'air, Amina cliquait et cliquait encore. Elle vit deux grandes mains saisir Jackie à la taille et la repousser brutalement de côté. En dessous, Mr Beale s'empoignait une cuisse ; les blancs de ses yeux étincelèrent quand Amina déclencha de nouveau l'obturateur.

Jackie gémit.

93

"Lève-toi", aboya Mr Beale, mais la jeune femme ne bougea pas. Ses seins pendillaient hors de sa robe et elle tentait maladroitement de remettre le tissu en place.

"Oh mon Dieu, fit-elle.

— Lève-toi, *tout de suite*", répéta Mr Beale en la poussant à l'épaule.

Un bruissement juste derrière Amina renvoya son appareil à hauteur de sa taille et lui coupa le souffle. En se retournant, elle vit le garçon du vestiaire qui arrivait en courant dans le couloir, les yeux fixés sur la scène devant lui. Amina lui emboîta le pas, en faisant valser son appareil dans son dos. Mr Beale fronça les sourcils à leur approche et Amina se détourna pendant qu'il se relevait et remontait vivement son pantalon.

"Je… hum… v-v-vais m'occuper des vêtements, monsieur", bégaya le garçon, et Mr Beale les enjamba.

"Jackie, lève-toi", répéta-t-il encore, d'un ton calme cette fois, comme s'il s'adressait à une très petite fille, mais elle ne bougea pas. Elle regardait derrière lui, derrière eux tous. Amina se retourna et aperçut dans le couloir le gérant, suivi de Lesley et de quelques invités.

"Comment t'appelles-tu, fiston? demanda Mr Beale au garçon du vestiaire.

— Ev-Evan.

— Evan, voyons si, toi et moi, nous arrivons à relever ce truc-là." Mr Beale désignait le porte-cintres. Folie évidente étant donné ce qui gisait sur les cintres, à savoir Jackie, mains écrasées contre le corsage de sa robe. Amina observait Mr Beale, lequel observait le gérant qui, se tournant vers le garçon, lui adressa un bref hochement de tête, de sorte que ce fut le garçon du vestiaire qui se pencha vers la jeune femme pour la relever tant bien que mal sous le regard des invités. En dessous d'elle, Amina distingua sa propre veste chiffonnée.

"Excès de boisson", déclara Mr Beale d'une voix sonore tandis que le personnel redressait le portant. "Rien de grave."

Il adressa à ses hôtes, dans la salle, un clin d'œil entendu, et le visage de Jackie se colora.

"Je suis tout à fait désolé, Mr Beale, commença en hâte le gérant. Evan est nouveau, ici, et il ne connaît…"

Mais Mr Beale, coupant du geste la fin de la phrase, se dirigea vers Lesley qui restait immobile, les yeux vides, tels ceux d'un chat prêt à bondir. Il entoura d'un bras la taille de son épouse. "Retournons tous à l'intérieur, voulez-vous ?"

Et comment se fit ce retour au calme, comme s'il n'y avait rien à voir en dehors de la pauvre explication de Brock Beale ? Amina n'arrivait pas à le comprendre, et elle ne pouvait plus regarder Lesley, elle resta donc immobile dans le remous de la retraite, la main crispée sur son appareil comme s'il était en danger d'être balayé par ce flot si aisément détourné.

"Tu te fous de moi." Dimple se tenait debout sur le seuil, à l'arrière de la galerie, d'où filtraient dans l'allée où attendait Amina des odeurs de peinture et la blancheur éblouissante des murs. "Alors comme ça tu as abandonné ta veste ? Ils ont intérêt à te la rembourser.

— Ouais. C'est leur priorité numéro un, aucun doute.

— Enfin, de toute façon, elle était laide.

— Laide ?

— Est-ce qu'elle s'en est rendu compte ? Je veux dire, elle a dû s'en rendre compte.

— Aucune idée."

Elles marchèrent jusqu'à la voiture, entourées du grouillement ivre de la foule du samedi soir, Pioneer Square, à Seattle. Quelques canettes de bière récemment vidées avaient été abandonnées dans la benne du pick-up et Amina les balança, tout en ouvrant la portière pour Dimple qui passa la tête à l'intérieur et renifla, méfiante. "Quelle est la saloperie de bombe aux épices qui a explosé là-dedans ?

— Ce sont des samoussas. On doit les déposer chez José en passant.

— Ils sont sur mon siège ! Je ne peux plus m'y asseoir, maintenant.

— Allez, viens. On va être en retard.

— Super, je vais puer le curry.

— Sajeev est indien. Ça ne le gênera pas.

— Je suis indienne. Ça me gêne.

— T'as un problème."

Dimple posa le sac de samoussas au pied du siège et grimpa prudemment. Elle entrouvrit sa vitre et se pencha sous le siège pour
le relever avant de se figer. Elle brandit l'enveloppe jaune de José.

"*Amina exclusivement ?*

— C'est un truc de mariage." Amina tendit la main vers l'enveloppe. "Donne."

Dimple se recula, ouvrit le rabat.

"Attends ! Non !"

Mais il était trop tard. Dimple extrayait déjà la photo de l'enveloppe et son visage s'illuminait comme si elle venait d'avaler
d'un coup tout un coucher de soleil. "Bon Dieu, qu'est-ce qui
lui est arrivé ?

— Rien.

— Une overdose ?

— Elle est grand-mère !

— Et elles peuvent pas faire d'overdose ?

— Dimple, rends-la-moi !

— Quelqu'un voulait un tirage de ça ?

— Ce n'est pas… oui. C'est ça. Tu pourrais…

— Qui l'a imprimée ? Beau boulot.

— Nom de Dieu, Dimple, c'est confidentiel. Pour un client !
Tu ne peux pas arrêter cinq secondes de fourrer ton nez partout ?"

Dimple braqua sur elle un regard lourd, comme pour en obtenir davantage d'informations, et puis, comme rien ne venait,
elle haussa les épaules et alluma une cigarette. Elles roulèrent en
silence, la fumée planant entre elles.

"Alors qu'est-ce que…

— *Dimple.*

— J'allais juste te demander comment tu crois que Sajeev va
être, cette fois-ci, espèce de cinglée.

— Oh." Les épaules d'Amina s'affaissèrent un rien. Elle essaya
de se représenter le gamin trop maigre qu'elles évitaient dans
leur enfance, l'adolescent qu'elles avaient vu deux fois. "Je sais
pas Pareil. Silencieux. Des dents de lapin. Trop petit pour son
nez."

Dimple rit. "Ça, c'est méchant.

— C'est vrai. Alors, quel bar ?"

— Le Hilltop", dit Dimple et Amina poussa un gémissement. Le Hilltop était fréquenté par le genre d'individus qui se jugent à leurs chaussures. "Je sais, je sais, j'ai essayé de lui proposer le Mecca. Rien à faire. Il tenait à un endroit où il pourrait nous inviter à dîner.

— Il nous invite à dîner? C'est pas un peu… formaliste?

— Dîner, c'est chouette.

— Rien que nous?

— Écoute, toute cette conversation m'a plus ou moins déboussolée. Une minute je tente de voir comment ramener l'invitation à un verre à un simple café, et la suivante je me retrouve en train de dire « bien sûr, oui, tu nous offres à dîner, formidable »."

Amina regarda sa cousine. "On « sort » avec Sajeev?

— Pas même dans ses fantasmes. Il y a de la marge."

Le Hilltop débordait d'animation, plein de visages féminins hypersoignés ressemblant aux images intitulées "après" dans une revue consacrée au maquillage, et d'hommes qui cherchaient des femmes comme celles-là. Amina lissa d'une main sa robe couleur pêche, qui faisait partie de sa garde-robe spéciale mariages, celle que Dimple s'obstinait à appeler "Cadbury Couture".

"La vache!" s'exclama Dimple, et les yeux d'Amina se fixèrent sur le long bras qui leur faisait signe à l'autre bout du bar, les yeux noirs et le sourire juste en dessous.

"La vache", convint-elle.

Sajeev s'était proportionné à son nez.

À vrai dire, Sajeev avait grandi à peu près de toutes les façons possibles et, au bout d'une demi-heure de conversation, Amina ne pouvait empêcher ses yeux d'aller et venir de ses dents éblouissantes (toujours un peu en avant) à ses avant-bras musclés, en clignant comme s'il avait été fait de soleil. Chose étrange, les années passées depuis le lycée l'avaient rendu *joli*, et la féminité de ses yeux aux cils épais était en désaccord étrange avec sa chemise, son jean, et des tennis justes assez classe pour faire savoir qu'ils coûtaient plus cher que du cuir italien. Quelque chose qui sentait le vétiver et le bois de santal s'échappait du col de sa chemise chaque fois qu'il se penchait, provoquant en elle désir et méfiance. Quel genre de type se mettait de l'eau de toilette pour dîner avec des amis de famille? Certainement pas le Sajeev qu'elle avait pensé retrouver. Tandis qu'il s'étendait en détail sur l'endroit où il habitait (à quelques rues de là), ce qu'il faisait (programmation centrée sur l'intelligence artificielle), ce qu'il pensait de Seattle (que du bien, sauf la pluie), Amina se laissa glisser en douceur dans un état d'hébétude. Dimple, de son côté, exceptionnellement en forme, yeux, dents et fourchette étincelants, avait esquissé pour lui en trois minutes une mise à jour de leur histoire à toutes les deux.

"Et quel genre d'œuvres tu exposes dans ta galerie?" demanda-t-il.

Il ne connaissait pas Dimple assez bien pour saisir le léger frémissement de sa narine, son dédain pour ce qu'elle qualifiait souvent de question "d'amateur d'art débutant", mais, le ménageant, elle répondit : "J'aime toutes sortes de choses, mais au fond ce qu'on recherche, chez John Niemen, c'est le dialogue entre des œuvres. On programme deux photographes à chaque exposition, et je suis particulièrement attentive aux échanges qui vont s'instaurer. C'est une sorte de conversation.

— Une conversation que les autres comprennent?

— Seulement les gens intelligents."

Sajeev se laissa aller contre la cloison du box, un long bras étendu en travers. Sa bouche avait une façon comique de se tordre un peu aux commissures quand il ne parlait pas, et Amina se demanda rêveusement s'il pourrait soulever Dimple d'une seule main. Les regards lancés par-dessus sa bière étaient certainement assez appuyés pour suggérer qu'il ne lui déplairait pas d'essayer. "Et qui est le prochain? Quelqu'un que je connais?"

Dimple piqua de sa fourchette une rondelle de tomate sur son assiette en s'efforçant, sans y parvenir, de ne pas prendre un air suffisant. "Charles White, tu connais?

— Le type qui fait tout ressembler à un mauvais trip sous acide?"

Amina rit, sa cousine déposa sa fourchette. L'œuvre de Charles White avait été une révélation pour elles quand elles étaient étudiantes. Ses photographies les plus récentes, une série prise dans un refuge pour femmes et publiée dans *Art in America*, étaient restées bien en vue pendant des mois sur la table de chevet d'Amina, qui trouvait l'article sur le regard masculin les accompagnant bien moins intéressant que les images aux couleurs vives, prises à des angles assez insolites pour donner au refuge des allures de Pays des Merveilles et à ses habitantes celles d'une Alice de notre temps.

Dimple réarrangea sa serviette sur ses genoux. "Je trouve son travail assez remarquable, en fait.

— Oh, sûrement! Tout à fait remarquable." Sajeev se fourra une frite dans la bouche. "Et alors, avec qui Charles White va, euh, converser?

— Je ne sais pas encore. J'avais quelqu'un, mais ça n'a pas marché." Envahies par le stress, les épaules de Dimple se haussèrent vers ses oreilles. Depuis des semaines, en proie à une panique silencieuse, elle s'efforçait sans succès de trouver la correspondance idéale.

"Hmm. Ça ne doit pas être évident." Sajeev se pencha en avant, souriant. "Je veux dire qu'il ne faut pas quelqu'un dont le travail est trop familier, hein? Ce que fait White aurait l'air artificiel à côté, peut-être même mesquin. Mais avec n'importe quoi de trop ésotérique, tu risques de monter une grosse plaisanterie surréaliste pour initiés, pas vrai?"

Amina le dévisageait, comprenant un peu tard que Sajeev s'y connaissait en photographie, et s'y intéressait même peut-être. Elle vit passer un éclair de confusion sur le visage de sa cousine mais, avant que l'une ou l'autre n'ait pu réagir, il se cala de nouveau au fond du box et agita une main vers elles.

"Donc, toi – il indiquait Amina – tu prends des photos, et toi – sa main effleura l'avant-bras de Dimple – tu en exposes. Alors quand est-ce qu'on verra ce que fait Amina?"

Un silence âcre s'abattit sur la table. Amina but une gorgée de bière en observant Sajeev par-dessus le bord de son verre. Était-il vraiment devenu l'un de ces hommes qui croient que poser la question qui fâche établit la preuve de leur intégrité?

"J'ai demandé…" commença Dimple en même temps qu'Amina disait : "Je n'ai rien à montrer."

Sajeev parut surpris.

"Tu aurais si tu voulais, fit Dimple.

— Arrête", avertit Amina. Elle se tourna vers Sajeev. "Je ne prends pas le genre de photos qu'il faut à Dimple. Je suis une photographe de mariages."

Il fit une moue, comme s'il avait goûté à quelque chose d'imprévu. "Attends, c'est vrai ? Je croyais que tu étais une pointure du photojournalisme.

— Non.

— Parce que ma mère conservait tes photos, tu sais, des coupures de presse que tante Kamala lui envoyait. Et celle de ce type – comment il s'appelait ?

— Bobby McCloud", fit Amina à voix basse, en regardant frénétiquement autour d'elle.

"C'est ça ! Elle était énorme, celle-là, non ?"

Amina acquiesça, les poumons envahis d'une crainte rampante.

"Et tu as arrêté ? Comme ça ? Je dis ça parce que tu avais un vrai talent.

— Bon Dieu, Sajeev, elle a encore du talent, dit Dimple d'un ton brusque. Putain, elle fait une pause, c'est tout. Pas besoin d'en parler comme si elle était morte."

Sajeev rougit violemment ; pour la première fois de la soirée, il avait perdu son assurance. "Je suis désolé. Ce n'est pas ce que je voulais dire.

— Ne t'en fais pas pour ça", dit Amina, et elle se tourna avec soulagement vers la serveuse qui approchait rapidement de leur table.

"Tout va bien ? Quelqu'un voudrait encore un verre ?"

— S'il vous plaît", répondit Amina. Elle n'avait pas idée.

Il les accompagna jusqu'à la voiture. Amina essaya de ne pas rire, un peu embarrassée par le côté chevaleresque, mais Sajeev n'avait ni demandé ni proposé, il s'était contenté de marcher avec elles, en prenant la direction indiquée par Amina lorsqu'il demanda où elles étaient garées.

"Bon, c'est cool", dit-il, comme ils s'en approchaient. "Sûre que tu es en état de conduire ?"

Amina leva les yeux au ciel. "Je vais très bien. C'est Dimple, la petite nature.

— Pas vrai ! Je suis petite, c'est tout.

— Parce que ma mère me tuerait s'il arrivait quoi que ce soit à l'une de vous deux, dit Sajeev. Et ensuite tante Sanji me tuerait une deuxième fois."

Amina sourit. "Ce serait bien fait."

Il s'était montré nettement plus agréable depuis l'intervention de Dimple, et sa brève bouffée de vulnérabilité rappelait à Amina l'enfant qu'il avait été.

"Comment elle va, d'ailleurs? Bon Dieu, je crois que je n'ai même pas demandé de nouvelles du clan du Nouveau-Mexique. Comment ils vont, tous?

— Alors…" Dimple compta sur ses doigts : "Sanji est probablement jusqu'au cou dans les préparatifs de la fête de charité annuelle de l'Indian Association, Raj est à ses fourneaux et se mitonne une crise cardiaque prématurée, Kamala répand la culpabilité autour d'elle, Thomas se raconte des histoires et mon père est probablement en ce moment même en train de froncer les sourcils devant le choix vestimentaire de ma mère."

Sajeev rit, un rire profond, appréciateur, et Amina observa que Dimple en devenait un peu plus pompette. Ils étaient arrivés au pick-up.

"Bon, j'habite ici, maintenant, dit-il. Je veux dire, évidemment, je… mais en tout cas, ça serait bien de se revoir."

Dimple ouvrit la portière, se glissa à l'intérieur et baissa la vitre. "Amina s'en va pour une semaine. Tu as de la chance qu'on ait même réussi à la sortir ce soir. C'est un vrai fantôme, à la saison des mariages, toujours coincée dans les fêtes des autres.

— Où vas-tu? demanda Sajeev à Amina.

— À la maison. Petite visite.

— Sympa. Salue tout le monde de ma part. Et, Dimple, je passerai peut-être à la galerie cette semaine? Je travaille juste de l'autre côté de Pioneer Square.

— Ah oui? fit Dimple, un rien plus excitée qu'elle ne l'aurait laissé paraître sobre.

— Oui." Il se pencha et la regarda droit dans les yeux un moment, avant de claquer deux fois la portière, de reculer et de s'en aller.

"Bon, ben ça", fit Amina après avoir attendu qu'il ne soit plus à portée de voix, "c'est clairement un rencard."

Il était tard quand Amina arriva chez elle, plus tard encore lorsqu'elle eut déchargé le pick-up. Les films et son appareil d'abord, ainsi que son posemètre, après quoi elle revint chercher sous le siège l'enveloppe de José, qu'elle glissa à plat sous son bras. La pluie avait diminué juste assez pour permettre à la lune d'éclairer un peu l'appartement et, sans allumer, elle défit sa robe et la laissa glisser à terre. Elle mit de l'eau à chauffer pour le thé.

Dans sa chambre, elle chercha son survêtement en tâtonnant sur le sol, glissa une jambe, puis l'autre, dans le confortable molleton noir et puis regarda, dans la pénombre, l'image que lui renvoyait le miroir. Elle avait l'air d'être venue cambrioler son propre appartement. Dans la cuisine, la bouilloire sifflait.

De la menthe. Toujours de la menthe, toujours la tasse rouge. En retournant dans sa chambre, elle attrapa l'enveloppe contenant la photo. Une odeur de cèdre s'échappa quand elle ouvrit le placard. Elle alluma la lumière. Bottes et chaussures s'alignaient de part et d'autre, tels des pavés, et elle se fraya un chemin entre elles vers la pile de manteaux, au fond. Elle les souleva.

Il était là, petit et lisse comme un cercueil d'enfant. Ses mains en caressaient le bois roux ; les minuscules poignées de bronze étaient fraîches au bout de ses doigts. Dans le Montana, la femme qui lui avait vendu cet antique classeur avait ri des deux cents dollars qu'Amina lui offrait, disant ne pouvoir accepter une telle somme pour "des tiroirs dans lesquels on ne peut rien mettre". Quand Amina lui avait dit que c'était pour des photos, la femme avait ri de plus belle et pris l'argent.

L'un après l'autre, Amina ouvrit les tiroirs, en extrayant le contenu dans l'ordre. Elle agissait avec méthode, attentive à ne pas regarder. Il était important de ne pas regarder. Il était important d'être prête.

Après avoir vidé tous les tiroirs, elle sortit du placard et revint s'asseoir dans l'embrasure de la fenêtre ; elle posa la photo de José au-dessus de la pile. Elle la contempla de nouveau de longues minutes, fascinée par les marques d'usure sur les semelles de la grand-mère Lorber, avant de passer à la suivante.

C'était Dara Lynn Rose, le matin de son second mariage, une volumineuse brosse à cheveux à la main. Elle hurlait comme une tigresse, les lèvres retroussées, de minces filaments de salive coulant de sa bouche. C'était quelques secondes avant qu'elle ne lance la brosse sur son futur époux, qui s'enfuyait de la chambre. ("Je suis superstitieuse, avait-elle expliqué plus tard à Amina. Mon premier mari a eu un infarctus en chassant un chat noir de la pelouse.")

La suivante était Loraine Spurlock, levant vers son beau-père des yeux adorateurs. Il se penchait pour l'embrasser et, dans sa bouche ouverte, sa langue avait l'air d'un animal mouillé.

Ensuite venaient les sœurs McDonald, Jeanie et Frances, agrippant de leurs quatre mains un bouquet qui venait d'être lancé, doigts résolus à s'approprier les gypsophiles, souriantes en dépit de l'opiniâtreté qui leur crispait les mâchoires.

Amina passa à Justin Gregory, cinq ans, porteur d'alliance, à qui l'on avait dit qu'une fois la cérémonie commencée on ne pouvait plus sortir. Debout derrière les mariés, il levait les yeux vers eux, le coussinet sur les mains, une tache mouillée à l'entrejambe. Une petite mare miroitait à ses pieds.

Avec ses lèvres épaisses et son gendre tout neuf, Angela Friedman accueillait Amina sur la photo suivante, les doigts enfoncés dans la nuque du jeune homme en train d'embrasser sur la joue une demoiselle d'honneur. Ensuite, ce fut la carcasse grise du grand-père Abouselman, jambes repliées comme des journaux contre son fauteuil roulant tandis que, derrière lui, des couples dansaient.

Amina tournait les photos l'une après l'autre, apaisée par une lèvre frémissante, des doigts écartés, les désastres figés. Elle les connaissait bien. Elle avait l'impression que les images s'élevaient des pages, que leurs lignes passaient des unes aux autres, transformant les mains en fleurs et les voiles en fenêtres. Son cœur s'ouvrait aux visages familiers, avec leurs chagrins familiers. Elle les feuilleta lentement jusqu'à revoir enfin les genoux couverts de satin appuyés par terre devant un siège de toilettes, le bouquet sur le sol carrelé. Elle les contempla pendant de longues secondes, les doigts crispés sur les bords de la photo. Et puis la cabine céda la place au-dessous d'un pont, le bouquet à un homme en train de tomber. Ce qu'elle avait sous les yeux, c'était Bobby McCloud.

4

Depuis sa construction en 1932, le George Washington Memorial Bridge, plus généralement appelé pont de l'Aurore, est une anomalie à Seattle. Dans une ville où l'on a préféré aux autoroutes à huit voies des routes à deux voies parsemées de ponts basculants entre des quartiers aux noms avenants – Fremont, Queen Anne, Ballard – il a toujours été violemment disproportionné, ressemblant, vu d'en dessous, à quelque terrible hamac suspendu au ciel. Annoncé comme le tronçon ultime de la Pacific Highway, il est devenu, avant même la fin des travaux, la destination d'élection des candidats au suicide. Le premier sauta du pont en 1932, un mois avant son ouverture, qui commémorait l'anniversaire de George Washington. Le cent soixante-seizième, ce fut le 26 août 1992.

Août à Seattle : un éternel crépuscule évoquant la mythologie grecque, un soleil dont le coucher sur le Puget Sound est si lent que tout le monde ressemble à une version immortelle de soi-même. Le 26 août 1992, cela donnait envie de se faire photographier.

"Une seule, vite fait, OK?" Le Coréen planté devant Amina paraissait trop menu pour son pantalon cargo.

Elle regarda son appareil, s'excusa : "À vrai dire, je travaille pour le *Post-Intelligencer*.

— Super." Il sourit et entoura de ses bras les deux femmes à ses côtés. "Cheese!"

Amina fit un rapide calcul dans sa tête (le temps d'expliquer ce qu'elle faisait contre le temps de prendre la photo) et déclencha l'obturateur. Bonn. Ça c'est fait. Évitant de croiser les regards, elle traversa le pont du Crystal Blue en luttant contre la claustrophobie qui s'insinuait dans sa poitrine lorsqu'elle était à bord d'un yacht.

Celui-ci grouillait de jeunes programmeurs et développeurs de Microsoft. Voir d'autres jeunes à peine sortis de la fac célébrer leur réussite par une soirée de fête sur le Puget Sound était déjà agaçant, mais ne pas les comprendre était carrément insupportable. Qu'est-ce que c'était que ce Linux? La seule idée qu'un truc appelé C ++ existe lui donnait envie de boire, mais elle n'était pas là pour boire, elle était là pour immortaliser la nouvelle élite de Seattle, avec ses sweats à capuche et ses sourires joyeux.

"Faites-nous *palper* l'événement", avait dit le nouvel assistant du directeur photo du *P-I*, comme si Amina se rendait à la présentation d'une collection cachemire. Elle avait erré, accablée. Elle n'avait pas encore trouvé son sujet et, maintenant que le bateau revenait en se traînant d'écluses en canaux vers le lac Washington, l'envie de le quitter la démangeait, aussi pénible qu'une vessie pleine.

"Putain c'est cool, non?" disait à un copain un type en short orange en montrant du doigt le pont de l'Aurore, devant eux. "J'e m'y fais pas, ce que c'est cool. On dirait Legoland, non?

— Carrément, opina le copain. C'est trop Legoland."

Amina s'était glissée derrière eux et tâchait de saisir sous le meilleur angle leurs bières brandies en l'honneur de cette structure cantilever, lorsqu'elle vit l'homme. Il était debout au milieu du pont, vêtu de jaune, le visage blanchi. Un clown. C'est ce qu'elle pensa d'abord. Elle zooma et distingua une coiffure à plumes. Elle prit la photo.

Le jeune homme en short orange pivota. "Eh, on vous avait pas vue. On devrait se retourner, non?" Il lui fit un sourire.

"Non… Je…" Elle indiqua le pont. "Je photographiais ce type-là.

Short orange suivit son doigt. "Celui qui nettoie le pont?

— Je ne crois pas qu'il le nettoie.

— Il porte un uniforme.

— Il porte des plumes, dit Amina.

— Quoi?"

Glissant sur l'eau à une allure régulière, le *Crystal Blue* approchait du pont et de l'homme, qu'Amina voyait nettement à présent dans son viseur, avec sa coiffure agitée par le vent.

"Eh, on a organisé un saut à l'élastique?" s'écria Short orange, le doigt tendu vers le pont. Des têtes se tournèrent. Les mots bourdonnèrent sur les lèvres de la foule.

"Un saut à l'élastique!" hurla quelqu'un. Un cri d'enthousiasme s'éleva du bateau.

Il parut surprendre l'homme à la coiffure de plumes, qui oscilla, incertain, sur le pont, provoquant une apnée collective. Amina s'avança jusqu'à la proue et se cala contre la rambarde.

La plainte aiguë des sirènes leur parvint, de plus en plus forte. Des voitures de police arrivaient par l'avenue de l'Aurore les unes derrière les autres, suivies d'une ambulance, gyrophares tournoyants. La compréhension sembla déferler d'un coup sur le bateau : *Regardez! La police! Il va sauter!* Des gens se pressaient contre elle à présent et Amina les repoussait à coups de coude, ignorant un grondement mécontent dans son oreille. Elle augmentait l'ouverture de son objectif de manière à mieux saisir les voitures lorsque Bobby McCloud décida de faire un pas en avant. Non qu'elle ait connu son nom à l'époque, pas plus que n'importe quoi d'autre le concernant – tous ces détails viendraient plus tard, quand elle parcourrait jusqu'au dernier tous les articles qu'elle pourrait dénicher.

Pendant des semaines, des mois, elle allait se demander ce qui lui avait fait actionner le déclic si rapidement, ce qui avait guidé son doigt vers le déclencheur de l'obturateur à temps pour saisir Bobby McCloud à l'instant précis où il passait devant son objectif. Et pourtant, elle l'avait fait. Elle avait réussi la prise impossible. Sur la photographie qui parut à côté de l'article, sa première et unique photographie en page une, Bobby McCloud paraissait suspendu pour l'éternité entre l'arc inférieur du pont de l'Aurore et l'écran plat de l'eau, sa coiffure de plumes repliée par l'air comme des ailes en prière, les bras largement étendus.

"Spectaculaire", avait dit le directeur photo avant d'envoyer d'urgence la photo à l'impression.

Il en avait sélectionné quelques autres de son rouleau ("Où est la suite", avait-il demandé, avec une expression fugitive de déception lorsqu'elle avait secoué la tête) avant de se tourner vers les télévisions dans le coin opposé de la pièce. Les trois stations locales couvraient l'événement de façon aussi approfondie que le leur permettaient les quelques heures écoulées depuis les faits, en recueillant les déclarations de témoins et en projetant panoramique sur panoramique de la rambarde du pont.

Amina regardait, elle aurait souhaité éprouver un malaise, du désespoir, tout sauf un froid sentiment de soulagement. Même les gens de Microsoft avaient la décence de paraître sous le choc, ils racontaient en boucle, la voix tremblante, les dernières vingt minutes sur le bateau, comme s'il existait une clé, entre l'apparition de l'homme et le spectacle de sa chute, qui pourrait inverser le mouvement. Une femme ne cessa de brailler que lorsque deux collègues féminines l'entraînèrent vers les toilettes du pont inférieur.

Amina sortit du bureau et fila aussitôt à Linda's Tavern. Quarante minutes plus tard, réfugiée dans la brume tourbeuse de trois bières, elle en commanda une quatrième. Quand la porte s'ouvrit, révélant un jeune homme qui portait un blouson semblable à celui dans lequel Akhil était mort, ses mains se mirent à trembler.

C'était l'argent qui l'avait tué. C'est ce que dirent les journaux, d'abord le *P.-I.* et le *Seattle Times*, suivis du *San Francisco Chronicle*, du *Washington Post* et du *New York Post*, quand l'histoire prit des proportions nationales. Le règlement d'une somme de cent soixante-deux millions de dollars à la tribu des Indiens Puyallup de Tacoma – deuxième en importance entre les Amérindiens et le gouvernement des États-Unis – était devenu pour Bobby McCloud ce qu'il avait été pour deux de ses frères et sœurs et, avant eux, pour son oncle.

À la bibliothèque, courbée sur le lecteur de microfiches dans un sweat qui sentait l'aigre, Amina faisait défiler les nouvelles de l'année précédente. La décision par laquelle la tribu renonçait à ses droits sur le territoire en bordure du bassin de Tacoma avait été dès le début l'objet de désaccords. Les terres – environ sept mille deux cent quatre-vingt-cinq hectares qui leur avaient été alloués par le Medicine Treaty en 1865 et furent ensuite lentement escamotés au gré d'une série de "négociations" qui, en 1934, les avait réduits à un peu moins de treize hectares et demi – leur appartenaient selon un droit naturel. Accepter de l'argent en échange, c'était une réfutation directe de ce droit et de tout ce pour quoi leurs ancêtres avaient lutté. Il n'en résulterait rien de bon, même si ça représentait dans l'immédiat vingt mille dollars pour chacun des membres de la tribu.

Le prix du sang, dit Akhil ; Amina l'entendit si clairement que ce fut pendant une minute comme si ces neuf dernières années n'avaient jamais existé. Elle releva la tête du bourdonnement des microfiches, mais la seule autre personne dans ce coin humide de la bibliothèque était un vieil homme qui semblait à moitié endormi. Elle reprit sa lecture.

Sur l'acceptation du règlement, les opinions différaient du tout au tout dans la tribu, ainsi que l'usage imaginé des vingt mille dollars. Certains disaient qu'ils achèteraient à manger, des vêtements pour l'hiver, mais d'autres exprimaient des appréhensions.

"Je voudrais juste être sûre de ne pas tout claquer", avait dit Raydene Feaks, une accro au crack de trente-quatre ans en cure de désintoxication au Centre tribal de traitement ("La tribu Puyallup se prépare à la manne", *Seattle Post-Intelligencer*, 23 février 1990).

"Ce ne sont pas ces vingt mille le sujet, avait affirmé Bobby McCloud. Les cent trente-huit millions en programmes sociaux, en argent pour créer des entreprises, et en terres – voilà ce qui mettra fin à notre pauvreté."

Bobby McCloud ne buvait pas. Il ne fumait pas et interdisait qu'on fume dans son bureau au Centre tribal, où des photos de lui en compagnie de Jesse Jackson et Bill Clinton ornaient les murs, ainsi que son diplôme de l'université de Washington. À trente-six ans, Bobby McCloud était l'un des rares membres de la tribu qui ait réussi à esquiver toutes les statistiques le concernant, du revenu moyen de huit mille dollars au niveau d'éducation ne dépassant pas le début du lycée et aux cinquante pour cent de risques de devenir dépendant à l'alcool ou à la drogue dès l'âge de seize ans.

"Tout le monde dit que notre droit fondamental, c'est la terre – notre droit fondamental, c'est de vivre! C'est réussir, et grandir, et voir grandir nos enfants", avait dit Bobby McCloud.

Amen, Homme Rouge.

Elle devait être en état de choc. Ou peut-être n'était-ce qu'une banale ivresse. Ou simplement la réaction évidente au fait d'être tombée en plein dans le genre d'histoire qui aurait mis son frère en fureur. La deuxième fois qu'Amina avait entendu Akhil, elle était au lit, avec des photos de Bobby McCloud éparpillées en piles autour d'elle. Les yeux plissés, elle avait scruté le couloir obscur qui traversait son appartement en enfilade. Il était désert. Elle s'était levée et avait fermé la porte de sa chambre.

Arrachée en sursaut à la sieste par la sonnerie du téléphone, Amina renversa le verre d'eau sur sa table de chevet. "Merde."

"Ils appellent parce que tu détiens les droits, fit Dimple. Tu dois faire quelque chose."

L'eau atteignit le bord de la table et se mit à couler goutte à goutte sur la dernière chemise qu'elle avait portée hors de chez elle trois jours plus tôt. Amina y ajouta quelques chaussettes éparses pour éponger. Une bouteille de whiskey presque pleine montait la garde sur la table de nuit, en sentinelle.

"Amina, tu m'écoutes?

— Ouais."

Parler à Dimple des coups de téléphone avait été une erreur. Évidemment, Dimple allait souhaiter "profiter" des offres venant d'agences qui voulaient la photo. Évidemment, elle allait voir là une chance pour elles deux de "se faire les dents" (expression qui évoquait toujours à l'esprit d'Amina l'image d'une morsure de cheval) dans le monde des agences.

"On a une fenêtre en ce moment, disait Dimple. Maintenant. Pas éternellement et peut-être même pas demain. On n'a qu'à donner quelques coups de fil. Je crois que je comprends simplement pas où est le putain de problème."

Arrêtez les rotatives! Il y a quelque chose que Dimple ne comprend pas.

"Ferme-la, dit Amina.

— Quoi ?"

Amina appuya si fort sur ses paupières que des cercles apparurent dans leur obscurité charnue. "Je… Je pense que les droits appartiennent au *P.-I.*

— Non. Ils n'ont. Aucun. Droit, articula Dimple fermement. Tu te rappelles nos allées et venues avant que tu ne signes le contrat ? Il s'agissait de la propriété des droits sur tes photos. Le *P.-I.* est *autorisé* à utiliser la photo parce que, techniquement, tu travaillais pour eux, mais ensuite les droits te reviennent. Toute personne qui veut la photo doit traiter avec toi.

— Et si j'ai pas envie qu'on traite avec moi ?

— C'est pour ça que je te dis : je vais le faire pour toi."

Sans doute fallait-il juste dire oui, merci, et raccrocher rapidement. Se blottir à nouveau sous les couvertures, retourner aux rêves pleins d'Akhil. Mais elle revenait, cette sensation glacée arrivée avec le journal de la veille, le nom de Bobby McCloud, le chagrin stupéfait de ceux qui l'aimaient, qui avait saisi son corps entier, tel un énorme poing. Que pouvaient-ils avoir ressenti en voyant cette image ? Que leur avait-elle fait voir ? Amina frissonna.

"Ami, tu es là ?

— Jamais ils ne pourront arrêter de le voir.

— Quoi ?

— Il avait des gosses. Tu savais qu'il avait des gosses ?"

Il y eut un long silence à l'autre bout de la ligne.

"J'arrive", fit Dimple.

Mauvaise idée.

"Non !" Amina jeta un coup d'œil rapide au chaos entassé dans toute sa chambre, bouteilles, mégots, journaux. "Tu auras des ennuis au boulot.

— Juste pour t'apporter le déjeuner, d'accord ? On n'a même pas besoin d'en parler si t'as pas envie.

— Dimple, je vais bien.

— Ouais, bien sûr. Je suis là dans dix minutes.

— Non ! Arrête ! Bon sang, donne-moi un instant ! Je dormais quand tu as appelé. J'ai besoin de reprendre pied et… c'est bon, OK ? Fais-le. C'est une bonne idée. Négocie ça avec les agences ou qui tu veux. Vas-y.

— Oh, bon Dieu, ça, je m'en fous maintenant. Je réfléchissais pas, OK? Je sais que c'est d'Akhil qu'il s'agit. Laisse-moi venir.

— C'est pas…" Amina entendit sa voix se fêler, elle déglutit. "S'il te plaît, est-ce que tu pourrais juste t'occuper des agences? Ça m'aiderait vraiment."

Elle retint son souffle, attendant que la conscience de Dimple négocie la question.

"Vraiment?" demanda sa cousine après quelques secondes.

Amina soupira. "Oui.

— OK, mais je viens tout de suite après le boulot."

— J'ai des trucs prévus qui pourraient m'emmener tard, mentit Amina. Je t'appellerai.

Après, quand le téléphone fut raccroché et tout risque de Dimple écarté, Amina se pencha hors du lit, mue par la nécessité de mettre quelque chose entre elle et la lumière du jour qui filtrait sous les stores. Ce n'était pas vraiment son style, ça fleurait bon les séries télé pour bonnes femmes et les provocations à un Dieu vengeur, c'était exagéré, excessif et même dégoûtant, et pourtant elle s'empara de la bouteille sur la table de nuit et but une lampée qui lui donna un haut-le-cœur.

À la tienne, p'tite sœur.

Il avait sous-estimé le pouvoir de l'argent. Pas en ce qui concernait les cent trente-huit millions de dollars – Bobby McCloud avait raison pour cette part – qui, investis avec sagesse dans l'*Emerald Queen Casino* et les Écoles du Chef Leschi, allaient réellement sauver la tribu de la pauvreté chronique. Mais quant aux effets sur les membres de la tribu des chèques de vingt mille dollars attribués à chacun d'entre eux – là, il s'était totalement trompé.

"Bobby s'est servi de ses lumières et de sa position dans la tribu pour nous brader au prix de gros", avait déclaré son frère Joseph "Jo-Jo" McCloud aux journalistes sur les marches du Tacoma Sheraton immédiatement après la cérémonie de signature ("Tribu échange terres contre avenir", *Seattle Post-Intelligencer*, 24 mars 1990). "Si nos parents vivaient encore, ils en pleureraient."

De mai 1990 au début 1991, les Indiens Puyallup vécurent ce qu'un membre anonyme de la tribu qualifia de "huit grands mois de rêve américain". Encaissant un chèque qui valait à lui seul plus que ce que la plupart d'entre eux ne gagnaient en deux ans, ils s'offrirent des voitures (Firebird, Z-28, BMW de troisième main, une flottille de pick-up), des vacances (Disneyland, SeaWorld, Las Vegas), du nécessaire (couches pour bébé, essence, aliments, appareils de chauffage, pneus, vêtements) et du superflu (portraits de famille, dîners en ville, drogues).

En juin 1991, un an et demi après l'émission des chèques, on estimait que soixante-quinze pour cent des bénéficiaires avaient tout dépensé.

Putain, mais c'est incroyable.

"C'est compréhensible", dit Amina, en pliant le journal en deux.

Personne n'a dit le contraire.

"Ne croyez pas à cette connerie romantique selon laquelle, quand on n'a pas d'argent, on ne se rend pas compte de ce dont on est privé. Quand on a faim et pas le sou, on se sent très mal", dit Bea Johns, membre de la tribu ("Un an après : la tribu Puyallup se souvient", *The Seattle Times*, 23 mars 1991). "Mais quand on a de l'argent et qu'il file ? Alors là on se sent encore plus mal."

Des vacances, il ne resta qu'une série de photographies. Les maisons engloutirent les paiements et recrachèrent les habitants. Les voitures étaient saisies si régulièrement que s'apercevoir en sortant d'un bar que quelqu'un avait "volé votre cheval" était plus embarrassant que honteux.

"Bobby, ça le tuait", déclara au *New York Times Magazine* Sherilee Bean, amie d'enfance et membre de la tribu ("La conscience américaine achetée", 12 octobre 1992). "Nous tous, mais surtout Bobby. Tout le monde a été durement frappé quand l'argent s'est tari. Même ceux d'entre nous qui l'avaient dépensé sagement ou investi devaient assister à la ruine de leurs frères et sœurs."

En 1992, on découvrit l'oncle Ronnie McCloud dans une chambre d'hôtel à Las Vegas, mort de dix jours d'orgie alcoolique. En mars, Michael John, un neveu, resta paralysé de la nuque aux pieds des suites d'un accident de camion. En mai, Jo-Jo McCloud, un des frères, avala deux flacons d'aspirine. Il mourut le 15 mai 1992 après trois jours de coma.

"Aminaminamina !" croassait Thomas dans le répondeur. "Debout, p'tite tête ! Secoue-toi ! Allez ! Raconte-nous tout ! Ta mère a déjà la tête enflée comme un ballon et on n'en est même pas encore à...

— Mais pourquoi tu ne peux rien nous dire, *koche* ?" Satisfaction et amertume se mêlaient dans la voix de Kamala. "Bala dit qu'une de tes photos fait la une des journaux et que tout le monde la veut, et maintenant cette reine de Saba téléphone à Sanji et à Raj et à Dieu-sait-qui-d'autre comme si c'était *sa* fille qui...

— Et d'après elle, ce serait même dans le *New York Times Magazine* ? demanda Thomas. Tu dois nous en envoyer un exemplaire !"

Il y eut une brève pause pendant que les parents d'Amina, épuisés, insufflaient un ravissement silencieux dans la ligne téléphonique. Et puis ils raccrochèrent, Thomas le premier, Kamala ensuite, non sans avoir rappelé à Amina d'envoyer la photo et aussi de se masser les cheveux une fois par semaine avec de l'huile de coco pour les rendre plus noirs.

En fin d'après-midi, le 26 août 1992, Bobby McCloud se gara dans le parking derrière le Still Life Café et remonta Fremont Avenue jusqu'à "Chez Sally, accessoires de fête". Il y acheta le costume de "Cherokee mâle", taille quatorze ans et plus. Sept minutes plus tard, après s'être changé dans les toilettes du personnel, il sortait du magasin en chemise frangée et pantalon de plastique jaune.

Le montant du premier des nombreux chèques qui allaient arriver au cours de l'année était supérieur à ce qu'Amina gagnait en trois mois. C'était certainement plus qu'elle ne gagnerait en septembre et octobre, vu qu'elle avait pratiquement arrêté de travailler. Elle posa le chèque sur le plan de travail de la cuisine, observa la tache de soleil qui se déplaçait sur lui, en s'attendant plus ou moins à le voir réduit en cendres, et, comme il n'en fut rien, alluma une cigarette.

Le prix du sang pour le prix du sang, hein ?

"Fous-moi la paix."

Elle essayait désormais d'avoir toujours une cigarette allumée. La panique sourde qu'elle éprouvait à l'idée de mettre le feu à l'appartement si elle s'endormait la maintenait éveillée. Il fallait éviter le sommeil autant que possible. Elle avait commencé à faire des rêves, des rêves prévisibles, et leur prévisibilité la mettait en rogne. Bobby McCloud se dessinant des peintures de guerre à la tempera. Bobby McCloud lui lisant l'article sur la guerre hispano-américaine dans l'édition 1979 de l'*Encyclopædia Britannica*. Bobby McCloud perché dans les plus hautes branches d'un peuplier de Virginie, lui faisant voir l'envergure déployée d'un homme adulte.

En dehors de la presse, les contestataires furent les premiers à se servir de la photo. Ils défilèrent sur le pont de l'Aurore, chacun coiffé d'une seule plume, en élevant bien haut des pancartes affirmant NOTRE DROIT FONDAMENTAL, C'EST DE VIVRE.

Puis sont venus les contre-protestataires ("Les péchés de nos pères, encore", le *Wall Street Journal*, 19 septembre 1992.)

Et puis les mines éplorées des libéraux ("Patriotisme problématique" (le *New York Times*, 10 octobre 1992).

Mais que pouvait-on faire, en réalité ? Que pouvait-on faire dans une ville qui avait elle-même été arrachée à la tribu Duwamish, où l'on chérissait le libéralisme mais où la majorité de la population noire vivait derrière une enseigne Wonder Bread, où circulaient des rumeurs selon lesquelles l'université avait été bâtie sur un site sacré de sépultures ? Au fur et à mesure que le débat sur la signification de la mort de Bobby McCloud prenait de l'ampleur, son image passa de la photo à la sérigraphie, apparaissant partout, telle une tache de Rorschach, sur tee-shirts, mugs et pins. N'OUBLIEZ JAMAIS, lisait-on sur ces objets, À VOUS DE CHOISIR, et FAUTE DE MERLES, ON BOIT DE LA BIÈRE (ce dernier provenant d'un groupe autoproclamé "Étudiants pour une Désinformation Délibérée", dont le message "délibérément embrouilleur" était un élément d'une mission consistant à "mettre en évidence la non-fiabilité des médias").

Amina s'était brièvement étonnée de l'ironie qu'il y avait à recevoir ce message, une bière matinale à la main, avant de débrancher la télévision et de la déposer sur le perron pour qu'on la vole. Elle en avait assez. Ça devait s'arrêter.

Et ça se serait arrêté sans la chronique signée par la tante Susan de Bobby McCloud, professeur de littérature comparative à UC Berkeley. Elle parut trois semaines plus tard dans le *Seattle Times*, bien en vue :

> L'existence même de cette image en dit long sur notre capacité de nous dissocier de la douleur d'autrui. Il faut un manque certain de sensibilité, une froideur interne, pour saisir un tel instantané. Qu'il ait été pris par une photographe chargée de couvrir une rencontre Microsoft, c'est une métaphore parfaite, quoique affreusement triste, de la rapidité avec laquelle nous échangeons notre humanité contre un gain financier.

"Je regrette, mais ça se veut un propos intellectuel ?" Dimple fulminait en remontant les stores dans un bruit de ferraille. "Rejeter la putain de faute sur le *photographe* ? Ridicule."

Amina regarda sa cousine traverser la chambre en trombe vers l'autre fenêtre, les cheveux tirés en un chignon serré, sanglée dans une robe noire drapée qui lui donnait l'air d'une chauve-souris.

"Putain, c'est stupide, comme argument, tu t'en rends compte, quand même ? Une presse libre a besoin de photographes qui lui fournissent un compte rendu impartial de ce qui se passe dans le monde."

Évidemment, elle va droit à la censure.

"Et qu'est-ce que cette professeure Genius va exiger après ?" Elle attrapa le cendrier sur l'appui de fenêtre et le vida dans une poubelle, faisant voler une bouffée de grisaille. "Qu'on mette des images de chiots et de chatons en une pour ne blesser personne ?"

Elle n'a pas changé du tout, hein ?

"Pas vraiment." La voix d'Amina était un chuchotement rauque.

Dimple fronça le nez devant l'amoncellement de vêtements au pied du lit. "Non mais, bon, c'est une photo choquante ? Oui. Mais c'est pas pour choquer qu'elle a été prise. Et c'était pas orchestré, bordel ! Tout ce truc comme quoi tu manques

d'empathie, ou même que tu te complais là-dedans, est tellement…" Elle ramassa le gobelet à moitié vide sur la table de chevet, le renifla. Retroussa les narines. "Attends. Me dis pas que?"

Amina haussa les épaules. "Nos pères boivent du whiskey.

— Exactement." Dimple rit, mal à l'aise. "Et alors, tu vas prendre le pli Suriani et te mettre à biberonner?"

Déteste toujours autant la race, hein?

"Plus ou moins.

— Quoi?

— Rien.

— Non, qu'est-ce que tu as dit?

— C'est pas à toi que je parle."

Le regard de sa cousine flamboyait d'un mélange de colère et
d'inquiétude et, pendant une minute, Amina ressentit la honte
brûlante d'en être la cause. Elle ferma les yeux. Elle n'avait pas
besoin de les ouvrir pour voir sa chambre comme Dimple devait
l'avoir vue : un fouillis de vêtements, bouteilles, cendriers, assiettes
non vidées gisant sur la commode.

"Putain, Ami? Qu'est-ce qui t'arrive?"

À ton avis?

Amina secoua la tête, le pincement du remords entre ses côtes
se muait en dédain avec une alacrité surprenante. Parce que, bon,
c'était pas compliqué d'être Dimple. D'être capable de parler de
ce qui était ou non convenable, de le vendre de toute façon et
d'en vivre sans se poser de questions? De voguer sur un flot si
constant de vertu qu'on n'avait jamais besoin de regarder en face
la boue en dessous?

"J'ai pris la photo, dit Amina.

— Et alors?

Ne le dis pas.

— Je savais ce que je faisais.

— Parce que tu es *photographe*. Parce que c'est ça que tu fais.

— Parce que je la voulais. C'est pour ça que mes doigts ont
fait le réglage avant même qu'il n'arrive quoi que ce soit.

— Amina, c'est pas ta faute si Bobby McCloud s'est tué.

— Parce que ça ferait une bonne photo, expliqua-t-elle. Je pensais que l'homme en train de tomber ferait une bonne photo,
que ce serait beau, comme si c'était ça l'important?" Elle rit pour

dissimuler le fait que sa bouche s'était mise à trembler. "Tu imagines? Comme si c'était un oiseau pour le *National Geographic*, un putain d'animal, un…

— Ami, arrête.

— Parce que *j'avais besoin de le voir*. Après toutes ces années, j'avais besoin de voir à quoi ça ressemble de tomber de si haut!

— Non.

— Et je t'ai dit que j'ai pas regardé après? J'ai même pas regardé. J'ai entendu le bruit de l'impact et j'ai tourné le dos, je suis partie, parce que j'avais déjà ce qu'il me fallait.

— Arrête!" Dimple lui empoigna le bras. "Ça suffit! Arrête tes conneries et écoute-moi! *C'est pas ta faute.* C'était une belle photo. C'était un moment horrible. C'était les deux."

Amina se mit à pleurer.

"*Les deux*, Ami." Les ongles de Dimple s'enfonçaient dans son poignet. "C'est avec ça que tu dois vivre. OK? Ça.

Amina la repoussa. "Lâche-moi."

"C'est vous la photographe?

— Qui est à l'appareil?" Ça ne présageait rien de bon. La femme à l'autre bout du fil avait déjà dit son nom deux fois. Identifié la publication pour laquelle elle travaillait. Le *Times*? Le *Chronicle*? Pourquoi avait-elle le téléphone dans la main? Amina fixait le combiné. Les petits points noirs ressemblaient à des graines de pavot. Ils roucoulaient.

"Quoi?" leur demanda-t-elle.

Fais attention, petite.

"Attention toi-même!

— Pardon?

— Allô?

— Je parle à Amina Eapen?"

Amina rapprocha le combiné de sa tête. "Oui.

— Désirez-vous réagir à l'accusation selon laquelle la photographie que vous avez prise témoigne d'un manque d'humanité?"

Oh pour l'amour de… Tout ça manque d'humanité! Cette putain d'HUMANITÉ manque d'humanité!

Amina y réfléchit un moment. À l'humanité, mais aussi à l'*hubris*, ce mot étrange qui la faisait penser à un compost fait d'âmes humaines.

"Les chèques continuent d'arriver, pourtant, dit-elle.

— Les chèques ? interrogea la femme au téléphone.

— Et je continue à les encaisser", poursuivit Amina, dont la voix manifestait la surprise. "Alors c'est quelque chose, ça, je suppose.

— Vous parlez des droits de reproduction de la photo que vous avez prise de Bobby McCloud ?" Amina entendait crépiter un clavier à l'arrière-plan. Robots. Les ordinateurs transformaient les humains en robots. La langue était connectée aux doigts et les doigts au clavier. "Vous sentez-vous impliquée par l'argent que vous gagnez là-dessus ?"

OUI.

Amina regarda autour d'elle. Trouva de l'eau, en avala la moitié. "Je savais ce que je faisais.

— Ms Eapen ?

— Je savais qu'il irait.

— Que voulez-vous dire ?"

Que voulait-elle dire ? Elle voyait le parking du lycée, le soleil pulvérulent de fin d'après midi, Akhil marchant vers le break, les épaules voûtées sous son blouson de cuir. Les mots se formèrent vaguement dans sa tête avant de rouler de sa bouche comme des cailloux. "Cache-clés.

— Pardon ?

— J'étais la seule à le connaître. À *vraiment* le connaître. Je suis la seule qui aurait pu l'en empêcher. Je suppose que je me suis juste… endormie au volant, vous savez ?" C'était un horrible jeu de mots. Le bruit hideux, le rire, montait d'entre sa gorge et son cœur, d'un endroit qui, si on marchait dessus, la paralyserait aussitôt et pour toujours.

Raccroche, Ami.

"Vous avez eu affaire à Bobby McCloud avant son suicide, mercredi ? demandait la femme au téléphone. Vous le connaissiez avant cette rencontre ?

— Mais est-ce que vous devez vraiment croire tout ce qu'il raconte ? Ben Kingsley, pour l'amour du ciel !

— Pardon?

Raccroche MAINTENANT.

— Ben Kingsley, putain, hoqueta-t-elle, les épaules secouées.

— Ms Eapen, connaissiez-vous ou ne connaissiez-vous pas Bobby McCloud avant sa mort, le 26 août?"

Amina riait, riait et riait encore. Il fallait qu'elle raccroche le combiné, et elle le fit, mais pas avant d'avoir chuchoté : "Je l'ai connu toute ma vie."

LIVRE 3

L'INDIGNITÉ DE BEN KINGSLEY

Albuquerque, août 1982

1

Le 29 août 1982 était une journée pleine de promesses. Claire et ensoleillée, juste un peu trop chaude pour le pantalon en velours côtelé qu'Amina avait tenu à porter, elle baignait de son éclat la voiture qui descendait l'allée avec Akhil au volant et qui allait les ramener en classe. L'air embaumait la douceur et la verdeur ; le rétroviseur retenait enfin leur mère à distance. Amila regardait Kamala rapetisser, petite et nerveuse dans une chemise de nuit rose qui l'avalait presque.

"Tu crois qu'elle tiendra le coup ?" demanda-t-elle. Les arbres se courbaient vers l'intérieur, dissimulant la porte d'entrée.

Akhil y réfléchit, sourcils froncés. Il y réfléchit jusqu'au bout de l'allée, et puis sur la route en terre, et ensuite sur la route principale. Il s'arrêta à l'intersection où ils prendraient la direction de la mesa occidentale, celle de l'école.

"Putain, qui peut le dire ?" répondit-il.

Mesa Preparatory était indiscutablement un établissement prétentieux. La nature exacte de la prétention qui l'animait n'était pas apparente pour la majorité de ses habitants – la progéniture de l'élite du Nouveau-Mexique – qui, en dépit de leurs éducations soi-disant cosmopolites, en savaient très peu sur Andover, Exeter ou Choate et moins encore sur ce que les bâtiments en brique de leur campus, niché dans la mesa occidentale d'Albuquerque, avaient comme objectifs. Ce qu'ils savaient, c'était qu'ils fréquentaient la *private school* la plus chère de l'État, que l'étendue verte et démesurée de leurs terrains de football faisait l'envie des autres écoles étouffées par la poussière, et que prononcer le mot "Mesa" si l'on était arrêté par les flics d'Albuquerque avait un effet bénéfique sur tout ce qui allait de l'excès de vitesse à la conduite en état d'ivresse.

"Bon retour à l'Athènes du désert!" croassa le doyen Royce Farber à l'assemblée matinale, déclenchant une rafale d'yeux au ciel mais aussi ce sentiment de leur propre importance qui définissait les étudiants de Mesa pour le meilleur et pour le pire.

L'été 1982 avait été l'un des plus longs et chauds qu'ait connus le Nouveau-Mexique, et le gymnase exsudait des senteurs de piscine hyperchlorée, de plancher revernis de frais, de jeans, crayons, gommes, tennis et cahiers neufs, et de cheveux shampooinés au Vidal Sassoon. Sous le tableau d'affichage éteint, les administrateurs et le corps enseignant étaient assis sur leurs chaises pliantes, dos droit, jambes croisées et cravate nouée. Les coaches sportifs se tenaient debout derrière eux, en survêtements vert et noir aussi étincelants que des carapaces de scarabée.

"Où que vous soyez allés cet été, poursuivit Farber – qui releva la tête et fit une pause, comme s'il soupesait l'air avec l'arête de son nez –, il y a des chances pour que, si vous êtes un élève de Mesa Preparatory, vous vous soyez distingués."

Amina contemplait les jambes de son nouveau pantalon ; elle détestait déjà tout. Pourquoi Akhil ne lui avait-il pas dit qu'elle était censée se distinguer cet été ? Apprendre par cœur les paroles de toutes les chansons d'Air Supply sans exception n'avait pas grand intérêt. Errer d'un bout à l'autre du centre commercial de Coronado en attendant que Dimple rentre de son camp en Californie frisait le pathétique. Même ses excursions au Rio Grande avec le vieux Nikon de son père semblaient affreusement anodines pour une chose qu'à peine une heure auparavant elle avait considérée comme une aventure. Elle passa en revue les visages encadrés de cols relevés, les chevelures séparées par une raie et recouvertes de gel, les yeux en quête des défauts d'autrui sans jamais sembler s'écarter du doyen Farber. Elle chercha Dimple.

"Je sais que nombre d'entre vous ont passé l'été impliqués dans des activités familiales, en vacances dans des lieux variés, et j'imagine qu'il est difficile de se retrouver sur le campus. Néanmoins, j'aimerais vous souhaiter bon retour dans la famille de

Mesa Preparatory, et vous présenter quelques nouveaux membres de notre corps enseignant et de notre personnel."

Impliqués dans des activités ? Cette phrase avait un caractère apicole qui la faisait penser à de fines pattes œuvrant à l'unisson à un bien supérieur et suave. Dans le cas de sa propre famille, Amina ne pouvait même pas se rappeler la dernière fois qu'ils avaient dîné ensemble, sans parler de s'impliquer dans une quelconque activité ne comportant pas un poste de télévision. Ce qui ne signifiait pas qu'il n'y avait aucune activité familiale. En juin, par exemple, Akhil et elle avaient été témoins de la dispute spectaculaire qui avait contraint ses parents à hanter chacun une zone opposée de la maison (mère : jardin ; père : véranda). Pendant tout juillet, il y eut chasse au père, une activité jamais évoquée à voix haute, mais pratiquée avec une diligence alarmante, que ce fût par Kamala, les yeux fixés sur l'horloge à l'heure du dîner, par Amina comptant les chaussettes d'homme roulées en boules dans le panier à linge ou par Akhil surveillant furieusement le chemin d'accès. En août, il y avait eu des séances d'attente collective, sortes de réunions Quaker à l'envers, durant lesquelles les trois Eapen restants, assis sur le canapé, ne disaient pas un mot de son absence quasi totale.

Amina regarda autour d'elle les autres têtes sombres nichées dans le gymnase avec les plus pâles. Jules Parker, le garçon noir, contemplait le tableau d'affichage, bouche bée, avec une expression qui évoquait la faim. Quelques rangées plus bas, Akhil paraissait à moitié endormi. C'était une bénédiction, à vrai dire, la réalité de son frère émoussée par quelque chose d'aussi fade que l'ennui. La puberté avait rendu Akhil intensément discoureur et extravagant. Une combinaison mortelle de conviction politique, de sale caractère, d'embonpoint, d'acné florissante et d'opinions antagonistes qu'il défendait jusqu'à l'hystérie, l'avait rendu presque impossible à vivre à la maison.

Hors de la maison, c'était pire. Rien que durant le printemps précédent, il s'était fourré dans une "interaction abusive" avec le coach d'éducation physique sur les mérites de la course à pied, un échange passionné avec son professeur de français sur "l'apathie démocratique du pays", une bagarre dans un vestiaire avec quatre garçons qui le traitaient de *Tonto*, et une manifestation de longue haleine contre la politique de Reagan en matière d'armement nucléaire, au cours de laquelle il s'était enchaîné à un pupitre à l'école et avait dû attendre les huit heures qu'il fallut au concierge pour retrouver le coupe-boulon.

"Ceux d'entre vous qui commencez votre première année pourraient éprouver des doutes quant à leur avenir, disait Farber. Vous avez peut-être entendu parler du programme rigoureux de nos cours, ou des horaires exigeants que nous respectons, ou encore du niveau de notre excellence académique et athlétique."

Un murmure de dérision s'éleva quelques rangs derrière Amina, suivi d'un éclat de rire. Amina se retourna et aperçu Dimple coincée comme un poussin entre les seins fastueux de trois filles de deuxième année qui avaient apparemment décidé qu'elle était trop cool pour devoir subir l'habituel embarras des nouveaux.

"Je vous dis ceci : Il y aura des moments où vous aurez peur. Il y aura des moments où vous douterez de votre capacité à affronter la journée. Mais je vous demanderai de vous rappeler à ces moments-là que si l'on vous en demande plus à Mesa Preparatory, c'est simplement parce que vous êtes capables de plus. Et, maintenant, je voudrais que vous vous leviez tous pour la devise de l'école."

Quatre cents élèves se levèrent face au drapeau arborant le blason de leur école. Akhil l'avait au moins préparée à cette scène. Il était même allé jusqu'à l'interpréter, visage lisse, d'une voix joliment psychotique.

"Timendi causa est nescire", clamèrent en chœur les élèves, et Amina articula en silence avec eux de la même façon qu'elle chantait les hymnes à l'église, sans se fier à sa propre voix. Elle se sentait traîtresse, même si l'identité de la victime de sa trahison – Dieu, le doyen Farber ou elle-même – restait pour elle un mystère. *L'ignorance est la cause de la peur*, en effet.

"Il m'a carrément reluquée." Les bras chargés de livres, Dimple jonglait pour les rassembler en une pile bien ordonnée. Elle s'était détachée des filles de deuxième année afin de rattraper Amina, et elles revenaient ensemble au bâtiment des première année.

"Dirk Weyland ?" demanda Amina.

Le visage de Dimple affecta l'expression glaciale qu'elle avait ramenée du camp, en même temps qu'un vocabulaire entièrement neuf, des cheveux décolorés, un tas de bracelets tressés, un vague mépris pour tout ce qui n'était pas la plage et une nouvelle familiarité avec l'anatomie du corps humain (qu'elle avait étudiée dans le plus grand détail à deux reprises en juillet).

"Je ne savais même pas que vous vous étiez parlé, tous les deux, dit Amina.

— On ne s'est pas vraiment parlé, mais j'ai vu qu'il me regardait. Et Mindy m'a dit qu'il serait à la soirée chez David Lewis, ce week-end. Alors."

Mindy. Étrange qu'un nom qu'Amina ne connaissait même pas quelques semaines plus tôt ait pu devenir un caillou dans sa chaussure. Mindy Lujan, la deuxième année qui avait pris Dimple sous son aile ; Mindy Lujan avec sa coupe de cheveux dégradée-effilée, son regard impérieux souligné de bleu et son langage qui rivalisait de grossièreté avec celui d'Akhil, au point qu'elle parvenait à utiliser le mot *fuck* en tant que verbe, adverbe, adjectif et nom, le tout souvent dans une même phrase.

"Dirk n'a pas une petite amie ?

— *Ami…* soupira Dimple. Ils ont passé tout l'été à rompre pour de bon. Tu sais bien."

Amina ne savait pas, et ne se faisait pas l'illusion de croire qu'elle *saurait* soudain si elle était invitée à sortir avec l'équipe de volley et avait l'occasion de glaner des détails de l'espèce qui avait cours à Mesa.

La foule devenait plus dense à l'approche du bâtiment, où chacun s'efforçait de franchir les portes vitrées en se faufilant, tels des saumons remontant une rivière. Le flot d'élèves les poussa vers les casiers, où Dimple s'arrêta pour farfouiller d'une main dans son sac et en retirer un horaire chiffonné. "Tu as quoi, maintenant ?

— Anglais, photo et bio. Et toi ?

— Bio avec Pankeridge ?"

Amina consulta un bout de papier sur son livre d'anglais. "Oui.

— Ah, chouette. On est ensemble en bio."

Amina réprima un sourire. Elle savait que ses sourires avaient sur sa cousine un effet contraire à celui d'autrefois ; incontestablement, ils étouffaient la chaleur qui avait pu les susciter.

"Tu as entendu dire qu'une fille a été virée, l'an dernier, parce qu'elle n'avait réussi à terminer aucune de ses dissections au labo? Trop la mort!"

Dimple paraissait plus petite, tout d'un coup, elle ressemblait davantage à la gamine qui avait pleuré dans les cheveux d'Amina avant de partir au camp.

"Ça ne t'arrivera pas.

— Suppose que si?

— On le permettra pas", dit Amina, secrètement ravie de l'expression de soulagement apparue dans les yeux de sa cousine. "Bon, on se voit à midi?

— Quoi? Oh!" Dimple consulta à nouveau son horaire et fit mine d'y voir quelque chose. "Peut-être. On verra comment ça se présente, d'accord?

— D'accord", dit Amina avant de se tourner et de partir seule vers son prochain cours.

Dans la voiture, en route vers la maison, Akhil fumait rageusement.

"Enculé. Quel enculé. Capables de plus! Et le pire, c'est qu'il y croit! Tous ces enculés y croient."

Toutes les vitres étaient baissées, Iron Maiden hurlait en stéréo et pourtant elle entendait parfaitement son frère. La mesa grondait dans un nuage de poussière. Les cheveux d'Amina lui fouettaient le visage.

"Et tu sais ce qu'il y a de plus incroyable?

— On pourrait remonter une vitre?

— Il croit qu'on est de *son* côté. Comme s'il pouvait dicter les termes de notre putain de développement mental!"

Amina commença à remonter sa vitre.

"Pas maintenant! J'essaie de réfléchir.

— Tu pourrais peut-être le faire sans tous ces gros mots?"

Akhil réduisit le volume, écrasa la cigarette entre ses lèvres et la suçota, en lançant à sa sœur un regard en coin. "Tu as qui, en anglais?

— Mr Tipton.

— Un con de première.

— Je croyais que tout le monde l'aimait !

— Parce que c'est des moutons. Te mets pas à le citer si t'as pas envie que je t'abandonne au bord de la route." Akhil accéléra. Des spirales de poussière s'épanouissaient derrière eux. Il enfonça l'allume-cigare et ouvrit la boîte à gants. "Qui d'autre ?

— Messina en photographie.

— J'ai entendu dire qu'elle était bien."

Mrs Messina n'avait pas l'air si bien que ça, avec sa peau d'une blancheur cadavérique, ses lèvres couleur terre et son odeur de patchouli, mais Amina acquiesça. "Gerber en histoire."

Akhil haussa les épaules. "N'importe quoi. Et en bio ?

— Pankeridge.

— Casse-couilles. Ne te plante pas au labo.

— Génial, Dimple est déjà terrifiée à l'idée de toutes ces dissections.

— Elle a raison. Elle est foutue si elle y arrive pas."

Amina regarda par la fenêtre. Elle se sentait tout le temps à côté de la plaque avec Dimple ces temps-ci. Pas assez intéressante, incapable de comprendre des choses supposées évidentes. Sa cousine n'avait pas eu envie de parler des photos floues qu'Amina avait prises quand elle était rentrée du camp, ni du ridicule de la campagne d'Akhil intitulée "Non à l'Assurance de Destruction Mutuelle". Elle avait parcouru des yeux la chambre d'Amina comme si ç'avait été celle de la petite sœur de quelqu'un d'autre, et écarté d'un haussement d'épaules la possibilité d'aller à pied au Rio Grande. En fait, le seul aspect de la vie d'Amina qui avait paru valoir un commentaire avait été le silence furibond de Kamala, que Dimple avait immédiatement qualifiée de "gravement cinglée".

"Je n'ai pas envie de rentrer", dit Amina.

Akhil prit une longue inspiration, lança le mégot par la fenêtre. "Je suis certain que maman va bien.

— Toute une journée ? Sans personne ?

— Eh bien, peut-être qu'elle aura débrouillé tout ça. Ce sera peut-être une bonne chose.

— Pour qu'elle puisse être plus comme Monica ?

— Je ne crois pas qu'il voulait dire ça."

Les mots les avaient hantés, bien sûr. Peu importait qu'extérieurement ils aient tenté de se rassurer en se disant que la dispute de juin n'était qu'une échauffourée de plus dans l'interminable guerre entre leurs parents ; intérieurement, ils ressentaient comme une malédiction le seul fait d'en avoir été témoins, durcis dans l'instant, le cœur cristallisé par le choc. Comment auraient-ils pu être préparés à ce retour nocturne d'une fête au boulot, la voiture arrêtée, moteur au ralenti, en haut de l'allée, portières grandes ouvertes, leur mère hurlant comme si elle avait le dos en flammes? À lui seul, le bruit les avait fait accourir sur le seuil et, parce que tous les enfants sont sidérés par le spectacle de l'abaissement parental, ce qu'ils virent les fit rester. Ils n'avaient encore jamais vu leur mère ivre (et ne la reverraient d'ailleurs jamais dans cet état), mais elle était là, éclairée des genoux au sol par les phares de la voiture, son sari croulant à ses pieds, en train de vociférer : "T'as qu'à aller vivre à l'hôpital avec ta chère Monica!" comme si elle était une star de soap opéra.

"Boire comme ça devant les gens avec qui je travaille!" avait crié Thomas, allant et venant à grands pas sur le chemin. "Qu'est-ce que tu crois qu'ils pensent de toi, maintenant?

— Ce n'est pas ce que tu m'as dit toi-même? « Monica par-ci, Monica par-là, et pourquoi tu ne peux pas être un peu plus comme Monica? »

— Monica tient l'alcool, elle!

— Monica est une *pute*." Kamala trébucha légèrement, considérant ses chevilles d'un regard noir.

"C'est mon assistante, Kamala. Ne parle pas d'elle comme ça.

— Elle te touche!

— C'est ce que font les Américains. C'est comme ça. Tu le saurais si tu en connaissais!

— Maintenant il va recommencer avec cette histoire de job et, je vous le dis, je vais le tuer. Je vais le réduire en mille morceaux!

— Nous ne repartirons pas, Kamala. Il faut au moins que tu essaies de t'adapter.

— Oui, parce qu'il n'y a rien à faire ici à part ranger après le passage des enfants et leur préparer des repas et s'assurer qu'ils ont fait leurs devoirs, c'est ça?

— *Fais* quelque chose. Propose tes services à une association. Prends un boulot à mi-temps.

— Et maintenant il s'imagine que je reste assise comme une belle princesse moghole à compter mes bracelets pendant que des servantes s'occupent de tout! Pourquoi j'irais pas me balader toute la journée dans un bureau et rentrer à la maison et préparer le dîner et faire le ménage comme une de ces idiotes dans une pub pour du parfum?" Elle se mit à rire. "Eh bien, Empereur de mes deux, je refuse.

— Kamala…

— JE REFUSE." Elle fulminait. "Tu crois que changer et changer et changer ce que nous sommes pour nous adapter à ces gens, c'est une bonne chose?" Menton relevé, elle le narguait. "Très bien. Fais-le. Va-t'en et deviens un crétin qui sourit tout le temps sans raison, parce que je m'en fiche, maintenant. Je m'en fiche vraiment!"

La surprise fut de le voir partir. Tandis qu'Akhil et Amina restaient figés devant la porte ouverte, leur père remonta dans la voiture, fit gronder le moteur et recula dans un rugissement jusqu'en bas de l'allée. S'il les vit, plantés là, ça ne l'arrêta pas. Et il ne revint pas pour le dîner comme il le faisait d'habitude un ou deux soirs après une dispute. Pendant des jours et puis des semaines, on ne vit plus leur père de toute la journée.

Kamala prit le deuil, un deuil colérique et gourmet. Elle préparait chaque repas comme s'il pouvait être le dernier que prendrait son époux, ne fabriquant de légers *parathas* et des *masalas dosas* minces comme des feuilles de papier que pour les regarder, furieuse, se ramollir en l'absence de Thomas. Elle effeuillait de la coriandre pendant que *Dallas* ou *Dynasty* passaient à la télé, écœurée et consolée à la fois par les affaires de cœur sordides auxquelles les Américains paraissaient génétiquement prédisposés. Elle empruntait à Bala Kurian ses films en hindi, les regardait jusqu'à l'instant précis où tout s'effondrait, et tournait alors en rond dans sa cuisine en insultant les placards.

Amina soupira et tira sur sa ceinture de sécurité. Qui savait ce qu'ils trouvaient en rentrant à la maison? Elle savait qu'il était inutile d'essayer de le deviner. La circulation dans le village se traînait. Akhil aspirait entre ses dents et tripotait la radio, essayant de la régler sur la station de hard rock qui disparaissait toujours quand ils approchaient de chez eux. Il soupira et la coupa. Tendit la main vers la boîte à gants. Amina l'arrêta d'un coup de pied.

"On est trop près maintenant. Tu vas puer.

— Elle ne remarquera même pas.

— Elle n'est pas idiote.

— Non, elle est juste trop énervée pour faire attention."

Amina soupira de nouveau. Elle aurait dû s'être habituée à présent à la façon qu'avait sa mère de se planter n'importe où dans la maison, si ivre par la colère qu'elle semblait ne rien voir devant elle, mais trouver Kamala occupée à lisser inlassablement la même partie d'un fauteuil dans le salon ou, pire, entamer une conversation et voir sa mère s'en aller brusquement dans une autre pièce restait toujours aussi déconcertant.

"T'as du chewing-gum?" demanda Akhil et Amina plongea la main dans la première poche de son sac à dos. Juicy Fruit. Elle lui en passa une tablette avant d'en sortir une autre de son papier d'alu pour la glisser dans sa bouche. Ensuite elle ralluma la radio et inséra la cassette d'Iron Maiden, trouvant du réconfort dans le sucre et la musique.

2

"Alors ? demanda Kamala. Ça s'est bien passé ?"

Amina et Akhil la dévisageaient, muets de stupeur. Ce n'était pas seulement le survêtement à l'aspect de plastique, ni les cheveux qu'elle avait manifestement détressés d'une natte et rassemblés très haut en queue de cheval, ni même les tennis que Kamala portait aux pieds, propres, blanches et lacées comme des guimauves intergalactiques. C'était son sourire. En l'espace de huit heures, leur mère s'était débrouillée pour devenir *pimpante*. Les yeux et les lèvres scintillant de rose et de violet, elle se tenait appuyée au comptoir de la cuisine.

Elle hocha la tête. "Tous vos professeurs vous plaisent ?

— Oui", fit Amina, hochant automatiquement la tête, elle aussi.

Akhil fronçait les sourcils. "Qu'est-ce que tu as sur la figure ?

— Je suis allée au stand de maquillage, chez Dillard.

— Comme ça ?

— Comment, *comme ça* ? Il me faut ta permission ?

— C'est quoi, ce truc ? demanda Amina.

— Un pantalon de parachutiste !" Kamala examina ses propres jambes comme si elles appartenaient bel et bien à un sauteur en chute libre. "C'est le dernier cri."

Akhil paraissait si stupéfait que sa mère rit, arrondissant ses pommettes bronzées. Ses cils frémissaient comme les ailes charbonneuses d'un papillon issu de l'au-delà, et Amina s'étonnait de la régularité de l'épaisse ligne noire soulignant chaque œil quand elle se rendit compte que sa mère lui rendait son regard d'un air de plus en plus angoissé.

"Tu es très belle", dit-elle, et un spasme de gêne parcourut les traits de Kamala.

"Et vos professeurs? Ils sont bons?

— Ils sont nuls", fit Akhil, qui parcourait la cuisine du regard comme s'il pouvait y avoir d'autres métamorphoses cachées dans les placards.

Kamala haussa les épaules aimablement. "Bah, c'est la vie, hein? On perd, on gagne."

Amina hocha la tête. On perd, on gagne. Certes. Leur mère se tourna vers une casserole en train de bouillir sur la cuisinière. Elle l'emporta sur l'évier, libérant une odeur boueuse de pommes de terre brûlantes, et ouvrit un tiroir où elle farfouilla en quête de quelque chose. "Pourquoi vous ne commencez pas tous les deux à faire vos devoirs? Votre père est en route, on mangera bientôt.

— Papa? les sourcils d'Akhil s'élevèrent. En quel honneur?

— Rentrée des classes, bêta." Elle chassa du geste la vapeur qui lui montait au visage.

"Et alors?

— Alors? Il ne voudrait pas manquer ça.

— Depuis quand?

— Depuis maintenant, mister Grincheux!

— Tu fais une crise d'identité? demanda Akhil.

— Je ne sais pas de quoi tu parles." Kamala mit la main sur un presse-purée et le brandit comme un trophée. Elle sourit. "Bon, toi et tes théories radicales de gauche, si vous montiez dans ta chambre jusqu'au dîner?"

Sans répondre, Akhil sortit de la cuisine. Elles entendirent ses pas lourds dans l'escalier. Amina s'assit sur une chaise et observa sa mère en train de s'affairer dans la cuisine. C'était quand même épatant. Le pantalon luisant lui collait aux hanches et, de dos, sa mère ressemblait à n'importe quelle élève de Mesa Prep.

"Ça te donne un look tellement différent.

— C'est pas bien?" Kamala jeta un coup d'œil à son reflet dans le micro-ondes.

"Si, c'est juste différent.

— J'ai presque tout effacé. Mais je me suis acheté un rouge à lèvres.

— Je peux voir?"

Kamala montra du doigt son sac à main ; Amina l'ouvrit et en sortit le rouge à lèvres.

"Délice de baies ?

— Oui, enfin", fit sa mère avec un rire embarrassé. Elle ouvrit un tiroir et y prit un couteau. "Alors, l'école te plaît ?

— Gina Rodgers est inscrite à tous les mêmes cours que moi.

— Miss Je-sais-tout.

— Oui.

— Ach. La pauvre. Personne ne l'épousera jamais.

— Maman ! Elle a mon âge.

— Pas maintenant, idiote, *plus tard.* J'avais une amie comme ça au collège, Ranjini Mukerjee. Quel rasoir, cette fille ! Et personne n'a voulu l'épouser.

— Mmm."

Queen Victoria, une grosse femelle berger allemand qui affectait en permanence un air peu impressionné, s'amena dans la cuisine et flaira le pantalon de parachutiste avant de s'installer par terre.

"Mais c'est une jolie école, non ? demanda Kamala. Si grande !

— Ça peut aller.

— Elle en pense quoi, Dimple ?

— Aucune idée.

— Vous n'avez pas les mêmes cours ?

— Seulement biologie.

— C'est sans doute une bonne chose, non ?"

Amina soupira. "Si tu le dis.

— Oh, Ami, ne sois pas si tragique. Vous avez juste besoin d'être un peu séparées pour devenir vous-mêmes." Elle ôta le haut et le bas d'un oignon avant de le trancher en deux. Posant le reste, face plate en dessous, elle le découpa en arcs-en-ciel incolores tandis que des larmes s'accumulaient dans ses yeux. "On a parfois besoin de grandir séparément pour pouvoir se retrouver ensuite, tu sais."

Comment tout le monde savait-il ? Est-ce que c'était si évident que ça ? La gorge d'Amina se serra, comme si quelqu'un serrait un boulon dans son larynx.

Sa mère s'essuya les yeux du revers de la main, en pestant contre les oignons. "De toute façon, il y a quelque chose qui ne tourne pas très rond dans la tête de cette petite. Ça vient de la famille de Bala, tu sais, des illusions de grandeur, trop de vanité. Toutes les femmes ont ça. Pourquoi crois-tu qu'ils lui ont donné ce prénom ridicule de star de cinéma?

— Pourquoi m'avez-vous donné un prénom musulman ridicule?

— Pas ridicule, bienséant. Amina et Akhil sont des prénoms d'enfants comme il faut!"

Amina se laissa glisser de son tabouret. "Je monte dans ma chambre."

Elle était bien dans son lit. Il était doux, chaud et, même s'il sentait un peu trop fort le Jean Naté, consolant. Amina roula sur le dos. Son poster d'Air Supply était habilement coincé entre le deuxième et le troisième barreau du baldaquin, caché aux regards méprisants d'Akhil et de Dimple. Amina adorait Air Supply. Elle adorait l'album *The One That You Love*, avec son ballon à air chaud flottant dans un ciel d'un bleu vibrant ; elle adorait chanter *Lost in Love* même si on lui avait dit et répété de ne pas le faire ; elle adorait que les deux chanteurs, Russell Hitchcock et Graham Russell, aient en commun un nom *et* une voix chevrotante et larmoyante, comme s'ils avaient été éparpillés en plein désert, comme s'ils avaient, eux aussi, perdu leur monde entier en un long été brûlant.

I'm all out of love, leur chuchotait-elle à présent. Et alors arriva cette chose qui lui était arrivée pendant tout l'été : le creux douloureux au fond de sa gorge disparut quand elle pensa à son appareil photo. Son appareil! Où était-il? Et où se trouvait son devoir de la semaine? Une demi-minute plus tard, elle les avait tous les deux extraits de son sac et déposés l'un à côté de l'autre sur son couvre-lit.

DEVOIR N° 1 : LIEUX, ESPACES, OBJETS
Vous avez cette semaine pour nous donner à voir votre univers, en particulier les lieux que vous fréquentez, salle de classe, chambre à coucher ou tout autre endroit où vous vous sentez chez vous. CE DEVOIR N'A PAS POUR OBJET DES PERSONNES, mais plutôt les pièces et espaces où vous vivez. Pensez à la

lumière dans chaque espace, et à la façon dont elle contribue à l'atmosphère de l'image. Réfléchissez à ceci : les objets ont-ils une vérité à raconter ? Expérimentez la vitesse d'obturation et l'ouverture (voir détails dans la plaquette).

Amina prit son appareil et se mit à balayer l'ensemble de sa chambre. Elle avait fait une erreur avec la couleur des murs. Le lavande était *in*, cette année-là, comme une langue étrangère dont les autres filles de quatrième avaient plein la bouche, et elle avait cru que c'était la sienne. La commode et le bureau, achetés dans deux vide-greniers différents, se trouvaient côte à côte. Élastiques, barrettes, épingles à cheveux et plusieurs produits Jean Naté encombraient la commode tandis que, juste à côté, la surface lisse et brillante du bureau était vide. Sur les étagères : poupées indiennes, disques, Rubik's cubes bloqués en permanence sur des couleurs mal assorties, les tristes regards en plastique des animaux en peluche qu'elle n'aimait plus mais dont elle n'aurait pas supporté de se débarrasser. Clairement, il n'y avait rien dans toute sa chambre qu'elle puisse photographier.

"Qu'est-ce que tu fais ?"

Elle dirigea soudain son objectif vers la porte, où se tenait Akhil. "J'apprends à utiliser ce truc.

— Ah." Il se pencha, entra dans la chambre, ramassa une barrette sur la table de toilette. "Tu peux prendre des photos de moi si tu veux.

— Je dois photographier des choses, pas des gens.

— Quelles *choses* ?

— Ben, les choses qui nous font être nous-mêmes. Nos choses.

— C'est débile.

— Non. C'est vrai." Elle zooma sur le visage d'Akhil. "Alors tu vas photographier le poster de ces pédés d'Air Supply ?

— Et c'est reparti." Elle enfonça le déclencheur.

Akhil se renfrogna. "Bon, c'est quoi ce délire avec Marie Osmond*, en bas ?

— Je trouve que ça lui va bien.

* Actrice télé populaire américaine qui a eu recours à plusieurs reprises à la chirurgie esthétique.

— Elle a l'air bidon.

— Akhil, elle s'est maquillée. C'est pas le bout du monde." Elle modifia la mise au point jusqu'à ne plus voir qu'un brouillard de peau et de lumière.

"La marchandisation de la beauté est un piège économique destiné à réduire la femme moderne en esclavage."

Amina fit tourner de deux crans la bague du diaphragme. L'obturateur cliqua. "Je comprends rien à ce que tu racontes."

La lumière tournoyait là où auraient dû se trouver les yeux d'Akhil. "Bien sûr que non."

Quelques heures plus tard, assis en haut de l'escalier, ils contemplaient, au-dessous d'eux, le vestibule éclairé. L'absence de bruit dans la cuisine leur donnait l'assurance que leur mère avait depuis longtemps fini de cuisiner, mais des tentatives antérieures de se mettre à table avaient été aussitôt rejetées, Kamala affirmant, avec une bonne humeur exagérée, que leur père allait arriver d'une minute à l'autre. Il s'en passa encore quarante-sept. Ils étaient prêts à dévorer leurs oreillers.

"Je crois qu'on devrait descendre", chuchota Amina.

Akhil regarda sa montre et soupira.

"Tu penses pas qu'on devrait descendre ? demanda-t-elle.

— Je pense qu'il y a une heure qu'il devrait être là.

— Ouais, je sais, mais…

— Maman, on peut manger, s'il te plaît ?" cria Akhil, en lui coupant la parole.

Il n'y eut pas de réponse.

"Maman, on peut…

— Oui, mangeons !" répondit-elle.

En bas, la table était dressée avec la vaisselle des grands jours, la carafe d'eau en cristal transpirait sur un set de table en étoffe, l'argenterie étincelait sur les serviettes.

"C'est quoi ça ? demanda Akhil.

— Rôti à la cocotte et purée de pommes de terre !" annonça fièrement Kamala.

Amina s'assit. Elle prit une fourchette de service et tâta la masse brune. Cela dégageait une odeur insistante de restaurant américain, de viande lourde non relevée par de vraies épices. Sentant que sa mère la regardait, elle sourit. "Ça a l'air bon."

Kamala désigna le plat principal d'un hochement de tête. "Goûtez, ça va vous plaire."

Amina s'attaqua à la viande. Elle résistait.

"Ça ne va pas me plaire", déclara Akhil en repoussant son assiette. "Je peux avoir du curry de poulet ?

— Je n'ai pas cuisiné indien ce soir.

— Et pour papa ?

— Non plus."

Amina et Akhil échangèrent un regard. Leur mère mettait un point d'honneur à toujours cuisiner indien pour leur père, quels que soient les nouveaux plats qu'elle pouvait essayer pour les enfants.

Akhil tenta de prendre une cuillerée de la purée, qui s'allongea et s'amincit au fur et à mesure qu'il la soulevait, comme si elle refusait de lâcher la cuillère.

"Qu'est-ce qui est arrivé à ce truc-là ?

— C'est de la purée de pommes de terre.

— C'est gluant.

— Et attends de l'avoir goûtée !" Kamala paraissait enchantée. "J'ai ajouté tout une plaque de beurre."

Akhil regarda Amina, qui lui fit un léger signe de tête. *Ne dis rien.* Kamala retourna dans la cuisine.

"Tu manges pas ? lui cria Akhil.

— Non, non. Je vais attendre."

Ils mangèrent pendant qu'elle attendait. Ou plutôt ils s'efforcèrent de manger un repas qui refusait d'être mangé. Même mâchée vigoureusement, la viande conservait sa forme, et leurs tentatives d'avaler la purée s'achevaient langue collée au palais. Dans un désespoir muet, ils partagèrent la totalité de la salade en veillant à ne pas alerter leur mère, qui s'affairait à briquer la cuisinière et les plans de travail déjà impeccables. Ils profitèrent d'un bref séjour qu'elle fit aux toilettes pour fourrer dans des serviettes en papier presque tout ce qui restait dans leurs assiettes et l'enterrer dans la poubelle, revenant précipitamment à table avec leurs assiettes vides au moment où elle tirait la chasse. Lorsque Kamala revint dans la cuisine, elle s'était lissé les cheveux et avait remis du rouge à lèvres. Elle gagna l'évier, remplit le gobelet en fer-blanc qu'elle gardait à proximité et, la tête renversée en arrière, laissa l'eau couler dans sa bouche en un flot dru. Ses épaules s'affaissèrent légèrement quand elle le reposa.

"Ça vous a plu ? demanda-t-elle sans se retourner.

— Oui, fit Akhil, et Amina murmura son assentiment.

— On va faire la vaisselle, proposa Amina.

— Non, non, montez. Vous devez être fatigués."

Ils débarrassèrent. Akhil mit une assiette de côté pour leur père tandis qu'Amina passait une éponge sur les plans de travail blancs. Lorsqu'ils eurent fini, ils se rendirent à pas de loup au salon, où ils s'installèrent de part et d'autre de leur mère pour regarder un épisode de *Hill Street Blues* et puis le journal de vingt-deux heures. Du coin de leurs yeux résolus à ne pas la regarder en face, ils virent l'entrain déserter Kamala, dans son humeur d'abord puis dans sa posture. À vingt-trois heures, elle dormait profondément sur le canapé, la queue de cheval de travers, la bouche grande ouverte.

"Tu crois qu'on devrait la réveiller ? chuchota Amina.

— Putain, c'est lui qui devrait la réveiller", répliqua Akhil.

Amina se pencha et pressa la main de sa mère. Les paupières violettes frémirent.

"Qu'est-ce qui se passe ?" Kamala s'assit, l'haleine chargée.

"Tu devrais aller te coucher."

Sa mère parcourut le salon des yeux, s'attardant sur le fauteuil inoccupé.

"Quelle heure il est ? demanda-t-elle.

— Tard", répondit Akhil.

Formant une étrange procession, ils traversèrent le vestibule, Akhil en tête, Kamala derrière lui comme une somnambule, suivie d'Amina qui s'efforçait de guider sa mère sans manifester le genre de tendresse qui aurait provoqué une réaction irritée. Queen Victoria reniflait le sol sur leurs traces. Akhil ouvrit la porte de la chambre de leurs parents et Kamala s'y glissa, tel un canoë à la dérive.

"Bonne nuit, m'man." Akhil ferma doucement la porte derrière elle.

Amina le regarda. "Tu crois qu'un de nous deux devrait rester avec…

— Non, dit Akhil d'une voix calme et définitive. Je ne crois pas."

Devrait-elle descendre? Allongée dans son lit, clignant des yeux dans l'obscurité, Amina avait entendu claquer la porte moustiquaire. Thomas était rentré. Il se préparait à prendre son dernier verre de la journée, elle le savait à cause des bruits de placards ouverts et refermés. Il n'aurait pas envie de compagnie.

Elle descendit tout de même. "Papa?"

De dos, elle ne voyait que sa tête surplombant le fauteuil en osier comme un soleil flou au-dessus de l'horizon. Comme il ne disait rien, elle ouvrit la porte et pénétra timidement dans la véranda. "Papa?"

Son père était assis, en tenue stérile de salle d'opération, une bouteille de scotch entre les genoux. "Je t'ai réveillée?

— Non." Amina restait plantée sur un pied, n'osant ni bouger, ni respirer, ni faire la moindre chose qui aurait incité son père à lui dire d'aller se coucher. Elle chercha discrètement autour d'elle un endroit où s'asseoir. Queen Victoria appuya sa truffe humide sur la moustiquaire, inspira profondément et éternua.

"Laisse-la entrer", dit Thomas.

Amina s'exécuta et la chienne, courant droit vers lui, fourra la tête contre son ventre. Il se plia sur elle en se balançant. Il resta penché si longtemps qu'Amina crut qu'il s'était assoupi.

"Pourquoi ne dors-tu pas?" demanda-t-il dans la nuque de Queen Victoria.

"— Je…" Amina regardait les pieds de son père, chaussures de soirée emballées dans des chaussons bleus. "J'étais debout, c'est tout. J'arrivais pas à dormir."

Thomas se redressa. "Mauvaise habitude. Ne prends pas ce pli-là."

Amina acquiesça et Thomas, tendant la main près de son fauteuil, s'empara d'un pot à confiture rempli de glaçons. Il le cala entre ses genoux et éleva la bouteille de scotch vers la lumière avant de verser. Il prit une longue gorgée. Queen Victoria recula d'entre ses jambes et s'assit contre elles, en fixant Amina d'un regard las.

Voir son père de si près lui semblait dangereux. Depuis des mois, il n'était plus qu'une silhouette floue partant pour l'hôpital ou en revenant. Amina déplaça son poids d'une jambe sur l'autre, en essayant de paraître à l'aise.

"Alors, qu'est-ce qui se passe ici?

— Rien. Rentrée des classes.

— *Aujourd'hui?*

— Oui."

Son père ferma les yeux, secoua la tête. "Merde."

Les cernes sous ses yeux étaient plus sombres que d'habitude, violacés et boursouflés.

"Donc l'été est fini, dit-il après quelques minutes.

— Ouais."

Il contemplait ses genoux. "Comment c'était? L'école?

— Bien, dit Amina. Enfin, bon, Mesa, quoi. Ça m'a pas paru totalement horrible, en tout cas.

— À quels cours tu t'es inscrite?

— Anglais, histoire, français, algèbre, bio, photographie. On peut faire photo cette année si on a suivi la formation artistique normale au collège.

— Tu t'intéresses à l'art?"

Amina répondit d'un hochement de tête affirmatif. Son père se tut. Il étendit ses jambes devant lui.

"Ça a quel goût?" Elle montrait le scotch du doigt.

Thomas éleva le verre et regarda les glaçons d'en dessous. "Quel âge as-tu?

— Quatorze ans." Elle voulait ajouter qu'elle avait déjà bu de la bière avec Dimple et un peu de Bailey's avec tatie Sanji, mais elle ne le fit pas.

"Hum." Il fit tourner le verre. "Tu veux essayer?"

Elle voulait. Il se pencha en avant pour lui donner le verre. C'était glacé. Elle baissa les yeux, frissonna. Vu du dessus, le scotch était beau, la glace fendillée s'éclairait des couleurs d'un coucher de soleil limpide. Le liquide fumait entre les fissures.

"Retiens ta respiration."

Elle porta le verre à ses lèvres. Prit une gorgée, avala. Le premier contact avait un goût d'air vicié, comme la saveur dure et métallique qui lui demeurait en bouche après une visite chez le dentiste. Une chaleur délicieuse se répandit de ses joues à son front. Lorsqu'elle respira, un feu s'alluma en elle. Monté de son ventre à sa tête, il sortit de sa bouche en un hoquet. Elle déglutit. Respira de nouveau. Ses joues étaient engourdies. Elle inspira en tremblant et s'efforça de tenir ses membres tranquilles.

Son père sourit. "Tu aimes?"

Elle lui rendit le verre. "Non."

Il rit, d'un rire qui la surprit. Un bon rire venu du tréfonds de lui-même, qui résonna hors de la véranda et dans la nuit, réveillant Queen Victoria, qui se dressa, soudain alerte.

"Alors, comme ça, ta nouvelle école te plaît?" Il croisa les jambes et Amina hocha la tête, ne voulant pas gâcher cet instant. Son père avait l'air content. "Et c'est quoi qui te plaît?"

Elle parcourut des yeux la véranda, ses murs noircis par les ombres des insectes nocturnes. "Ben, le campus est chouette. Énorme. De la brique. Mes profs ont l'air plutôt cool.

— C'est bien. Ouah, tu es en secondaire. Tu deviens vraiment grande, hein?

— Thomas?" La voix étouffée venue de la porte les fit se retourner. Kamala avait le visage chiffonné, l'air sonné. "Qu'est-ce que vous faites?"

Le sourire de Thomas s'effaça. "Pas grand-chose. On est là.

— Amina, pourquoi es-tu éveillée?"

Amina haussa les épaules.

Sa mère soupira.

"Je regrette d'avoir raté le dîner, dit enfin son père. Il est arrivé un jeune garçon. Envoyé de Grants. Hématome sous-dural."

Pas traînants, silence.

"Ne fais pas cette tête, Kam. Je t'ai dit que j'essaierais, je n'ai rien promis."

Sa mère rit faiblement. "Tu ne promets jamais.

— Qu'est-ce que tu veux que je te réponde?

— J'ai dit aux enfants que tu viendrais.

— Alors je leur dirai que je regrette.

— Quand?

— Quand? Quand je voudrai. N'en fais pas un drame.

— C'est un drame.

— Kamala, assez. Ma journée a été longue."

Kamala le dévisagea, et la douleur était si visible sur son visage qu'il fut difficile de comprendre comment elle put s'effacer aussi vite quelques instants plus tard, laissant ses traits retomber à leur habituelle expression de désappointement. Elle se détourna sans un mot de plus et s'éloigna, disparaissant dans l'obscurité. Amina se leva.

"Bonne nuit", dit Thomas quand elle sortit, et elle le salua d'un geste timide, ne souhaitant ni voir le visage attristé de son père, ni lui montrer le sien.

3

"Qu'est-ce qui fait d'un homme quelqu'un de bien?" demanda Mr Tipton en déposant son exemplaire de *Hamlet* sur le bureau derrière lui.

Gina Rodgers leva la main, provoquant l'irritation de la classe entière. Tout le monde souhaitait faire bonne impression sur Mr Tipton, mais c'était Gina qui levait toujours la main la première, comme s'il allait tomber amoureux d'elle pour ses 17 de moyenne.

"Trace, fit Mr Tipton.

— Hein?" Trace McCourt releva la tête du F-15 qu'il était en train de dessiner dans son cahier avec un grand souci du détail.

"Qu'est-ce qu'un homme de bien?"

Trace contempla l'empreinte grise dans son doigt, puis son crayon. "Quelqu'un qui lutte pour ses convictions. Qui fait son devoir.

— Quel est son devoir?

— Défendre son pays. Et sa famille." Il renifla comme si c'était une chose que lui-même avait faite. "Son honneur.

— Et si c'est un homme qui ne possède rien de tout ça?

— Tout le monde a un pays.

— Pas nécessairement", intervint Gina Rodgers, qui ne quittait pas Mr Tipton des yeux. "Il y a les dissidents. Et les expatriés. Et les premières générations d'immigrés, coincées entre le pays d'origine et le nouveau pays. Il y a…

— Amina, qu'en penses-tu? demanda Mr Tipton.

— Quoi?

— Comment définirais-tu un homme de bien?"

Amina mordilla l'intérieur de ses joues. Toutes ses réponses étaient prises au piège d'un tourbillon de pensées si rapide qu'elle avait du mal à prononcer le moindre mot. Des mains se levaient de tous les côtés de la classe, telles des tulipes s'épanouissant au soleil. La cloche sonna.

"Tu sais, tu finiras par devoir parler", dit Mr Tipton pendant qu'elle rangeait ses affaires avant de sortir. "C'est le cours d'anglais. Parler est important.

— Je sais.

— Ne me dis pas qu'*Hamlet* t'ennuie déjà?

— Non. C'est seulement… Je ne sais pas. L'homme de bien de quelqu'un est… vous savez… le père de quelqu'un d'autre." Elle rougit. "Ou son fantôme, quoi.

— Tu vois? Pourquoi n'as-tu pas dit ça? C'est exactement ce dont il s'agit dans Hamlet – les complexités de la sincérité, la pertinence de la santé mentale. En fait, il y a débat sur la question de savoir si Hamlet est fou ou s'il fait seulement semblant de l'être. Ça m'intéresserait de savoir ce que tu en penses."

Amina opina du chef, comme pour dire *oui, bien sûr, je le ferai*, mais en réalité ça l'aurait intéressée, elle aussi, de savoir ce qu'elle pensait.

Au moins, elle avait son art. À l'étage du dessous, quarante minutes plus tard, tout le monde fixait le tableau avec excitation et nervosité. C'était passionnant, ces vingt dernières minutes de cours consacrées à la critique, la curiosité éprouvée pour ce que les autres présentaient et la façon dont on tenait la comparaison. La règle imposait, bien entendu, de regarder toutes les photos pendant au moins deux minutes avant de parler. Amina parcourut rapidement des yeux celles de ses condisciples mais revint à la sienne, fascinée par l'angle, par les contours de son visage. Quand son menton était-il devenu si pointu? Elle avait bien mieux réussi cet autoportrait que le précédent sujet imposé. En partie parce qu'elle devenait progressivement plus habile au tirage ; les astuces du masquage lui permettaient notamment de corriger ses erreurs d'exposition. Et, vraiment, elle avait obtenu une image parfaite, en disposant sa lampe de bureau à un angle de quatre-vingt-dix degrés par rapport à son corps, plongeant dans l'obscurité presque tout ce qui l'entourait tandis que le côté de son visage ressortait dans la lumière. Elle ne s'était même pas donné la peine d'imprimer les prises plus banales – celle-ci, elle le savait, était d'une rare perfection.

"Eh bien? demanda Mrs Messina. Qu'en pensons-nous?

— J'aime bien celle de Sarah", dit quelqu'un dans le dos d'Amina, et elle se retourna. Tommy Hargrow, l'aîné de sept enfants mormons. Si Amina ne savait pas trop ce qu'impliquait le fait d'être un mormon, c'était toujours la première chose qu'on disait de Tommy, la seconde étant qu'il avait six frères et sœurs. Il examinait le tableau. "Je crois qu'elle a quelque chose d'intéressant."

Amina revint à la photo de Sarah. On l'y voyait, montrant ses dents éclatantes dans un sourire niais, les cheveux suspendus en apesanteur autour de son visage, comme si elle était sous l'eau.

"J'étais sur le trampoline, avança Sarah.

— On ne parle de ses propres images qu'en réponse à une question", lui rappela Mrs Messina. Elle regarda la photo. "Je trouve intéressant, toutefois, que Sarah ait choisi de couper le trampoline. Alors, la classe, qu'est-ce que ça vous dit?"

Ça ne disait rien à Amina. L'image était idiote, trop théâtrale, trop juvénile. Elle examina ses mains.

"J'aime bien qu'il n'y ait, comment dire, pas d'arrière-plan ni rien, dit quelqu'un.

— Contexte, dit Mrs Messina. Ce dont tu parles, c'est du contexte. Nous ne pouvons pas situer Sarah, exactement, et pourtant nous voyons qu'elle est joyeuse. Je vois au moins quatre photos sur le mur qui font le même effet. Regardez celle d'Amina."

Amina baissa les yeux, en essayant de ne pas sourire. Il y eut un long silence.

"Où sont les autres? demanda Mrs Messina.

— Je n'en ai pas d'autres.

— Tu n'as pris qu'une seule photo de toi?

— Je n'aime pas les autres.

— La prochaine fois, apporte-les." Mrs Messina s'adressa à la classe. "Écoutez, vous devez garder en tête que nous voulons voir un bon échantillon de votre travail. Ce que vous aimez, au stade actuel, n'importe pas vraiment parce que vous n'avez pas encore découvert votre regard personnel. Ici, par exemple, Amina est *jolie*, et elle serait sans doute à sa place sur une couverture d'album, mais, au-delà de ça, je ne la vois pas du tout, *elle*. Ses autres photos m'auraient peut-être fait voir autre chose. Maintenant, voyons celles de Tommy."

Frappée d'immobilité, Amina se rendit soudain compte qu'elle respirait à peine. Comment Mrs Messina osait-elle la singulariser? Elle n'avait montré qu'une photo, c'est vrai, mais au moins ce n'était pas du grand n'importe quoi, comme celles qu'avait prises Missy Folgers, qui avait disposé autour de sa tête, en forme de fer à cheval, tous ses flots de concours hippique.

Elle regarda les photos de Tommy. Sur trois d'entre elles, on le voyait dans l'abri de touche abandonné d'un terrain de base-ball. Sur les quatre dernières, il était assis à table, très calme, entouré de l'agitation de ses parents et de ses frères et sœurs, à différents degrés de mise au point.

"J'adore, dit quelqu'un.

— Les jugements de valeur sont inutiles, ici. Qu'est-ce que tu adores, dans ces photos?

— Elles sont bonnes."

Mrs Messina soupira. "Pourquoi?

— Elles me font de la peine", dit Missy Folgers.

Mrs Messina hocha la tête. "Bien. Comment?"

Personne ne répondit. Amina regardait fixement la dernière photographie. C'était la solitude. C'était la façon dont Tommy avait l'air de parler à l'objectif parce qu'il n'avait personne d'autre à qui parler. Elle contempla le plancher, malheureuse, à peine consciente de l'arrivée entre ses mains du sujet imposé pour la semaine à venir avant que Mrs Messina ne commence à le lire à haute voix.

"Au cours de ces dernières semaines, vous avez réalisé un autoportrait. Pendant les deux prochaines, je voudrais que vous tourniez votre appareil vers votre famille. Nous apprenons à raconter des histoires, ici, alors pensez à de l'action. D'accord?"

Tout le monde récupérait ses photos sur le tableau noir, et Amina se hâta avec les autres et attrapa la sienne. Elle la fourra dans son sac à dos, sans se soucier que le papier plie et se froisse sous sa main.

4

"Surpopulation. Obésité tronculaire. Pilosité excessive. Voilà ce qu'on offre au monde", déclara Akhil le samedi suivant. Amina et Dimple étaient assises sur des chaises de jardin rouillées sur le Balcon, un petit coin de toit accessible par la fenêtre de la chambre d'Akhil ; celui-ci marchait de long en large en fumant cigarette sur cigarette, surveillant d'un œil inquiet la porte fermée à clé de sa chambre. En bas bourdonnait un chœur de voix parentales en pleine conversation d'après-dîner.

"Parle pour toi, mon petit vieux." Dimple, les sourcils froncés, tirait sur les pointes fourchues de ses cheveux. "C'est pas moi qui suis grosse.

— Attends la puberté et on verra.

— Ah, alors c'est ça ? C'est bon à savoir."

Amina frappa du pied la cheville de Dimple.

"Aïe. Comme si c'était ma faute s'il est gros et furieux de l'être", fit Dimple.

Akhil exhala un nuage de fumée. "Au moins, je n'essaie pas d'être blanc.

— Je n'essaie pas d'être quoi que ce soit, soupira Dimple, les yeux au ciel. Je *suis*, c'est tout.

— C'est ça.

— Ouais, c'est ça." Dimple regarda en l'air. "Alors, y en a pour combien de temps, là-haut ?"

Comme chaque automne, Akhil et Amina attendaient la migration annuelle des oies des neiges ; ils scrutaient le ciel en quête de la première vague des quelque vingt mille oiseaux qui faisaient le voyage du Canada au Mexique.

"Ils ont dit aux infos qu'elles étaient hier à Santa Fe, dit Amina.

— Bon, et ça fait combien de temps, ça?

— Tu as un meilleur endroit où aller?" demanda Akhil.

Amina dirigea l'objectif vers l'oreille de sa cousine, dont le cartilage, récemment percé, enflait sous trois anneaux d'argent. Elle resserra son cadrage. "Je crois que ton oreille est infectée, Dimp.

— Mais non, fit Dimple.

— C'est dégueulasse, dit Akhil. T'as intérêt à ce que Dirk voie pas ça.

— Il s'en fout, répliqua Dimple.

— De toi? Ou de tout ce qui n'est pas à proximité immédiate d'un terrain de foot?

— C'est quoi le problème?" demanda Dimple, dont la tête pivota d'Akhil à Amina et retour. "Et toi, c'est quoi ton problème?

— C'est Ben Kinglsey qui joue Gandhi", déclara Amina, remplaçant un sujet délicat par un autre. Elle vit s'assombrir le visage de son frère. La nouvelle, si même on pouvait l'appeler comme ça, avait été un choc pour Akhil. Personne n'avait encore vu *Ghandi*, ni ne le verrait avant trois mois, mais Akhil en épiait déjà la carrière avec l'insistance inquiète d'un beau-frère jaloux, à la fois trop proche et trop éloigné de son sujet pour se sentir à l'aise à l'idée de sa sortie.

"Et alors? demanda Dimple.

— Ben Kingsley est à moitié anglais." Amina dirigea son objectif vers le bas, cadrant les chaussures de son frère.

"Il a été *élevé* en *Angleterre*, dit Akhil, maussade.

— Alors il n'est pas indien du tout?

— À peine.

— Il est à moitié indien, corrigea Amina.

— Oh, pour l'amour de…" Dimple leva les yeux au ciel. "Sérieusement, vieux, t'en es encore à râler contre la colonisation? À appeler votre chienne du nom d'une reine britannique? Faudrait mûrir un peu."

Akhil se tourna vers Amina. "C'est anglais qu'elle parle?

— Bref, soupira Dimple.

— Bref. Comme tu dis. Tant pis pour l'hypocrisie, la folie, sans parler de la corruption dont témoigne l'introduction de notre culture dans le grand public américain! Je vous le dis, ce film va affecter pendant les dix prochaines années la façon dont ils nous voient, tous tant qu'ils sont. Ils te regarderont, toi, *mais ils verront Mahatma!*"

Dimple s'administra une claque sur le front.

"Qu'est-ce que c'est censé vouloir dire, ça? demanda Akhil.

— C'est pas censé vouloir dire quoi que ce soit.

— C'est bien censé vouloir dire *quelque chose*."

Des coups frappés énergiquement sur la porte les firent tous sursauter, et Akhil, éperdu, regarda autour de lui. Dimple attrapa, sous son siège, le flacon de bulles de savon et Amina, sous le sien, son eau de toilette Stetson. Akhil s'en aspergea frénétiquement pendant qu'elle se glissait dans sa chambre par la fenêtre ouverte.

"Qui est-ce?

— Tu vas me laisser entrer ou quoi, ma chérie?

— C'est juste tatie Sanji", dit Amina en ouvrant la porte. Sanji entra dans la chambre d'Akhil, qu'elle traversa en s'éventant d'un air dégoûté.

"Grands Dieux, qui s'est mis une bouteille entière d'eau de toilette? Akhil, c'est toi? Tu crois que ça dissimule la puanteur infernale de tes clous de cercueil?

— On lui a dit. Il veut pas nous croire." Se faufilant près de sa tante, Amina repassa par la fenêtre, et Sanji s'y pencha en fronçant le nez.

"Ça pue comme dans une salle de billard ici! Vraiment, vos parents ne savent pas? Papa a été fumeur, non? Il va le sentir.

— Pour ça, il faudrait qu'il soit réellement à la maison.

— Il est à la maison maintenant!" Sanji parcourut le toit des yeux. "Où est le cendrier?"

Dimple brandit le flacon de *Wonder Bubbles*.

"Eh bien, si ce n'est pas le comble de la corruption!" Sanji fit signe qu'elle voulait une cigarette. Akhil lui en offrit une et protégea la flamme du briquet au creux de sa main pendant que Sanji se penchait davantage à la fenêtre, laissant son voile rose vif flotter dans la brise. Elle exhala en marmonnant: "Oh, merde, quel délice", et inhala de nouveau. Après trois bouffées, elle rendit la cigarette à Akhil. "Alors? C'est quoi le sujet brûlant sur le toit ces jours-ci? Comment ça s'annonce, la nouvelle année scolaire?

— Super", dit Dimple.

Sanji sourit. "J'ai appris que tu étais invitée à la fête de la rentrée.

— C'est vrai ?" Amina dévisageait sa cousine.

"Ouais." Dimple saisit un cheveu égaré sur son pull et le lâcha dans la brise. "J'y vais avec Nick Feets.

— Nick *Feets* ? demanda Akhil.

— Et alors ? fulmina Dimple.

— Alors, il est comment ? demanda Sanji.

— Je ne sais pas. Enfin, je crois qu'il est sympa. C'est un ami de Mindy."

Amina déglutit, elle se sentait vaguement lardée de coups de poignard.

"Fantastique, applaudit Sanji. Notre Dimple qui va à son premier bal de rentrée. Bala disait que tu porterais un sari !

— Quoi ?

— Soieries *kathi* et tout ça, hein ?" Sanji adressa un clin d'œil aux autres. "Avec du jasmin tressé dans les cheveux ?"

Le visage de Dimple s'étouffait d'horreur. "Oh, mon Dieu, si jamais… ?

— Ce serait un suicide social, dit Akhil. Tout le monde saurait que tu es indienne et t'aurais pas le temps de voir venir, on te demanderait de faire des samoussas pour toute l'école.

— En tout cas, fit Sanji en faisant claquer ses mains, je crois que ce sera fantastique, quoi que tu décides de porter. Combien je regrette toujours de ne pas avoir été élevée dans ces traditions américaines – les fêtes de rentrée, les bals de promo, les barbecues de fruits de mer ! Tu dois dire à ta mère de prendre des photos pour qu'on puisse tous te voir."

Amina les voyait déjà, ces photos. Dimple en robe genre satin, avec ce Nick Feets à l'air coincé, Dimple et l'équipe de volley au grand complet, bras repliés pour faire admirer de beaux petits biceps, Dimple avec un bouquet plus gros que son visage. Elle contemplait le haut de son boîtier, en faisant lentement tourner d'un cran à l'autre la bague du diaphragme.

"Et toi, Ami ? Tu as flashé sur quelqu'un ?" demanda Sanji, et Amina releva la tête, muette et blessée. Elle éleva son appareil devant son visage.

Les seins de tatie Sanji couvraient en partie le cadre de la fenêtre, les plis tendres de son cou étaient soulignés par du talc pour bébé. Amina promena son objectif sur les poils décolorés de sa lèvre supérieure et jusqu'à la boucle d'oreille en rubis et saphir qui pendait d'un lobe épais. Sa tante jeta par-dessus l'épaule un regard vers la porte et soupira. "Je suppose que je devrais redescendre avant qu'ils ne soupçonnent quelque chose.

— Non! s'exclamèrent-ils en chœur, et Sanji parut contente.

— Il faut que j'y aille. Chacko et Raj vont s'arracher les yeux à propos de cette théorie du ruissellement, et il y a des limites à la bonne humeur que peut apporter Thomas." Elle parcourut le toit des yeux. "Où est cette horrible eau de toilette?"

Amina allongea le bras sous son siège et lui tendit le flacon de Stetson. Sanji le renifla prudemment et fit la grimace. "*Tchi!* Du spray antimoustiques! Il n'y a que ça?

— J'ai du Jean Naté sur ma table de toilette, proposa Amina.

— Parfait."

Ils la regardèrent traverser la chambre, écouter à la porte comme ils le lui avaient appris, puis l'ouvrir rapidement et la refermer derrière elle.

"Vous croyez qu'elle serait aussi cool si elle avait des gosses? demanda Dimple.

— Non, dit Akhil. Ça n'arrive jamais."

Amina se pencha en arrière sur son siège, bras tendu, pour attraper l'étui de son appareil et son carnet. Elle feuilleta celui-ci jusqu'à une page blanche et nota la sensibilité du film, les indices d'exposition et l'heure. Elle s'arrêta à la colonne qu'elle avait intitulée "qualité de la lumière". Après un coup d'œil au ciel, elle écrivit "crachotant".

"Bon, qu'est-ce qui arrive à votre père?" demanda Dimple.

Akhil se gratta la joue. "Rien.

— Tu viens de dire à tatie Sanji qu'il n'est jamais là.

— Il n'*est* jamais là.

— Oui mais, pourquoi?

— Parce qu'il n'est pas là, fit Akhil. C'est pas un drame.

— Alors pourquoi tu râles contre lui?

— Qui a dit que je râlais contre lui?"

Dimple leva les yeux au ciel. "T'es vénère, c'est clair.

— Il faudrait qu'il soit plus *présent* pour que je puisse râler contre lui.

— D'accord, mais ce n'est pas comme s'il était parti vadrouiller autour du monde ou qu'il avait une liaison. C'est juste qu'il travaille.

— Ça va, dit Amina. Akhil exagérait. Papa est là souvent. Surtout la nuit.

— Conneries, dit Akhil. Il était furieux contre elle et il nous a quittés.

— Quoi? demanda Dimple.

— Rien", répondit rapidement Amina, en lançant à Akhil un regard furibond pour le faire taire.

Les yeux de Dimple passaient de l'un à l'autre ; ils étaient durs. Elle se laissa aller au fond de son siège. "Qu'est-ce que je suis contente d'être enfant unique!"

Une fois tout le monde parti, Akhil et Amina retournèrent s'asseoir sur le toit ; ils observaient le ciel, un ciel décevant. Il s'était assombri, prenant une teinte grise sans imagination, si terne qu'il paraissait presque clair, sauf la trace mince et évanescente laissée par un avion disparu. Amina pensait à l'odeur de fumée de pipe qui traînait dans les toilettes du rez-de-chaussée même lorsqu'il y avait plusieurs jours que son père était parti, à l'assiette de son dîner retrouvée chaque matin dans l'évier, mince et sèche comme un os bien rongé.

"Tu crois qu'il pourrait vraiment partir? demanda-t-elle.

— Quoi?

— Papa. Nous quitter."

Akhil haussa les épaules. "Les Indiens ne lâchent pas. Leur truc, c'est vivez-malheureux-à-jamais."

Amina réfléchit. "Tu crois qu'il est malheureux?

— Je crois qu'il est le produit de sa race et de son époque."

Amina fronça les sourcils. "Tu crois réellement qu'il est malheureux?

— On ne l'est pas tous?

— Pas vraiment.

— Si tu le dis. Je rappelle simplement qu'il y a des choses qu'on ne peut pas éviter, fit Akhil. C'est dans les gènes : de bonnes dents, des problèmes de peau, un corps défaillant. Des vies de gratitude synallagmatique.

— Quoi quoi?

— Tu sais, on passe son temps à faire des courbettes parce qu'on est si foutrement reconnaissant rien que d'être dans ce pays. À se conduire comme si nous adresser la parole, c'était nous accorder une faveur.

— Quand est-ce que tu fais des courbettes?

— Demande-moi plutôt quand j'en fais pas. Bon Dieu! Est-ce que tu savais que maman a carrément *remercié* Mrs Macklin de m'avoir renvoyé du cours de français l'an dernier?

— Elle l'a remerciée de t'avoir donné une bonne leçon.

— Elle l'a remerciée d'être une conne. Ça m'étonne qu'elle l'ait pas invitée à dîner après ça. *Oh oui, je fais un biryani merveilleux, en avez-vous déjà goûté?*" Il forçait l'accent, la tête ballottante.

"Chhht." Amina pointa un doigt vers le ciel. Elle l'avait entendu, ce son rauque qui ne pouvait émaner que d'une gorge mince comme une trompette, s'achevant sur une note un peu plus haute, un ton interrogateur. Elle leva les yeux. Les cris devenaient plus sonores, grinçaient, se chevauchaient, montaient en mini-crescendo, rebondissaient sur les peupliers de Virginie et le mur d'adobe derrière leurs têtes. La première oie apparut, déchirant l'étendue de ciel clair au-dessus d'eux, la coque sombre de ses ailes tendue dans le vent, flottant là-haut, apparemment immobile, amarrée aux nuages. Amina retint son souffle. Une autre oie apparut, et une autre. Chacune suivait la précédente avec un léger décalage, de sorte qu'elles formaient un V ondulant. Les cris aigus prirent un timbre plus creux et se renforcèrent dans la chair du cœur d'Amina. Akhil souriait. Les oiseaux décrivaient au-dessus d'eux de vastes cercles.

"Une envergure de la taille d'un homme, dit Amina.

— Un homme qui aurait de la chance", corrigea Akhil. Une rare expression de nostalgie pure envahissait son visage. Amina éleva rapidement son appareil.

"Tu grandiras", dit-elle.

5

Pourquoi décida-t-elle le lendemain de photographier une classe déserte? Amina n'en avait aucune idée, seulement l'espoir que les bureaux vides diraient quelque chose. Mais ça ne lui valut que d'arriver en retard au cours d'anglais

"C'est gentil de vous joindre à nous." Mr Tipton ne releva même pas la tête quand elle entra dans la classe, tandis que Gina Rodgers, interrompue en pleine phrase, bouche bée, dardait sur elle des yeux furibonds. Traversant rapidement la pièce, Amina s'assit à sa place. "Acte II, scène v. Continue, Gina.

— Je voulais juste dire que son père était un vrai chef, alors Hamlet doit respecter sa volonté", dit Gina.

Amina contemplait la page, en reprenant son souffle.

"Qu'en penses-tu, Amina? demanda Mr Tipton.

— Du père de Hamlet?

— Oui.

— En général?

— En particulier.

— Oh. Euh…" Elle fixait ce qu'Akhil avait griffonné dans la marge. "Je ne pense pas qu'il soit réel.

— Évidemment, il n'est pas réel, fit Gina. C'est un fantôme.

— Je sais bien, dit Amina, qui se sentit devenir écarlate. "Mais je ne crois même pas que c'est un vrai fantôme. Je crois que c'est, vous savez, quelque chose comme une création de l'imagination.

— Mais les gardes le voient, objecta Gina.

— Une création de l'imagination de qui?" demanda Mr Tipton. Sa voix avait pris une tonalité encourageante.

Akhil l'avait écrit en gros caractères. "Du Danemark."

Mr Tipton sourit. "Redis-le. Je veux que tout le monde entende."

Amina sentait les regards de la classe fixés sur elle, et elle loucha vers son livre pour ne pas perdre contenance. Elle le redit. Les yeux de Mr Tipton pétillaient comme si elle venait de découvrir une page perdue de la Bible.

"Tu veux dire une conscience collective ? demanda-t-il.

— Quelque chose comme ça, ou peut-être plutôt…"

Quelqu'un frappait à la porte de la classe. D'un seul mouvement harmonieux, Mr Tipton alla l'ouvrir tout en encourageant Amina d'un geste de la tête, mais elle sentit les mots mourir dans sa gorge. Akhil se tenait sur le seuil, se grattant la figure, le ventre rebondi au-dessus de son jean.

"Il me faut ma sœur, dit-il.

— Je craignais que tu ne dises ça, soupira Mr Tipton. Nous étions bien lancés.

Amina se leva et ramassa son sac à dos. Elle franchit la porte et Mr Tipton la suivit.

"Tout va bien ? demanda-t-il.

— Non. Enfin, je ne sais pas." Akhil tendit au professeur un billet qui fut lu, replié et glissé dans une poche de chemise lavande.

"Bon." Mr Tipton se tourna vers Amina et lui serra l'épaule. "Nous reprendrons cette conversation plus tard."

Ils filaient par le boulevard Coors, sans musique, fenêtres fermées.

"Le message disait quoi ? demanda Amina.

— D'aller te chercher et de rentrer à la maison.

— C'est tout ?

— C'est tout."

Amina hocha la tête. Ils étaient en mission. Elle devrait être courageuse. C'était excitant, à vrai dire : quitter l'école en plein jour, rentrer à toute vitesse par les routes désertes.

"Peut-être qu'ils divorcent", dit Akhil, en passant devant l'un des quartiers résidentiels clos.

"Quoi ?

— Tu sais, qu'ils se séparent."

La main d'Amina retomba. "Je croyais que tu disais que jamais…

— Qu'est-ce que j'en sais? Je sais que dalle.

— Mais…" Amina cherchait quelque chose qui pût contrer la panique qui l'envahissait. "Mais pourquoi ils nous feraient revenir de l'école pour nous dire ça?

— Peut-être qu'il déménage aujourd'hui."

L'estomac d'Amina fit une embardée. "Non.

— Bon, mais qu'est-ce que ça pourrait être d'autre?"

Elle avait les larmes aux yeux. "Tu crois vraiment?"

Akhil lui jeta un coup d'œil. "Ah non, merde, ne *pleure* pas, petite sœur. Bon sang, je viens de te dire que je n'ai aucune idée. Tout ce que je dis, c'est peut-être.

— Mais je croyais que tu disais que les Indiens…

— Tu ne sais pas que tout peut changer à n'importe quel moment, et qu'en général c'est en pire?" Akhil secoua la tête. "C'est la base, Amina. Dis-moi que tu sais au moins ça."

Amina avait le nez bouché de morve. Elle essaya de respirer et s'aperçut qu'elle ne pouvait pas. Dehors, les culs-de-sac du voisinage partaient en spirale comme des galaxies, fractals répétés à l'infini de chemins d'accès, de portes d'entrée et de paillassons souhaitant la bienvenue. Son père pouvait-il faire une chose pareille? Pouvait-il les quitter?

"Et s'il lui était arrivé quelque chose?

— Il ne lui est rien arrivé.

— Mort, ou un truc comme ça?" Amina se frotta le nez avec la main. "S'il a eu un accident? Tu sais comment il conduit. Si la voiture s'est renversée? Une crise cardiaque?" Sa voix frôlait le territoire de l'hystérie.

— Non", dit Akhil, mais il avait pâli. Il ouvrit la bouche, comme pour ajouter quelque chose, et puis se mordit les lèvres et glissa une cassette dans le lecteur.

Vingt minutes plus tard, au son de Judas Priest grommelant *Breaking the Law*, ils s'arrêtaient sur le chemin d'accès, les yeux rivés sur les voitures. Les voitures, car il y en avait deux, la compacte de leur mère et la berline de leur père, l'une et l'autre apparemment indemnes.

"On devrait entrer", dit Amina à la fin de la chanson.

Akhim retira la clé de contact et ils marchèrent lentement vers la porte, en prenant le temps de traverser le chemin, de contourner des tas de feuilles jaunes au lieu de foncer dedans, comme si ces précautions pouvaient leur accorder un sursis par rapport à ce qui les attendait derrière la porte d'entrée. Quand il atteignit celle-ci, Akhil laissa Amina le rattraper avant de tendre la main vers la poignée. La porte s'ouvrit sans eux. Leur mère les regardait, les yeux et le nez d'un rose pâteux. Ils attendirent qu'elle dise quelque chose.

"La maison de Salem a brûlé.

— Quoi?" Amina fut la première à reprendre ses esprits.

Trois ans avaient passé depuis leur départ de Salem, ce matin affreux, mais la maison d'Ammachy vivait toujours dans son esprit, avec son Mur aussi irréfutable que l'Himalaya.

Kamala confirma du geste. "Il y a quelques heures. On vient de l'apprendre.

— Brûlé? demanda Akhil. Elle est... *détruite*?"

Le visage de Kamala tremblait un peu.

"Mais comment est-ce..." commença Akhil, et sa mère lui fit signe de se taire. Une horrible grimace envahissait sans cesse la surface de son visage pour être aussitôt ré-aspirée au-dedans, comme par un acte de volonté pure. Amina observa ce phénomène une ou deux fois avant qu'une lumière terrible ne s'impose à son esprit.

"Ammachy est morte?" demanda-t-elle.

Sa mère hocha la tête.

"Et oncle Sunil?" demanda Akhil.

Kamala hocha de nouveau la tête.

"Divya?" demanda Amina, en souhaitant que sa mère cesse de hocher la tête. *"Itty?"*

Kamala poussa un soupir tremblant. "Disparus."

Disparus. Amina se retourna, regarda la voiture, et puis de nouveau sa mère, dont les épaules tremblaient comme s'il faisait froid dehors. *Mittack.*

"Merde", fit Akhil.

Kamala ouvrit davantage la porte, révélant Thomas courbé comme un point d'interrogation sur la table de la salle à manger, la tête dans les mains.

"Allez-y", dit-elle.

Ils s'approchèrent de leur père. Même à distance, ils voyaient le chagrin qui irradiait de lui. Il feuilletait un vieil album de photos, celui qui contenait les photos de lui et d'oncle Sunil quand ils étaient petits. Amina connaissait cet album par cœur : son père sous les traits d'un gros bébé, avec une mince cordelette nouée autour de la taille ; Sunil sur un tricycle, tournant autour d'un grenadier à peine plus grand qu'elle ; Ammachy et Appachen, deux ans avant la crise cardiaque de son grand-père, debout devant le capot bombé d'une vieille Ambassador ; Ammachy debout dans la véranda, seule, souriant d'un sourire qu'Amina ne lui avait jamais vu dans la vraie vie. C'était à cette photo que Thomas s'était arrêté, il la détachait doucement des coins jaunis qui la fixaient à la page. Il l'approcha de son visage.

"Eh", fit Akhil. Thomas releva la tête, les paupières rougies. Amina ne se rappelait pas la dernière fois qu'elle avait vu son père en plein jour, et pourtant il était là, agrippé à la table de la salle à manger, avec son immense chagrin et son visage douloureux.

"Désolé", dit Akhil, et Amina répéta ce mot qui semblait stupide et en même temps effrayant, trop adulte, trop plein de néant.

"Tu ne te souviens pas de ce jour-là." Thomas regardait de nouveau la photo.

"Non." Akhil respirait à petits coups légers, sa lèvre inférieure luisait de salive.

Le visage de leur père se contracta, comme si c'était là une tragédie de plus.

"Quel jour était-ce, Thomas ?" demanda Kamala, du ton qui était le sien quand les enfants étaient blessés ou malades.

"Le jour de l'ouverture de la clinique. Elle venait d'avoir trente-trois ans."

Ammachy portait un sari, sans doute coloré mais d'un noir d'encre sur la photo. Elle portait aussi des boucles d'oreille en perle, des bracelets d'or et une natte ornée de jasmin, mais aucune de ces parures n'était à la mesure de l'arc généreux de ses lèvres, les bords réguliers de ses dents suggérant un sourire épanoui comme l'éclat de la lumière avant le lever du soleil. Derrière elle, la maison de Salem se dressait, glorieuse. La véranda étincelait, avec ses murs blancs comme du papier neuf. Un minuscule rai de lumière dans le vestibule menait à ce qui deviendrait plus tard la chambre d'Itty.

La chambre d'Itty. Les yeux d'Amina restaient rivés sur le vestibule obscur. Itty était-il dans sa chambre lorsque c'était arrivé ?

Avait-il entendu le feu qui venait le prendre? Avait-il tenté de s'échapper?

Elle devait avoir fait un bruit. Kamala arriva, l'étreignit par-derrière.

"Brûlé?" dit Amina, et le mot à lui seul vint à bout de ce qui, chez les humains, les maintient droits et en équilibre. Elle claqua des dents et pencha un peu sur le côté. "Vous êtes sûrs?

— *Koche!*" Kamala l'étreignit plus fort. Un avertissement.

Amina tordit le cou pour regarder sa mère. "Itty a *pris feu*?

— *Tchi!* Amina!" Kamala lui saisit le visage, lui ferma la bouche. "Ne dis pas des choses pareilles!"

Akhil vacillait un peu sur ses pieds, il était pâle. Il fit un pas vers l'escalier. "J'ai besoin d'aller m'étendre.

— Oui. Bien", fit Kamala, poussant Amina à le suivre. "Allez, tous les deux. Nous vous appellerons pour le dîner."

Akhil monta aussitôt, mais Amina ne pouvait bouger. Le toit, le goudron chaud. L'odeur des vaches, des feux dans les rues. Itty pleurant sur la pelouse, agrippant ses pieds nus. Elle regarda Thomas. Il ne lui retourna pas son regard, il ne regardait même pas la photo devant lui, ses yeux se perdaient dans une distance intermédiaire sans borne, un plan qui ne recoupait celui d'aucun autre membre de la famille.

"Tu vas y aller?" demanda-t-elle, et il tressaillit.

"Bien sûr qu'il va y aller", dit leur mère et, à ces mots, le menton de Thomas se mit à trembler de telle façon qu'Amina regarda en haut, en bas, partout ailleurs, si bien qu'elle sentit plus qu'elle ne vit que Kamala se rapprochait de lui, que quelque chose d'elle devait l'avoir touché, libérant une crise de larmes. Quand Amina se tourna enfin vers eux, son père avait les bras serrés autour de la taille de sa mère, la tête enfoncée contre son ventre.

L'escalier. Elle était parvenue à l'escalier. Elle le gravit, saisie de la nécessité d'arrêter le flot d'images que son esprit semblait décidé à récupérer. Le halo de peinture écaillée autour du lustre de la salle à manger. Le disque sur le tourne-disque. Les poignets de Sunil flottant en l'air pendant qu'il dansait. *Mittack. Mittack. Mittack.*

"Akhil?"

La porte de son frère était fermée. Amina écouta, une oreille appuyée contre le bois. Pleurait-il? Il la tuerait si elle ouvrait la porte et que c'était le cas. Elle fit tourner la poignée et jeta un coup d'œil.

Akhil gisait sur le lit, à plat ventre. Il n'avait même pas pris la peine d'enlever ses Adidas.

"Eh", dit-elle. Son frère ne répondant pas, elle entra sur la pointe des pieds. Debout près du lit, elle observa son dos qui montait et descendait à un rythme profond et régulier.

"Tu dors?" demanda-t-elle, ignorant l'évidence.

Elle ne voulait pas être seule. Elle ne voulait pas rester assise dans sa chambre, ni même fermer les yeux. Comment pouvait-il dormir en ce moment? Comment pouvait-il ainsi se mettre hors circuit? Prise de fureur, Amina contemplait son frère. Il y avait quelque chose qui clochait chez lui. Elle comprit cela, tout à coup, avec la même certitude que, plus tard dans sa vie, lorsqu'elle comprendrait d'autres vérités étranges : que Dimple avait plus besoin d'elle qu'elle n'avait besoin de Dimple, que les disputes de ses parents avaient pour objet l'Amérique, et non Monica. Certes, Akhil pouvait discourir sur la question de savoir si les Indiens étaient ou non des citoyens de seconde classe dans le monde occidental, et sur le fait qu'un gouvernement fort était le seul recours pour les gens marginalisés, mais lorsqu'il arrivait quelque chose de grave, quelque chose de tellement grave que ni lui ni elle ne pourraient jamais plus penser à l'Inde sans que leurs cœurs se déchirent, il se tirait. Il foutait le camp. Il s'éteignait comme une lumière.

"Réveille-toi, connard", cria-t-elle, en pleurant maintenant parce qu'il n'y avait plus personne pour la détourner, en lui parlant, de la conversation commencée dans sa tête, celle qu'elle avait imaginé avoir avec Itty la prochaine fois qu'elle le verrait, qui n'était pas tellement une conversation à vrai dire, rien qu'une sorte de compréhension partagée de ce que cela représentait de se trouver toujours à l'extérieur de tout, même de sa propre famille, à attendre d'être vu. Elle s'assit sur le lit d'Akhil et se cala la tête entre les genoux jusqu'à ce que son sang et le rugissement de la perte lui emplissent les oreilles.

S'il y avait à ce désastre un bon côté, ce devait être la façon dont ses parents s'unirent soudain pour y faire face. À mesure que les jours succédaient aux heures, Kamala et Thomas parurent transformés en jumeaux siamois, d'un âge indéfini (plus vieux, plus jeune ?) par le partage d'un chagrin d'enfant supporté dans un corps adulte. Au fil des jours, Akhil et Amina ressentirent l'étrangeté de leur présence dans cette maison, une impression d'être superflus en toutes choses : les conversations téléphoniques avec l'Inde, les histoires d'enfance chuchotées en malayalam, le billet acheté, la valise faite, leurs parents qui revenaient sans cesse à la table de la salle à manger se pencher sur les vieux albums photo, tels des perroquets en cage blottis sur un perchoir commun. Dans les rares occasions où elle croisait le regard de son père, Amina détournait aussitôt les yeux, honteuse du désappointement qu'elle y lisait – même si la cause exacte de ce désappointement (son accent, son jean ?) lui paraissait aussi mystérieuse qu'injuste.

Trois jours après l'arrivée de la nouvelle, Akhil et Amina se tenaient ensemble sur le chemin pendant que leurs parents s'apprêtaient à partir à l'aéroport. Kamala glissa de l'argent pour un McDo dans la main d'Akhil, au cas où elle ne serait pas rentrée à l'heure du dîner, et leur père les salua d'un hochement de tête, son regard passant à travers eux comme s'ils étaient le générique d'un film. Amina s'avança et lui entoura la taille de ses bras, étonnée de la force avec laquelle il lui rendit son étreinte. Sa barbe lui gratta la tête quand il l'embrassa. Il l'écarta de lui.

"On devrait y aller", dit-il, et là-dessus les deux parents montèrent dans la voiture et s'éloignèrent dans la fraîcheur de cet après-midi d'octobre.

Le téléphone sonna quelques jours après, un soir, juste comme Amina dérivait vers la pesante couverture du sommeil. Ses yeux s'ouvrirent en clignant à la lueur verdâtre du réveil numérique : vingt-trois heures quinze. Même Dimple savait qu'on ne téléphone pas après vingt heures.

Elle se glissa vers le bord de son lit et décrocha le combiné.

"… une chaleur, bon Dieu. Toutes les nuits. Je dors à peine", disait son père.

"Mmmm." Sa mère avait la voix laiteuse de sommeil. "Ça doit être affreux.

— Et ces cinémas ! Ils en ont encore ajouté trois. Tu imagines ? Des films en hindi, des films en tamil, des films en malayalam. Personne ne comprend plus personne dans mes rêves."

Cela fit rire sa mère, un rire doux auquel celui de son père fit écho à l'autre bout de la ligne. Un silence suivit, ponctué par les petits flottements, couinements et micro-irrégularités de la longue distance.

"Je crois que je deviens cinglé, dit enfin Thomas.

— Mais non, fit Kamala, apaisante. Tu es juste fatigué. *Pavum.*"

Thomas se tut de nouveau un long moment, et Amina commençait à somnoler quand elle l'entendit dire : "Les journaux l'appellent le Tueur somnambule."

D'un coup, elle était bien éveillée, clignant furieusement des yeux dans l'obscurité. *Tueur ?*

"Ach, dit sa mère.

— J'imagine que Mary et les filles ont parlé aux journalistes avant mon arrivée, elles leur ont servi je ne sais quelles absurdités comme quoi il dormait quand il a mis le feu, qu'il n'aurait jamais fait ça éveillé. Mais comment verrouille-t-on les portes en dormant ? Comment arrose-t-on toute la maison d'essence ?"

Le bref soupir exhalé par Kamala semblait tenter de souffler loin d'elle les mots et leur signification, mais les images s'épanouissaient dans la tête d'Amina. Essence ? Feu ? Portes verrouillées ?

"Et maintenant tout le monde ne parle que de ça ici, c'est à ne pas croire. Dans le *Dinamalar* et le *Janmabhumi Daily*, et quelqu'un m'a même dit qu'il en était questions dans le *Hindu Times*. Je ne pourrai plus jamais revenir ici.

— *Tchi*, protesta Kamala. Qu'est-ce que tu racontes ? Bien sûr que si.

— On dit que je suis responsable.

— Qui accorde la moindre importance à ce que pensent Mary et les filles ? Leur opinion n'est…

— Pas seulement Mary et ces fichues servantes ! La ville ! Tout Salem ! Les anciens patients de ma mère. Les parents de Divya. J'ai vu Chandy Abraham aux funérailles, c'est à peine s'il a pu me regarder.

— Les gens sont tristes pour toi, c'est tout.

— Tu parles. Ils disent que c'est ma faute.

— *Ce n'est pas ta faute.*" Kamala parlait avec colère. "Ce n'est pas toi qui as fait ça! Sunil était malheureux. Rien n'aurait pu le rendre heureux.

— Rien?" La voix de Thomas se brisa. "Tu sais, il n'était pas comme ça quand nous étions jeunes. Il était gentil. Cette petite boule dodue, toujours à me suivre en souriant. Essayant d'aller partout où j'allais, pédalant sur son vélo en gonflant les joues pendant que je m'éloignais. Je ne l'attendais jamais. Tu savais ça? Je ne sais pas pourquoi, je ne l'attendais pas, c'est tout.

— Tu étais un gamin.

— J'étais son frère!

— Oh, Thomas." Kamala émit un son minuscule à son bout de la ligne, et Amina se rendit compte que sa mère pleurait. "*Pavum*. Ça n'arrangera rien."

Il y eut comme un froissement. Thomas se moucha, déglutit. "Je veux rentrer.

— Rentre, dit Kamala. On t'attend."

"Alors, vos réactions?"

Bien entendu, le résultat de ses photographies de la-famille-en-action était affreux, ce qui signifiait que Mrs Messina voulait parler d'elles en premier lieu. Amina regardait fixement les photos qu'elle avait collées sur le tableau avec celles de tous les autres. Pourquoi ne s'était-elle pas rendu compte qu'elle avait pris tant de gros plans de parties du corps? Les tennis de sa mère (seuls survivants de son excursion chez Dillard) apparaissant sous un sari. La nuque talquée, tendue vers le haut, de tatie Sanji en train d'exhaler de la fumée. Les narines frémissantes de Dimple. Akhil protégeant une flamme pour tatie Sanji.

"J'aime bien celle avec les tennis, dit quelqu'un.

— Mais encore.

— Je crois qu'elle fonctionne.

— Et puis?

— Eh bien, comme un symbolisme, suggéra Missy Folgers. Toute la question des Indiens en Amérique. Je pige tout à fait."

Amina réprima l'envie de foudroyer du regard Missy et ce qu'elle croyait piger.

"Parle-nous de la composition de celle-ci, dit Mrs Messina.

— C'est mon père", dit Amina.

Elle avait pris cette photo le lendemain de son retour d'Inde, trop effrayée pour aller s'asseoir dans la véranda avec lui, en dépit de son envie de le voir, de s'assurer qu'il allait bien. "Je devrais aller voir mes patients", avait-il dit après le dîner, et Amina avait vu sa mère se redresser sur sa chaise, dans un lent raidissement de ce qui, en elle, avait été attendri par la compassion. Mais il n'avait jamais été jusqu'à sa voiture. Amina l'avait regardé boire à la bouteille pendant un quart d'heure avant de prendre la photo. S'il avait remarqué sa présence, il n'en avait rien dit.

"C'est un truc de ouf", dit quelqu'un.

Pourquoi avait-elle sur-imprimé contre le mur du fond l'image de la classe déserte ? Elle l'ignorait. Elle n'avait même pas trouvé bonnes les photos qu'elle avait prises de la classe mais, comme ça, pendant qu'elle imprimait, elle avait attrapé le négatif et l'avait soigneusement introduit dans le cadre. Elle avait pensé que ça fonctionnerait à un niveau symbolique, comme si son père avait été pris au piège entre les lignes droites des bureaux et des chaises. Au lieu de quoi ça ne faisait que saloper le mur derrière lui.

"Quelqu'un a un commentaire intelligent à faire ?" demanda Mrs Messina.

Personne ne réagit.

Mrs Messina soupira, s'approcha de la photo en trois longs pas. "Allons. Que ressentez-vous quand vous regardez ceci ?

— Ça fait peur", dit Missy Folgers. Des gens rirent.

"Pourquoi riez-vous ? Elle a raison, dit Mrs Messina. Ça fait peur. Pourquoi, Missy ?

— Je ne sais pas. La façon dont il est assis, comme s'il ne remarquait rien de ce qui se passe autour de lui. Comme s'il était dans un autre monde.

— Un monde mauvais", dit quelqu'un, et Amina se raidit.

"Exactement. Et c'est ce qui fait la beauté de l'image, dit Mrs Messina. Nous voyons des personnages qui ont l'air isolés, d'une certaine façon, coupés du reste du monde. Qu'y a-t-il d'autre, qui donne ce sentiment ?

— L'éclairage de la véranda, dit Tommy Hargrow. Il paraît trop vif, je crois. Ça donne à tout le reste l'air sombre."

Amina regarda la bulle de lumière de la véranda, les ombres rassemblées autour.

"Exactement. Et, soit dit en passant, Amina, c'est la raison pour laquelle ta mère n'est pas tout à fait nette." Mrs Messina désignait le coin flou de l'image. "Tu l'aurais probablement eue si tu avais eu plus de lumière. À mon avis, elle a bougé."

Sa mère? Amina se pencha en avant, les yeux rivés à la zone que Mrs Messina avait indiquée. Il n'y avait rien. Elle examina les journaux sur le sol, la porte de la buanderie, les chevrons, les lignes floues de la salle de classe derrière son père. Et puis, soudain, d'un coup, comme si la silhouette elle-même surgissait du papier, elle vit la femme. Elle était debout dans le coin, juste derrière son père. Amina vit la natte, le jasmin, le sari, le sourire enfoui dans le visage, et comprit que ce n'était pas du tout sa mère qu'elle voyait. C'était sa grand-mère, à l'âge de trente-trois ans.

Il fallait qu'elle montre ça à quelqu'un. Pas à son père. Ni à sa mère. Certainement pas à Dimple. Amina allait et venait sur les lignes jaunes du parking, très attentive à placer pointe contre talon contre pointe, en attendant Akhil. Elle transpirait. Elle regarda sa montre. Une demi-heure de retard. Elle ouvrit le cahier et regarda dedans, à la fois soulagée et deux fois plus inquiète de retrouver la photo exactement la même.

Ils pourraient peut-être en parler à Thomas ensemble. Ou peut-être en parler d'abord à Kamala, et à eux trois ils pourraient montrer la photo à Thomas. Quel effet lui ferait-elle? Serait-il apaisé? Effrayé? Aurait-il envie de revenir davantage à la maison ou encore moins?

Un quart d'heure plus tard, Amina, assise sur le capot de la voiture, observait une mince pellicule de nuages en train de passer la crête sud-est des montagnes. Le pare-brise était dur contre son dos, le cahier chaud sur ses genoux. Elle se tourna vers les pas qui approchaient. Akhil avait le front plissé comme un beignet chinois.

"Il est temps", dit Amina.

Akhil leva vers elle des yeux vitreux, un visage chiffonné.

"Tu pleures?" Elle se laissa glisser en bas du capot.

"Non."

Elle observa les traces révélatrices. "Ces types t'ont de nouveau tapé dessus ?

— Non ! Putain." Les épaules voûtées, Akhil pêcha la clé au fond de sa poche, ouvrit grand la portière, et la claqua après être grimpé à l'intérieur. Amina le regardait à travers la vitre. Il avait la bouche agitée de tics nerveux. Le nez luisant et visqueux. Il essuya du dos de la main une trace brillante et déverrouilla la portière pour Amina. Elle s'assit.

"Je me suis endormi et j'ai loupé tous mes cours de l'après-midi, dit-il enfin, d'une voix qui lui collait à la gorge. Farber a dit que si ça m'arrivait encore une fois, je serais suspendu.

— Suspendu ? Parce que tu t'es endormi une fois ?

— Ç'a été plus d'une fois.

— Ah bon ? Genre combien de fois ?"

Akhil contemplait ses genoux. Une nouvelle larme se fraya un chemin hors de son œil et tomba sur son pantalon. Il se frotta la joue rageusement. "Il croit que je le fais exprès. Il m'a dit que si je croyais qu'il ne renverrait pas un finaliste du *National Merit*, je me trompais. Enfoiré !" Il pleurait vraiment, à présent, ses épaules rondes tressautant sous son blouson en duvet, la tête sur le volant. Il ne la releva que pour l'y laisser retomber. Les clés de la voiture glissèrent de sa main et atterrirent sur le tapis de sol avec un tintement sourd.

"Ça va aller, dit Amina sans conviction.

— Exprès ? Il croit que je… Il comprend pas que la seule chose qui puisse améliorer quoi que ce soit, c'est que je foute le camp d'ici ?

— Tu ne seras pas renvoyé.

— MERDE." Il tapa du pied sur le sol. La voiture oscilla. "MERDE ! MERDE ! MERDE !

— Akhil, arrête. Ça n'arrivera pas. C'est…" Elle parcourut la voiture des yeux, comme si l'on pouvait trouver sur la planche de bord un élément de logique évidente. "Il essaie simplement de te faire peur. Tu le sais bien. C'est un *power trip* à la Farber – ne te laisse pas prendre à ce truc-là." Les mots lui paraissaient ridicules dans sa bouche, comme si elle racontait une blague dont elle ne comprenait pas la chute, et Akhil ne voulut même pas la regarder lorsqu'il passa la marche arrière pour se dégager du parking.

Il conduisait trop vite dans l'enceinte de l'école mais Amina ne commit pas l'erreur de protester, préférant dire une petite prière pour qu'ils ne soient pas repérés par Farber ou, pire, par sa secrétaire, qui adorait signaler les violations des règles de circulation. Ils décollèrent sur le ralentisseur et atterrirent avec un choc qui fit s'envoler du cendrier un petit nuage gris. Akhil s'arrêta à la barrière dans un hurlement de freins.

"Ça va aller", répéta Amina, en essayant d'avoir l'air un peu plus sûre d'elle cette fois, mais le seul résultat fut qu'Akhil laissa sa tête lui tomber sur la poitrine avec un soupir étranglé. De très loin, la ligne pointillée de la circulation en sens inverse fondait sur eux comme une escadrille d'avions.

"Je veux dire, tu as une super moyenne", poursuivit-elle précipitamment, ne voulant pas le voir pleurer. "Tu manques jamais l'école. D'ailleurs, Cheney Jarnet s'est fait prendre en train de fumer de l'herbe dans l'abri de touche du terrain de base-ball, l'année dernière, et il n'a pas été renvoyé, hein ?"

Akhil ne dit rien, mais laissa la voiture filer lentement vers le milieu de la route.

"Akhil", dit Amina.

Silence.

"Eh !" Elle lui poussa l'épaule et quand il s'effondra lourdement sur le volant, elle sentit son cœur bondir comme s'il tentait de lui défoncer le cerveau. Des parasites volaient partout. *Le volant*, pensa-t-elle, *tourne le volant*, mais quand elle tenta de le saisir, la ceinture de sécurité la rabattit en arrière. Ils continuaient à avancer lentement et les voitures arrivaient maintenant sur eux, avec leurs calandres luisantes comme des dents de chien. Et tout, autour d'Amina, lui semblait glissant, la boucle métallique froide de la ceinture dans sa main, le tapis de caoutchouc sous ses pieds, la ligne blanche sur la route, vers laquelle ils roulaient le nez en avant, comme un chiot s'efforçant de suivre à la piste un cheval. Pendant un instant, elle vit comment ça allait se passer, comment les voitures allaient enfoncer la portière d'Akhil et l'envoyer voler dans le ciel, comment le monde allait transpercer les fenêtres, comment le métal et le verre allaient exploser en un millier de javelots lancés par une armée lilliputienne. Et alors la ceinture s'ouvrit d'un clic et elle appuya le pied de toutes ses forces sur celui d'Akhil et parvint dans une embardée à arrêter la voiture alors même que les voitures passaient près d'eux, se déviant en klaxonnant dans une odeur de pneus brûlants.

"Nom de Dieu!" hurla-t-elle en bloquant le frein à main, les bras tremblants, avant de se rasseoir à sa place. "Qu'est-ce que tu fous?"

À côté d'elle, Akhil était immobile, le corps coincé maladroitement sur le volant. La peur lui enfla les poumons. Plongeant vers lui, elle le repoussa en arrière jusqu'à ce qu'il s'affale lourdement sur son siège. Elle mit les mains sur son visage, ses lèvres. Il respirait. Il était en vie. Et profondément endormi.

LIVRE 4

ON PEUT TOUJOURS RENTRER CHEZ SOI

Albuquerque, 1998

1

Albuquerque accueillit Amina dans les hurlements d'une tempête de sable. En bas, sous l'avion, des tourbillons de poussière brune serpentaient entre les mesas et se heurtaient aux montagnes, éparpillés par les caprices du vent. Ils sifflèrent contre les hublots à la descente, et Amina plissa les yeux en retenant involontairement son souffle quand le ciel se décolora du bleu au beige. L'avion manqua sous elle, et la femme à côté d'elle laissa échapper un cri silencieux qui sentait le vin blanc. L'intercom cliqueta.

"Mesdames et messieurs, veuillez vous assurer que vos ceintures de sécurité sont attachées et vos sacs enfoncés sous les sièges devant vous, annonça une voix calme et joyeuse. Il y a du vent aujourd'hui à Albuquerque et nous allons rencontrer quelques turbulences au cours de notre descente."

Trente ans auparavant, Kamala et Thomas étaient arrivés dans une tempête de sable. Kamala le racontait encore à Amina chaque fois qu'elle se sentait contrariée par le désert : quand la sécheresse flétrissait ses tomates, ou quand les mesas prenaient feu. Un jour, pendant un été dont la sécheresse poussait les ours à descendre des montagnes et sur les autoroutes, elle avait appelé à six heures du matin : *Le jour de notre arrivée, j'ai regardé en bas et tout était brun, brun, rien que du brun ! J'ai dû marcher les yeux fermés jusqu'à l'aéroport !*

Amina observait le sol tourbillonnant sous sa fenêtre et imaginait ses parents débarquant à Albuquerque, les yeux bien ouverts, la saison indienne de la mousson derrière eux, telle une ombre. Avec Amina encore à naître et Akhil resté à Salem pour les huit mois qu'ils allaient mettre à s'établir, c'était la première fois depuis des années qu'ils se retrouvaient seuls. Elle se les représentait arrivant au soleil couchant, main dans la main d'une façon qu'elle n'avait jamais vue, les joues resplendissantes dans la lumière orange. Ils n'étaient ni distants, ni timides, ni mal à l'aise dans son imagination ; ils ne vivaient pas les premières années d'un mariage qu'Ammachy désapprouvait. Non, ils étaient jeunes et amoureux, et pénétraient au crépuscule dans un nouveau pays. Ils avaient des choses à se chuchoter pendant que l'avion descendait.

"*Koche!* Ici!"

Amina se retourna et découvrit Kamala qui se débattait à contre-sens dans l'escalator, en sari de coton rose et chaussures de sport, son gigantesque sac noir sur un bras, les cheveux dans le dos en une longue tresse noire, tels qu'elle les avait eu toute sa vie. Petite, mince et oscillant d'un côté à l'autre comme un métronome exalté, Kamala allait son chemin, totalement inconsciente des regards qu'elle traînait après elle. Maintenant encore, la cinquantaine bien sonnée, avec les quelques cheveux gris qui encadraient la ligne douce de ses pommettes, elle était jolie comme une jeune fille.

"Il y a dix minutes que j'attends en haut !" cria-t-elle en empoignant le bras d'Amina comme si celle-ci risquait de s'enfuir.

"C'est la zone des départs, maman.

— Alors ?" Elle dévisagea sa fille de haut en bas. "Je te trouve trop maigre. Tu ne manges pas ?

— J'ai arrêté.

— Quoi ?"

Amina lui serra l'épaule, tout en la ramenant avec douceur vers l'escalator.

"Bien sûr que je mange. J'ai dîné avec Sajeev et Dimple, hier soir." Elle s'injuria silencieusement en voyant le visage de sa mère s'éclairer à cette idée.

"Bon, *bon*. Et comment va Mr Sajeev ?

— Très bien." Amina s'engagea sur l'escalator et Kamala suivit, d'un bond en avant circonspect, tel un chat sur une pile de journaux.

"Il a un boulot important maintenant, n'est-ce pas ? C'est quoi, exactement ?

— Je ne m'en souviens pas.

— Programmateur informatique, je crois", fit Kamala dans un sourire.

Au dehors, la vieille Ford orange était criblée de tous côtés par d'épaisses lames de sable. Elles l'observèrent une minute, en prenant leur souffle.

"OK, on court!" cria Kamala, et c'est ce qu'elles firent, sautant à l'avant après avoir lancé le sac à l'arrière.

"Ouf, quelle histoire!" cria-t-elle quand elles se retrouvèrent à l'intérieur, en riant tandis qu'Amina claquait la portière. Elle déboîta de la zone des départs en coupant la route à une voiture qui arrivait, et salua d'une main affable le conducteur qui, tout en les évitant, lui faisait un doigt d'honneur. "Les Ramakrishna veulent te voir demain. Raj va faire des *jalebis*."

Amina fit la grimace. "Pourquoi on ne peut pas lui dire que je n'aime pas?

— Tu les adorais quand tu étais petite!"

C'était Akhil qui les adorait, mais le rappeler ferait souffrir sa mère, de même que toute allusion à Akhil faisait souffrir Kamala, que la douleur aiguë d'entendre le nom de son fils réduisait au silence pour plusieurs minutes, voire des heures. "Bon, mais maintenant je ne les aime vraiment plus.

— Raj adore en faire pour toi, et ton père adore en manger, alors pas d'histoires, d'accord?"

D'accord. "À propos, il est où, papa?

— Un cas grave. Tu as une belle peau. Tu utilises la crème Pond's que je t'ai envoyée?

— Attends, il opère?

— Qu'est-ce qu'il ferait d'autre?

— Je ne sais pas. Se reposer?

— Il n'est pas malade.

— Il est assez malade pour que tu m'aies demandé de venir.

— J'ai dit qu'il parle, pas qu'il est malade. C'est toi qui as décidé qu'il fallait que tu viennes."

Amina secoua la tête mais ne dit rien. À quoi bon? Une fois récrite, l'histoire selon Kamala était plus intouchable que des documents d'État confidentiels. Le vent se renforça quand elles tournèrent vers le nord. À quelques miles de là, les hôpitaux

– une partie du seul ensemble de bâtiments de plus de dix étages de toute la ville – se dressaient dans l'air sale. Amina les distinguait avec peine.

"C'était comment, hier ? Tu avais un mariage ?" Amina repoussa le souvenir du visage de Lesley Beale, des manteaux, des bras et des jambes. "C'était bien.

— La mariée était une gentille fille ?

— Mm.

— Comment s'appelle-t-elle ?

— Jessica.

— Jes-si-ca, répéta sa mère en hochant la tête. Quel âge ?

— Vingt-trois ans.

— Je vois, dit Kamala doucement, en changeant de voie de circulation. Elle a de la chance, hein ? Sa mère doit être si soulagée.

— Sûrement. Pauvre de toi, hein ?

— Personne ne dit ça !" Sa mère regarda par-dessus son épaule. "Et Sajeev, il voit quelqu'un ?

— Pas que je sache."

Kamala remua la tête de gauche à droite, agitant l'information pour la réévaluer pendant qu'elle se déposait. Elle fit jouer ses doigts deux ou trois fois sur le volant avant de dire : "Alors Sajeev et toi, vous pourriez sortir ensemble.

— Non.

— Pourquoi ?

— Parce qu'il n'est pas mon type.

— Oh, ça, ricana sa mère.

— Quoi, *ça* ? C'est important, *ça*, maman. Ce n'est pas fou de vouloir ça.

— Pas besoin de crier. Kamala fronça les sourcils. Je parle, c'est tout.

— De toute façon, j'ai trente ans, marmonna Amina. On ne dit pas à une femme de trente ans avec qui sortir.

— Vingt-neuf ! Et tes amis ne te le disent pas ? Dimple ne te le dit pas ?

— C'est différent.

— Oui, bien sûr. Ce merveilleux pays où les enfants suivent l'avis d'autres enfants pour savoir avec qui vivre leur vie."

Amina se rapprocha de la fenêtre. Devant elles, sur la route, des paquets d'herbes sèches roulaient vers la voiture leurs masses épineuses animées par le vent.

"Emmène-moi à l'hôpital.

— Quoi?

— J'ai envie de voir papa une seconde.

— Attends qu'il soit rentré à la maison. D'ailleurs, il se peut qu'il soit en chirurgie.

— Alors ils me le diront quand on le fera appeler.

— Mais pourquoi y aller? Les hôpitaux sont des endroits horribles.

— *Maman*.

— Bon, bon", soupira Kamala, qui jeta un coup d'œil au rétroviseur et changea de voie. "Mais je n'entre pas."

Quelques minutes plus tard, elles étaient arrêtées à l'entrée des urgences, où quelques infirmières courageuses fumaient leurs cigarettes en se protégeant les yeux de leurs paumes.

"Tu es sûre que ça ira?" demanda Amina en repoussant une mèche folle derrière la joue de sa mère.

"Oui. Je vais faire un petit somme. Va vite."

Amina ouvrit sa portière et courut.

2

Elle retenait sa respiration. Peu importait que les sièges capi-
tonnés fussent passés du mauve au vert et puis au bleu, ou que
la télévision eût été supplantée par un modèle plus récent, ou
que de nouveaux téléphones publics eussent remplacé ceux qui
se trouvaient là quand elle était petite ; chaque fois qu'Amina
entrait aux urgences, la peur, l'espoir et l'inquiétude émanant
des familles l'entouraient comme une eau épaisse, lui enflant les
poumons de crainte.

"AMINAMINAMINA !" mugit Thomas en se hâtant vers elle, la
tête entourée de boucles blanches comme de pâquerettes. "On
vient de me donner le message ! Qu'est-ce que tu fais ici ?

— J'avais juste envie de te voir", lâcha-t-elle tandis que les bras
de son père fondaient sur elle et la serraient, expulsant l'air de ses
poumons comme il aurait expulsé l'eau d'une éponge.

"Tu as de la chance que je n'étais pas en salle d'op !" Il recula ;
il n'a pas l'air plus cinglé que d'habitude, pensa-t-elle. Sourcils
grisonnants massés au-dessus de ses yeux, tel un temps perpétuellement nuageux que perçait l'éclat sombre des iris. Moustache
et barbe taillées avec soin, comme toujours, soulignant ses lèvres
larges et plates. "Viens, marchons un peu.

— D'accord, mais je ne peux pas aller loin. Maman m'attend.

— Très bien, très bien." Thomas lui laissa son bras sur les
épaules en marchant, et elle se sentait pleine de son odeur : déodorant et après-rasage, et le léger parfum de *masala* qui s'échappait
toujours de ses pores comme de l'encens. "Tu as fait bon voyage ?

— Turbulent.

— J'imagine ! Sacré tohu-bohu dehors, hein ?

— Oui." Une infirmière passa près d'eux et salua de la main. Thomas lui fit un signe de tête. "Et comment vas-tu?

— Bien, bien.

— Oui?" Amina lutta contre une brève envie de se reculer, d'étudier le visage de son père à la façon d'un flic ou d'un psy, ou toute autre personne payée pour voir si quelqu'un ment.

"Oui, oui. Viens, j'ai dit à Monica que je t'amènerais."

Amina réprima un frisson de répulsion. Au fil des vingt années où elle avait travaillé comme médecin assistant de Thomas, Monica s'était successivement désignée comme la "tante" d'Amina, sa "sœur aînée" et puis sa "copine", chacune de ces revendications d'intimité accrue suscitant en Amina une sensation corollaire de claustrophobie. Cependant, personne ne passait plus de temps en compagnie de Thomas. Monica saurait si vraiment quelque chose n'allait pas.

Ils parcouraient les méandres des couloirs de l'hôpital, où des flaques de lumière les guidaient comme les lignes sur une route. ("Comment tu sais où tu vas?", avait demandé Amina quand elle avait cinq ans, et Thomas avait répondu en tapotant son crâne : "C'est là-dedans", si bien qu'ensuite, quand elle pensait à son cerveau, elle voyait un labyrinthe de linoléum étincelant, où les morts et les mourants, cachés dans des coins, attendaient leur libération.)

"Anyan, vous êtes encore là?" lança Thomas à un homme qui arrivait du bout du couloir. "Je vous croyais parti depuis des heures!

— Dr Eapen." Petit et sombre, engoncé dans sa blouse blanche comme un chèque dans une enveloppe, l'homme s'arrêta brusquement en les rejoignant, avec un sourire d'une précision qui suggérait un entraînement militaire ou un problème sociologique. "Voici votre fille, alors?

— C'est Amina. Amina, le Dr George.

— Bonjour." Amina tendit la main. Il avait la paume froide et douce.

"Enchanté." Se détournant d'elle en un geste rapide mais non désobligeant, il s'adressa à Thomas.

"Auriez-vous, par hasard, eu le temps de regarder l'IRM de Mrs Naveen?

— Oui."

Amina les écouta échanger les mêmes mots dont les spécificités inconnues avaient enjolivé son enfance – *décompressif, craniectomie, extra-cérébral.* Elle guettait sur le visage du Dr George le moindre signe de méfiance ou d'incrédulité, mais il semblait avaler telle quelle l'opinion de Thomas, en confirmant par des hochements de tête les points essentiels.

"Hééé, Amina!"

Au fond du couloir, les portes d'acier de l'unité de soins intensifs se rabattirent derrière Monica, qui fonçait vers eux, tel un footballeur en plein effort, sous un toupet de cheveux blonds.

"Amina, ravi de vous avoir rencontrée", entendit-elle dire le Dr George, avant d'être emportée dans l'étreinte de Monica.

"Comment vas-tu, mon chou? Comment ça va, à Seattle? Comment ça se passe?"

Les stylos dans la blouse de labo de Monica lui perçaient le sein gauche. "Super.

— Je vous laisse à vos retrouvailles", dit Thomas en serrant l'épaule d'Amina. "Ami, passe dire au revoir avant de partir.

— Entendu."

Il pressa un bouton, au mur, et les portes d'acier se rouvrirent, révélant des ténèbres inquiétantes.

"Et Dimple?" Les lèvres pincées autour d'une pastille à la menthe, Monica soufflait sur Amina un air frais et sucré. "Toujours aussi proches, vous deux?

— Oui, bien sûr. Et toi? Comment ça va, ici?

— Oh, bien, tu sais. Toujours la même chose. Tu n'es là que pour quelques jours?

— Oui, jusqu'à la fin de la semaine.

— Ton père est si excité. Tu devrais l'emmener s'amuser un peu. Une petite pause lui ferait du bien.

— Comment ça?

— Peut-être l'emmener au lac de Cochiti pendant quelques jours, ou un truc comme ça. Jeudi et vendredi, il est assez libre."

Amina hocha la tête pendant que deux hommes apparus à un angle du couloir marchaient vers elle, stéthoscope au cou. "Il y a quelque chose qui ne va pas?

— Quoi?

— Il y a une raison pour qu'il ait besoin d'une pause?

— Non!" Monica écarquilla les yeux en lui adressant un drôle de sourire, au passage des deux hommes. "C'est juste, tu sais, qu'il adore pêcher avec toi."

Amina dressa la tête, sourcils froncés. Thomas n'adorait pas pêcher avec elle. Était-ce une sorte de code étrange, ou seulement l'un de ces instants où la mémoire de Monica flanchait? Amina se demandait comment lui poser la question, quand le bipeur de Monica se mit à sonner, les faisant sursauter toutes les deux.

Elle décrocha, fronça le nez. "Zut, je dois y aller. Tu restes un peu? On prend un café à la cafétéria?

— En fait, maman m'attend dans la voiture.

— Flûte. Bon, on peut s'offrir un margarita cette semaine? Un moment entre filles? Je veux tout savoir de tes amours."

Le frisson intérieur revenait, une répulsion plus difficile à éluder à présent que Monica se trouvait réellement devant elle, toute en cheveux et curiosité.

"Parfait, je t'appelle demain", dit Amina, et elle partit chercher son père.

Là-bas, chuchota l'infirmière de garde quand elle pénétra dans l'unité de soins intensifs, et Amina suivit la direction qu'indiquait son doigt, tout au bout de la salle, où les pieds de Thomas étaient visibles au bas d'un rideau blanc.

"Eh, papa", chuchota-t-elle quand elle fut de l'autre côté. "Il faut que j'y aille."

Thomas entrouvrit le rideau et lui fit signe d'entrer, ce qu'elle fit, se retrouvant soudain dans un espace saturé par l'haleine rance d'une patiente. Son père fit un pas de côté et, baissant les yeux, elle vit un fouillis de cheveux argentés étalés sur l'oreiller comme un filet de pêche. C'était une très vieille femme, sans doute octogénaire ; sa peau fine et hâlée avait un aspect cireux.

"L'infection se répand", dit Thomas en inscrivant quelque chose sur sa feuille de soins. "Elle ne passera pas la nuit.

— Tu dis ça comme ça?

— Hmm?

— Tu sais, comme ça, devant elle?"

Son père releva les yeux de son porte-documents et lui fit un sourire suave, comme si elle avait demandé si la fée qui récolte les dents de lait gagnait assez d'argent. "Je suis sûr qu'elle le sait déjà."

Il fallut trois volées de tambourinage pour réveiller Kamala. Amina sautillait dans le vent, un souffle d'air glacé venu du nord ayant remplacé la poussière. Elle frappa aux vitres et, comme ça ne marchait pas, donna des coups de pied dans les portières. Finalement, un coup plus fort fit bondir Kamala dans un nuage de sari, le visage tatoué par l'impression à carreaux du siège. Elle regarda Amina, sourcils froncés.

"Je vais conduire", dit celle-ci, et Kamala se déplaça sans mot dire, après avoir déverrouillé la portière du conducteur. Amina monta.

"Passe la première.

— Je sais encore conduire, maman."

Kamala s'écarta et posa le front contre la vitre. Elle resta silencieuse pendant qu'elles s'éloignaient de l'hôpital, silencieuse aussi quand elles remontèrent sur l'autoroute, mais quand Amina regarda si elle s'était rendormie, elle avait les yeux grands ouverts et contemplait la voie de service qui longeait la leur.

"Il est si content que tu sois venue", dit-elle.

Sortant rapidement de la ville, elles pénétraient dans les zones arides des réserves indiennes, où des buissons desséchés d'armoise craquaient dans la chaleur de l'été. Autour d'elles, juin à Albuquerque étendait sa platitude brune sur le désert entier qui, assoiffé, attendait comme une bouche ouverte le soulagement des pluies de juillet.

Elles avaient devant elles la sortie vers le village de Corrales, où la descente dans la vallée leur apporterait un air plus doux et plus pur à chaque kilomètre parcouru. La route s'élargirait, l'armoise céderait la place à l'astragale et à l'herbe de la pampa, et bientôt Amina verrait la silhouette douce des bois de peupliers qui longeaient les deux rives du Rio Grande. Elle tenait le volant du bout des doigts, le laissant suivre les courbes familières du chemin de la maison.

3

Cet après-midi-là, Kamala se déchaîna en cuisine. Vivifiée par son somme et par la découverte dans son jardin de rhubarbe mûre à point, assise au comptoir avec les bras enduits jusqu'aux coudes de pulpe rouge, elle tournait un chutney sanglant tandis que, près d'elle, plusieurs marmites fumaient et sifflaient sur le fourneau.

"ALLEZ DE PAR LE MONDE ET PRÊCHEZ L'ÉVANGILE À TOUTES LES CRÉATURES !" clamait Mort Hinley à la radio.

— D'accord", cria Kamala en claquant le couvercle du robot.

"DRESSEZ-VOUS, ENSEIGNEZ-LEUR LA VÉRITÉ !

— Pourquoi pas ?

— LA RÉTICENCE NE REMPORTERA PAS LA VICTOIRE DE LA MORALE ET DE LA VÉRITÉ EN AMÉRIQUE ! SEULE L'INTRÉPIDITÉ DES SOLDATS DE DIEU LE FERA ! DRESSEZ-VOUS CONTRE LE DÉMON SOUS TOUTES SES FORMES ! DRESSEZ-VOUS !

— Présente !"

Le robot s'éveilla entre ses mains en rugissant, et Kamala rejeta la tête en arrière avec un ravissement un peu excessif, comme si le Paradis lui-même descendait à travers le plafond de la cuisine. Amina l'observait, en sécurité dans le jardin, quand elle sentit contre elle quelque chose d'humide et doux. Baissant les yeux, elle vit Prince Philip, un Labrador âgé encore épris des jeux d'un jeune chien, le regard rivé au bâton qu'il avait déposé à ses pieds.

"Bon Dieu de…" dit-elle, et elle le lui lança.

Il aurait dû être assez rassurant que sa mère ait fini, trois bonnes années plus tôt, par se séparer des adeptes de la Trinity Baptist Church, ignorant leurs tentatives de la ramener au bercail avec un mépris hautain qui les avait confondus. Il aurait dû être rassurant que Mort Hinley ne fût qu'un de plus dans une longue succession de prédicateurs, que Kamala allait l'aimer un jour, une semaine, quelques mois, jusqu'à ce qu'elle décide (ainsi qu'elle l'avait fait pour la Trinity Baptist Church, pour Oral Roberts, Benny Hinn et une série d'autres) qu'il s'interposait entre elle et Jésus. Il n'en était pas moins difficile de s'habituer à la version "fan de Jésus" de sa mère. Et voir Kamala élever ses paumes vers le ciel au-dessus du robot en train de tourner faisait encore monter un spasme de nausée le long de la colonne vertébrale d'Amina, tandis que des visions de masses en train de hurler *Heil Hitler* lui couraient en noir et blanc dans la tête.

"Tout le monde a son Jésus *personnel*", avait expliqué, quand Amina était en secondaire, une Kamala récemment convertie, apparemment persuadée qu'Amina allait accueillir cette information avec autant d'enthousiasme que si elle avait appris que tout le monde aurait sa Porsche privée. La semaine suivante, sa mère l'avait obligée à assister à un service à la Trinity Baptist Church, où la congrégation semblait se délecter du fait que Kamala était une convertie *indienne*, une sorte de Tigre du Bengale touché par la grâce parmi eux. Peu importait que les Eapen fussent déjà chrétiens ; le pasteur Wilbur Walton avait expliqué la présence d'Amina comme un signe de l'accomplissement de la volonté du Seigneur. "Là-bas, en Inde, avait-il dit, ces gens-là servaient des *dieux* à la peau bleue."

"Crois-tu que Jésus se soucie de savoir qui est arrivé le premier ?" avait demandé Kamala à Amina qui fulminait pendant le trajet du retour.

"Mais nous étions chrétiens quand ils priaient encore leur maudit Odin !

— Aucune importance. Jésus aime tout le monde également ! Et arrête de citer ton père, ça te donne l'air idiot."

"Maman est complètement folle", déclara Amina à Prince Philip qui, revenu avec son bâton, le déposait à ses pieds. Le chien ne parut pas impressionné.

Thomas rentra relativement tôt et, bientôt, Kamala les appela pour le dîner, lequel comprenait non pas un mais tous les plats préférés d'Amina – agneau *vindaloo*, *bhindi baingan* et poulet *korma*, cuisant en douceur dans les marmites en cuivre.

"Tu en as fait trop, maman, dit Amina, l'eau à la bouche.

— Parle pour toi, protesta Thomas. Quand tu n'es pas là, elle m'affame.

— Ouais, tu m'as l'air affamé."

Kamala sortit plusieurs petits pots de pickles. "Celui-ci, c'est Bala qui l'a préparé ; c'est du citron vert, mais un peu trop salé. Raj nous a donné la mangue. Trop sec. C'est moi qui ai préparé l'ail. C'est tout ce que tu prends comme légumes ?

— Je me resservirai.

— Il faut manger du chou pour éviter de t'avachir, et l'okra sera bon pour tes lèvres.

— Qu'est-ce qu'elles ont, mes lèvres ?

— Elles deviennent noirâtres.

— Ah oui ?" Amina regarda son reflet dans le micro-ondes. Son visage entier y apparaissait à différents degrés de noirâtre.

"Elles sont très bien", dit Thomas en se servant dans les plats sur la cuisinière. "Cesse de lui donner des complexes.

— Qui donne quoi à qui ? Pas tant de *ghi*, mister Artériosclérose !"

Avec un soupir, Thomas déposa la cuillère de *ghi* et apporta son assiette sur la table. "Amina, que puis-je te servir à boire ? On ouvre une bouteille de vin ?

— Non, merci, répondit Amina en s'asseyant. De l'eau pour moi.

— Pouh. Rabat-joie." Thomas saisit pour lui-même une bouteille de bière dans le frigo.

Ils mangèrent. L'agneau et le riz étaient tendres et piquants dans la bouche d'Amina. Elle soupira profondément, la bouche pleine. Ses lèvres frémissaient, engourdies par la chaleur. "Tellement bon, maman. Merci.

— On ne remercie pas sa mère d'avoir fait la cuisine, protesta Kamala, l'air enchanté. Mais enfin. Vous ai-je dit que la fille de mon amie Julie se marie ce week-end ?"

Amina lança à son père un regard désolé.

"On ne parle pas de mariage, dit Thomas.

— Qui parle de mariage ? demanda Kamala. Je parle affaires. J'ai dit à Julie que tu aurais été contente de prendre les photos, mais que tu partais. Sauf si tu peux rester ?

— Je ne peux pas. C'est le week-end que je travaille, rappelle-toi.

— Il s'agit de travail !

— De toute façon, je suis sûre que la fille de Julie a déjà choisi un photographe depuis des mois. C'est comme ça que ça marche, tu sais.

— Je sais bien, idiote, je lui ai seulement dit que tu es une meilleure photographe, c'est tout.

— Tu n'en sais rien.

— Bien sûr que si", affirma Kamala et, malgré elle, Amila se sentit soudain envahie d'amour, comme d'une bouffée d'air qu'elle n'eût pas compté inspirer. Elle tendit la main vers le pot d'ail confit et s'en servit généreusement sur son assiette.

"Tu n'as pas besoin d'en prendre autant, dit Kamala.

— J'aime ça", dit Amina, et sa mère pencha la tête pour cacher son sourire.

Dans la soirée, s'échapper un peu était indispensable. Après avoir laissé un message à Monica, Amina récupéra une vieille cigarette dans le boîtier vide d'une cassette enregistrée et descendit se balader au bord du fossé, juste au-delà de la clôture, à l'arrière de la maison. La magie de la fumée et l'altitude lui firent tourner la tête, mais lorsqu'elle exhala, elle eut une pensée claire : *papa va bien.* L'idée la surprit par son assurance, et elle l'examina dans le crépuscule naissant, ne sachant trop s'il s'agissait d'une véritable intuition ou si sa peur conspirait pour lui dire ce qu'elle avait le plus besoin d'entendre.

En regagnant la maison, elle vit que son père attendait déjà leur conversation nocturne, le jaune profond de l'éclairage de la véranda lui faisait signe, tel un feu. Elle s'y dirigea, en se demandant une fois de plus comment on pouvait s'obstiner à qualifier de "véranda" ce foutoir en pleine expansion à l'arrière de la maison. Certes, c'en avait d'abord été une, quelque vingt ans plus tôt, mais avec le temps et les incessantes additions de Thomas – plates-formes, recoins, étagères, journaux, outils, inventions – c'était devenu comme une barge chargée de bric-à-brac flottant dans le jardin.

En approchant, Amina distinguait mieux les grandes silhouettes sombres, monstres redevenus machines : une table à toupie, deux raboteuses, un banc de scie et une perceuse à colonne. Des crampons de tailles variées étaient accrochés au mur du fond, de même que plusieurs rouleaux de rallonges électriques, trois niveaux d'eau et deux étagères murales remplies de petites boîtes contenant tout et n'importe quoi, depuis des épingles de sûreté jusqu'à des mèches à maçonnerie. Trois lampes frontales, un casque de chantier, un chapeau de cow-boy et un bonnet en feutre s'alignaient sur le mur au-dessus d'un portemanteau où étaient drapés une blouse de laboratoire, un ciré jaune et un gilet ignifuge. Le seul véritable mobilier de la pièce consistait en deux bergères – l'une de cuir craquelé, vide en permanence sauf lorsque Amina l'occupait, et l'autre de velours rouge râpé, dans lequel Thomas était assis en ce moment. Il remua, d'un air vaguement impatient, pendant qu'elle arrivait.

"Je ne crois pas, dit-il.

— Qu'est-ce que tu ne crois pas ?"

L'ombre d'un papillon de nuit solitaire se dessinait sur le mur derrière lui, et il se retourna pour l'observer. Il fronça les sourcils et consulta sa montre.

"Papa ?"

Son regard se fixa sur elle. "Eh, Amina ! Te voilà ! Je t'attendais.

— Excuse-moi. J'avais besoin de marcher, après tout ce que j'ai mangé."

Elle entra, contournant un chevalet de sciage étranglé par des tubes chirurgicaux.

"Où es-tu allée ?

— Maintenant ? Jusqu'au fossé.

— Tu devrais être prudente. Les gamins de secondaire se garent dans ce coin maintenant. Beaucoup d'entre eux sont dans des gangs.

— Comme les Crisps et les Bloods ? demanda Amina.

— Beaucoup d'entre eux, insista Thomas. Ty Hanson a perdu son fils le mois dernier, une fusillade dans la galerie marchande.

— Oh, mon Dieu, c'est vrai ?" Elle avait vaguement connu Mr Hanson, comme elle connaissait une poignée des patients de son père : plus comme un instantané de traits et de diagnostic que comme une réelle connexion. Il avait une sorte de barbe, un méningiome récidivant et un gamin aux cheveux filasse. "Ce petit bonhomme ?

— Derrick. Il venait d'avoir dix-sept ans en avril." Le visage de Thomas se creusait d'une douleur dont ils savaient tous deux qu'elle n'avait rien à voir avec Ty ni avec Derrick Hanson, et Amina baissa la tête, la respiration oppressée. Une bassine, à ses pieds, contenait les serpents à deux têtes de câbles de démarrage, et elle examina leurs mâchoires de cuivre jusqu'à ce qu'elle entendît son père se lever.

"Tu veux un verre ?" Il traversa la véranda pour farfouiller dans les vieux placards d'hôpital alignés contre le mur du fond. "C'est du supérieur, ça. Envoyé par une ancienne infirmière des urgences. Tu te rappelles Romero ?"

Amina ne se rappelait pas Romero. Elle fit oui de la tête, afin d'éviter une explication détaillée. Guère plus d'une minute plus tard, Thomas revint avec deux bocaux à confiture et lui en tendit un.

"À la tienne", fit-il, et ils trinquèrent sans choquer leurs verres. Amina avala une gorgée. Le "supérieur" lui fit l'effet d'un incendie.

"Tu n'aimes pas ?"

Elle exhala. "Je ne sais pas encore."

Thomas parut amusé ; il retourna à son fauteuil et fit signe à Amina d'en faire autant. "Alors, comment ça va à Seattle ?

— Oh, tu sais. La routine.

— Ton boulot te plaît toujours ?"

Elle sourit, crispée, trouvant étrangement réconfortant que Thomas comprît si peu le déraillement de sa carrière. "Oui.

— Les mariages, tu aimes ?

— Oui, dit Amina, se surprenant elle-même. Je crois que ça me plaît.

— C'est bien, ça. Une chance, hein ?" Ce n'était pas une vraie question, plutôt une affirmation de ce que Thomas considérait comme la plus importante leçon de vie qu'il ait pu donner à Amina : avoir un travail qui la passionnait. "C'est tellement essentiel, aimer ce qu'on fait. Les Américains sont dans cette idée qu'on fait une chose pour gagner de l'argent, et pouvoir vivre royalement dès qu'on s'en éloigne – quelle étrange façon de vivre. Ça rend – ses doigts dansèrent autour de sa tête – déséquilibré.

— Tu n'as jamais pensé ça de ton travail ?

— Jamais. J'ai eu des mauvais jours – qui n'en a pas ? Mais, tout de même, je me réjouis chaque jour d'y aller. Je suis impatient, tout ça." Son visage s'éclaira pendant qu'il parlait, en préambule à sa révélation préférée : "Je n'étais pas un bon étudiant en médecine, tu sais.

— Non ?" fit Amina, comme si c'était une surprise.

Thomas secoua la tête avec énergie. "Très mauvais, en fait. J'étais un tel perturbateur, et Ammachy… Mais mes études de médecine ont été un coup de chance, à vrai dire. J'avais les résultats, vois-tu, mais pas l'ambition."

Amina reprit une longue gorgée de scotch, en observant la façon dont les traits de son père s'adoucissaient dans un vertige lointain, comme ceux des pères de cinéma lorsqu'ils se remémoraient comment ils étaient tombés amoureux de leurs épouses.

"Le Dr Carter ? souffla-t-elle.

— Oui ! Exactement. Je n'avais jamais touché un cerveau vivant avant son arrivée à Vellore, tu imagines ? Et alors, l'exposition ! L'opération ! On a dû rester debout pendant onze heures rien que ce premier jour. On dit toujours que le temps s'arrête, et c'est vraiment ça, tu sais. Si tu trouves la chose que tu aimes le plus, le temps s'arrête pour te laisser l'aimer."

Il la regardait, manifestement ravi de son récit, et Amina sentit son cœur se pincer. Elle avala d'un coup ce qui lui restait de scotch. Il se leva et, d'un geste, lui demanda son verre. Après une tentative peu convaincue de se mettre debout, Prince Philip se laissa retomber sur le sol.

"Oh, ça, je ne sais pas", dit Thomas, qui se dirigeait en traînant les pieds vers les placards.

"Qu'est-ce que tu ne sais pas ?" Amina l'observait ; la chaleur lui causait de légères palpitations. Le "supérieur" semblait être un peu plus fort que le "normal". Ou peut-être n'était-ce qu'elle, qui devenait une petite nature.

"Quoi, Ami ?

— Tu disais quelque chose ?

— Non, non." Il ouvrit le placard. "C'est bon de t'avoir ici. Alors tu es simplement revenue à la maison parce que tu avais un peu de temps libre ?"

Quelque chose, dans le ton de sa voix, fit dresser la tête à Amina. Il se tenait immobile, la bouteille en suspens, attendant sa réponse.

"Plus ou moins." Elle attendit qu'il fût revenu et lui eût rendu son verre avant d'ajouter : "Maman était un peu inquiète pour toi, aussi.

— Inquiète de quoi ?

— De ce que, peut-être, tu ne vas pas tout à fait bien.

— Pfff." Thomas agita une grande main. "Elle a toujours pensé ça, non ?" Amina en convint d'un léger haussement d'épaules, et l'expression de Thomas s'assombrit. "De toute façon, ta mère a toujours eu peur de ce qu'elle ne maîtrise pas.

— Peut-être qu'elle a seulement mal interprété la situation.

— Oui, elle est très douée pour ça aussi." Thomas toussota. "Elle t'a raconté qu'elle a envoyé deux mille dollars à un de ces prédicateurs à la radio ?

— Quoi ? Non ! Quand ?

— Le mois dernier.

— Ce n'est pas vrai. Qu'est-ce que tu as fait ?

— Rien ! Qu'est-ce que je pouvais faire ? Elle ne dépense jamais rien pour elle-même, et maintenant elle veut donner de l'argent à un charlatan ? Son affaire." Il contempla longuement le jardin. "Je crois – il faisait tournoyer le liquide dans son verre – qu'elle traverse une crise spirituelle.

— Tu crois ? Maman ?"

Il hocha la tête, sans la regarder. "Ne plus appartenir à une Église, ne pas avoir un lieu pour toutes ses croyances, tout ça. Je crois qu'elle en est affectée. Que ça lui fait voir le mal où il n'y en a pas." Il se tourna vers Amina, le nez froncé, avec un haussement d'épaules signifiant *que peut-on y faire ?* Amina l'observait intensément, sa pose pleine d'assurance, son regard pénétrant. Des cercles entouraient ses iris, pâles hérauts de l'âge.

"Tu vas bien", dit-elle à haute voix. Thomas approuva du geste. Elle laissa retomber la tête contre le dos de son fauteuil. "Bien sûr que tu vas bien.

— Tu pensais vraiment que quelque chose n'allait pas ?

— Je ne sais pas. Je veux dire que ça paraissait insensé. Elle disait que tu passais tes nuits ici à parler à Ammachy, ou quelque chose comme ça."

Elle s'attendait à le voir rire, comme il le faisait d'habitude après qu'ils avaient subi un nouvel accès de la déraison de Kamala, mais lorsqu'elle le regarda, il faisait la moue.

"Quoi?

— Tu l'as crue, dit-il.

— Je ne savais pas quoi penser.

— Évidemment, dit-il, manifestement blessé.

— Papa."

Il se détourna et elle fit glisser ses pieds sur le sol jusqu'à ce que ses tennis reposent sur les chaussures noires qu'il portait au travail. Elle lui envoya une bourrade et, au bout d'un moment, il la lui rendit. Prince Philip remua dans son sommeil, roulant sur lui-même jusqu'à n'être plus que ventre et sexe, canines aiguës sous une lèvre affaissée.

"Oh, attends!" Thomas se leva d'un bond, et Amina sursauta. Il se dirigea vers l'une des étagères. "Je t'ai déjà parlé de ça?"

Amina le vit fourrager dans l'obscurité, allumer un interrupteur et puis un autre. Il revint en brandissant deux grandes cuillères liées ensemble.

"Qu'est-ce que c'est que ça?

— Viens, je vais te montrer.

— Quoi? Où?"

Thomas inclina la tête en direction des prés. "Tu vas adorer."

Dix minutes plus tard, debout avec son père dans le jardin, Amina contemplait le plateau du pick-up.

"Et qu'est-ce que ça fait, exactement? demanda-t-elle.

— Ça les étourdit un peu, si c'est de près et avec quelque chose de mou", expliqua Thomas. Ils avaient déplacé le pick-up de Kamala du chemin d'accès à l'extrémité du pré. Deux longueurs de tube chirurgical pendaient entre les cuillères, qui étaient fixées de part et d'autre du plateau. Entre les deux se trouvait un carré en cuir de la taille d'un oreiller. Thomas le ramassa et le tira en arrière.

"Mince!" s'exclama Amina.

La fronde, si on pouvait encore l'appeler ainsi compte tenu de ses dimensions, occupait presque toute la longueur du plateau lorsqu'elle était complètement tirée en arrière. Thomas la tint serrée tout en expliquant à Amina : "L'important, c'est de trouver ce qui marche le mieux. On a fait quelques expériences : tomates, pommes de terre, des trucs de ce genre.

— On?

— Raj, Chacko et moi. Je pensais que la tomate était le fin du fin, mais alors Raj est allé cuire une aubergine entière, il s'est ramené avec et, poouff! T'as jamais rien vu de pareil!

— Tu vas tuer des ratons laveurs avec des aubergines?

— Pas les tuer! Notre but, c'est de les étourdir. En fait, c'est à double usage." Dans le domaine des inventions, Thomas éprouvait le plus grand respect pour les trouvailles à double usage. Un vêtement fait d'un tissu naturellement désodorisant? Une éponge pour le bain en forme d'appuie-tête? *Merveilleux.* Ses lèvres frémissaient à présent d'impatience, laissant à Amina trois secondes pour deviner avant de laisser échapper : "Ça envoie en même temps un aliment *et* un moyen de dissuasion!"

Amina considéra les cuillères. "Tu les tues en les nourrissant?

— Tu donnes à ça un air sinistre. On les empêche de fouiller les poubelles. Et en laissant tout dans le pick-up, on peut se déplacer en même temps qu'eux.

— Comment sais-tu qu'il n'y aura pas de vrais dégâts? Une pomme de terre pourrait en faire, je parie.

— Je ne lancerais pas une pomme de terre crue et entière, répliqua Thomas, railleur. Et une tomate cuite ne fait pas bien mal.

— Tu n'en sais rien.

— Si, en fait. Chacko a perdu le pari et il a dû servir de cible. Il a pris deux tomates dans le dos.

— Mince, alors! Et?

— Pas grand-chose, dit Thomas, d'un air vaguement déçu. Une belle tache, et tout ça, mais il a dit que ce n'était pas si terrible, malgré l'odeur, après."

Thomas reposa prudemment la fronde et s'assit à l'arrière du pick-up. Il réclama d'un geste le verre de scotch qu'elle tenait pour lui et ils trinquèrent en silence. S'imposant avec la nuit, le bruit des criquets se renforçait légèrement autour d'eux.

"Si tu veux, je t'emmène au terrain d'exercice, demain. On en a un près du dépotoir, dit Thomas. Ils nous laissent faire, et maintenant on est tous en compétition, en nous servant les uns des autres comme cibles. Raj pense qu'on pourrait même en faire un nouveau sport."

C'est l'altitude, se dit-elle.

À l'étage, une heure plus tard, Amina s'accrochait au bord de son lit. Parcourir la chambre des yeux lui donnait le vertige, mais les fermer était pire : l'obscurité autour d'elle, d'une épaisseur charnelle, sa tête enflée par le bruit des aboiements du chien et du vent dans les arbres, et de ce qui pouvait être la voix de son père en train de parler derrière tout ça. Elle s'assit, posa les pieds fermement sur le sol.

Dans la salle de bains, penchée au-dessus du lavabo, elle contempla son reflet. Ses cheveux étaient plats et ses pupilles élargies. Elle s'éclaboussa le visage.

De minuscules points lumineux clignaient aux coins des sous-verre qui la guidaient au long du couloir, et elle avançait entre eux comme un avion sur une piste abandonnée. C'étaient des photos, des photos d'école, d'elle et d'Akhil, menant toutes aux portes de leurs chambres. Même dans l'obscurité, elle savait devant laquelle elle passait à chaque pas, l'appareil dentaire qu'elle portait en quatrième année de primaire, le début de moustache d'Akhil, en septième. Arrivée aux portes des chambres, elle se tourna vers celle de son frère. Le bois était frais sous son front, qu'elle écarta, deux fois, et frappa, comme si c'était une bonne idée avec tous ces vertiges, comme s'il avait pu lui faire la surprise d'une réponse. Rien ne vint mais, cramponnée à la poignée de la porte comme si c'était la main de quelqu'un, elle se sentit néanmoins réconfortée.

"Salut, toi", dit-elle.

4

"Regardez-moi cette petite !" s'écria Sanji Ramakrishna. Ouvrant grand la porte dans un tourbillon de soie bleue, elle descendit les marches en trombe vers Amina, en caquetant comme un diable replet. Ses mains avides se posèrent sur les épaules d'Amina, sur ses joues, et Sanji s'égosilla en direction de la porte : "Eh, bande de sots, magnez vos fesses rouillées et venez saluer notre chérie. Il lui aura fallu trois jours pour réunir le courage de venir nous affronter !

— Un jour, tatie Sanji", protesta Amina, mais ses paroles disparurent sous le raffut des voix qui, passant de la cuisine à l'entrée, surgissaient de la porte avec les autres : Raj Ramakrishna (précédé d'une spatule), Bala et Chacko Kurian (en plein dans l'un de leurs nombreux affrontements silencieux, semblait-il), et Thomas, un whiskey à la main.

Raj la salua le premier – ample corpulence enveloppée de lin élégamment froissé. Potelé, cultivé et doté d'un sourire docile dont la rumeur disait qu'il avait charmé dans sa jeunesse des légions de femmes mûres, il posa un double bisou sur chacune des joues d'Amina avant de chuchoter : "Il y a des *pani poori* et des *jalebis* dans la cuisine.

— Vraiment, il ne fallait pas te donner tant de mal.

— À qui le dis-tu ! s'écria Sanji. Toute la nuit, cet homme ! À glousser dans la cuisine comme une poule affolée parce que le chutney au tamarin ne s'épaississait pas et comment serait-il prêt quand Amina-chérie arriverait !

— Entrez, entrez", insistait Bala Kurian, perchée en haut des marches, les bras croisés devant elle comme un minuscule champion de boxe. Connue dans toute la communauté indienne d'Albuquerque pour sa réserve intarissable de commérages, ses tenues extravagantes et son étonnant manque de logique, la mère de Dimple était en grande forme, ce soir-là, éblouissante, parée de plusieurs lourdes chaînes et ventre nu en *lehenga* couleur safran (*venu droit de Bom*, se vanterait-elle pendant le dîner. *Comme une danseuse trempée dans le ghi*, marmonnerait tout bas Kamala).

"Bon sang, Ami, qu'est-ce qui t'est arrivé? Tu as le teint si pâle!

— Elle utilise la crème Pond's tous les soirs!" cria Kamala, qui montait le chemin chargée d'un énorme bol de *rasmalaï*. "Je la lui ai envoyée moi-même de chez Walgreens!

— Ou alors c'est l'absence de soleil", dit Amina, ignorant le regard de sa mère.

"Viens, laisse-moi voir." Chaco Kurian, qui attendait sur le seuil, balaya les femmes de côté pour saisir les épaules d'Amina de ses mains noueuses. "Tu es plus pâle?

— Salut. Pas vraiment."

Il la considéra d'un air dédaigneux, comme s'il déchiffrait le cadran d'une montre, de ses yeux brillants, enfoncés quelque part sous d'épais sourcils. "Trop vieille pour te marier, de toute façon – quelle importance, désormais?

— Chackoji, ne commence pas, fit Sanji.

— Commencer quoi? Ce n'est pas une conversation, rien que la vérité pure et simple."

Assénées au moins une douzaine de fois lors de chaque réunion, les vérités pures et simples de Chaco auraient pu éteindre la joie de toutes les festivités s'il y avait eu quelqu'un pour les prendre au sérieux. Issus de rêves abandonnés (devenir un pionnier de la chirurgie cardiaque, avec un bataillon de fils partageant ses ambitions) et de réalités constatées (une fille unique qui portait aussi peu d'intérêt à la profession de son père qu'à tenter de lui faire plaisir), ses édits étaient toujours aussitôt rejetés par les autres et lui donnaient l'air d'un roi qui se serait trompé de royaume.

"Alors, qu'est-ce qui se passe à Seattle? demanda-t-il en se raclant la gorge. Ton père dit que tu as été très, très occupée.

— Oui, c'est-à-dire, c'est la saison des mariages.

— Combien de mariages tu fais en un week-end?

— Ça dépend. Deux, en général, mais quelquefois quatre. Une fois, j'ai même...

— Et Dimple?" Il bandait la mâchoire en posant la question. "Je suppose qu'elle n'a pas renoncé à cette idée idiote de galerie d'art?

— Elle s'en sort bien. Je l'ai vue juste avant de partir.

— Nous avons appris que tu n'as pas vu qu'elle! lança Bala, ravie. Il paraît que vous êtes sorties avec Sajeev?

— Oh, pour l'amour du ciel. Dimple et moi, on a *dîné* avec lui.

— Dimple est sortie avec Sajeev?" Bala paraissait de plus en plus ravie.

"Ce n'était pas une « sortie ». Un simple dîner.

— Une invitation à dîner?

— J'ai toujours su que ce garçon irait loin, annonça Chacko.

— Qui se soucie de ce jeune snob? demanda Sanji. Donne-nous d'autres nouvelles de notre petite. Et quand va-t-elle revenir chez nous? Ça fait déjà deux ans.

— Son boulot la fait vraiment stresser, en ce moment", dit Amina, invoquant le genre d'excuses qu'elle avait toujours eues pour Dimple, dont le temps en maison de correction durant son adolescence s'était assez mal passé pour la détourner de revenir voir son père, même après tant d'années. "Elle a une exposition importante en préparation.

— Ach, renifla Sanji. Trop de succès, qu'y faire?

— Écoutez, au moins elle ne travaille pas dans une boîte de strip-tease, fit Bala, d'une voix rabaissée aux décibels réservés aux commérages tragiques. Avez-vous entendu parler de la fille des Patel, Seema? Apparemment, elle est à Houston, elle vit avec un Américain et elle possède un bar topless où on ne peut commander que des petites portions de plats espagnols. Je le tiens de sa mère elle-même!"

Pendant que les autres s'étouffaient d'incrédulité (Seema? La finaliste du *National Merit*?), tatie Sanjy posa une main ferme sur le bras d'Amina et l'entraîna à l'écart.

"Tu as soif, chérie? Allons te chercher à boire."

Amina se laissa emmener en haut des marches et dans le vestibule dallé de vert. Il faisait calme et plus frais dans le salon, où le bar et l'autel de la *puja* se disputaient l'attention aux deux extrémités de la pièce.

"Besoin d'un gin, mon chou? Ou serons-nous sages pour les parents?

— Non, merci." Amina s'installa sur un tabouret de cuir et huma le mélange odorant de bois de santal et d'eau de rose. Le grand miroir au mur derrière le bar reflétait sa pâleur. "Je ne suis pas remise du whiskey que j'ai bu hier soir.

— Un petit verre pour faire passer la gueule de bois.

— Non! Je t'en supplie!

— Pauvre chou. Un ginger ale? Reste là et reprends ton souffle."

Amina regarda Sanji se pousser derrière le bar, où elle attrapa un gobelet et le remplit de glaçons. De toute la famille, c'était Sanji Ramakrishna qu'Amina continuait à préférer, avec son corps épais et charnu, son rire profond et sonore, ses taches de rousseur sur le nez, ses joues rouges, sa capacité d'aller et venir avec équité entre les conversations des hommes et celles des femmes, sa totale incapacité à cuisiner. Et puis il y avait le mariage des Ramakrishna, sujet de fascination sans fin pour Amina et Dimple, puisqu'ils s'étaient connus à l'inconcevable âge de trente ans, alors qu'ils étaient doctorants à Cambridge. (*Un mariage d'amour*, disaient leurs propres mères, évoquant avec des hochements de tête désolés l'absence d'enfants bien que, pour Amina, ce soit très romantique, comme si l'amour véritable était le substitut de la progéniture, et vice-versa.)

Elle reçut le gobelet pétillant des mains tendues de Sanji. "Merci."

Sanji sourit. "Alors, tout va bien pour toi? Nous ignorions que tu allais venir, tu sais?"

Amina but un petit coup. "J'ai eu un congé.

— Rien d'autre?"

Elle déposa son verre, prit une inspiration. "Il faut que je te demande quelque chose."

Sanji observa un instant le visage d'Amina, puis se pencha vers elle. "Ça va. Je sais.

— Tu sais?

— Parce que ta maman s'est fait tant de souci, tu comprends? Elle disait que tu te désespérais de ne rencontrer personne et que tu avais besoin de revenir à la maison pour reprendre confiance en toi. Et c'est une bonne chose, ça, hein? Nous sommes toujours si heureux de te voir. Je regrette seulement que ce soit parce que tu n'as pas le moral."

Amina fronça les sourcils. "Ce n'est pas pour ça que je suis ici.

— Non?" L'intérêt de Sanji baissa d'un cran vers l'incrédulité.

"Non! Je suis venue à cause de papa.

— Qu'est-ce qu'il a, papa?

— Maman m'a dit qu'il avait un comportement étrange depuis trois semaines, alors je suis revenue.

— Étrange? Comment ça, étrange?

— Il passe ses nuits à parler dans la véranda", dit Amina, et comme sa tante n'en paraissait pas plus impressionnée, elle ajouta : "À sa mère."

Sanji éleva un sourcil. "C'est pour ça que Kamala t'a fait revenir?

— Hmm… oui.

— Oh, je regrette que tu ne m'en aies pas parlé, Ami. J'aurais pu t'épargner ce souci.

— Tu es au courant?

— Bien sûr que je suis au courant! Raj ne dort plus, lui non plus, à peine quatre heures par nuit : tout le temps en train de jacasser comme une interview à la BBC. Il parle à son père, à son oncle, à son grand-père. Non, réellement, je t'assure, c'est vrai! Et si ta mère voulait bien me parler d'autre chose que de Jésus, je le lui dirais! C'est juste une affection liée à l'âge. Rien de plus.

— Je ne sais pas. Ça paraissait grave quand elle m'a appelée.

— Et maintenant?

— Maintenant, il a l'air bien, reconnut Amina.

— Parce qu'il *va* bien. Pfff, Kamala! Elle a envie de te voir, c'est tout. Et, à ce propos – Sanji se leva et fit signe à Amina d'en faire autant – il faut qu'on retourne là-bas avant que ces idiots ne m'accusent de t'accaparer."

Dans la cuisine, sous un nuage de protestations et de grains de moutarde en train de griller, des plats de *pani poori* circulaient.

"Ce n'est que *l'apéritif*!

— Amina, vient chercher une assiette!

— Je ferais bien d'en prendre plus! dit Thomas en considérant sa portion. Je ne suis pas venu de si loin pour mourir de faim.

— Qui te laisse mourir de faim? demanda Kamala, indignée.

— On essaie quelque chose d'un peu différent ce soir, Amina, expliqua Raj. Seuls l'apéritif et le dessert sont indiens. Le plat principal, c'est un hochepot mongol!

— Ce qui est une façon élégante de dire qu'il n'a rien cuit du tout." Sanji désignait la table de la pièce voisine, sur laquelle des monticules de viande crue, de tofu et de légumes entouraient un chaudron fumant. "Je lui ai dit que ça ne vous plairait pas.

— Oh, fit Amina. Dis donc!

— En effet, dit Chacko. Salmonelle. *E. coli*. Pourrait être notre dernier repas.

— Quels emmerdeurs, ces Suriani, ronchonna Raj. Si opposés au changement, tous! Vous vous rappelez combien vous avez aimé la soirée fondue?"

Là-dessus s'éleva un murmure général d'approbation et des hochements de tête convinrent que *oui, la fondue, c'était très bon, d'accord il y avait tout ce fromage et ce chocolat, mais tout de même.*

"On va de nouveau utiliser ces longues fourchettes pointues? demanda Bala, pleine d'espoir.

— Mieux encore, fit Raj en souriant. On va se servir de baguettes."

Les baguettes, pour la plupart, furent abandonnées au bout de cinq minutes. Presque toutes retrouvèrent le chemin de la cuisine, sauf une qui pointait hors du chignon de Kamala, fichée là par un Thomas qui s'impatientait et soit oubliée par l'intéressée, soit simplement tolérée. Vers le milieu du repas, trois fourchettes étaient perdues aussi dans le bouillon frémissant, recouvertes de bouts de viande, de chou, de pois mange-tout et de tofu, et il y eut quelques bombements de torse chez les hommes qui se prétendaient tous l'auteur de la meilleure sauce.

Bala donna un coup de coude à Chacko. "Raconte-leur l'histoire de cette infirmière en salle d'op!

— Laquelle? demanda Thomas.

— Sandy Freeman, dit Chacko. Tu te rappelles qu'elle est partie tout d'un coup pendant trois semaines ?

— Oui.

— Il se trouve qu'elle allait vérifier si son mari, le pilote, la trompait.

— Et ?" demanda Kamala qui s'efforçait en vain de sortir du pot, à l'aide d'une seule baguette, un morceau de tofu trop cuit.

Chacko lui passa sa fourchette. "Elle l'a découvert à Dubaï avec non seulement une autre femme, mais aussi deux fils !

— Non ! Mon Dieu !" Les exclamations jaillissaient de tous les côtés de la table.

"Ces Américains ! fit Kamala.

— Pas seulement les Américains." Bala écarta les mains en éventail. "Ma parole, Madras est devenu un foyer de vice.

— Oh, non ?" Kamala fit signe qu'on lui passe la sauce au soja. "Qui dit ça ?

— Seulement ma sœur ! Elle me parlait d'une certaine Lalitha Varghese…

— Lalitha de MCC ?

— Oui, oui, cette Lalitha ! dit Bala. En tout cas son mari, le gynéco, il s'offre une aventure avec une patiente… et voilà qu'il la ramène à la maison !"

Autour de la table, sifflements, nez froncés, hochements de tête.

"La pauvre, demanda Sanji. Qu'est-ce qu'elle a fait ?"

Bala leva les mains. "Elle a commencé à se droguer !"

Amina avala son riz de travers.

Thomas lui tapota le dos. "Héroïne ?

— Demerol. Elle le prenait dans le bureau de son mari.

— Pathétique !" Sanji hochait la tête. "Moi, j'aurais commencé par les flinguer tous les deux, et puis je serais allée à Mahabilipuram passer des vacances à la plage.

— Bien sûr, c'est ce que tu aurais fait, ma chérie, dit Raj, en brandissant une assiette. Qui veut encore un peu de tofu ?

— Plus de 'fu !" déclara Thomas en se levant, théâtral. Il parcourut la table des yeux, mit un moment à repérer son verre, le saisit et se dirigea vers la porte.

"Bon, Ami, c'est quoi, alors, cette grande exposition à laquelle Dimple travaille ? demanda Sanji.

— C'est Charles White."

Tous fixèrent sur elle des regards vides.

"Il est très important. C'est formidable qu'il soit chez elle.

— Alors ça veut dire que si nous allons voir sa galerie, quelqu'un d'autre que Dimple pourrait bel et bien s'y trouver ? grommela Chacko.

— Chackoji, je t'en prie, ne m'oblige pas à sortir le bâillon d'après-dîner." Sanji tendit la main vers son verre.

"Je ne comprendrai jamais pour quelle activité on la paie. Accrocher des images sur des murs ? Et celle-ci, avec ses mariages ! Quel imbécile ne peut pas prendre un appareil et faire quelques photos de son propre mariage ?

— Ami, mon chou, un petit rab de gin ? fit Sanji en agitant son verre.

— D'ac." Amina le saisit en marchant vers la porte.

"Je ne fais que dire la vérité pure et simple ; si ces jeunes femmes ne veulent pas l'entendre...

— Je sais, je sais, ce sera tant pis pour nous." Amina suivit son père, tandis que Sanji demandait de sa voix la plus sonore, la plus résolue à changer de sujet : "Eh bien, Bala, ma chérie, d'où sort cette tenue tout en or ? Tu sembles positivement radioactive."

Dans la fraîcheur du vestibule, respirer lui fit du bien. Ces repas en famille pouvaient devenir si étouffants, avec leur façon à tous de se bousculer autour d'elle comme si elle allait faire des petits. Un coup d'œil rapide à la cuisine lui confirma qu'il y régnait le genre de chantier que Raj avait tendance à créer et que Sanji était condamnée à ranger, puisqu'elle était, selon ses propres termes, "nulle en tous les autres arts féminins". Dans le salon, Thomas se servait un verre, la mine renfrognée.

"Salut, papa.

— Non, ce n'est tout simplement pas vrai.

— Quoi donc ? demanda Amina, qui arrivait derrière lui.

— Arrête ça, dit-il.

— Quoi ?"

Thomas se retourna en sursautant. "Amina !

— À qui tu parlais ?"

Il cligna des yeux plusieurs fois avant de répondre : "Je ne parlais pas.

— Je t'ai entendu.

— C'est vrai ? Je devais me parler à moi-même."

Amina évalua les vapeurs qu'il exhalait. Il resta silencieux pendant qu'elle se faufilait derrière le bar et préparait un gin & soda pour Sanji. "Combien de verres tu as bus ?"

Thomas haussa les épaules. "Je ne sais pas. Deux."

Elle doubla le chiffre. "Je vais prendre le volant pour rentrer.

— Ce n'est pas nécessaire.

— Si.

— Comme tu veux", dit Thomas, boudeur, comme toujours lorsqu'elle lui faisait remarquer qu'il buvait, mais plus tard, lorsque le dîner fut enfin déclaré fini et que tout le monde se retrouva dans l'allée sous l'éclat brumeux des réverbères, il se vanta devant les autres de ce que son "chauffeur" allait le ramener chez lui à la campagne.

"Donc, tu pars vendredi ?" demanda Sanji en les accompagnant à la voiture.

— Oui, après-midi." Amina déverrouilla les portes et se glissa à l'intérieur. Elle baissa sa vitre et Sanji s'y accouda.

— Et si je venais vendredi matin. Tu serais là ?

— Comme si je pouvais être ailleurs !"

Sanji lui posa un gros baiser sur le front. "C'est bien." Elle se pencha au-dessus de l'épaule d'Amina vers Thomas qui s'installait déjà en vue du long trajet de retour, pull roulé en boule en guise d'oreiller derrière la tête, dossier du siège incliné, pieds en chaussettes sur le tableau de bord. "Bonne nuit, Thomasji. Essaie de ne pas rendre cette petite folle d'ici à vendredi, hein ?

— Peux pas rendre folle une folle !" lança joyeusement Thomas, sans ouvrir vraiment les yeux.

Amina passa la vitesse et sa tante recula en agitant la main. Raj, Chacko et Bala l'eurent bientôt rejointe, mains levées vers la lumière et agitées comme des ailes de papillons dans le rétroviseur tandis que la voiture s'éloignait.

5

Au jardin, le lendemain, Amina et sa mère désherbaient et arrosaient, tandis que des libellules vrombissaient au-dessus d'elles et que Prince Philip ronflait dans une fourmilière.

"Je ne sais pas où planter ça", grommela Kamala en lançant un regard oblique aux plateaux de plastique remplis de cubes de terre. Quelques-uns à peine commençaient à germer, de minces boucles vertes s'y dressaient, tels des doigts avides.

"Tu ne peux pas les mettre ici, près de moi?

— Non, ça, c'est pour les citrouilles.

— Et là-bas? Tu as déjà retourné la terre.

— C'est ce maudit chien qui a fait ça. Je lui ai donné un os de gigot, l'autre jour, et il n'a rien eu de plus pressé que de construire la pyramide de Gizeh par-dessus." Ramassant le tuyau d'arrosage, elle le traîna vers les perches à haricots, libérant l'odeur humide, verte et sucrée des pois gourmands et du sol mouillé. Amina inspira profondément.

"Rien de tel que l'odeur du désert." Kamala sourit. "Nous sommes allés au Texas, tu te souviens, pour le mariage de cette petite Telegu qui était en classe avec toi?

— Syama?

— Oui, elle a épousé un garçon de Houston, le père avait tout arrangé, mais je vais te dire, à propos de Houston : *Ça sent trop fort!* J'étais si heureuse de rentrer chez nous. Du bon air sec, tout est frais le matin." Elle se pencha sur les aubergines. "Et à Seattle? Tu as un jardin là-bas?

— Tu sais bien que non.

— Comment peux-tu rester là-bas? Pas de jardin?

— Je n'ai pas envie d'un jardin!" Kamala s'agenouilla pour arracher quelques mauvaises herbes qui poussaient à côté des poivrons. "Oh, à propos, ne fais pas de projets pour demain soir. Je te fais des *appams* avec un ragoût.

— Oh, maman, tu n'as pas besoin de faire tout ça pour moi.

— Quoi, tout ça? Ce n'est rien. Et, de toute façon, Anyan vient dîner, c'est ce qu'il préfère.

— Qui?

— Thomas m'a dit que tu l'as rencontré à l'hôpital – le neurologue. Il a un fils, il va l'amener aussi.

— Ah, oui. Le Dr George. Quel âge a son gamin?

— Huit ans.

— Mignon. Comment est sa femme?

— Pouh! Affreuse." Elle se repoussa une mèche folle derrière l'oreille. "Je l'ai rencontrée l'an dernier à l'occasion de l'une ou l'autre collecte de fonds pour l'hôpital, mais depuis elle l'a quitté! Tu te rends compte? Elle vit à Nob Hill maintenant, avec un Afghan."

Amina leva les yeux au ciel tout en s'efforçant de respirer calmement. "Non, je ne marcherai pas.

— Quoi?

— Je ne marche pas." Elle éleva un peu la voix en se mettant debout. "Tu ne me feras pas ce coup-là.

— Un simple dîner?"

Amina enleva ses gants de jardin et les laissa tomber par terre. Elle se tourna vers la sortie du potager, décidée à garder son calme jusqu'à ce qu'elle soit dans sa chambre.

"Où tu vas? demanda Kamala. On n'a pas fini de planter!

— Tu sais, Dimple me l'avait dit. Elle m'avait prévenue que tu ferais ça, et moi – bon sang! – je l'ai pas crue. J'ai cru que c'était trop mesquin. Même pour toi. Tu essaies de me caser avec le *Dr George*?

— Ce n'est qu'un dîner, *koche*, pas quelque chose d'officiel où tu devrais prendre une décision et...

— *Prendre une décision?*

— Amina, écoute, ce n'est pas grand-chose. J'ai juste pensé que tu pourrais avoir envie...

— Oh, mon Dieu!" Amina rit, secoua la tête. "Est-ce que papa est seulement malade?"

Kamala la dévisagea longuement avant de répondre : "Je n'ai jamais dit qu'il était malade. C'est *toi* qui as dit qu'il l'était."

D'accord. Évidemment. "Alors c'était quoi, ton plan, maman ? Tu me fais revenir ici, et Anyan George et moi *prenons une décision*, et puis quoi ? Une épouse pour lui, une mère pour son fils, et pour moi une famille dont tu peux te vanter ?

— Qu'est-ce que tu reproches à une famille ?

— Je n'en veux pas !

— Mais si. Tu as besoin de quelqu'un, *koche*. Tout le monde le voit."

C'était, assené en douceur, un coup inattendu qui coupa le souffle à Amina.

"Tu n'essaies jamais de rencontrer personne parce que tu crois qu'il y a en toi quelque chose qui ne va pas", dit sa mère, comme si c'était une simple évidence, comme elle aurait dit *Il est midi moins le quart* ou *Va arroser les radis*. "Je le sais, on le sait tous. Sanji et Bala et même *Dimple* disent que tu n'es plus toi-même depuis que tu as pris cette photo de cet homme sur le pont, et…

— Dimple ne dit rien ! Dimple ne te parle même pas !

— Elle parle à Bala.

— Quelle blague ! Quand ?

— Quand quelque chose la tracasse, idiote." Kamala tiraillait nerveusement le bas de sa jupe, et Amina comprit soudain que c'était vrai, ce qui la rendit malade de honte.

"Je pars, dit-elle.

— Oh, Ami.

— Je m'en vais vraiment. Demain. Je retourne à Seattle et je reprends mon travail et ma vie, et je regrette que ça ne te paraisse pas suffisant, mais ça l'est pour moi, OK ?

— *Koche*…"

Amina ouvrit la barrière du potager, la poussa et marcha rapidement vers la maison. Sa mère l'appelait encore lorsque la porte moustiquaire claqua derrière elle.

Cette nuit-là, elle ne put dormir. À trois heures du matin, elle renonça officiellement, se leva et se rendit dans la chambre d'Akhil.

C'était une autre chambre à présent – encore la sienne, mais aussi celle d'eux tous, revendiquée peu à peu au fil des ans. Son lit, son bureau et sa commode n'avaient pas bougé mais certains objets – le sacco orange, la chaise couverte d'autocollants heavy metal – avaient un jour été enlevés, pour finir comment, Amina l'ignorait. Il y avait aussi des additions à la chambre – vêtements, journaux, rebuts de la maison (un verre à eau vide, une lampe de poche recouverte de papier d'aluminium, un numéro daté décembre 1991 d'*American Photo*) – qui signalaient les allées et venues du reste de la famille aussi fidèlement qu'un journal de bord. Le blouson de cuir d'Akhil – transporté d'un endroit à un autre comme un chat paralytique – était plié sur le bureau. Amina le prit et en flaira le col avant de le revêtir.

Thomas avait été le dernier à venir, à en juger d'après l'empreinte sur le lit et les chaussons chirurgicaux roulés en boule au-dessous, tels des cloportes. Amina s'étendit dans cette empreinte comme si elle était inscrite dans la neige. Elle leva les yeux.

Et ils étaient là, lui souriant encore après tant d'années. Gandhi avait toujours l'air d'un bébé affublé de lunettes de lecture, tandis que Martin Luther King Jr. et Che Guevara semblaient reliés par leurs chevelures. Tous leurs visages peints luisaient d'une lueur électrique, mixture aléatoire de réalité et d'espérance. Les yeux fermés, Amina voyait les bouches corail des Grands tatouées en vert pâle sur ses paupières.

"Holà!", s'exclama Monica le lendemain matin, en s'arrêtant brusquement dans le bureau de Thomas et en reniflant comme un chien de chasse. "Qu'est-ce que tu fais là?"

Amina releva la tête, en faisant tournicoter entre ses doigts l'hippocampe d'un cerveau ; les autres pièces de la maquette gisaient éparpillées sur la table, tel un animal démembré. "J'attends que papa me conduise à l'aéroport.

— Je croyais que tu partais vendredi.

— Elle fuit l'État, dit Thomas, sans quitter son ordinateur des yeux. Dispute avec sa mère."

Monica s'assit sur le bras du canapé, l'air plus sonné qu'il n'était vraiment justifié. "Vraiment? J'espérais que nous aurions ce moment entre filles, ce soir. Ta mère ne t'a pas dit que j'avais appelé? J'ai appelé trois fois.

— Étonnamment, elle ne m'a rien dit", répondit Amina, ignorant le regard noir que lui jetait son père. Était-ce son problème si Kamala pratiquait l'effaçage sélectif des messages en provenance de gens qu'elle n'aimait pas? Non.

Monica regarda sa montre. "Bon, à quelle heure est ton avion?

— Vers deux heures.

— Je vais te conduire.

— Tu as le temps? demanda Thomas.

— Quoi? fit Amina, surprise. Papa, je pensais que tu…

— Ce sera chouette, dit Monica en souriant. On pourra s'installer chez Garduño et prendre un guac et une bière en attendant ton vol. D'ac? Je vais chercher la voiture."

Amina n'était pas d'ac, à vrai dire, mais Monica sortait déjà précipitamment du bureau. Bon, soit. Amina se leva et regarda autour d'elle. Elle se sentait déçue. Elle avait souhaité ce trajet avec son père jusqu'à l'aéroport, mais il s'était déjà replongé dans son travail et parcourait des yeux le dossier ouvert devant lui.

"Eh bien, quelle chance, hein ?" fit-il, et Amina hocha la tête, embarrassée de sentir soudain des larmes lui monter aux yeux. Pourquoi, ces larmes ? Pas pour l'éternelle distraction de son père. Ni pour la prévisible ingérence de Kamala. Non, il s'agissait du sentiment qui la prenait toujours quand elle partait, celui d'une urgence négligée, comme si elle n'avait pas vraiment fait ce qu'elle était censée faire pour se sentir chez elle à la maison.

Le visage de Thomas s'assombrit. "Oh, *koche*, ne sois pas triste à cause de ta mère.

— Je ne suis pas triste", dit-elle, sans conviction, et il se leva, contourna son bureau. Il frotta le menton sur le haut de son crâne et la tint serrée contre lui.

"Tout ça va s'arranger.

— Oui, je sais", dit-elle en l'étreignant une dernière fois avant de ramasser son bagage et de sortir du bureau pour gagner l'endroit où la voiture de Monica l'attendait, moteur tournant au ralenti.

Elle n'aurait pas pu rouler plus lentement. Sur l'autoroute, les voitures passaient, telles des comètes, avec parfois une tête curieuse dans la lunette arrière guettant des signes d'ennuis de moteur ou d'un pneu plat. Monica ouvrit la boîte à gant et en sortit un paquet vert émeraude de cigarettes mentholées.

"Qu'est-ce que tu fais ? demanda Amina.

— J'ai l'air de faire quoi ?

— Je croyais que tu avais arrêté depuis des années.

— Tu as arrêté, toi ?" Monica tourna vers elle un regard étrangement plat.

Amina rougit, et Monica lui lança le paquet d'une main tremblante. L'allume-cigare se déclencha. Des bouffées de fumée s'étalèrent dans la voiture. Elles empruntaient à présent, dans un cliquetis de feu clignotant, une sortie qui n'était pas la bonne.

Monica tourna à droite en bas de la rampe, et puis encore à droite. Elle se gara devant un Village Inn.

Devant elle, les vitrines du restaurant donnaient à voir deux mondes superposés, comme les raccords d'un film : des consommateurs assis dans des boxes bordeaux sous des lustres en faux bronze, sur lesquels les pare-brise aveugles de voitures vides se surimposaient et disparaissaient.

"Ton père a essayé de sauver un enfant mort," dit Monica.

Les yeux rivés à ces silhouettes, Amina tourna et retourna la phrase dans sa tête, s'efforçant d'en faire quelque chose de sensé. Sans succès. Monica entrouvrit une fenêtre et renfonça l'allume-cigare.

"Quoi ?

— Ton père. Il y a quelques semaines." Elle saisit sur sa langue un petit bout de tabac et le jeta par la fenêtre. "Aux urgences.

— Un enfant mort ?"

L'allume-cigare sauta et Monica le lui passa. "Traumatisme crânien grave. Une fusillade dans la galerie marchande.

— Attends, le gamin de Ty Hanson ?

— Tu devrais allumer celle-là. Ce foutu truc marche exactement trois secondes."

Amina appuya sa cigarette contre les spires orange pâlissantes. Monica hocha la tête. "Il t'en a parlé ?

— Il m'a dit que Derrick était mort.

— Il t'a raconté ce qui s'est passé aux urgences ?"

Amina fit signe que non, et Monica se tourna vers la vitre, de son côté.

"Nous faisions les visites quand nous avons été avertis qu'ils arrivaient. Deux gosses. On s'est donc précipités vers l'entrée des urgences, et il a…" Elle secoua la tête. "Je ne sais pas.

— Quoi ?

— Il s'est trompé de gamin, dit-elle très bas, l'air étonné. L'autre garçon était juste devant nous, l'équipe s'en occupait déjà, et Thomas l'a tout simplement ignoré, il est allé vers Derrick.

— Mais… bon… il connaissait Derrick et pas l'autre, hein ? demanda Amina. En quoi est-ce tellement…

— Il parlait à tue-tête. Il disait à Derrick de se calmer, que tout allait s'arranger. Il me disait de le tenir. Et j'ai d'abord cru qu'il voyait quelque chose que personne d'autre n'avait remarqué, que peut-être – qui sait? – le gosse vivait toujours? Il est arrivé des trucs plus bizarres que ça dans ce service, crois-moi. Mais alors je vois les yeux du gosse, et il est vraiment mort, et Thomas est au-dessus de lui, en train de le repousser comme s'il essayait de s'asseoir, et il me crie de ne pas rester plantée là mais de l'aider à maintenir le gamin." Elle lança à Amina un regard désolé. "Je ne savais pas quoi faire. Je veux dire… J'ai tenté de lui répondre que le gamin était mort, et il s'est mis vraiment en colère. Il a demandé de l'aide à une des infirmières. Elle lui a répondu la même chose. Il était furieux, il engueulait tout le monde. Il nous a fallu quelques minutes pour en sortir."

Quelques *minutes*? "Putain."

Ce flou dans le coin de son œil, c'était Monica en train de hocher la tête.

"Tu avais déjà vu arriver ce genre de choses?

— Tu veux dire chez un patient, ou chez ton père?

— Les deux. L'un ou l'autre."

Monica fit rouler dans sa bouche une poche de fumée. "Oui, si quelqu'un a des hallucinations. S'il souffre, par exemple, de stress post-traumatique, ou s'il prend des hallucinogènes ou quelque chose comme ça.

— Tu crois qu'il souffre de stress post-traumatique?

— Honnêtement, Amina, je ne sais pas quoi penser. Des quantités de facteurs pourraient avoir joué. Avait-il assez mangé ce jour-là? Avait-il bien dormi? Y avait-il d'autres circonstances que nous ignorions?

— Telles que quoi?

— Je ne sais pas. Tu sais, s'il arrive un truc pareil, on revisite des tas de choses, on se demande si on aurait dû voir… mais même ça, ce n'est pas particulièrement utile. J'ai mes théories, mais elles ne sont que ça – un paquet d'idées, pas un diagnostic médical.

— Tel que?

— Oh, Amina, je ne crois pas que nous devrions…

— Tel que *quoi*?

— Je pense qu'il a fait un accès psychotique."

Amina contempla ses genoux ; elle avait la même sensation qu'un jour où elle nageait dans l'océan et quelque chose d'immense avait frôlé sa jambe. "Qu'est-ce que c'est que ça?

— C'est une perte de contact avec la réalité."

La chaleur flamboya au bout des doigts d'Amina et, baissant les yeux, elle vit trois bons centimètres de cendres. Elle éleva prudemment la cigarette en haut de la fenêtre, fit tomber le bout brûlé et regarda les cendres s'éparpiller de l'autre côté de la vitre. "Il est psychotique ?

— Non, bordel, il n'est pas psychotique !

— Est-ce que je sais, moi !"

Monica darda sur le volant un regard furibond pendant quelques instants avant de soupirer : "Excuse-moi. Je veux juste dire qu'on peut faire des accès psychotiques sans dommage pour soi ni pour les autres, d'accord ? Il n'aurait fait de mal à personne. C'est ce que je leur ai dit.

— Leur ?

— Le conseil d'administration."

Amina était bouche bée : "Ils savent ?

— Ils en ont entendu parler, évidemment.

— Par qui ?"

Monica sourit tristement. "Amina, c'est un petit hôpital. Je suis sûre que plusieurs personnes leur en ont parlé."

Amina revit mentalement les couloirs blancs de l'hôpital, les flaques de lumière, les visages des infirmières auprès desquelles Thomas et elle étaient passés. Savaient-elles ? Les infirmières de l'unité de soins intensifs savaient-elles ? Et le Dr George ? Elle ouvrait et fermait les volets de ventilation sur le tableau de bord. "Et y a-t-il eu, je ne sais pas, des mesures disciplinaires ?

— On lui a parlé. Il sait qu'on le tient à l'œil.

— Ma mère est au courant ?

— J'ai essayé de l'avertir.

— Et ?

— Elle a raccroché avant que j'aie pu lui dire.

— Super.

— Je sais, mais qu'est-ce que j'espérais ? Elle n'a jamais pu me sentir. Et, de toute façon, je ne suis pas certaine de ce que nous devons faire à ce stade, à part obtenir qu'il parle à quelqu'un.

— Genre un psy ?

— Évidemment, ça serait bien, mais faute de ça, franchement, n'importe qui." Monica la regarda. "Quelqu'un avec qui il serait honnête. Toi."

Amina pensa à son père dans la véranda, le verre à la main. *Ta mère a toujours eu peur de ce qu'elle ne maîtrise pas.*

"Ça va ?" demanda Monica, et Amina se rendit compte qu'elle s'étreignait les genoux et respirait à peine.

Elle fit un bref hochement de tête pour rassurer Monica. Aller bien paraissait important tout à coup. Être membre de l'équipe Ça-va-bien. "Oui, bien sûr. C'est juste… c'est beaucoup.

— Oui. C'est pour ça que j'ai essayé de t'en parler plus tôt, cette semaine."

Elles restèrent silencieuses ; le soleil pesait sur elles comme un drap lourd et chaud. La voiture semblait rapetisser, mille folles inquiétudes emplissaient soudain l'espace entre elles.

"Et maintenant qu'est-ce qui se passe ?"

Monica haussa les épaules, jeta son mégot par la fenêtre. "Aucune idée. Je suppose qu'on doit prendre ce qu'on sait et partir de là.

— Et qu'est-ce qu'on sait ?" La voix d'Amina paraissait toute petite.

"On sait que ton père a eu une sorte d'épisode hallucinatoire. On sait que ce n'est pas un comportement typique chez lui, et que ça pourrait même être un incident isolé. On sait que la fin du printemps est une période difficile pour lui au plan émotif, et que le garçon qui est mort avait le même âge que, tu sais – elle prit une inspiration profonde et brève – ton frère.

— Tu crois que c'est à propos d'*Akhil* ?

— Mon chou, je ne sais pas du tout." Monica fit une pause. "Pourquoi tu m'as demandé, l'autre jour, si tout allait bien ?

— Quoi ?

— L'autre jour, dans l'unité de soins intensifs. Tu m'as demandé si quelque chose n'allait pas.

— Oh, je… il me semblait simplement qu'il avait l'air bizarre, je ne sais pas…" Amina ne voulait pas mentir à Monica. Ce qu'elle voulait, c'était gagner du temps, pouvoir réfléchir à fond, rester seule quelque part jusqu'à ce qu'elle puisse assembler toutes les pièces et trouver un plan. "Je veux dire, il t'a paru bien, à toi ? À part ça ?

— C'est difficile à dire. Il a surtout l'air l'épuisé. Un peu sur la réserve. C'est sûr qu'il ne rit plus autant.

— Il a eu d'autres épisodes ?

— Pas que je sache." Monica se pencha en arrière et passa le pouce sous la ceinture de sécurité encore sanglée sur son torse. "Je veux dire, trente ans dans le même hôpital, personne n'a envie qu'il s'en aille. Mais il n'est pas là pour soigner des cors au pied, tu sais."

Amina hocha la tête. Elle aurait voulu sortir de la voiture, marcher de long en large sur le parking jusqu'à ce que ses idées se remettent en place.

"Bon", fit Monica au bout d'un moment, comme si elles étaient parvenues à une résolution. "Tu as faim ?

— Hein ?"

Monica pointa le menton vers le restaurant. "Je sais bien, ce n'est pas le Garduño, mais si tu veux quelques pancakes ou autre chose, on a le temps."

Amina secoua la tête. "Je crois que tu ferais mieux de me ramener à la maison."

LIVRE 5

LE GRAND SOMMEIL

Albuquerque, 1982-1983

1

Peu après avoir failli conduire Amina et lui-même à une mort prématurée, Akhil s'endormit pour trois mois. D'un sommeil qui ne fut pas ininterrompu, bien sûr, mais persistant : une soudaine fièvre d'épuisement qui dura de début décembre à fin février et le faisait s'étaler sur fauteuils, canapés et tapis dès l'instant où il rentrait de l'école, les yeux révulsés sous la soie de ses paupières. Disparu, le continuel feu roulant de mots, remplacé par une somnolence infantile, des yeux incapables de se fixer, une bouche qui ne s'ouvrait que pour manger et ronfler. Il était trop fatigué pour réfléchir, disait-il quand on lui posait une question, et ça se voyait.

La première semaine, ni Amina, ni Kamala ne surent qu'en penser. Autant ses tirades verbeuses avaient été fatigantes, autant ce silence soudain leur faisait froid dans le dos.

"Il est comme ça à l'école ? demanda Kamala, en lui posant une main sur le front.

— Je n'en ai aucune idée." Amina resserra sa queue de cheval et se croisa les bras. C'était une désinformation rémunérée. Le lendemain de "l'incident de voiture", ainsi qu'elle et Akhil l'appelaient, ils avaient conclu une sorte d'accord. Amina le réveillait désormais après sa sieste, s'assurait qu'il ne battait pas des yeux en conduisant et n'en parlait à personne. Il la payait quatre dollars cinquante par semaine. Toutefois, comparée aux autres occasions où il piquait du nez, cette sorte-ci de sommeil était nouvelle. Et inquiétante. Amina observait son frère, la caverne malodorante de sa bouche, son nez qui remuait.

"Ça doit être la grippe", avança Kamala, et Amina acquiesça pour n'avoir pas à dire quelque chose de compromettant.

Au cours de la deuxième semaine du Grand Sommeil, elles se livrèrent à des expériences étranges. Le mardi, Amina asséna une série de coups de pied sur les chevilles de son frère, qui finit par ouvrir les yeux et la rembarrer. Le jeudi, à la table du repas, Kamala s'écria : "Et cette théorie du ruissellement ?", en une tentative désespérée d'engager une conversation. Le vendredi, chacune à son tour le secoua avec énergie jusqu'à ce qu'il se réveille.

"Qu'est-ce qu'y a, bordel ?" croassa Akhil, la bouche sèche, les yeux englués de sommeil.

"Qu'est-ce qui t'arrive ?" demanda Kamala, mais la question sonnait faux, trop pleine d'une bonne humeur qui détonnait avec son visage inquiet.

Insensible à de telles subtilités, Akhil se retourna si pesamment que le canapé trembla légèrement.

Kamala examinait son fils comme s'il s'agissait d'un bocal de quelque substance non identifiable dans un frigo. "Au moins, il mange."

C'était peu dire. La quantité de nourriture dont Akhil venait à bout chaque soir au dîner était pour le moins phénoménale. Des montagnes de riz, des piles de *chapatis*, des flottilles *d'idlis* et des poulets entiers disparaissaient au cours des repas. Amina le vit consommer en une séance tout un sac d'oranges.

À la fin de la troisième semaine, Kamala se percha sur le bras du canapé. "Et lui, demanda-t-elle à Amina, comme si elles avaient été en pleine conversation, qu'est-ce qu'il en dit ?

— De quoi ?" Amina tourna une page de son livre ; elle sentait la culpabilité émaner de sa lèvre supérieure, de ses aisselles.

Kamala désigna d'un doigt ondoyant l'espace au-dessus de la tête d'Akhil. "Cette façon de dormir tout le temps.

— Il n'en dit rien." C'était vrai. Les dernières fois qu'elle avait tenté d'évoquer son nouveau rythme de sommeil, Akhil avait monté le son de la radio, l'avait ignorée ou l'avait accusée d'essayer "de se faire plus de fric en foutant la merde".

"Tu crois qu'il est déprimé ?

— Il est toujours déprimé.

— Pas vrai ! Il est toujours *en colère*." Kamala retira des cils de son fils un petit bout de duvet, l'examina et le rejeta. Akhil ne bougea pas. "Lui est-il arrivé quelque chose récemment ?

— Tu veux dire à part Salem ?"

Kamala avala ses lèvres, ses narines palpitèrent. Elle dévisagea Amina en clignant des yeux plusieurs fois avant de dire : "Ça, ce n'est pas à Akhil que c'est arrivé.

— Non, je sais, mais nous…

— Pas Akhil. Pas toi." Kamala s'approcha du fauteuil dans lequel Amina était assise et, se penchant en avant, lui fit la surprise d'un baiser sur la tête.

"Vous allez bien, tous les deux", affirma-t-elle, en serrant rapidement le bras d'Amina avant de s'en aller vers la cuisine.

Étrangement, le fait d'avoir prononcé ces mots changea quelque chose en Kamala. Alors qu'une cinquième semaine succédait à la quatrième et que les vacances étaient proches, elle parut soudain plus légère, s'activant dans sa cuisine à fabriquer des provisions de biscuits et de *halva* qu'Akhil dévorait par poignées avant de s'endormir d'un coup, les lèvres tapissées de miettes. Un jour, surprenant Amina penchée au-dessus du canapé, elle la fit partir en disant "Assez", comme si Amina était en train de pincer son frère.

"Il est peut-être possédé", suggéra Dimple le jour de Noël, s'efforçant de son mieux de transmettre la pensée de Mindy Lujan, bien que ce jour de fête les ait séparées pendant plus de vingt-quatre heures. Elle et Amina, debout dans la chambre d'Akhil, contemplaient son corps endormi. "Il en pense quoi, ton père ?

— Il est très pris par son travail. Et ça n'arrive réellement que l'après-midi, comme maintenant, quand papa n'est pas là, donc il n'y a que maman et moi pour le voir.

— Et qu'en dit Notre Dame de la Suprême Intolérance ?

— Elle pense qu'il va bien parce qu'il n'est pas déprimé.

— Cool." Les yeux de Dimple s'égarèrent du côté de la fenêtre d'Akhil. "Tu sais où il cache ses pipes ?"

Mais ce n'était pas cool. Tandis que les voitures des Kurian et des Ramakrishna reculaient dans l'allée, que Thomas marmonnait qu'il avait une tournée à faire et que Kamala répartissait ce qui restait d'*idlis* dans des sacs à congélation, Amina, assise dans le sacco d'Akhil, surveillait par-dessus les pages de son livre son frère en train de ronfler. La semaine suivante, son inquiétude s'accrut. Était-il normal pour toute autre créature qu'un chat de dormir seize heures par jour ?

219

"Je crois qu'il est malade", annonça-t-elle haut et fort après le repas, le lundi suivant. Assez, c'était assez. Les vacances d'hiver avaient pris fin et l'état d'Akhil empirait au lieu de s'améliorer ; il se ruait vers le canapé comme un ivrogne sur sa bouteille dès la minute où ils rentraient de l'école.

"Tu as dit toi-même que ça allait bien à l'école", dit Kamala, tout en frottant la cuisinière avec entrain.

"Regarde-le, maman. Tu trouves qu'il a l'air bien ?"

Elles regardèrent Akhil. À dire vrai, Akhil avait moins l'air *pas bien* que mal installé, un bras replié sous lui, l'autre pendant, courbé, au bord du canapé.

"C'est pas normal", dit Amina.

Ses mots s'attardèrent en l'air, se répandant comme une odeur de fumée. Amina vit les épaules de sa mère s'affaisser et se relever. Kamala passa dans la cuisine, décrocha le téléphone, composa le numéro.

"Viens tout de suite ! Ton fils est malade, il ne se réveille plus !" annonça-t-elle avant de raccrocher avec violence.

La sonnerie retentit presque immédiatement. Elle écouta.

"Pas d'ambulance !" Elle raccrocha de nouveau.

Une demi-heure plus tard, Thomas montait l'allée dans un nuage de poussière. Laissant la portière ouverte et les phares allumés, il courut vers la porte.

"Où est-il ?" demanda-t-il à Kamala sans rompre son allure.

"Au salon." Kamala, Amina et Queen Victoria le suivirent dans le vestibule.

"Qu'est-ce qu'il a, exactement ?

— Il ne se réveille pas.

— Il y a combien de temps qu'il est inconscient ?

— Pas inconscient, il dort ! Depuis qu'il est rentré.

— A-t-il eu un choc à la tête aujourd'hui ? Il est tombé, on l'a frappé, quelque chose comme ça ?"

Kamala regarda Amina.

"Je n'ai rien vu", dit Amina.

Ils étaient à présent entrés au salon. Thomas inspira brusquement et s'agenouilla sur le tapis. Il chassa la chienne et souleva les paupières d'Akhil, révélant la blancheur tournoyante de ses deux yeux. Il saisit un poignet.

"Akhil?" Sa voix était forte.

Akhil roula sur le dos. "Mnff.

— Akhil, réveille-toi."

Akhil fronça les sourcils mais n'ouvrit pas les yeux.

Thomas regarda sa montre. "Le pouls est régulier, la respiration paraît normale." Il mit la main sous le nez d'Akhil, puis la plongea dans sa poche, en ressortit un thermomètre. Il le plaça dans l'oreille d'Akhil. "Alors il y a à peu près cinq heures qu'il dort?

— Non, il était éveillé pendant le dîner, dit Kamala.

— Je croyais que tu disais qu'il dort depuis qu'il est rentré?

— Il s'est éveillé pour dîner et rendormi tout de suite après", dit Kamala. Se penchant en avant, elle chuchota d'un air averti : "*De la drogue, peut-être.*

— Il avait bon appétit? Qu'est-ce qu'il a mangé?

— Il s'est servi cinq fois de poulet au curry, plus neuf *chapatis*, deux cuillerées de salade, un bol de riz avec du *dahl*, une bouteille de RC Cola."

Thomas ouvrit de grands yeux. "Vraiment? Tout ça?

— Quoi, tout ça? Il aime ma cuisine.

— Et quand avez-vous fini de dîner?"

Kamala jeta un coup d'œil à la pendule de la cuisine et calcula sur ses doigts. "Il y a deux heures et demie.

— Il ne se drogue pas", dit Amina.

Le thermomètre émit son signal ; Thomas le prit et le regarda longuement. "Pendant le repas, il était tout à fait cohérent?

— Pas du tout, fit Kamala d'une voix où perçait une infime note triomphante. J'ai dit « bravo à La Guerre des étoiles » et il n'a pas réagi."

Thomas interrogea Amina du regard.

"Tu sais, traduisit-elle. La nouvelle politique de défense de Reagan. Maman a dit qu'elle était pour, et Akhil n'a pas discuté."

Amina vit cette information filtrer dans l'esprit de son père, assombrissant son visage. "Kamala, te rends-tu compte que j'étais avec un patient?

— Et?

— Et cela aurait pu attendre.

— Il y a deux mois que j'attends? Combien de temps je devrai attendre encore?"

Thomas saisit le stéthoscope qu'il avait autour du cou et se plaça les embouts blancs dans les oreilles. Amina et sa mère restèrent immobiles pendant qu'il inclinait la tête, les yeux fermés. Lorsqu'il eut fini, il se débarrassa des écouteurs, s'assit sur ses talons et parcourut la pièce des yeux. Il observa les sacs de livres abandonnés par terre, les chaussures et les journaux étalés sur le tapis, la télévision qui diffusait des applaudissements enregistrés. Il haussa légèrement les sourcils à la vue du "snackument" – un monument de crackers et de fromage en spray qu'Amina aimait à construire et à manger – avant de tomber sur la présentatrice de *La Roue de la fortune* en train de retourner une rangée de *s* blancs.

"Alors?" demanda Kamala.

Thomas se leva, tira de sa poche une grosse boîte munie d'une antenne et la déposa sur la table devant le canapé. "Il faudra voir.

— Tu ne penses pas qu'on devrait l'emmener à l'hôpital?

— Pas encore." Il gagna le bar, de l'autre côté de la pièce.

"Quand? Demain?

— Je pense qu'il suffirait de le surveiller pendant quelque temps." Il prit un gobelet.

"On l'a surveillé, je te dis! Il n'est plus lui-même!

— Kamala, s'il te plaît." Le liquide gicla dans le verre. "On ne peut pas l'envoyer à l'hôpital parce qu'il ne se dispute pas avec toi. Dormir quelques heures en milieu de soirée, ça n'a rien d'inhabituel chez un garçon de son âge.

— Mais ce n'est pas seulement ça! Amina, dis-lui!"

Les yeux de ses parents étaient tournés vers elle, plaidant des causes distinctes. Amina les regarda, l'un et l'autre.

"Il y a quelque chose qui cloche", dit-elle enfin, et son père parut clairement déçu. "Non, vraiment, il dort tout le temps. Et il..." Elle tâcha de trouver quelque chose qui n'attire pas d'ennuis à Akhil. "Même quand il est réveillé, il est pas vraiment *là*. Il est parfois obligé de se garer quand on roule en voiture. Il dort pendant le repas de midi. Et puis il rentre à la maison et il bouffe comme un animal enragé de faim. Et Dimple croit qu'il est possédé."

Son père soupira. "C'est tout?"

Amina hocha la tête. Elle se sentait idiote.

"Non, ce n'est pas tout! reprit Kamala. Il faut qu'il voie un autre médecin. Tout de suite. Emmène-le!

— Je t'ai dit que ce n'est pas… commença Thomas.

— SI, IL LE FAUT. JE TE DIS QU'IL LE FAUT.

— Il faut quoi?" demanda Akhil, d'une voix cotonneuse, ensommeillée. Ils se tournèrent vers lui, mais personne ne parla.

"Qu'est-ce qui se passe? demanda Akhil.

— Tu es réveillé." Pas étonné, Thomas prit une gorgée de scotch.

"Ouais.

— Quel jour on est?"

Akhil le fixait d'un œil vague. "Quoi?

— Quel jour de la semaine. Lundi, mardi…

— Jeudi.

— Quelle date?"

Akhil fronça les sourcils. "C'est un test?

— Oui", répondit Thomas.

Akhil cligna des yeux plusieurs fois avant de dire : "12 janvier 1983.

— Pourquoi tu dors autant?" demanda Kamala.

Akhil tourna vers Amina un visage lourd de reproche. "J'ai des ennuis?

— Non, bien sûr que non", dit Thomas.

Akhil se laissa retomber dans son siège. Il regarda son père, le front plissé. "Qu'est-ce que tu fais ici?

— Que veux-tu dire?

— Il est tôt.

— Ta mère m'a demandé de rentrer.

— Pourquoi?"

Personne ne dit mot. Kamala, les lèvres pincées, respirait par le nez à petites bouffées.

"Qu'est-ce qui se passe?" Akhil, méfiant, les observait l'un après l'autre.

"Il y a quelque chose qui cloche chez toi!" cria Kamala.

Les yeux d'Akhil s'arrondirent. "Quoi?

— Kamala!

— Quelque chose qui cloche, *moi*?

— Ta mère s'est inquiétée, c'est tout, elle se sent mieux maintenant, dit Thomas. Ne t'en fais pas.

— Ne me dis pas comment je me sens!

— Kamala, assez. Tu lui fais peur.

— Je ne fais peur à personne. Reagan pourrait tous nous déporter demain, et il dormirait comme un bébé.

— On va nous déporter? demanda Akhil.

— Écoute, il va bien…

— Il ne va pas bien! Il dort tout le temps comme une espèce de nouveau-né! Son cerveau se ramollit. Il est en train de devenir un meuble! Tu es trop occupé à l'hôpital avec tes chers patients – des inconnus! – et ici ton propre fils meurt et tu ne veux même…

— Je MEURS?" Akhil se redressa.

"IL GRANDIT!" clama Thomas d'une voix qui rebondit au plafond. "Grands dieux, Kamala, il n'a rien. C'est un garçon normal, en pleine crise de croissance! Toi et tes affolements ridicules et, bon sang, pas besoin d'un médecin pour savoir ça : suffit de *le regarder*! REGARDE-LE!"

Amina suivit des yeux le bras de son père, flèche accusatrice se terminant en un doigt frémissant pointé droit sur Akhil. Elle regarda son frère. Elle le regarda vraiment. Et, pour la première fois, elle vit que ses bras étaient devenus plus maigres et plus longs, comme étirés ; affalé comme il l'était dans le fauteuil, il rasait le tapis du dos de ses doigts. Et ses jambes. Plus massives au niveau des cuisses, elles avaient l'air dur, comme deux bancs jumeaux attachés à son torse. Remontant à son visage renfrogné, elle vit que l'acné s'était résorbée sur ses joues, remplacée par de minuscules cratères. Et ses pommettes. Elles étaient soudain trop importantes, devenues des arcs qui durcissaient son visage, lui conférant une topographie nouvelle, lunaire. Il cligna des yeux. Il se mit debout. Amina recula.

"On a fini?" La voix de son frère était tendue de fureur.

"Oui", dit Thomas.

Akhil sortit de la pièce à grands pas. L'instant d'après, ses pas retentissaient dans l'escalier. La porte d'une chambre claqua au-dessus d'eux. Kamala dévisageait son mari. Elle ouvrit la bouche pour dire quelque chose et puis la referma.

"Kamala, tu effrayais…"

Paume étalée, elle le réduisit au silence. Elle se retourna et sortit du salon, sari bruissant sur le sol nu. Une autre porte claqua.

Thomas se versa dans la bouche le restant du scotch, l'avala. Il fit quelques pas vers le canapé et s'y laissa tomber. "Tu peux y aller si tu veux."

Amina resta.

Son père se mit les coudes sur les genoux, le front dans les mains. Un masque chirurgical pendillait à son cou. Sa tenue stérile était éclaboussée de sang. Il regarda la télévision. "C'est quoi, cette émission?

— *La Roue de la fortune.* On essaie de deviner un mot.

— Ah." Il semblait perdu.

— Ou une expression. Tu sais, comme « larmes de crocodile ». Ou « de l'aube au crépuscule »."

Elle s'assit à côté de son père sur le canapé et monta le son, mais il ne s'y intéressait plus.

"Qu'est-ce que c'est? demanda-t-elle en montrant du doigt la boîte à antenne.

— C'est un téléphone.

— Où est le fil?

— Il n'y en a pas. C'est nouveau, un téléphone qu'on peut emporter avec soi. Il paraît qu'on en fera bientôt pour les voitures.

— Pourquoi on voudrait téléphoner d'une voiture?"

Thomas haussa les épaules. "Pour demander son chemin?

— Mm."

Ils restèrent un moment silencieux.

"Qu'est-ce que c'est que ça?" Il désignait l'assiette d'Amina.

"C'est un snackument. Des biscuits Ritz et du fromage en spray. Ça se mange.

— Du fromage en spray?"

Amina saisit la bombe. "Tends ton doigt."

"Le soleil se lèvera demain!" annonça une voix allègre, et une rafale de carrés lumineux carillonna sur l'écran.

Thomas tendit le doigt et Amina le décora de boucles de cheddar jaune. L'animatrice retourna les carrés. Le gagnant recevait une voiture neuve et des vacances à Phoenix, Arizona. Quand Amina eut terminé, son père tint son doigt dans la lumière, en le tournant d'un côté et de l'autre pour le voir briller.

"Les merveilles de l'Amérique", dit-il. Il mit son doigt dans la bouche et le suça.

2

Deux jours après que Thomas eut déclaré que le sommeil d'Akhil n'était qu'une crise de croissance, Kamala instaura un traitement. Blottie dans un fauteuil avec un exemplaire d'*Au cœur des ténèbres*, Amina remarqua à peine que sa mère soulevait les jambes d'Akhil pour s'installer sous elles sur le canapé. Kamala ouvrit le premier tome de l'Encyclopaedia Britannica et s'éclaircit la gorge.

"Anguilla, annonça-t-elle.

— Quoi ?

"La plus septentrionale des îles Sous-le-Vent britanniques", lut Kamala en soulignant les mots de son majeur tendu. Superficie, environ 96 kilomètres carrés.

— Qu'est-ce que tu fais ?"

Kamala pointa le menton vers Akhil endormi.

"Ah", fit Amina en hochant la tête.

Sa mère plissa les yeux, cherchant où elle en était. "Les premiers habitants de l'île furent…

— Attends, demanda Amina. Pourquoi Anguilla ?

— Je commence aux *A*.

— Tu vas les lire tous ?

— Non, idiote, seulement les meilleurs. J'ai sauté Akrotiri, Afghanistan." Kamala s'éclaircit la gorge et reprit : "Les premiers Amérindiens s'installèrent sur Anguilla il y a environ trois mille cinq cents ans. Des découvertes archéologiques indiquent que l'île était un centre régional pour les Indiens Arawaks, qui avaient des villages d'une certaine importance à Sandy Grounds, Meads Bay, Rendezvous Bay et Island Harbor. Les Indiens Caraïbes, qui finirent par l'emporter sur les Arawaks, donnèrent à l'île le nom de Malliouhana. Les premiers explorateurs espagnols la nommèrent Anguilla, « anguille ».

"Tu crois qu'il va se réveiller pour ça?"

Sa mère la regarda par-dessus ses lunettes de lecture. "Bien sûr que non.

— Parce qu'il ne t'entend pas.

— Faux. J'ai lu qu'ils entendent, et qu'ils comprennent, et que ça les calme.

— Ils?

— Les gens qui sont dans le coma.

— Akhil n'est pas dans le coma.

— Pas d'importance. Son cerveau sera stimulé.

— Par Anguilla?

— Amina, je n'ai pas toute la journée. Quelqu'un doit préparer le dîner et mettre la table, et tu peux soit te taire maintenant, soit *monter dans ta chambre!*" Ces derniers mots étaient hurlés, et Akhil entrouvrit les yeux. Il les cligna deux fois au pays de l'éveil, tel un mammifère marin pénétrant la surface de l'océan, et les referma. Kamala le regarda faire, puis revint à l'encyclopédie avec une ferveur renouvelée. "Les Britanniques établirent la première colonie européenne permanente à Anguilla en 1650."

Amina contemplait la couverture d'un vert glacé d'*Au cœur des ténèbres*. Elle n'avait pas envie de monter dans sa chambre. Elle n'avait pas envie d'écouter sa mère lire l'article sur Anguilla.

"En dépit de quelques tentatives d'invasion française, Anguilla est restée depuis lors une colonie de la Couronne. En 1969, la Marine royale britannique allaient venir tuer tout le monde pour mettre de l'ordre et ç'aurait été un bain de sang, mais ces gens ont traité ça comme une parade de fête de l'indépendance.

— C'est ça qui est écrit?

— Non, cet épisode-là, je m'en souviens."

Amina reposa *Au cœur des ténèbres*. Elle écouta la brève histoire d'Anguilla en observant les rides du visage de sa mère qui s'adoucissaient, ses joues qui devenaient plus rondes, pleines d'une détermination soudaine. "La monnaie est celle des Caraïbes orientales, mais le dollar y est généralement accepté", conclut Kamala en fermant le livre avec un bruit sourd.

Amina la regarda. "C'est tout?"

— C'est tout pour le moment." Se penchant tant bien que mal par-dessus les jambes d'Akhil, Kamala laissa choir l'encombrant volume au pied du canapé.

"Jambes", dit-elle. Amina se leva, s'approcha du canapé et, glissant les bras sous les jambes d'Akhil, les souleva. Kamala se dégagea et se leva, un peu vacillante. Elle enleva ses lunettes de lecture et lissa son sari, en le resserrant sur une épaule.

"Et maintenant?" demanda Amina en laissant retomber les jambes de son frère. Il se retourna vers le fond du canapé, le visage enfoncé dans la couture.

"Maintenant, dîner. Viens mettre la table."

Le lendemain soir, ce furent les astéroïdes. Le surlendemain Athènes. Amina monta dans sa chambre pour l'Australie (elle avait fait un devoir sur l'Australie en quatrième année de primaire, en se servant de la même encyclopédie) mais revint le soir suivant armée de son appareil photo.

"Le calendrier aztèque utilisait une année de deux cent soixante jours et un cycle temporel de cinquante-deux années", lisait sa mère, et Amina s'accroupit de manière à saisir son frère dans toute sa longueur, avec ses pieds surgissant, telles d'étranges racines, du sari de Kamala.

À John Wilkes Booth, Amina en était à son sixième rouleau de pellicule, et la famille était entrée dans une phase entièrement nouvelle, dont le souvenir la remplirait de paix lorsqu'elle y repenserait plus tard. Ce n'était pas seulement le bâillon sur le vitriol d'Akhil qui faisait régner le calme au long des couloirs comme un parfum d'été, c'était le bruit apaisant des lectures de Kamala, le triomphe qui illuminait ses yeux à chaque passage terminé. Les tempêtes de neige de janvier commencèrent, posant de blanches couvertures sur les peupliers et de la glace sur les fossés, et Amina sortit pour prendre par les fenêtres du salon des photos de sa mère et son frère blottis dans leur confort douillet. Les jours commencèrent à s'allonger insensiblement, Kamala passa à catholicisme et à cigales et, comme en réaction à une incantation magique, les yeux d'Akhil se mirent à s'entrouvrir pendant des intervalles de plus en plus longs. Il écoutait sans mot dire, en contemplant le plafond comme si c'était une autre galaxie.

3

Akhil se réveilla du Grand Sommeil pendant Léonard De Vinci. Kamala entamait à peine la triste histoire de l'érosion rapide de la *Dernière Cène* lorsqu'il prononça sa première phrase complète :

"Je veux peindre une fresque." Sa langue apparut, venue lécher des lèvres sèches.

Une fresque? Amina se pencha en avant pour voir s'il avait réellement les yeux ouverts. Ils l'étaient.

"Au plafond, précisa-t-il. Dans ma chambre."

Février commençait. Dehors, les herbes de la pampa, aplaties, formaient des plaques d'un jaune grisâtre, et un vent du nord soufflait contre le toit en tôles, faisant craquer la maison. Kamala déposa le livre et se tourna vers son fils.

Akhil la regardait. "Je peux?

— D'accord.

— Vraiment?"

Kamala hocha lentement la tête. Il lui sourit, elle lui tapota les jambes et il les souleva. Sésame, ouvre-toi. Kamala se leva et se dirigea vers le vestibule avec le mépris d'une somnambule pour ce qui l'entoure. "Allons-y, alors.

— Maintenant? demanda Akhil.

— Maintenant? fit Amina en écho.

— Ben Franklin ferme à huit heures."

Dans le magasin, sous l'éclat blafard de l'éclairage fluorescent, Kamala et Amina poussaient le caddie où Akhil déposait de grands tubes de peinture à l'eau. Il les précédait entre les rayons, le pantalon sur ses hanches osseuses, dix centimètres de chaussettes visibles à ses chevilles.

"Tout ça de blanc? demanda Kamala en examinant le contenu du panier.

— C'est pour mélanger.

— Ah." Elle lissa sa natte sur une épaule en regardant les tubes de couleurs à l'huile accrochés comme des chauves-souris aux étalages, des deux côtés.

"Il faut que je trouve des pinceaux", déclara Akhil, qui tourna soudain à gauche et s'enfonça dans la lumière fluorescente.

"Maman", fit Amina, anxieuse, dès qu'il fut parti.

"Mmm?" Kamala avait décroché l'un des tubes et le tenait à présent sur ses deux paumes jointes. "Jaune de cadmium. On l'achète?

— Quoi? Non, c'est de la peinture à l'huile! C'est cher!"

Kamala retourna le tube et haussa les sourcils devant l'étiquette du prix. "Seigneur, c'est une blague!" Elle le remit sur le rayon.

"Maman, qu'est-ce qu'on fait?

— On achète de la peinture pour la fresque d'Akhil.

— Akhil n'a pas de fresque.

— Parce qu'il n'a pas de peinture."

Amina poussa le caddie vers la gauche pour laisser passer une femme dont le caddie était plein de laine rose. "Mais il n'a jamais rien peint de sa vie!

— Et alors? Il faut un commencement à tout, non?"

Amina se mordit un bout de l'ongle du pouce et le cracha dans l'allée. "Bon, je pourrais avoir de nouvelles pellicules?

— On vient de t'en acheter la semaine dernière.

— Une. Il m'en faut plus.

— Tu l'utilises trop vite.

— Non, ce n'est pas vrai! Maman, sérieusement." Amina s'engagea dans l'allée des maquettes d'avions. "Et d'ailleurs, comment sais-tu s'il fera jamais rien de tout ça? Qu'il ne va pas se rendormir demain jusqu'en juin?"

Kamala ne répondit pas, elle admirait un casier d'éponges de mer.

À la caisse, ils achetèrent une série complète de couleurs à l'eau, trois tubes de blanc supplémentaires, six pinceaux de tailles diverses, un matériel de pochoir et une éponge de mer.

"Vraiment, maman, je n'en ai pas besoin!" protesta Akhil à la vue de l'éponge.

— On ne sait jamais.

— Pour quoi faire?” Amina dardait sur tout le contenu du panier un regard furibond.

“Des effets, gourde!” Kamala tendit sa carte de crédit à la caissière avec un sourire de conspiratrice. “Mon fils est un artiste.”

“Je t’ai dit pourquoi Guevara, hein?

— Oui.”

Ils faisaient un détour par la mesa occidentale, en roulant à tombeau ouvert sur une piste de terre battue qui faisait vibrer la voix d’Akhil.

“Parce que, tu sais, la prophétie n’était pas absolument claire quant au choix. Ça, c’est à moi d’en décider. Et je reconnais que Che ne va pas sans certaines complications, mais je crois que c’est important de reconnaître l’esprit d’un vrai révolutionnaire.”

Par “la prophétie”, Akhil se référait à un rêve récurrent qu’il avait fait pendant le Grand Sommeil et qui lui avait fait apercevoir un avenir dans lequel il était destiné à devenir “un grand leader parmi les grands”. (“Comme Madonna?” avait demandé Amina. “Comme Mandela”, avait-il répliqué.) Si les détails précis de ce qu’Akhil voyait exactement dans son avenir n’étaient jamais révélés (se baladait-il d’un bout à l’autre des Nations unies? Pilotait-il *Air Force One*? Trônait-il dans un somptueux siège pivotant en cuir?), la façon dont il accéderait à sa destinée était claire : il peindrait une fresque des Grands. Ce serait le prodrome d’un changement. Et à présent, une semaine après, il avait déjà confectionné un collage qui servirait de base à la fresque, en ré-imaginant les monts Sandia en une sorte d’hommage style Rushmore à Ghandi, Che Guevara, Martin Luther King, Nelson Mandela et Rob Halford.

“Je t’ai dit pourquoi Mandela, hein?

— Oui.

— C’est un tel crime, ce qu’on lui a fait. Je veux dire que si tu penses vraiment à…

— Tu m’as raconté. J’y ai pensé.”

Démentant la conviction d'Amina selon laquelle il allait acheter toutes ces couleurs et puis s'effondrer d'épuisement, Akhil s'était réveillé en plein forme, s'était inscrit à un concours de maths inter-scolaires, avait reformulé ses convictions politiques et allait et venait d'un bout à l'autre du campus à grandes enjambées de ses membres refaçonnés. Il était grand, désormais, et sa stature d'adulte était un fait qui n'avait pas échappé à Mindy Luan, en particulier.

"Eh, Amina, c'est ton frère ?" demanda-t-elle un après-midi où elles étaient assises sur des bancs voisins de la cour. Amina, sur-prise de se voir adresser la parole pour la première fois de l'an-née, faillit ne pas comprendre la question. Elle regarda ce que désignait Mindy. Akhil sortait du bâtiment des sciences, vêtu du premier jean à sa taille depuis novembre et d'un blouson d'avia-teur en cuir, cadeaux récents d'une Kamala débordante de joie.

"Ouais.

— Putain, il est super *sexy* ! Genre le James Dean indien."

Akhil enfonça les mains dans ses poches ; il semblait marmon-ner pour lui-même.

"C'est dégueulasse, dit Dimple.

— Quoi ?

— C'est mon *cousin*."

Mindy croisa les jambes. "Alors tu peux nous présenter.

— Pas question.

— Quoi, tu le veux pour toi toute seule ?

— Dé-gueu-lasse", fit Dimple, méprisante.

"Alors quel est le problème ?

— Le problème, c'est que je le fais pas.

— Très bien."

Trois jours après, Amina les trouva assises sur le capot du break, Dimple bras et jambes croisés, Mindy avec ses jambes nues éten-dues devant elle, comme si on n'était pas en février et qu'il ne faisait pas à peu près aussi froid en plein soleil qu'à l'ombre. Elle agita la main à l'approche d'Amina.

"Eh ! Où tu étais ?"

Amina regarda Dimple de travers. "J'imprimais dans la chambre noire.

— Ah, ouais, Dimple m'a dit que tu es à fond dans ton cours de photo." Mindy considérait le cahier d'Amina. "Je peux voir ?

— Amina n'aime pas trop montrer son travail", dit Dimple en lançant un coup d'œil à sa cousine. "Même moi, je ne les ai pas vues, hein, Ami ?

— Tiens." Amina donna le cahier à Mindy.

"Cool." Dimple tapota le petit espace entre elle et Dimple, qui paraissait visiblement mal à l'aise. "Viens, monte. Voyons ça."

Le capot de la voiture était plus chaud qu'Amina ne l'aurait pensé et son contact au dos de ses cuisses promettait printemps et herbe tendre. Elle ouvrit le cahier. La première photo n'était que mains et pieds : les doigts noueux de sa mère tenant le volume B-Bi ; les pieds d'Akhil bizarrement fléchis, un vers l'avant, un vers l'arrière, comme s'il était en train de danser un ballet d'un autre monde ; Akhil dormant avec un oreiller sur la figure ; Akhil à table, mangeant avec la tête dans ses mains. La dernière représentait Akhil dans ce que Kamala appelait la position "Notre Seigneur et Sauveur", la tête ballante au bord du canapé, la bouche ouverte, le dos cambré sur l'accoudoir, les bras écartés comme pour embrasser le plafond. Le creux de son ventre disparaissait dans un jean dont Amina se rendit compte à l'instant que la braguette était ouverte.

"Merde alors", laissa échapper Mindy.

"Il a un problème de respiration", dit Dimple. Mindy retourna la photo. "Je peux l'avoir ?"

Amina se sentit envahie de chaleur, sans trop savoir si c'était parce qu'elle était contente qu'on lui demande la photo ou parce qu'elle n'avait pas envie de s'en séparer. Mindy se pencha vers elle, ses yeux reflétaient le capot bordeaux de la voiture et l'ombre de la tête d'Amina. Ses lèvres luisantes s'entrouvrirent, révélant deux rangées de dents curieusement petites, et Amina fut prise d'une surprenante envie de se frotter le nez contre le sien, ou de ronronner, ou de se rouler dans l'herbe avec elle.

"Putain, c'est pas trop tôt", fit Dimple. En se retournant, Amina vit Akhil qui traversait le parking, le menton sur la poitrine, une main enfoncée profondément dans la poche de son jean. Il releva soudain la tête et s'arrêta.

"Qu'est-ce tu fous ici ?" La destinataire de sa question n'était pas évidente, car ses regards passaient d'Amina à Mindy puis à Dimple pour revenir à Amina.

"On regarde des photos de toi à poil, dit Mindy.

— Pas à poil, fit Amina précipitamment. Juste endormi. J'en ai de maman aussi. Et de papa, ajouta-t-elle mensongèrement.

— Des photos?"

Sans laisser à Amina le temps de protester, Mindy saisit la photo sur ses genoux et la lança à Akhil. Amina vit son frère l'assimiler, et son cœur se serrait au fur et à mesure qu'il fronçait les sourcils. Il releva les yeux vers elle mais ne dit rien. Il déverrouilla la portière de la voiture et jeta ses livres à l'arrière.

"Je t'ai dit qu'il est taré, dit Dimple. Il se fout tout le temps en rogne sans raison."

Mindy se laissa glisser en bas du capot quand le moteur démarra. Ouvrant la portière passager, elle se pencha à l'intérieur. "Je peux venir faire un tour?

— À Corrales? demanda Dimple.

— Ouais." Mindy vacillait légèrement. Le regard d'Akhil, pris au piège de son entre-seins, vacillait avec elle. Mindy sourit, attirant son regard vers son visage.

"Fais ce que tu veux", dit-il, et Mindy s'installa sur le siège du passager. Elle déverrouilla la portière arrière pour Amina, qui monta, un peu gênée et excitée par l'étrangeté de la situation. Quand ils démarrèrent, la bouche de Dimple, derrière la vitre, était une fente raide.

Amina n'était pas tout à fait sûre de l'endroit où se mettre lorsque son frère est l'objet d'une entreprise de séduction, mais elle était certaine que le siège arrière n'était pas le bon. Elle fixait des yeux le rétroviseur avec l'espoir de croiser le regard d'Akhil, mais celui-ci ne regardait ni en arrière ni même Mindy. Il était affalé derrière le volant, le genou droit à un angle bizarre, comme si le siège du passager exerçait sur lui une attirance magnétique.

Ils roulaient depuis deux minutes quand Mindy fouilla dans son sac et en sortit une cigarette. Elle se tourna vers Akhil. "Ça te dérange?"

Akhil lui jeta un coup d'œil. "C'est un joint?

— Ouais. Tu fumes?

— Ouais.

— Non, tu fumes pas" protesta Amina, mais, s'ils l'entendirent, ils ne répondirent pas. Mindy battit un briquet et inspira, puis pinça l'extrémité de la cigarette avant de la passer à Akhil. Il la prit.

"Donc Corrales, hein ?" Mindy exhala. La voiture s'emplit d'une odeur riche et écœurante, et Amina toussa.

Akhil prit une petite bouffée et la garda en bouche en hochant la tête. Il rendit le joint à Mindy.

Celle-ci se retourna. "T'en veux ?

— Non, fit Akhil. Putain, c'est qu'une gosse !

— Oups ! Pardon.

— Ça pue, dit Amina.

— C'est du skunk", répliqua Mindy, et Amina, déroutée, laissa tomber.

"Alors ça fait combien de temps que vous habitez à Corrales ?

— J'sais pas. Neuf ans.

— Cool. J'ai une tante qui vit à Rio Rancho.

— Mm.

— Rio Rancho, c'est nul", dit Amina.

Mindy la regarda par-dessus l'épaule en riant, tandis que sa main atterrissait sur le genou d'Akhil. "N'est-ce pas ? C'est comme la capitale des vieux de l'État.

— Ex-tubards", dit Akhil en reprenant le joint.

"Quoi ?

— Beaucoup sont des rescapés de la tuberculose. Le climat est bon pour leurs poumons.

— Fascinant." Mindy se tourna de façon à s'adosser à la portière passager, positionnée face à Akhil. "Et qu'est-ce que tu sais d'autre ?

— À quel sujet ?

— Sur d'autres trucs.

— D'autres trucs ?

— Des trucs d'Indiens.

— Des trucs d'Indiens ?"

Mindy lui pressa le genou. "Kāma Sūtra ?"

Akhil parut avoir été frappé par une mauvaise odeur. Il chassa d'une taloche la main de Mindy, et un spasme nerveux contracta l'estomac d'Amina. Allaient-ils stopper sur-le-champ, dans Coors Road ? Akhil allait-il hurler comme un furieux, ou parler super lentement de manière à renforcer l'impact de chaque mot ? Allait-il discourir sur le racisme ou l'appropriation, ou simplement dire à Mindy qu'elle n'était qu'un gros tas de néant ? Tout était possible. Amina se figura la silhouette de Mindy dans la lunette arrière, estompée par la chaleur, attendant qu'un plouc en caisse tunée la prenne en pitié et la ramène à l'école.

Akhil ne dit rien. Mindy avança la main vers le haut de sa cuisse, la serra de nouveau. Il ne l'enleva pas.

Où est ton frère ? demandait Kamala une quarantaine de minutes plus tard.

"Sais pas.

— Comment, tu ne sais pas ?

— Je lis", dit Amina. C'était un mensonge. Elle feuilleta du pouce les pages de son livre. En réalité, elle n'avait pas pu lire du tout, n'avait fait qu'entourer les mots *Kurtz*, *vert* et *fleuve*.

Kamala fronça les sourcils. "Il est allé quelque part ?

— Il est sorti.

— Sorti où ?"

Amina haussa les épaules. Après avoir été déposée à l'entrée de l'allée, elle avait vu la voiture s'éloigner d'une cinquantaine de mètres sur le chemin.

"Eh ! Petite idiote !" Kamala fit claquer devant son visage des doigts qui sentaient l'oignon. "Où est-il allé ?"

Amina soupira. "Seigneur.

— Quoi, Seigneur ? Je te pose une question simple et tu restes là comme une sourde-muette.

— J'essaie de lire."

Kamala empoigna l'oreille gauche d'Amina, la tordit vigou-reusement.

"Aïe ! Il est juste allé chercher des couleurs chez Ben Franklin. Il sera bientôt rentré !"

Kamala lâcha prise. "Pourquoi tu ne le disais pas ?

— Qu'est-ce que ça peut foutre ? Il est allé faire ce qu'il veut, et c'est pas comme si on devait le suivre à la trace à chaque putain de seconde !" Amina se frottait l'oreille.

"Pas de gros mots !

— Laisse-moi tranquille, alors."

Kamala fit une grimace et, tout à coup, posa une paume fraîche sur le front d'Amina. "Tu fais une poussée d'hormones", déclara-t-elle.

Trois heures après, Akhil s'attablait pour le dîner avec l'air d'avoir subi le traitement accéléré d'un aspirateur industriel. Ses cheveux se dressaient sur sa tête en mèches hirsutes, une circonférence d'un gros centimètre autour de sa bouche était rouge et enflée, et son oreille gauche avait un aspect poisseux et luisant. Son sweat à capuche était bizarrement enroulé autour de son cou, comme si des vents de force douze l'avaient noué sur lui-même. Kamala fit passer les pommes de terre.

"Alors, tu es de nouveau le capitaine de l'équipe?"

Akhil prit une cuillerée de légumes. "Hmm."

Kamala lui servit deux cuillerées de plus sur son assiette. Elle compléta d'une cuisse de poulet, de trois cuillerées de yoghourt aux choux et de deux *chapatis*. "Il y a combien de joueurs dans l'équipe?

— Je peux en avoir un?" demanda Amina.

Kamala attrapa la carafe à eau et remplit leurs verres. "Dix? Douze?"

Les doigts d'Akhil se posèrent tendrement sur son oreille avant de migrer vers sa bouche. "Six.

— Et ce sont tous des demi-finalistes du *National Merit*?

— Ouais." Akhil se frottait le nez ; il s'arrêta et se renifla les doigts.

"Je t'assure, en Inde nous faisions tout le temps des concours de maths, mais il n'y avait jamais de vrai tournoi – une si bonne idée! Un sport qui teste les capacités de l'intelligence!

— C'est pas vraiment un sport, dit Amina.

— Faux. Les échecs, c'est quoi, à ton avis?

— Pas un sport non plus.

— Tais-toi, idiote! Tu sais que ton grand-père était le champion aux échecs du Christian College de Madras, et qu'ensuite il est devenu le…

— Demi-finaliste pour le championnat d'échec national. Ouais. Tu me l'as raconté.

— Eh bien, vous êtes de bonne humeur aujourd'hui, miss Rien ne m'impressionne. Tu devrais peut-être essayer d'utiliser ton cerveau au lieu de critiquer tout le monde. Tu devrais peut-être essayer de diriger une équipe de… Akhil, qu'est-ce qu'elle a, ton oreille ?" Kamala pointait vers lui une cuillère de service.

"Rien.

— Tu n'arrêtes pas de la tripoter. Elle est infectée ? Viens, laisse-moi regarder.

— Non." Akhil se pencha en arrière. "Non, elle va très bien.

— Mais elle est gonflée, non ?"

Akhil secoua la tête et le sweat-shirt glissa de son cou, révélant une ecchymose pulpeuse.

"Oh mon Dieu !" Kamala se leva. "Oh mon Dieu, on t'a frappé !

— Quoi ?" Akhil regarda Amina, qui montra du doigt son propre cou.

Akhil plaqua une main sur la meurtrissure. "Non. C'est rien, m'man.

— Qui t'a fait ça ? voulut savoir Kamala. Ces garçons ?

— Personne, maman, c'est rien…

— Comment, rien ? Tu as été battu ! C'était les mêmes garçons que l'an dernier ? Mr Bon-à-rien Martinez et sa bande de *goondas* ?

— Non, je te jure…"

Déjà elle se levait de table. "Le code d'honneur de Mesa Preparatory, mon œil ! Ils disaient que ça n'arriverait plus, et maintenant ça ! Pourquoi tu n'as rien dit ? Quand est-ce que c'est arrivé ? J'appelle ton père.

— Non ! "

Mais Kamala se précipitait dans la cuisine, une main tendue devant elle comme une arme.

"Fais quelque chose", chuchota Akhil en se ruant à sa suite.

— Quoi, par exemple ?" Amina les suivit.

Dans la cuisine, leur mère enfonçait les boutons du téléphone avec son majeur, qu'elle pointa vers eux lorsqu'elle eut fini de composer le numéro. "Des malfrats ! J'ai vu ça sur *Eyewitness News*, des gangs qui arrivent à Albuquerque avec leurs initiations et qui bourrent le crâne des adolescents. Oui, mademoiselle, pourriez-vous, s'il vous plaît, dire au Dr Eapen d'appeler chez lui ? Son fils a été battu jusqu'au sang…

— Ce n'était pas un garçon!" cria Amina.

Kamala se tut, le mot suivant déjà sur les lèvres.

"Ce n'était pas un garçon", répéta Amina.

Sa mère raccrocha le combiné. "Une fille?

Akhil hocha la tête.

"Une fille t'a battu?

— On ne l'a pas battu, dit Amina. C'est un suçon."

Kamala écarquilla les yeux. "Qui?

— Cette chose. Sur son cou. C'est comme un baiser, mais genre plus *hard*. Comme un baiser sucé. Il était avec Mindy Lujan. C'est là qu'il était quand tu m'as demandé. C'est pour ça que…"

Kamala agita une main frénétique et Amina se tut. Sa mère se tenait totalement immobile, les mains à plat sur le comptoir, comme si elle le maintenait à sa place. Elle les regardait, les coins de sa bouche tressautaient, et Amina se rendit compte qu'elle essayait de ne pas pleurer.

"Oh, maman…" commença Akhil, mais les lèvres de Kamala se serrèrent, minces comme du papier, comme si on pouvait les déchirer. Elle contourna le comptoir pour prendre son sac qu'elle ramassa et se fourra sous le bras. Sortant alors de la cuisine, elle traversa le vestibule, franchit le seuil, ouvrit la portière de sa voiture et la claqua bruyamment. Ils la regardèrent reculer dans l'allée.

"Putain, merci, Amina!

— Tu as dit de faire quelque chose.

— Ferme-la."

Il fallut quatre heures à Kamala pour rentrer à la maison. Amina le sut parce qu'elle était éveillée, en train de se demander s'il était possible de perdre ses deux parents à cause de la difficulté de vivre en Amérique. Leur mère pouvait-elle réellement les quitter, elle aussi? N'en fallait-il pas plus : une bonne bagarre, et les membres de sa famille descendaient l'allée pour toujours?

Mais alors arriva le bruit de la voiture, celui des clés atterrissant sur le comptoir. Kamala calma les gémissements du chien avec un doux murmure de malayalam. Des pieds et des pattes circulèrent dans la maison et la première marche grinça lorsque

Kamala monta vers l'étage des enfants. Amina s'arrangea précipitamment pour ressembler à l'idée qu'elle se faisait d'une chose à laquelle une mère serait heureuse d'être revenue : le dos droit, la chemise de nuit lissée. Une fille bien sage. Une guide. Mais Kamala ne vint pas frapper à sa porte. Elle ne frappa pas non plus à celle d'Akhil. Amina regardait fixement la poignée de laiton tout en écoutant ce qui ressemblait à un bruissement et une fuite, les pas de Kamala diminuant dans l'escalier, *slipslapslipslapslip*, dans sa descente hâtive.

Amina se leva. Sur la pointe des pieds, elle traversa sa chambre, ouvrit la porte le plus silencieusement qu'elle put et regarda dans le couloir. Rien. Ni Kamala, ni Queen Victoria, personne aux yeux de qui paraître intrépide. Mais, une minute. Elle plissa les yeux. Oui, il y avait quelque chose. Un sac en papier. Posé au pied de la porte d'Akhil, aussi familier et mystique qu'un nain de jardin. Amina se glissa en chaussettes sur le plancher, s'agenouilla devant et en renversa le contenu. Une boîte tomba par terre. Petite, nette, guère plus grande que sa main. Elle la retourna, vit l'image d'un couple en silhouette sur un soleil couchant. LATEX, proclamaient de grosses lettres et cette proclamation fit comprendre à Amina que ça ne la regardait pas du tout. Elle fourra la boîte dans le sac, rentra dans sa chambre en courant presque et plongea sous ses couvertures.

Le lendemain matin, le sac avait disparu. Akhil n'en dit rien quand ils prirent leur pain grillé, seuls dans la cuisine. Et Kamala ne se montra pas du tout, même pendant qu'ils faisaient la vaisselle et emballaient leurs affaires de classe, bien qu'Amina crût apercevoir, quand ils partirent dans l'allée, la tête sombre de sa mère en train de regarder par la fenêtre de la salle à manger.

4

Personne, à Mesa Prep, n'était préparé à l'arrivée en plein semestre de Paige et Jamie Anderson. À fin la février, tout l'éclat de vies ou de possibilités nouvelles était terni par la routine des horaires et des coteries. Assemblés par petits groupes, le matin, dans la cour, et mortellement las les uns des autres, les élèves contemplaient le parking, moroses, comme pour le mettre au défi d'accoucher de quelque chose qui valût le coup d'œil. Il se fit donc un silence lorsque les deux silhouettes franchirent l'horizon asphalté, des regards s'échangèrent à la ronde. Des corps pivotèrent légèrement sur des bancs. Des mots s'étirèrent dans le jour naissant. Étaient-ils réels?

Avec leurs vestes en duvet, leurs chaussures de randonnée et leurs visages atones qui ne révélaient rien, Paige et Jamie arrivaient, tels des orphelins, suivis, avec la fidélité d'une ombre, par un soupçon de tragédie, de courage et d'événements dont l'évocation était impossible.

"C'est qui, ça, putain, Blanche-Neige et le Nain Disco?" demanda Mindy en les regardant traverser la pelouse ce premier matin.

"Ferme-la, Mindy", dit Akhil, démontrant que, si la remarque de Mindy péchait par excès de zèle, sa tentative d'ostraciser les Anderson était en fait éminemment instinctive, réaction tactique d'une espèce dont le règne est éclipsé par l'arrivée d'une autre. L'approche des Anderson s'accompagnait d'une évidence qui, combinée à plusieurs autres caractères, allait effacer de la carte de Mesa Preparatory les pareilles de Mindy Lujan, savoir:

1. Les cuisses de Paige (galbées)
2. Les seins de Paige (dissimulés par sa doudoune blanche mais avec contours nettement visibles, comme des balles de croquet couvertes de neige)
3. Le cou de Paige (long)
4. Les joues de Paige (roses)
5. La bouche de Paige (grande et légèrement floue aux extrémités, comme si on n'avait pas dit aux lèvres où s'arrêter)
6. Les cheveux de Paige (brillants, noirs, au carré)
7. L'afro de Jamie (énorme)

Soyons clairs, la chevelure afro de Jamie (oui, il était blanc, mais comment appeler ça autrement?) n'était pas en soi dépourvue de charme mais son extravagance même, les limites extrêmes de sa blondeur atteignant un diamètre deux fois plus large que sa tête proprement dite constituaient un contrepoint éclatant aux mèches noires et lisses de sa sœur, lui gypsophile à côté d'elle bouton de rose. Elle en devenait, si possible, plus parfaite encore. Personne ne prononça plus un mot à leur passage, et ils disparurent dans le bâtiment du doyen.

"Qu'est-ce qu'ils veulent?" demanda Akhil lorsque la porte, en se refermant, les avala dans un éclair éblouissant.

"Un seul moyen de le savoir." Dimple récupéra ses livres sur le banc de béton et les suivit.

Pas de surprise, ce fut Dimple qui fournit les premières informations valables sur les Anderson, quelque quatre heures plus tard, en cours de biologie. Elle entra en classe du côté du tableau, sur lequel les mots *interphase*, *prophase*, *métaphase*, *anaphase* et *télophase* tourbillonnaient en jaune sur fond vert, et fit un clin d'œil à Amina. Lorsque Ms Pankeridge sortit de la salle, cinq minutes après, en quête de nettoie-pipe supplémentaires pour les maquettes de la mitose, Dimple annonça : "C'est des réfugiés intellectuels.

— Quoi?" demanda Hank Franken, tout en enfonçant posément son auriculaire dans une balle de polystyrène expansé.

"Les Anderson. Ils ont été expulsés de Saint-Francis.

— N'importe quoi. Qui dit ça?

— C'est eux.

— Ecchpulchés?" demanda Gina Rodgers, les lèvres serrées sur deux nettoie-pipe.

"C'est pour ça qu'ils sont ici maintenant. Apparemment, leur grand-père a dû soudoyer l'école pour que Paige puisse terminer son année.

— Expulsés pourquoi?" demanda Amina, et Dimple sourit comme si elle venait de remporter la question à vingt-cinq mille dollars.

"Athéisme."

Un petit murmure s'éleva dans la classe, suivi de quelques coups d'œil nerveux. Même si personne n'en était plus à croire véritablement en Dieu, contester carrément qu'il y en ait un paraissait dangereux et peut-être malavisé.

"On peut vraiment être renvoyé pour athéisme? demanda Amina.

— Ils te renvoient pour n'importe quoi", déclara Hank, les doigts à présent bien enfoncés dans cinq balles différentes, de sorte que quand il levait la main, ça ressemblait à un demi-système solaire. "Ces nonnes sont sans pitié.

— Qu'est-ce qu'ils t'ont dit, exactement?" demanda Amina.

— Eh bien, commença Dimple en regardant calmement autour d'elle, quand je lui ai demandé pourquoi ils commençaient ici au milieu du second semestre, il m'a répondu que, légalement, les États-Unis imposent l'école jusqu'à seize ans et qu'à Saint-Francis c'était devenu intenable pour lui. Alors j'ai dit : Dieu merci, ils ont eu de la place pour vous ici aussi tard dans l'année, et il a dit que Dieu n'avait rien à y voir, que c'était le carnet de chèques de son grand-père qui avait fait le coup.

— Et ça fait de lui un athée? demanda Amina.

— Ben oui", fit Dimple.

Après le dîner, perché, défoncé, sur une échelle d'aluminium, Akhil tendait la tête, la main, le cou et le poignet vers le plafond. En bas, on entendait Kamala qui faisait la vaisselle en entonnant toutes les deux ou trois minutes les premières mesures de *La Mélodie du bonheur*.

"Dimple dit qu'ils ont été renvoyés parce qu'ils étaient athées, dit Amina, allongée sur le lit d'Akhil.

— C'est qu'un tas de conneries.

— Comment tu le sais?

— Parce que Paige est dans l'équipe de maths.

— Alors t'as parlé avec elle?"

Il regarda alternativement le papier qu'il tenait en main et le plafond, qu'il étudia de longues secondes avant de tracer une seule ligne longue et mince. "Est-ce que Che a l'air d'une fille?

— C'est le chauve?

— Quelle conne. Le chauve, c'est Gandhi. On le reconnaît à ses lunettes." Il remonta. "Et évidemment que j'ai pas parlé avec elle.

— Pourquoi pas?

— Parce qu'elle est, tu sais." Akhil écrasa la brosse dans la boîte. "Jolie.

— Et que Mindy sera jalouse?

— Non, on a cassé hier, de toute façon. Je veux dire qu'on est encore, on se voit encore, mais on a décidé de ne plus être exclusifs. De toute façon, Paige a dit à Mr Jones que son père trouvait Saint-Francis pas assez rigoureux sur le plan scolaire. Tu trouves vraiment pas que ça ressemble à Gandhi?

— Ça ressemble à un bébé.

— Mais les yeux sont bien, non?

— Plus ou moins, mais ils sont pas au bon endroit.

— Ah, c'est tout? Putain, super.

— Fais-les plus bas." Allant au bureau d'Akhil, elle ouvrit son cahier d'histoire. Elle dessina un œuf sur la page et puis traça une ligne en travers. "Comme ça. On croit toujours que les yeux sont en haut de la tête mais, en général, ils sont plutôt vers le milieu."

Akhil ne répondit rien. Ses yeux rougis examinaient la page. "Euh, Ami, tu pourrais peut-être…

— Non.

— Je te paierai.

— Non. Combien?

— Deux dollars par soirée.

— Trois.

— S'il te plaît. Je t'emmène à la galerie marchande de Coronado ce week-end.

— Deux soixante-quinze."

Akhil gémit. "Sérieusement. Allez."

Amina réfléchissait. Cet argent, combiné avec celui que lui valaient les "flashs de sommeil" d'Akhil, ainsi qu'elle commençait à les appeler, lui permettrait de s'acheter au moins une pellicule supplémentaire par semaine. "Très bien, deux. Mais seulement le dessin. Je ne peins rien.

— D'accord." Il baissa les yeux vers le papier. "Où vont les bouches ?

— Sais pas." Amina lui reprit le crayon et entreprit de monter à l'échelle. "Je suis nulle pour les bouches."

5

"Le fleuve est essentiel pour comprendre tous les autres éléments dans ces pages, dit Mr Tipton le lendemain en montrant un exemplaire d'*Au cœur des ténèbres*. Qui peut me dire
ce qu'il signifie?"

La porte s'ouvrit, laissant entrer de l'air frais et faisant pivoter
les têtes, du tableau vers la porte. Amina aperçut la broussaille
de l'afro blonde et se plongea dans l'étude de son cahier pendant que le reste de Jamie Anderson se matérialisait. Mr Tipton
se déplaça pour lui serrer la main.

"Bienvenue, dit-il avec un grand sourire. Nous vous atten-
dions hier. Jamie?"

L'afro salua.

"Bien, entrez. Le doyen Farber me dit que vous avez été trans-
féré de Saint-Francis?

— Ouais", dit Jamie. Il avait la voix un peu étouffée et rauque,
comme s'il se remettait d'un rhume.

"Et auparavant vous habitiez Chicago?

— Mon père était professeur à l'université de Chicago.

— Ah, je vois, dit Mr Tipton, les yeux brillants d'appréciation.
Eh bien, soyez le bienvenu. Prenez un siège."

Jamie regarda autour de lui. Il regarda la chaise vide à côté
d'Amina et choisit celle qui était à l'opposé de la classe, où il se
glissa. Ses paupières battirent, révélant des yeux d'un vert profond, troublant, protégés par des sourcils féroces.

"Bien, mister Anderson, depuis deux semaines nous sommes
plongés dans *Au cœur des ténèbres*, dit Mr Tipton. Tous les autres
ont lu les cent premières pages, il vous faudra donc vous rattraper

pendant le week-end. En attendant, je suppose que vous n'avez pas apporté un exemplaire ?"

Jamie exhiba l'édition de poche. La couverture était différente de celle qu'on trouvait à la librairie de la Mesa.

"Parfait, dit Mr Tipton. Alors qui d'entre vous peut mettre Jamie au courant des thèmes généraux du livre ? Amina ?

— Pas la peine, je l'ai lu, dit Jamie, au grand soulagement de l'intéressée.

— Vraiment ? On m'avait dit qu'à Saint-Francis on n'étudie pas cet ouvrage en particulier avant la dernière année.

— Je l'ai lu pour moi-même pendant l'été.

— Oh. Parfait ! Alors je suppose que vous avez des idées concernant certains des thèmes dominants.

— Ça se peut", dit Jamie.

L'estomac d'Amina se crispa de nervosité, comme si elle était emportée de bas en haut d'une rampe de montagnes russes. *Ça se peut ?*

"Nous parlions donc du fleuve", reprit Mr Tipton en renfonçant les mains dans ses poches. Il se balança sur ses plantes de pied. "Qui peut me dire ce qu'est le fleuve ?

— La vie.

— La mort.

— Un voyage

— Une obsession.

— Bien ! dit Mr Tipton. Voilà des idées intéressantes. Jamie, rien à ajouter ?"

Jamie se tiraillait l'oreille gauche. "Un fleuve."

Le gloussement collectif céda la place à un silence retentissant. Mr Tipton ne souriait pas. "C'est tout ?

— En un sens.

— En quel sens, exactement ?"

Jamie haussa les épaules.

"Non, non, insista Mr Tipton, continuez, vous m'intéressez. Dites-nous en quel sens le fleuve n'est qu'un fleuve."

Jamie marmonna un peu, les oreilles écarlates, et Amina remua sur son siège.

"Non ? Bien, avançons, dit Mr Tipton en reprenant ses allées et venues. Donc. Un voyage. Quel genre de voy…

— Au sens que pour faire l'expérience de ce livre, en faire véritablement l'expérience, la meilleure chose qu'on puisse faire c'est de se débarrasser du besoin d'étiqueter chaque symbole qu'on y trouve." La rougeur se répandait rapidement sur tout le visage de Jamie, le couvrant entièrement sauf les demi-lunes blanches sous ses yeux.

"Pardon?

— Je veux dire que si vous vous plongez – vous avez dit plonger, n'est-ce pas? – dans ce livre, alors ce n'est pas en vous amarrant à tous les panneaux indicateurs le long du chemin que vous atteindrez ce résultat."

L'hilarité de Mr Tipton était palpable. "Vous considérez donc que la lecture critique est une activité inutile. Que vos camarades ne font pas, en quelque sorte, *l'expérience* du livre?

— Je crois que la meilleure façon de faire l'expérience de ce livre est de se laisser emporter par lui et de réfléchir plus tard à ce qu'il signifie.

— Plus tard? Quand?

— Plus tard, quand vous êtes prof d'anglais dans l'enseignement secondaire."

Amina était sûre de n'être pas la seule à avoir sursauté visiblement, mais c'était sur son visage que Jamie avait les yeux fixés. Elle déglutit.

"Mister Anderson, passons une minute dans le couloir, voulez-vous?"

Jamie se leva et sortit le premier. Mr Tipton déposa soigneusement sa craie et sortit derrière lui.

"Putain de merde", fit quelqu'un en riant, et un autre modula un sifflement bas, de l'espèce réservée aux jolies filles et au danger.

Les bouches étaient une catastrophe. Toutes les bouches. Elle ne les avait pas bien dessinées, certes, mais la fresque avait mal tourné dès lors qu'Akhil avait insisté pour donner à toutes les lèvres des nuances de rose et de pêche. Les Grands avaient des sourires de matrones de country club.

Mais si Akhil avait la moindre conscience de son échec, c'est sans rien en montrer qu'il précédait Kamala dans le couloir pour lui montrer le travail en cours.

"Fais-moi voir, fais-moi voir", disait Kamala, éblouie, comme si ce n'était pas exactement l'intention d'Akhil. La porte de sa chambre s'ouvrit à la volée et Amina, laissant ses yeux se tourner vers le haut, vit pour la première fois que la fresque obscurcissait le plafond comme une gargantuesque araignée. Kamala tournait en rond au-dessous, les mains serrées sur son cœur.

"Fantastique!" dit-elle.

Trop content pour cacher son sourire, Akhil se détourna.

"Qui sont-ils?

— Dans l'ordre, Nelson Mandela, Martin Luther King, Mahatma Gandhi, Che Guevara et Rob Halford.

— Absolument! Lequel est Gandhi?

— Celui qui a des lunettes."

Kamala plissa les yeux.

Akhil soupira. "Celui de gauche.

— Oui, oui, bien sûr." Kamala souriait avec enthousiasme. "Et qui est le type un peu chauve, là?

— Rob Halford.

— C'est le chanteur de Judas Priest, expliqua Amina.

— Ravissant", dit Kamala. Elle paraissait si petite dans la chambre d'Akhil, en contemplation devant le plafond et les bras serrés sur sa poitrine, comme pour empêcher sa joie de s'échapper. "Et maintenant? Tu vas en faire encore? Ou autre chose?

— Je sais pas.

— Le ciel, peut-être?"

Akhil fronça les sourcils, il regardait le plafond. "Le ciel?

— Tu sais, comme fond. Sers-toi de l'éponge!

— Oh, ouais. Bonne idée, m'man.

— Bonne idée", répéta Kamala. Elle et Akhil étudièrent ensemble le plafond, en tournant leurs têtes d'un côté et de l'autre tandis que, sur le lit, Amina les observait. "C'est vraiment bien, Akhil. C'est incroyable que tu aies fait tout ça tout seul." Kamala hésita avant de tendre la main pour serrer doucement l'épaule d'Akhil. Elle la lâcha aussitôt et franchit la porte avant qu'il ait pu voir son visage envahi de tendresse.

Le ciel commença ce soir-là : des lambeaux de nuages progressant au travers d'un coucher de soleil orange et rouge.

Au-dessous d'eux, une bande d'oies des neiges en forme de crucifix volait vers un crépuscule sans fin. À la dernière minute, Akhil avait aussi inscrit sous chacun des Grands son nom en lettres capitales, suppléant ainsi à l'insuffisance de l'inspiration artistique.

6

Si elle avait su que ç'allait être un exercice d'humiliation totale, Amina ne serait pas venue au bal. Mais, là, assise dans un tourbillon de lumières disco, elle s'efforçait de ne pas regarder chacun et chacune des élèves de l'école au grand complet (Akhil compris, Dimple comprise) en train de se frotter à quelqu'un d'autre. Ce n'était pas facile. Dieu savait qu'elle avait déjà examiné en détail les banderoles décorant les murs du gymnase, les baffles géantes suspendues au-dessus d'une fumée à l'odeur douceâtre, la boule lumineuse rotative, tel un œil de cyclope. Les haut-parleurs hurlaient "Only the Lonely" comme une sorte de sarcasme cosmique.

Elle détestait. Elle détestait ces lumières et ses chaussures et ses cheveux et le fait que la voix mélancolique du chanteur lui faisait souhaiter une guerre nucléaire ou un tremblement de terre ou à vrai dire n'importe quoi pouvant donner à quelqu'un l'envie de l'embrasser.

"À quoi tu penses?" Un visage où tournoyaient des étoiles blanches se penchait sur le sien, et Amina se dressa brusquement, manquant de peu la collision. Jamie Anderson était debout à côté d'elle, col du blouson en jean relevé, sur une espèce de chemise en velours. Avec son énorme masse de boucles illuminée par les lumières colorées, il avait l'air d'un pissenlit givré.

"Quoi?

— Tu as l'air de penser à quelque chose.

— Des bombes", dit Amina, regrettant aussitôt ces mots.

Jamie hocha la tête, comme si, évidemment, elle pensait à des bombes. "Celles de la montagne?"

Amina le considéra avec méfiance.

"Kirtland, la base de la force aérienne. Tu sais bien."

Elle ne savait pas du tout de quoi il parlait, ni même pourquoi il lui parlait, vu qu'il n'avait plus dit un mot à personne au cours d'anglais après son éclat initial. Il la surprit encore davantage en s'asseyant. Une petite bouffée de lui s'échappa de son blouson. Il sentait le jean et le déodorant.

"On a évidé l'un des monts Manzano pour le remplir d'ogives nucléaires. Je croyais que tout le monde en ville savait ça.

— Je crois que personne ne l'a dit aux demeurés que nous sommes."

Jamie grimaça et sourit en même temps, en regardant derrière lui, et Amina s'essuya discrètement les mains sur son jean. En sueur. Elle transpirait.

"Alors, qu'est-ce que tu fais ici ?

— C'est le bal de l'école."

Pas formidable, comme réponse, mais Jamie hocha la tête. "Cool."

Amina essaya d'ignorer le couple devant eux, les nez fouillant les cous, les mains collées aux fesses.

"Tu sais que si il y a une guerre on sera les premiers à partir ? dit Jamie. Et ce qu'il y a, c'est que je parie que les Russes ne voudraient même pas nous tuer s'ils pouvaient. Je parie qu'ils sont juste comme nous, ici, simplement à la merci de leurs leaders…"

Amina se leva.

"Tu as une cigarette ?"

Il étouffa une expression de surprise. "Ouais, sûr."

Elle se détourna et commença à descendre. "Tu peux juste me la donner. Pas besoin de venir si t'as pas envie."

Il la suivit. "Et si j'ai envie ?

— Tu peux arrêter de parler de bombes ?

— Parce que ça te fait peur ?

— Parce qu'on dirait mon frère."

Il ne dit plus un mot pendant qu'ils descendaient le restant des gradins. Ils arrivèrent en bas au moment où, la chanson finie, la masse de visages assemblés devant eux se séparait, l'air alternativement rêveur ou simplement humide.

"Viens", dit Jamie en lui prenant la main. Elle baissa les yeux, fascinée par la vue de cette main pâle sur la sienne, et se laissa emmener à travers les corps échauffés, la sueur, l'eau de toilette, les gloss à lèvres aux saveurs fruitées et les sprays capillaires. Le linoléum succéda sous ses pieds au plancher en bois et l'air devint plus frais quand Jamie ouvrit d'une poussée la porte du gymnase. Elle le suivit vers une série d'arcades, à une trentaine de mètres du gymnase, et détourna les yeux pendant qu'il fouillait les poches de son blouson et puis la poche arrière de son pantalon.

"Bon, et qu'est-ce tu lui reproches à ton frère?" demanda-t-il en se mettant deux cigarettes dans la bouche. "C'est un type assez cool, non?

— Tu le connais?"

Jamie souffla sur l'extrémité de l'une d'elles, la lui tendit. "Pas vraiment. Je le vois de temps en temps. Il est allé à cette manifestation contre les déchets nucléaires à l'université du Nouveau-Mexique, la semaine dernière.

— Tu es allé à ce truc?

— Toute ma famille y est allée."

Amina se détourna, ahurie. Était-ce là ce que faisaient les autres familles? Une voiture s'arrêta en dérapant sur le parking. La portière s'ouvrit et trois filles se déplièrent du siège avant et filèrent en gloussant.

"Donc, t'es de Chicago, c'est ça?

— Oui. On a déménagé ici cet été.

— Mmh." Amina tapota sa cigarette, comme elle l'avait vu faire à Akhil, pouce sur le filtre. "Et Chicago te manque?

— Oui. Pas autant qu'à ma sœur, mais oui."

Elle le croyait. Les quelques fois où Amina l'avait aperçue pendant la pause de midi, Paige contemplait intensément l'extérieur du campus, comme si tout un monde l'attendait juste au-delà du portail.

"Pourquoi t'as été renvoyé de Saint-Francis?

— Qui dit que j'ai été renvoyé?

— C'est pas vrai?"

Jamie souffla sur le bout de sa cigarette. "Je me suis fait choper au spectacle de Noël: j'étais défoncé.

— Oh." Amina s'efforçait à la nonchalance, mais elle ne connaissait personnellement aucun élève de première année qui se soit défoncé, en tout cas pas assez pour être renvoyé de l'école. Il y avait là quelque chose qui l'excitait terriblement. Elle aurait voulu ramener Jamie vers la lumière et contrôler ses pupilles et ses réflexes, peut-être mettre sa mémoire à l'épreuve.

La porte du gymnase s'ouvrit, laissant échapper le gémissement aigu d'une guitare électrique avant de se refermer.

"De toute façon, je suis sûr qu'elle y retournera l'an prochain, dit Jamie. Elle essaie d'entrer à Northwestern.

— Pourquoi tu n'aimes pas Mr Tipton?" demanda Amina.

Jamie haussa les épaules. "C'est juste que tout le monde a l'air de lui lécher les bottes.

— Parce que si t'essaies de te faire renvoyer de nouveau, tu peux oublier. Ce qu'on peut te faire de pire, ici, c'est te faire asseoir dans un coin et t'interdire de participer à la discussion."

Il pouffa. "Ouais, ça serait vraiment grave."

Qu'y avait-il chez lui qui rendait si difficile de cesser de le regarder? Dans une école où les garçons arboraient menton rasé et cheveux courts, il n'était même pas beau. Il avait les yeux trop enfoncés et les sourcils trop fournis. Et pourtant, associé à ses joues roses et ses lèvres trop féminines, cela lui donnait un visage curieusement androgyne et Amina devait lutter, en classe, pour l'ignorer. À présent, le sarcasme sur ces lèvres déclenchait un petit incendie le long de sa colonne.

"Je ne suis pas une lèche-bottes, dit-elle.

— Quoi?

— Je ne suis pas une lèche-botte juste parce que je participe au cours.

— J'ai pas dit ça.

— Ouais, c'est ça.

— Non, vraiment. Ça me *plaît*, ce que tu dis en classe, dit-il. Je veux dire, c'est intelligent.

— Non, pas du tout."

Pourquoi avait-elle dit ça? Elle ne savait même plus ce qu'elle disait, ni ce qui pourrait desserrer le nœud qui lui durcissait la gorge. Elle regarda, à l'autre bout du parking, l'une des voitures qui paraissait tressauter de façon déconcertante. Elle sentit le regard de Jamie accompagner le sien et ses cheveux se dressèrent dans sa nuque comme si on les brossait à l'envers. Elle céda à l'envie de le regarder carrément. Ses cheveux rayonnaient autour de sa tête comme une splendide auréole et elle sentit son visage se rapprocher, centre d'une fleur étrangement belle.

"Quoi?" fit-elle, et il recula brusquement, surpris.

Il regarda sa main. "Tu vas fumer ça?"

Une cendre longue comme le pouce s'allongeait au bout de sa cigarette. Elle la secoua, la glissa entre ses lèvres comme une paille et aspira. Un chat toutes griffes dehors descendit dans sa trachée. Pendant un instant, elle garda la fumée en bouche, consciente de l'expression de curiosité de Jamie, et puis elle étouffa et tout sortit à la fois, fumée, larmes et salive lui explosant au visage. Jamie bondit en arrière.

"Purée!"

Elle s'étrangla et recommença à tousser, calant cette fois son visage au creux de son bras pour qu'il ne puisse pas la voir. Elle ahanait, hoquetait. Elle sentit qu'il lui donnait des tapes sur le dos, comme si ça pouvait servir à quelque chose, et pesta en silence jusqu'à la fin, qui vint avec quelques respirations tremblantes et en avalant.

"Ça va?"

Elle hocha la tête, n'osant se fier à sa voix. Elle avait envie de faire un renvoi et ne savait pas trop s'il serait de fumée ou d'air.

"Tu fumes pas, hein?"

Elle secoua la tête, ce qui le fit éclater de rire. Elle jeta le restant de la cigarette et l'écrasa.

"Pourquoi tu m'en as demandé une?

— J'avais juste envie de sortir de là.

— Ouais. Tu m'étonnes." Il se tourna vers le gymnase et fit un pas dans sa direction, puis se retourna de nouveau. "Alors, tu veux aller faire un tour?

— Non.

— Le tour du terrain de foot, par exemple, dit-il en le montrant du doigt comme si elle ne savait pas où c'était. Et ensuite on peut rentrer."

L'arrosage venait d'être coupé et Amina sentait l'herbe mouillée lui chatouiller les chevilles pendant qu'ils suivaient la limite tracée à la chaux. Jamie marchait un peu en avant d'elle.

"Et Paige, qu'est-ce qu'elle a fait?

— Quoi?

— Pour se faire renvoyer?

— Oh, rien. Elle a demandé à nos parents si elle pouvait changer d'école parce qu'elle trouve l'enseignement catholique délibérément rétrograde."

Ils approchaient d'un angle, et l'épaule d'Amina frôla celle de Jamie quand ils le contournèrent. Il balançait la main près de la sienne, laissant derrière elle comme une petite queue de comète de chaleur, et Amina se dit que si elle était Dimple, elle saisirait cette main comme si c'était une chose normale à faire.

"Vous êtes hindous, c'est ça?

— Quoi? fit Amina, étonnée. Non, on est chrétiens.

— Ah." Il paraissait un peu déçu.

Amina pressa un peu le pas. "Ouais. Enfin, c'est pas qu'il y ait personne dans ma famille qui soit quoi que ce soit, en fait. Notre mère nous a emmenés à l'église, genre, deux fois. Mais on n'est pas hindous. Même si, apparemment, les gens qui ont été convertis à notre genre de christianisme étaient probablement quelque chose comme des brahmanes quand saint Thomas est arrivé en Inde en l'an 50, c'est de là que date notre religion, même si tout le monde a tendance à supposer que c'était un truc de la colonisation britannique."

Elle parlait trop? Oui, elle parlait trop. Elle combattit l'envie inexplicable de raconter à Jamie qu'Akhil et elle avaient un jour trouvé une vipère dans le jardin de leur grand-mère ou que, quand il était petit, Thomas voyait brûler des cadavres sur les berges du fleuve. Ils tournèrent un autre coin et Amina remarqua non sans déception que la lumière était allumée dans le gymnase. Des groupes d'élèves commençaient à en sortir.

"On devrait rentrer", dit Jamie, en coupant à travers le terrain. Elle le suivit.

"Merde, merde, me-e-erde."

Comme ils approchaient du break, Akhil était en train de se frapper furieusement la tête contre le pare-brise, les mains agrippées au toit.

"Qu'est-ce qui te prend?" demanda Amina, qui aurait désiré plus que tout que son frère conserve ne fût-ce qu'un soupçon du caractère cool que Jamie lui avait attribué un peu plus tôt.

"Les clé-é-é-és, dit Akhil sans s'interrompre. Siè-è-è-ège."

Amina l'écarta d'une poussée. En effet, elles étaient là, scintillantes, derrière la vitre close et la portière verrouillée.

"Tu as enfermé tes clés dans la voiture? demanda Jamie, et Akhil promena un regard vague de lui à Amina et retour.

"On dirait bien, dit-il.

— Je reviens", dit Jamie et, se détournant, il marcha vers les portes du gymnase d'où des gens sortaient encore par petits paquets transpirants.

"Qu'est-ce tu fous avec ce type?

— Rien. Comment on va rentrer à la maison?

— Je sais pas.

— Et Mindy?

— Je l'ai déposée chez elle. On avait fini."

Amina regarda la voiture, fronça le nez. Elle détestait entrer là-dedans quand l'odeur surchauffée de Mindy (Giorgio de Beverly Hills, menthol, levure) restait accrochée au capiton des sièges. "Super."

"Tu as enfermé tes clés?"

Amina et Akhil se retournèrent et découvrirent Paige qui arrivait d'un pas vif, suivie de Jamie.

"Ouais.

— Et tu n'as pas un cintre sur toi?"

Des fossettes encadraient son sourire moqueur.

"Non, fit Akhil, renfrogné.

— Je blaguais, dit-elle. Je crois que j'en ai un dans ma voiture.

— Laisse tomber si c'est un souci.

— T'en fais pas, dit Paige. Je fais ça tout le temps.

— Elle est calée", dit Jamie tandis qu'ils la regardaient marcher sur le parking vers une fourgonnette jaune. "Plus rapide que n'importe qui.

— Moi, c'est Akhil, à propos", dit Akhil en tendant la main pour serrer celle de Jamie. Jamie lui rendit la politesse, après quoi ils laissèrent retomber leurs mains et les fourrèrent dans leurs poches, embarrassés par ce formalisme soudain.

"On a cours ensemble, dit Amina. Anglais.

— Ah, ouais, avec Tipton ? ricana Akhil. Qu'est-ce que tu penses de ce type ?

— J'essaie de pas penser.

— Bonne réponse."

Paige émergea de la fourgonnette en agitant une main triomphante.

Pour tout dire, regarder Paige Anderson déplier le crochet du cintre tout en étudiant le bouton de verrouillage de la portière, en assimilant ses dimensions et en calculant la géométrie qui guidait sa main au bout du crochet, était assez fascinant. Elle lui donna la forme d'un petit U, qu'elle fit glisser d'abord vers le haut puis vers le bas dans la fente de la vitre. En se mordant la langue entre les dents de devant, elle accrocha le cintre au bouton. Il glissa.

"Flûte." Elle secoua les mains. "Donnez-moi une minute.

— C'est pas comme si on allait quelque part", dit Akhil, et elle inspira profondément et inséra de nouveau le cintre, en le tirant cette fois en oblique. Le bouton sauta.

"Pas mal." Akhil sourit.

"Merci", dit Paige, l'air assez content. Elle ouvrit la portière et lui donna les clés.

"Incroyable." Akhil ne regardait même pas les clés, il n'en avait que pour Paige et son visage était animé d'émotions qu'Amina n'avait jamais vues : admiration, désir et un bonheur brut en envahissaient la surface.

"Faut qu'on y aille", dit Jamie, interrompant un silence devenu trop long.

"Oui, fit Paige faiblement, en reculant. Faut que je récupère mon sac à l'intérieur. Tu peux prendre la voiture et me retrouver ?

— D'ac." Il tendit la main et Paige lui lança les clés.

"Tu conduis ? demanda Amina.

— Sur le parking", fit Jamie, et il était parti, déjà à trois mètres avant qu'Amina ait pu dire au revoir.

"Bien, dit Paige à Akhil. On se voit lundi, je suppose.

— Ouais." Akhil la regarda s'éloigner, en souriant de ce sourire dément qui donnait à Amina l'envie de le frapper ou de lui couvrir la tête d'un sac en papier. "Attends !

— Ouais ?"

Il se racla la gorge. "Euh… c'est quoi, ton prénom ?"

Paige le dévisagea pendant de longues secondes, de plus en plus pénibles. Enfin, elle dit : "On est ensemble dans l'équipe de maths, je viens de forcer ton verrou, et tu me dis que tu connais pas mon prénom ?

— C'est-à-dire…" commença Akhil, mais déjà elle s'en allait à grands pas, ses doigts dessinant une vague derrière elle. Elle était à mi-chemin du gymnase, son dos passant en souplesse de flaque en flaque de lumière, avant qu'Akhil ne se remette à respirer, les traits crispés de panique. "Merde. Tu crois que je devrais… ?

— Me demande pas…" commença Amina, agacée, mais il courait avant même qu'elle ait fini, la chemise gonflée de vent, réduisant l'allure de ses jambes à un petit trot puis à une marche très rapide qui rattraperait Paige juste avant qu'elle n'arrive à la porte du gymnase. Amina le vit lui toucher le bras et puis reculer, se passer une main dans les cheveux et dire quelque chose qu'elle ne pouvait entendre. Il y eut un temps. Une pause. Un instant de silence entre eux, où Amina reconnaîtrait plus tard l'inoubliable virage dans l'extraordinaire. Alors Paige rejeta la tête en arrière et rit, révélant l'éclat blanc de ses dents, la longue courbe de son cou et un destin auquel Akhil n'avait pas la moindre chance de résister.

LIVRE 6

NOUS ENSEVELISSONS
CE QUE NOUS AVONS PERDU

Albuquerque, 1998

1

Si elle avait été le moins du monde étonnée de voir Amina revenir de l'aéroport, sa mère n'en avait rien montré. Après un bref froncement de sourcils devant la voiture de Monica qui ronronnait dans l'allée, elle était rentrée droit dans sa cuisine, avait ouvert le frigo et en avait sorti la pâte à *dosas* et le *masala* aux pommes de terre pour le déjeuner.

"Tu restes, alors?" Kamala versa dans une poêle une cuillerée de pâte blanche qu'elle fit lentement tourner pour l'arrondir tout en l'amincissant.

"Oui, pour quelque temps." Amina s'était assise au comptoir de la cuisine, affamée, son sac à ses pieds. "Quelques semaines, au moins. Je viens de parler à Monica, et elle m'a dit…

— Alors il va me falloir du bœuf et du poulet." Kamala rectifia sa natte d'une traction sèche.

"Quoi?

— Faut que tu manges, non?

— Oui. Bien sûr." Amina buvait de petites gorgées d'eau, comme si ça pouvait satisfaire ses entrailles exaspérées. La faim l'empêchait de penser.

"Et alors tu pourras photographier le mariage Bukowsky, aussi", dit Kamala.

— Quoi?

— La fille de Julie! Je t'en ai parlé. Le mariage, ce week-end?"

Amina regarda sa mère sans réagir.

"Jenny Bukowsky, c'est une des infirmières en salle d'op. Elle se marie samedi et nous devons y aller de toute façon. Tu pourras prendre quelques photos. On te les achètera pour leur en faire cadeau." En un geste fluide, Kamala retourna la crêpe sur une assiette, ajouta en son centre une portion grosse comme le poing de pommes de terre et la plia en deux. Elle la tendit à Amina. "Coco ou tomate, le chutney?

— Oui, s'il te plaît."

Kamala déposa sur son assiette une généreuse cuillerée de chaque avant de revenir à son fourneau. En remettant la louche dans la pâte, elle annonça : "J'ai annulé le dîner avec Anyan. Mange."

La crêpe craqua sous les doigts d'Amina, lâchant une bouffée de vapeur qui sentait le curcuma et les piments rouges et la remplit d'un soulagement si vif qu'il effaçait tout le reste. Elle mangea une *dosa* puis une autre, avec une conscience vague de sa mère la resservant de chutney et remplissant son verre d'eau. Enfin, au milieu de la troisième, elle se détendit, la bouche picotante. Elle savait qu'elle devait parler à Kamala de Monica, de la voiture, de la conversation et, au lieu de ça, se surprit à dire : "Demande-lui si ça irait mercredi."

Sa mère jeta un regard rapide par-dessus son épaule. "Quoi?

— Pour dîner. Le Dr George.

— Vraiment?

— Oui." Amina se sentit momentanément coupable en voyant le plaisir qui éclairait le visage de sa mère. "C'est délicieux, au fait.

— Je t'en fais encore une.

— Non! Jésus, tu vas me faire grossir si tu me nourris comme ça.

— Pas de Jésus", fit Kamala, légèrement réprobatrice. Elle enleva la poêle du fourneau, la déposa dans l'évier et fit couler de l'eau qui siffla en la refroidissant. L'un après l'autre, elle rangea les chutneys dans la porte du frigo et se retourna. Elle s'approcha d'Amina et l'étreignit si brièvement et furieusement qu'elle avait déjà fait cinq pas hors de la cuisine avant qu'Amina n'ait le réflexe de lui rendre son étreinte.

La moitié du village de Corrales et la majorité des équipes de la salle d'opération du Presbyterian Hospital étaient présentes au mariage Bukowsky ce samedi soir. Des bottes de cow-boy cirées de frais escortaient des chevilles coiffées de jupes western à travers le terrain de parking parsemé de crottins de cheval et puis jusqu'à la piste de danse, un espace de terre battue nivelé entre des peupliers. À côté, sur le plateau d'un semi-remorque, les Lazy Susannah jouaient du *bluegrass* à plein volume sous un cercle de guirlandes de Noël, tandis que chiens et petits enfants se bousculaient entre les chaises pliantes et que Johan Bukowsky tordait sa chemise.

"Je suis content", proclama-t-il à plusieurs reprises, suscitant des huées approbatrices dans la foule. "Ça devait arriver un jour, pas vrai? Simplement, je pensais pas que ce serait si tôt."

Tout le monde rit, les sept années de fiançailles de sa fille ayant été abondamment commentées au cours de la cérémonie, et Jenny elle-même enfouit vivement une tête hilare dans le cou du marié. Amina posa un pied léger sur la piste de danse pour prendre une photo, et puis recula quand le photographe officiel apparut dans son champ de vision.

"Tu as réussi à l'avoir? demanda Kamala, anxieuse, derrière elle. Il faut que tu en fasses une autre?

— Nan." Amina dirigea son objectif vers ses parents, qui paraissaient particulièrement sensationnels et discordants, vêtus de leurs plus belles soieries, tels des acteurs de Bollywood égarés dans une scène de western.

"Pas nous!" Kamala se tapota la lèvre supérieure avec le bout de son sari. "Ce qu'il te faut, c'est les mariés debout en train de s'embrasser! Et puis un de ces personnages tout déguisés devant l'autel, à rien faire. Et le gâteau! N'oublie pas le gâteau!

— C'est le vrai photographe qui fera ça, lui rappela Amina. Je ne suis ici que pour faire plaisir, n'oublie pas.

— Ce ne sera pas un grand plaisir si tu ne prends pas de jolies photos.

— N'est-ce pas merveilleux? roucoulait Thomas. Vous pouvez y croire?"

Au moins avait-il conservé intacte son incapacité à réprimer ses larmes lors d'un mariage. Amina saisit quelques images des lumières de Noël reflétées dans les yeux de son père qui, les mains levées, dansait au bord de la piste. Elle n'avait pas eu de difficulté à le convaincre que quelques semaines de ses obligations s'étaient trouvées annulées, libérant soudain son emploi du temps. Elle en avait eu davantage à convaincre Jane qu'il fallait qu'elle reste, comme à la persuader d'engager des freelance pour combler le vide de ces trois semaines. "Des gens qui ont vraiment envie de ton job", avait dit Jane. Le rire qu'elle avait intercalé pour atténuer la menace n'avait fait qu'accentuer l'inquiétude d'Amina.

Elle se fraya un chemin vers le jardin à travers le cercle des gens qui regardaient les danseurs.

Des cuves de bière éclairaient la soirée, telles des balises flottantes. De petits groupes bavards s'étaient disséminés, installés pour la nuit, et elle tâcha de prendre quelques instantanés de chacun d'entre eux avant qu'ils n'aient remarqué sa présence. Une fille aux cheveux sombres, encore trop jeune d'une bonne année pour avoir conscience de ce qu'elle faisait, essayait de danser avec un labrador noir, pattes sur épaules, et Amina recula pour la cadrer, ne se rendant compte qu'après avoir pris la photo que son cul reposait contre les mains très immobiles de quelqu'un.

"Bon sang!" Pivotant sur elle-même, elle découvrit un grand vieillard vêtu d'un énorme costume, qui avait l'air vaguement choqué. "Je suis…

— Mille excuses, bégaya l'homme en baissant les yeux vers elle. Je n'essayais pas…

— Non, non, c'était moi. Je ne regardais pas." Elle se sentit rougir et brandit son appareil comme s'il l'avait poussée. "Photos!

— Ah. Oui, d'accord."

Il n'était pas vieux du tout, elle s'en rendit compte en examinant le visage de l'homme. C'était la calvitie qui l'avait trompée. Ce visage était en fait assez jeune, tout en sourcils épais et traits rocailleux. L'homme lui fit un sourire d'excuse et Amina regarda automatiquement dans son viseur, où quelque chose lui plaisait dans la forme de son crâne et la silhouette du tronc d'un peuplier, derrière lui.

"Oh, non, pas ça", dit-il en sortant du cadre, mais pas avant qu'elle n'ait saisi quelque chose. L'éclat des yeux très enfoncés. La bouche féminine. La couverture de son exemplaire d'écolière *d'Au cœur des ténèbres* surgit brusquement dans sa mémoire et elle baissa son appareil.

"Jamie Anderson."

Son sourire était le même, une grimace. "Salut, Amina.

— Je ne t'avais pas reconnu.

— Je sais.

— Tu es chauve." Les épaules d'Amina bondirent comme sous l'effet du syndrome de la Tourette. "Ce n'est pas ce que je... c'est juste que, tu sais, tu avais – Amina écarta les mains à bonne distance de part et d'autre de sa tête – des cheveux.

— Je les rase en été." Jamie se frotta l'oreille, qui était écarlate. "Moins de tracas."

Son crâne brillait comme un bol de porcelaine, et elle réprima une absurde envie de le lécher. Le temps l'avait fait grandir, forcir un peu, il avait le visage et les épaules plus pleins. Mais cette bouche. Elle n'avait pas changé du tout – lippue, irascible, légèrement béante, comme prête à la dispute. Amina la regardait fixement, vaguement consciente que cette bouche l'interrogeait.

"Quoi?"

Il montra du doigt son appareil. "C'est toi la photographe?

— Oui. Je veux dire non, pas *la* photographe, comme la photographe *du mariage*, mais une photographe. Dans la vie. Mon gagne-pain." Parlait-elle une langue intelligible? Elle baissa les yeux vers son appareil et le caressa comme si c'était un petit chien.

"Ah." Jamie but une gorgée de bière. "Et qu'est-ce que tu photographies? Dans la vie? Ton gagne-pain?"

Amina rougit, toussota. "C'est incroyable que tu vives toujours ici.

— Je viens de revenir, il y a six mois. Un poste à l'université du Nouveau-Mexique.

— Tu es professeur?

— D'anthropologie.

— Sérieusement? Je veux dire, c'est formidable."

Jamie la considérait avec curiosité, un demi-sourire aux lèvres. "Alors tu es revenue, toi aussi?

— En visite. Rien qu'un petit séjour. Quelques semaines. Mon père ne va pas très bien." Pourquoi diable avait-elle dit ça? Son visage devint brûlant tandis que Jamie la regardait avec un peu plus de sympathie qu'elle n'était prête à en recevoir de la part d'un inconnu. Elle se détourna. De l'autre côté du jardin, une femme mince était assise seule sur une chaise pliante, une assiette en carton pleine d'*enchiladas* sur les genoux. Amina éleva son appareil et prit rapidement une photo.

"C'est grave? demanda Jamie.

— Je ne sais pas." Mal à l'aise, Amina se balançait d'un pied sur l'autre.

"Excuse-moi, je ne voulais pas être indis…

— Tu ne l'es pas. Je veux dire, tu l'es, mais ça ne me dérange pas." Amina tripotait le flash sur son appareil. "De toute façon, il faut que j'y retourne. J'ai promis à ma mère de prendre des photos pour elle.

— Oh. Oui, bien sûr." Jamie recula pour la laisser passer, et elle fila vivement vers le bar.

"Ravi de t'avoir revue", lui cria-t-il et, trop troublée pour se retourner, elle agita un bras derrière elle.

Ridicule. Elle avait été ridicule. Raconté n'importe quoi. Et toujours étourdie par la moitié inférieure de ce visage. Le vin que lui tendit le barman quelques instants plus tard était un peu trop sucré, mais elle but le verre entier, n'osant pas se retourner pour regarder la fête avant qu'il soit presque vide. Jamie avait traversé la pelouse et, là-bas, se penchait pour embrasser la mariée sur la joue.

"Ma cocotte!"

Amina pivota, découvrant Monica qui arrivait vers elle, bras tournoyant, cheveux s'échappant d'une tresse africaine. En étreignant Amina, elle lui renversa un peu de vin blanc dans le dos.

"Zut! Je t'ai eue?

— Un peu.

— Pardonne-moi, mon chou. *Quelle* semaine!" Son intonation appelait une demande de détails, mais Amina laissa passer. "Comment vas-tu?

— Bien", dit Amina. L'orchestre était monté à la puissance supérieure, les banjos se déchaînaient et, sur la piste, un cercle se formait, dense, claquant des mains.

Monica se pencha vers elle en baissant la voix. "Rien de nouveau?

— Pas encore, mais j'ai un plan. Je vais en parler à Anyan George.

— Au Dr George?" Elle paraissait soucieuse.

"Je sais mais, écoute, on a besoin d'aide. Et mieux vaut lui qu'un autre.

— Oui, je suppose que tu as raison. C'est une bonne idée. Je suis sacrément contente que tu sois rentrée!" Monica lui mit un bras sur les épaules, répandant sur elle des senteurs de déodorant floral et de vin blanc.

Et, soudain, elle poussa un glapissement de joie. "Oh! Regarde-le! Il y a combien de temps que tu ne l'as plus vu comme ça?"

Oscillant d'une hanche sur l'autre, Thomas était passé au centre du cercle, les bras croisés devant lui comme un danseur folklorique russe. Trois coups de pied firent monter de la foule trois clameurs enthousiastes et il se redressa sur le dernier, paumes ouvertes à l'air, menton levé au ciel, boucles bondissantes. Amina le trouva dans son viseur. Un sourire s'épanouit, enchanteur, sur le visage de son père.

"Ça va aller, tu verras", dit Monica en avalant une gorgée de vin, et Amina laissa l'obturateur cliquer et cliquer encore, en souhaitant désespérément qu'elle ait raison.

2

Comment avait-elle pu oublier que la lumière plate des après-midi dans le désert pouvait absorber les dimensions de n'importe quoi ? Les premières photos du mariage Bukowsky étaient complètement ratées. Les mariés avaient l'air de dessins au trait, avec une balafre en guise de bouche et des orbites vides à la place des yeux. Amina les feuilleta rapidement et empila les plus mauvaises sur le bureau d'Akhil. Du moins avait-elle trouvé son rythme à l'arrivée du crépuscule. Elle s'attarda sur la photo de Jamie Anderson, heureuse de pouvoir le dévisager sans avoir à faire la conversation. Ses traits, jadis étranges et doux, s'étaient durcis en failles et saillies abruptes. Il s'était détourné juste au moment où elle prenait la photo, les yeux baissés, la bouche esquissant une moue qui provoquait en elle un mélange de désir et de désespoir. La conversation avec Jamie ne s'était pas très bien passée, c'est vrai, mais ses conversations avec des hommes se passaient presque toujours mal.

Le téléphone sonnait.

"Ami, prends-le", cria sa mère d'en bas.

Elle tendit le bras mais, sur le bureau, la base du téléphone était vide. Amina se leva et parcourut la chambre du regard. Le téléphone sonna de nouveau.

"Ami !"

"Attends !" Elle se tourna vers le lit, souleva un oreiller puis le blazer de Thomas avant que ses bras, comprenant ce qui échappait à son cerveau, n'ouvrent la porte du placard. À l'intérieur, le téléphone trillait comme un fou, apparemment ravi d'être retrouvé. Amina le ramassa, débarrassa le micro d'un film de poussière.

"Allô?

— Je crois que j'étouffe." À l'entendre, Dimple n'avait pas l'air d'étouffer. Elle avait l'air d'allumer une cigarette. Le matin à Pioneer Square bruissait autour d'elle, ivrognes, coursiers à vélo et ferries flottaient au long de la ligne téléphonique. "Je ne crois pas que j'arriverai à monter cette exposition.

— Bien sûr que si.

— Non, je n'y arriverai pas, dit-elle, irritée. Et c'est pas d'encouragements que j'ai besoin en ce moment, Amina, c'est de réalisme."

Le téléphone à la main, Amina retourna s'asseoir au bureau. "Qu'est-ce qui s'est passé?

— Je n'ai toujours trouvé personne à montrer en même temps que Charles White. Je te jure, j'ai cherché partout. Pas moyen, putain."

Amina regarda encore quelques photos du mariage. Les *enchiladas* aux piments rouges n'étaient pas photogéniques. Les invités penchés sur leurs assiettes en carton blanc avaient l'air de dévorer des amas de chair sanglante. "Il ne commence pas à être un peu tard?

— Tu ne m'aides pas.

— Tu as demandé une réaliste.

— Ouais, pas une conne.

— Écoute, Dimple!

— Désolée. C'est pas ta faute. Ou plutôt, si, mais pas vraiment.

— Qu'est-ce que j'ai fait?

— Je voudrais montrer ton travail."

Amina déglutit. "Oh."

Dimple renifla, sarcastique. "*Oh*, dit-elle.

— Qu'est-ce que tu voudrais que je dise? J'ai rien."

Il y eut un silence bref, perturbant, de l'espèce qui précède les conflits familiaux comme un renforcement du champ électrique précède les éclairs.

Dimple se racla la gorge. "Bon, écoute, j'ai trouvé les photos dans ton placard.

— Tu as quoi?

— J'ai trouvé…

— T'es allée dans mon placard?"

— Oui. Écoute, j'étais chez toi pour les plantes, et puis j'avais besoin d'une veste, alors j'ai…

— C'est ça…"

Dimple se tut une seconde. "OK, d'accord, j'ai fouillé tes affaires. Je ne sais pas vraiment pourquoi. Je sais que ça paraît bizarre. Mais je les ai trouvées et, putain, je les adore. Et, écoute, je sais que ce n'est pas un très bon moment pour te le demander, et j'espère que tu sais que je ne le ferais pas si je n'étais pas vraiment désespérée. Et puis, non, désespérée et *fascinée*. Parce que ton travail est fascinant." Elle respira un grand coup, adoptant un ton qu'Amina l'avait entendue trop souvent utiliser avec d'autres pour se sentir flattée. La voix mielleuse, caressant subtilement l'ego. "Le truc, tu vois, c'est que j'arrête pas de me dire que ça serait génial, en fait. C'est un bon couplage, un contrepoint vraiment parfait à la sélection de Charles. Je pense qu'en fait on pourrait voir assez petit – concentré. Huit ou dix…

— Non.

— Attends, écoute une seconde, tu veux ? Tu sais qu'on explore l'idée des accidents domestiques, et c'est, comment dire, parfait. Alors si on prend la grand-mère dans les pommes, le porteur d'anneau en train de se pisser dessus, et ces deux demoiselles d'honneur qui se disputent le bouquet…

— Tu écoutes ? Non.

— … en tête, la photo de Bobby McCloud en train de sauter…

— Non !

— La demoiselle d'honneur qui vomit. Ça, on doit la montrer, évidemment.

— Dimple, il n'en est pas question. Point final. Et si Jane s'aperçoit jamais de l'existence de ces photos, elle me sacque instantanément. C'est pas pour rien qu'elles étaient cachées.

— Attends, c'est à *Jane* que tu les cachais ?

— Oui ! Mais aussi aux clients. Eux non plus ne connaissent pas leur existence. Et ce n'est pas comme ça qu'ils vont la découvrir.

— Je ne vois pas bien en quoi l'opinion de Jane importe", dit Dimple.

Ce n'était pas la bonne voie. "Écoute, tu m'as demandé. Je dis non. C'est clair ?"

Soupir. Silence.

"Dimple, tu m'entends?

— Ouais, ouais, je t'entends. Je sais ce que tu dis. Et je sais qu'on a déjà eu cette discussion, mais, quelque part, Amina, je ne suis jamais tout à fait convaincue que tu n'aies pas envie que je continue à t'emmerder avec ça. C'est pas vrai? C'est un petit peu vrai, non?" Dimple inspira de nouveau avec force. "On perd quand même pas toute ambition parce qu'on a bifurqué pour quelque temps.

— Bifurqué? Je suis une photographe de mariages!

— Et alors? Et si montrer tes trucs était, disons, ce dont tu as besoin pour aller plus loin? Tu sais, comme à la télé, l'*Oprah Show* : ménagère effrayée-par-son-ombre se souvient de son feu intérieur, démarre une entreprise multimillionnaire, s'occupe d'orphelins à ses heures perdues. La boucle est bouclée.

— Je dois partir.

— Attends! Non! OK, écoute, je suis désolée. Je n'aime pas faire ça. Je déteste être obligée de mendier quelque chose que tu devrais être ravie de me donner. Je veux dire, c'est professionnel. C'est une chance. Tu as pris ces photos, les meilleures putains de photos que je t'aie vue prendre, soit dit en passant, et quoi? Tu penses que si tu les montres, tu t'en porteras plus mal?

— Depuis quand ça me concerne? T'as des problèmes de boulot et c'est moi l'emmerdeuse?"

Il y eut une pause brève au bout de la ligne, ponctuée par le bêlement angoissé d'un ferry.

"OK, d'accord, tu as raison, dit Dimple. Oui, je suis en panne. Je n'ai personne qui convienne, et même si j'avais quelqu'un, je n'aurais pas une série de clichés originaux que j'adore prête à monter! Mais toi, oui. Et tu es là, donc on pourrait sortir ça rapidement. Et je crois que tu serais parfaite pour cette expo. *Je t'en prie.*"

On aurait dit une junkie. Accro à la photographie. La chose la plus triste, la plus prétentieuse au monde.

"Je ne suis pas là, dit Amina.

— Tu reviens cette semaine.

— Non, il faut que je reste ici un petit moment.

— Tu te fous de moi!

— C'est mon père, il ne va vraiment pas bien.

— Qu'est-ce qu'il a?"

273

Ça n'aurait pas dû faire tant de bien, ni sembler si facile de tout raconter à Dimple, étant donné la conversation qui avait précédé, et pourtant ce fut le cas. Elle eut l'impression de se débarrasser d'un casque trop serré.

"Oh mon Dieu." Les chaussures de Dimple claquaient au rythme de ses allées et venues. "La famille est au courant? Bon, ma mère non, sinon tout le monde serait au courant, mais les autres?

— Je crois pas. Ça dépend de ce qui a filtré à l'hôpital. Mais tu ne dis rien, d'accord? Faut que j'essaie de comprendre certains trucs.

— Bien sûr. D'accord. Je n'en parlerai pas à Sajeev."

Amina fronça les sourcils. "Pourquoi tu lui en parlerais?

— Quoi? Oh, simplement parce qu'il me demande des nouvelles de tout le monde là-bas quand on bavarde.

— Vous bavardez?

— Il passe. On parle de photo numérique, blablabla. Rien d'important. Combien de temps tu vas rester là-bas? Quelques jours?

— Peut-être encore quelques semaines." Amina parcourut les dernières photos restant sur le bureau, en essayant de reproduire le ton étrangement plat de Monica l'autre jour dans la voiture. "Il faut juste qu'on lui fasse passer des examens et puis qu'on prenne les choses par étapes."

Elle s'arrêta sur une image de ses parents. Elle la posa à plat sur le bureau. Dimple lui disait qu'elle allait continuer à relever son courrier et à arroser ses plantes, mais Amina ne l'entendait quasiment plus. Techniquement, la photo était magnifique. Prise au moment où le soleil attire à la surface toute la couleur du désert, on y voyait Thomas dans toute sa radieuse splendeur, en train de danser, les bras au ciel, entouré d'un cercle flou de visages souriants. Sauf celui de Kamala. Bien que sa netteté fût relative, Amina voyait la crispation méfiante du front de sa mère, l'expression de quelqu'un qui tente d'évaluer la gravité d'un accident de voiture.

Pendant une demi-heure après qu'elle et Dimple eurent raccroché, Amina, assise devant le bureau de son frère, écouta ses parents circuler dans la maison, entrer et sortir bruyamment à intervalles réguliers, ouvrir et fermer placards, tiroirs et portes sans jamais paraître se rencontrer. C'était étonnant, à vrai dire, une danse si complexe qu'elle donnait l'impression d'une chorégraphie exécutée à la perfection grâce à des années de pratique.

Et que feraient-ils si Thomas avait réellement quelque chose de grave ? Comment pourraient-ils y faire face mieux qu'ils ne se faisaient face l'un à l'autre ? Amina contemplait le visage indistinct de Kamala sur la photo. Il ne servait à rien, en vérité, de craindre ce qui était en train de leur arriver, de démanteler petit à petit le train-train familier de leurs existences, mais cela ne l'empêcha pas de rester assise aussi immobile qu'elle pouvait dans la lumière montante du jour, comme si l'immobilité pouvait maintenir le pire à distance.

3

Anyan George était attachant à sa manière. Ce n'était pas une manière qui donnait à Amina l'envie de se reproduire avec lui, ni même de devenir assez intime pour une étreinte amicale, mais son offre d'aider à la cuisine, sa tentative de paraître à l'aise, avec sa chemise à boutons et son affreux gilet en tricot à losanges, ses questions concernant les nombreuses sœurs de Kamala et son rire saluant de gloussements généreux tout ce qui ressemblait de près ou de loin à une plaisanterie firent du dîner du lendemain soir une moindre corvée que ce qu'elle avait imaginé.

"Encore du chou? demanda Kamala en poussant le plat vers lui. Amina, passe-lui le chou.

— Oh, non, merci, dit le Dr George, en tapotant son gilet. Je suis tout à fait repu. C'était absolument délicieux.

— Vous allez l'emporter chez vous! On ne veut pas vous voir avec la peau sur les os!" Kamala sourit un peu trop fort, en parcourant la table des yeux. "Amina sera une fameuse cuisinière, un jour, vous savez.

— Vous devez tenir de votre mère en cuisine?

— Mon Dieu, non. La seule chose dont je suis capable, dans la cuisine, c'est d'essayer de ne faire mal à personne.

— Amen, amen, approuva Thomas.

— Oh, bah! Et pour le dessert, Anyan? demanda Kamala, contrariée. Nous avons des glaces, nous avons des petits gâteaux et nous avons du *ladoo*.

— Je suis absolument désolé, il faudrait que j'y aille. Visites matinales, et tout ça.

— Bien sûr, bien sûr." Kamala se dirigeait déjà vers la cuisine, les mains chargées de plats. "Laissez-moi seulement rassembler les restes. Amina, viens."

Dans la cuisine, le sourire de sa mère disparut. "Sais pas cuisiner! Qui commence par dire aux gens le pire sur soi? Pourquoi ne pas lui laisser le temps de te connaître?

— Tu crois que c'est ça, le pire, chez moi?

— Je dis seulement, laisse-lui le temps de te connaître. Toute la soirée, ton père et toi, vous faites les clowns pour le faire rire." Kamala ouvrit un placard, en expulsa deux boîtes Tupperware vides. "Comment te prendra-t-il au sérieux?

— C'était amusant.

— Eh bien, il y a des moments pour s'amuser, et des moments où il faut se montrer à son avantage.

— Maman, arrête. C'était une soirée parfaite, et tu es en train de la gâcher."

Les lèvres serrées, Kamala entassa des cuillerées de pommes de terre dans une boîte et de choux dans l'autre, et ferma les couvercles. Amina les lui prit des mains et retourna dans la salle à manger.

"Vous êtes sûre que ce n'est pas trop?" Anyan sourit en voyant ces provisions.

"Prenez, prenez, dit Kamala. Quand vous voulez, vous revenez en chercher encore.

— Merci beaucoup. J'ai passé une soirée délicieuse.

— Je vous accompagne", dit Amina en se dirigeant vers la porte.

"Oh." Thomas, qui s'apprêtait à sortir, s'arrêta, l'air confus.

"Bien, bien, parfait!" Kamala accrocha son bras à celui de Thomas afin de le retenir et, pour une fois, Amina se sentit confortée par la formidable volonté de sa mère. "Bonne nuit. C'était un plaisir, Anyan. *Bon voyage*!*"

La porte se referma avec un claquement sonore et Amina, trop gênée pour regarder le docteur en face, se détourna et descendit l'escalier. Leurs pas crissaient bruyamment sur le gravier de l'allée. Anyan maintenait entre elle et lui une distance prudente

---

* En français dans le texte.

et parut soulagé lorsqu'ils eurent atteint sans incident sa BMW bleu marine.

"Eh bien, Amina, j'étais très heureux de vous revoir.

— Oui, moi aussi." Elle le regardait avec l'espoir absurde qu'il pût lire ses pensées, et le silence entre eux s'épaissit.

"Écoutez, dit-il enfin, d'une voix douce et embarrassée, je crois que je devrais vous dire que, en réalité, je vois quelqu'un.

— Ah ? fit Amina, avant de se rappeler que ça lui était égal.

— Une infirmière, en fait. Elle est très gentille, vraiment, et, bien que nous ne nous soyons guère affichés en public, étant donné notre vie professionnelle, je serais négligent de ne pas vous le dire.

— Je voudrais vous parler de mon père, dit Amina.

— Pardon ?

— Je veux dire, c'est très bien, l'infirmière, je me réjouis pour vous. Mais il faut que je vous parle de mon père. J'ai entendu dire des choses à son sujet."

Malgré la pénombre, elle vit Anyan se raidir, tourner les yeux vers la maison.

"Ne vous en faites pas, ils ne peuvent pas nous entendre, dit-elle. On n'entend rien de cette partie du jardin quand on est dans la maison, seulement de l'autre côté, je ne sais pas pourquoi. Et je peux vous parler à votre bureau, si c'est plus commode ; simplement, je ne voulais pas m'amener en plein milieu d'une journée de travail sans que vous sachiez de quoi il s'agit.

— Et de quoi s'agit-il exactement ?

— De ce qui est arrivé en salle d'opération, dit-elle. Vous êtes au courant ?

— Oui.

— Et ?

— Et… ?" Il la fixait d'un regard sans expression.

Essayait-il de l'irriter ? Amina eut un geste d'impatience. "Qu'avez-vous entendu dire ?

— Oh." Anyan se redressa, lissa sa moustache. "Vous savez qu'il y a eu une sorte de malentendu."

Malentendu ? Amina faillit éclater de rire. "On m'a dit qu'il avait tenté de sauver un gosse qui était mort."

Le docteur hocha brièvement la tête. Apparemment, on lui avait dit ça aussi.

"Écoutez, Dr George…

— Anyan.

— Oui." Amina sentait la chaleur lui monter au visage. "Pourriez-vous simplement être franc avec moi ? Me donner une idée de ce qui se passe ?

— Je ne suis pas sûr de vous comprendre.

— Je veux que vous me disiez ce qui arrive à mon père. Les gens savent, n'est-ce pas ? C'est ce que m'a dit Monica. Et s'il y a vraiment quelque chose qui ne va pas, je devrais le savoir.

— Je suis désolé, dit Anyan en secouant la tête, comme pour s'éclaircir les idées. Je suis surpris que vous parliez de ça. Vous paraissez vraiment inquiète à son sujet.

— Pas vous ?

— Non.

— Pourquoi pas ?

— Parce qu'il va bien." Il se tut, attendant qu'elle accepte cela et, comme elle n'en faisait rien, il reprit : "Écoutez, je connais très bien Thomas. Je l'ai vu dans une situation extrêmement pénible et pour moi il s'agissait là d'une anomalie, pas d'un schéma de comportement. Et même si personne ne tient à en convenir, de telles choses se produisent dans les hôpitaux. La médecine est une activité humaine, avec des erreurs humaines. Thomas a fait une erreur, c'est tout.

— Vous pensez vraiment ça ? dit Amina d'un ton dont elle ne parvenait pas à chasser l'incrédulité.

— Oui.

— Mais alors pourquoi a-t-il essayé d'intervenir sur un garçon qui était déjà…

— Qui sait ? C'était le fils d'un ami, non ? Ça devait avoir touché quelque chose en lui. En tout cas, c'était un unique incident dans une carrière exemplaire pour le reste, et personne n'en a pâti. Inutile d'en faire une montagne." Il lui tapota le bras avec maladresse, d'un geste qui hésitait entre compassion professionnelle et envoi sur les roses.

"Mais il n'y a pas eu qu'un incident, dit Amina.

— Excusez-moi ?

— Il y a eu d'autres incidents. Ici. Chez lui. Je crois qu'il a régulièrement des hallucinations."

Anyan souriait vaguement, comme s'il attendait le mot de la fin. "De quoi parlez-vous?

— C'est pour ça que je suis revenue à la maison. Ma mère m'a appelée et m'a raconté qu'il passait toutes ses nuits dans la véranda, à parler à sa mère qui est morte depuis des années."

Le sourire d'Anyan s'évanouit. "Il parle?

— Oui.

— Vous l'avez vu faire ça?

— Ma mère l'a vu. Et, pour être honnête, je pensais qu'elle dramatisait jusqu'à ce que j'en parle avec Monica, l'autre jour. Maintenant je n'en suis plus si sûre.

— Mais que…" Anyan, incrédule, secouait la tête en direction de la voiture. "Thomas, qu'en dit-il?

— Rien. C'est pour ça que je vous en parle."

Il fallut quelque temps à cette information pour trouver prise chez le docteur, en remontant contre le courant, du mentor et ami au patient, à la maladie. L'incrédulité vira à l'inquiétude. "Savez-vous quelle est la durée de ces épisodes? Leur durée et leur fréquence?

— Non.

— Sont-ils immédiatement précédés d'un quelconque comportement maniaque ou dépressif? Remarquez-vous chez lui un état d'activité intensifiée, ou…

— Honnêtement, je n'en ai aucune idée. Et je sais que vous ne pouvez pas faire un diagnostic à partir d'un simple ensemble de détails approximatifs, mais…" Amina ne termina pas, espérant qu'il allait la contredire. Il ne le fit pas. Elle soupira. "Je crois que je devrais vous l'amener. Je sais que ce n'est pas très orthodoxe, et je suis désolée de vous mettre dans cette situation. Mais si ce n'est rien, ou, enfin, si même il y a quelque chose, je préférerais voir ça avec vous avant que ça ne s'ébruite.

— Mais il ne veut pas venir. Je le lui ai déjà suggéré, tout de suite après l'incident de la salle d'op, quand ce n'était qu'une attention normale. Il a refusé.

— Je vous l'amènerai", dit Amina avec une assurance qu'elle ne ressentait pas.

Anyan se lissa la moustache. "Et Monica? Qu'en dit-elle?

— Elle ne sait pas tout. Je voulais vous en parler d'abord. Mais elle est avec nous.

— Bien, alors, je lui parlerai demain. Voir si elle peut modifier son emploi du temps ces jours-ci de manière à ce qu'il n'opère pas.

— Oui ? fit Amina, soulagée. Vous pouvez faire ça ?

— Je dois le faire, dit Anyan. Si ce que vous dites est vrai – bien qu'à mon avis nous devions considérer cela comme très improbable, étant donné que vous n'avez pas été personnellement témoin de ce comportement – alors il ne devrait plus exercer."

Amina hocha la tête. Elle se sentait atrocement mal à l'aise, comme si elle venait de vendre à l'ennemi une information classifiée, même si elle ne voyait pas bien qui pouvait être cet ennemi. Le conseil disciplinaire de l'hôpital ? Anyan George ? Le vaste monde, où son père voyait tout à travers la lentille de son travail ?

"Votre mère nous observe", dit Anyan, manifestant soudain une tout autre inquiétude.

Amina se retourna juste à temps pour voir retomber le rideau derrière la fenêtre de la salle à manger. "Il faut que je rentre. Y a-t-il une possibilité pour moi de prendre rendez-vous sans, vous savez, alerter la totalité de la communauté médicale ?

— Appelez-moi directement. Vous avez mon numéro ?

— Maman l'a."

Il ouvrit la portière de sa voiture et déposa les restes du repas derrière le siège avant de se plier à l'intérieur. Ses gestes étaient lents, comme si l'air autour de lui pesait réellement plus lourd, et Amina lutta contre une envie de s'excuser. Non, elle avait voulu cela, elle l'avait choisi, lui, délibérément, devinant que son admiration pour son père lui donnerait la volonté de protéger Thomas quelque temps pendant qu'ils examinaient la question. Elle agita la main quand il démarra et recula pour lui laisser la voie libre.

4

Aubergines moisies. Pommes de terre au curry. Quelque chose qui ressemblait à un amas de limaces mais se trouvait être des *okras* en décomposition. Le samedi suivant, alors que Kamala s'en allait au jardin et que Thomas bricolait dans la véranda, Amina effectua une razzia dans le réfrigérateur, raflant les pires des contrevenants. Quelques tomates ridées traînaient au fond d'une clayette, et elle les déposa avec précaution sur le comptoir. Allant alors à l'abri de jardin, elle en revint avec la brouette et y chargea le tout, avant de la rouler jusque devant la véranda.

En salopette et lampe frontale, Thomas était penché sur un valet d'établi.

"Je fabrique un coffre, lui dit-il, sans la regarder.

— Je t'ai apporté des choses.

— Quelles choses ?" En relevant la tête, il l'éblouit.

"Aïe. Viens voir."

Elle le précéda au dehors, où Prince Philip rôdait autour de la brouette.

"Des restes ! s'exclama Thomas en ouvrant une boîte. Mon Dieu, pourquoi n'y ai-je jamais pensé ?

— Parce que tu n'es pas le génie de la famille.

— Pchht !" Thomas, content, lui donna une petite tape sur la tête. "Retrouve-moi derrière."

Elle poussa la brouette derrière la maison pendant que Thomas courait chercher le pick-up et le conduisait à travers les hautes herbes jusqu'à une clairière. Kamala, furieusement occupée à arracher les mauvaises herbes à cent mètres de là, se redressa, les mains aux hanches.

"Raccooner!" lui cria Amina, et elle se remit au travail.

"Tu as vu? J'ai fait une cible." Thomas désignait, à une quinzaine de mètres, un panneau de contreplaqué sur lequel était peinte la silhouette noire d'un raton laveur.

"Nom d'un chien!"

Elle l'aida à tout installer cette fois, et lorsqu'elle eut fini, elle aligna les restes, du plus petit au plus gros.

"Les pommes de terre d'abord? demanda-t-elle.

— Vas-y."

Ils chargèrent la fronde et Thomas la tira en arrière. "Prête?"

Elle hocha la tête.

"Pchououm!" hurla-t-il tandis qu'une masse couleur moutarde décrivait un grand arc au travers du jardin, manquant généreusement la cible. Prince Philip se rua à sa poursuite.

"Oh là là, c'est pas gênant? demanda Amina.

— Il a mangé pire."

Les *okras* suivirent, douze bâtonnets visqueux lancés l'un après l'autre vers le fond du jardin et dont deux atteignirent la cible, mais pas à l'intérieur de la silhouette. Les betteraves firent encore moins bien, ce qui les déçut tous les deux, ne fût-ce qu'à cause de la promesse d'un impact sanglant. Prince Philip leur donna dûment la chasse, revenant avec d'affreuses dents roses.

"À toi, un gros", dit Thomas.

Amina prit une aubergine dans son Tupperware, en frissonnant de la sentir peser, froide et molle, dans sa main.

"Bon, alors, tu vas essayer de reculer la fronde autant que possible, mais ne t'en fais pas trop pour ça. Mets-la plus au centre, OK? Comme ça. C'est très bien."

Amina tira encore d'une dizaine de centimètres, en grognant.

"Costaude, dit Thomas, approbateur. Bien. Dès que tu te sens sûre de toi, essaie de la diriger vers…

— Merde!"

La fronde lui avait sauté des mains, filant en avant avec un horrible bruit de fouet. Ils plongèrent tous deux et, comme il ne se passait rien, se relevèrent et se tournèrent avec optimisme vers la cible. Elle était intacte. Amina regarda Prince Philip, qui lui retourna anxieusement son regard. L'aubergine avait disparu.

"Bon sang!

— Mince! Donne-moi l'autre.

— Tu rigoles?" Thomas riait. "Tu es dangereuse!

— Donne!

— Bon, bon, d'accord." Comme Thomas se penchait pour récupérer l'autre moitié de l'aubergine, un cri aigu, strident, perçant, déchira l'après-midi. Une vague de silence le suivit et Amina, effrayée, regarda le ciel.

"Qu'est-ce que ça pouvait bien être? demanda-t-elle.

— Aucune idée."

Et alors ils l'entendirent de nouveau, un cri si sauvage et si brut qu'ils se dressèrent sur le plateau du pick-up. Prince Philip poussa un aboiement inquiet et ils se tournèrent l'un vers l'autre, les yeux agrandis par la compréhension. Le troisième cri les envoya d'un bond en plein champ, courant dans les hautes herbes, les jambes d'Amina rivalisant avec celles de son père en direction du potager.

Et que dire de la silhouette de Kamala recroquevillée dans la poussière, de ses doigts couverts de boue, de son visage barbouillé, des hurlements qui explosaient dans sa gorge? Amina et Thomas couraient vers elle, franchissaient en sautant bacs de compost et paillis. Kamala était tombée. Elle était à terre. Prince Philip aboyait furieusement devant la barrière fermée du jardin.

"Maman!"

Le sol avait été déchiqueté, des mottes de terreau noir éparpillées de tous côtés. Une bêche gisait là où elle était tombée. À côté, Kamala se tenait les bras serrés autour du torse et se balançait, se balançait. Amina se pencha, toucha l'épaule de sa mère.

"Maman? ça va?"

Kamala se redressa brusquement, le poignet d'un blouson échappa à son étreinte.

"Oh, mon Dieu, s'écria Amina. Maman, qu'est-ce que tu fais avec...

— Toi! hurla Kamala. Toi, va-t'en. Va-t'en, espèce de diable!"

Mais ce n'était pas à Amina qu'elle parlait. Elle dardait des yeux brûlants vers la barrière du jardin, où se tenait Thomas.

"Papa? Papa n'a pas..." Amina se retourna pour regarder son père, qui contemplait le blouson d'Akhil avec l'expression de

compréhension triste et choquée d'un rêveur revenant au monde
éveillé.

"Papa ?"

Thomas ferma les yeux.

"Papa, qu'est-ce que tu as fait ?

— Je regrette tellement", dit son père.

LIVRE 7

AKHIL LE GRAND, FEU AKHIL

Albuquerque, 1983

1

Paige et Akhil n'avaient jamais assez l'un de l'autre.

Oui, c'était un cliché, un cliché qu'Amina avait entendu souvent pour décrire le genre d'amour qui exige des couples qu'on s'assoie sur les genoux de son partenaire alors que le canapé entier est libre, mais dans le cas d'Akhil et de Paige, c'était littéral. Dès le début, ils lui semblèrent comme plongés dans un monde subaquatique où leur seule possibilité de respirer était au travers l'un de l'autre.

C'était un choc, assurément, de voir Akhil – si récemment initié au sexe par Mindy – aborder Paige dans la cour, le lundi suivant, avec un cahier sur lequel il avait calligraphié le nom de la belle au marqueur noir. Personne ne s'attendait à voir Paige rougir, pas plus qu'on ne s'attendait à ce qu'Akhil tende la main pour lui glisser une mèche derrière l'oreille avant de s'éloigner d'un pas vif. Il y eut ensuite des billets échangés dans les placards des vestiaires. Une boîte cache-clés resta attachée sous le capot du break en prévision d'un futur verrouillage involontaire. Moins d'une semaine plus tard, lorsqu'ils furent expulsés de la bibliothèque pour avoir discuté à voix trop haute de la sécheresse en Éthiopie, il paraissait étrange qu'il leur ait fallu deux mois pour se trouver.

Elle était parfaite pour lui. Oui, encore un cliché, mais il semblait par moments à Amina que Paige Anderson avait été tirée d'un rêve très spécifique que nul autre qu'Akhil n'aurait pu songer à faire. Ce n'était pas seulement que son éducation sur l'un des plus beaux campus universitaires d'Amérique lui avait valu une collection soigneusement conservée de tee-shirts protestataires (c'était le cas), ni le fait qu'elle appelle ses parents "Bill et

Catherine" (avéré), ni qu'elle soit à la tête d'une coalition étudiante faisant campagne contre la décharge nucléaire située juste à côté de Sorroco (elle l'était), ni que ses cuisses, ses seins et sa bouche imprécise soient faits pour retenir une attention constante et prolongée (ils l'étaient) – mais aussi que chaque partie de Paige, de sa conscience à son corps de femme en passant par ses opinions politiques, respirait un optimisme si assuré que pour rester avec elle, Akhil devait cesser d'être perpétuellement en rogne.

"Et alors?" entendit Amina un matin où le couple traversait le campus, Akhil déblatérant à son habitude sur le thème moi-pauvre-Indien. "Nous sommes un pays d'immigrants, disait Paige, et toi, tu es de la première vague. Au moins, tu as la possibilité d'instaurer tes propres stéréotypes."

Paige estimait qu'œuvrer pour un monde meilleur était un objectif raisonnable, que l'éducation pouvait venir à bout du racisme, que le désarmement nucléaire devait devenir effectif de leur vivant et que l'égalité des sexes s'imposerait certainement dès lors que les femmes embrassaient des carrières dominées par les maths et la science. Elle croyait aussi que chaque rapport sexuel consenti dégageait dans l'atmosphère une énergie positive.

Plus important, Paige croyait en Akhil. Ou, du moins, lui accordait *a priori* le bénéfice du doute. À ses yeux, les tirades politiques d'Akhil témoignaient d'une grande passion. Son côté névrosé donnait une fausse image de son grand cœur. Sa tendance à la bagarre répondait à un désir de communication honnête. Son goût pour l'herbe était introspectif.

Et, chose étrange, sous le regard de Paige, Akhil commençait à se transformer. Amina vit avec émerveillement les diatribes de son frère devenir moins didactiques, ses préoccupations prendre de riches connotations humanitaires et ses incessantes provocations se transformer en invitations à "discuter".

"Est-ce qu'ils arrêtent jamais de parler?" demanda Dimple, quelques semaines plus tard, comme leurs deux têtes noires traversaient le campus, jointes dans l'esquive du monde extérieur.

"Pas vraiment", dit Amina. Mais elle avait écouté assez de leurs conversations téléphoniques pour savoir que ce n'était pas tellement ce dont ils parlaient (Van Halen, l'apartheid, les sommes de Riemann) que les pauses lourdes de sens, les réévaluations, les réflexions, qui étaient réellement remarquables. En réalité, ce ne fut pas avant qu'Akhil ait complètement cessé de ramener Amina à la maison et commencé à revenir de ses "activités postscolaires" avec des lèvres réduites en pulpe qu'Amina se mit à penser avec inquiétude que leur union était peut-être trop intense.

"On roule jusqu'en haut des montagnes et on redescend, c'est tout, lui dit-il lorsqu'elle y fit allusion. C'est en altitude qu'on réfléchit le mieux."

Et où était Jamie pendant tout ce temps-là ? Il était là et pourtant, non, il n'y était pas. Il se pointait toujours au cours d'anglais, et il paraissait toujours intéressé quand elle parlait, mais au-delà de quelques regards échangés une ou deux fois aucun des deux ne savait quoi dire à l'autre. C'était moins un manque qu'une éclipse d'intérêt – un embarras mutuel à l'idée qu'une chose aussi intense que le lien entre leurs frère et sœur puisse porter ombrage à leur curieuse relation à eux.

"Je suis raide dingue d'elle", confia Akhil à Amina un mois après le bal, lors d'un des seuls échanges directs qu'ils auraient jamais à ce sujet. Ils partaient à l'école. C'était le printemps, tout était lavé par la pluie et de minuscules pousses vertes commençaient à moucheter les champs. Quand Amina se risqua à regarder son visage, elle vit que le printemps était là aussi chez Akhil, que chez lui le dedans avait fini par rattraper le dehors, qu'il était né à une vie nouvelle. Il avait enfin trouvé une Amérique qu'il pouvait aimer ; une Amérique qui l'aimerait en retour.

2

Thomas était rentré pour dîner. À quelle occasion exactement, ni Amina, ni Akhil ne le savaient, mais au retour de l'école ils l'avaient trouvé en train de bavarder dans la cuisine avec leur mère, en volant des bouts de carotte sur sa planche à découper au fur et à mesure qu'elle les grattait.

"Qu'est-ce que tu fais là?" demanda Akhil, jamais disposé à attendre une révélation.

"Un cas terminé plus tôt. J'ai pensé prendre un peu de repos.

— Ah.

— *Halva* aux carottes! annonça Kamala, comme si on le lui avait demandé.

— Ç'a été à l'école?" Thomas souriait, et ses enfants lui marmonnèrent une vague réponse, un peu inquiets de son enthousiasme.

"Allez vous laver, ordonna Kamala. Il y a un curry d'agneau et du riz."

Une demi-heure après, ils se mettaient à table, et Kamala leur recommandait de tout essayer, comme s'ils n'avaient jamais goûté sa cuisine.

"Je vais au bal de promo", dit Akhil, en s'efforçant de ne pas avoir l'air trop content.

"Ah oui? fit Amina.

— Bal de promo? demanda Kamala.

— C'est un bal. Un bal officiel. Auquel on assiste. Avec une invitée.

— Chouette! fit Thomas. Et tu y vas?

— Quelle invitée? demanda Kamala.

— Une fille de ma classe. Paige Anderson.

— Paigean ?

— *Anderson*, nom de famille. *Paige*, prénom.

— Ah, fit Kamala, hochant la tête. Comment connais-tu cette Paige ?

— Par l'équipe de maths."

Kamala sourit. "Une fille bien.

— Ben, oui.

— Tu l'as invitée ? demanda Amina.

— On s'est invités réciproquement", fit Akhil, hautain, comme si elle avait laissé échapper une chose essentielle qu'il aurait dite auparavant.

"Nous devrions la rencontrer, dit Thomas. Tu devrais l'amener ici avant le bal.

— Papa, ce n'est pas comme ça que ça marche.

— Que veux-tu dire ? Les parents ne doivent-ils pas toujours rencontrer la personne avec qui on sort ?

— Seulement les parents de la fille. Pour ceux du garçon ça n'a pas d'importance.

— Oh, fit Thomas, l'air vaguement déçu. Eh bien, nous pourrions la rencontrer après.

— Non, non, non." Akhil secouait la tête. "Après, il y a la soirée casino et puis après ça… une autre soirée.

— Tant de soirées ? demanda Kamala. Qui les organise ?"

Les soirées après le bal de promo, Amina le savait (pas directement, mais selon ce que Dimple lui avait raconté), avaient toujours lieu dans des chambres d'hôtel au bord de la grand-route. Akhil mit un morceau d'agneau dans sa bouche, mâchant pour gagner du temps. Il avala et dit : "Des amis de ma classe. Des gens bien. De l'équipe de maths."

Cette dernière phrase fit mauvais effet, Amina le vit aux traits de son père qui s'assombrissaient légèrement. "Nous devrions en parler aux parents.

— Quels parents ?

— Les parents des jeunes qui organisent ces soirées. Juste pour s'assurer que tout est comme il faut.

— Que veux-tu dire, s'assurer ? Évidemment que tout est comme il faut.

— Nous verrons, dit Thomas.

— Qu'est-ce que tu veux dire ?

— Je veux dire qu'à moins que nous n'en soyons sûrs, tu ne vas nulle part.

— Vous ne pouvez pas faire ça !

— Il va devoir louer un smoking, vous savez, dit Amina pour changer de sujet. C'est obligatoire.

— Smoking ? demanda Kamala.

— Une tenue de soirée, dit Amina. C'est, genre, obligé. Tous les garçons doivent en porter un.

— Un de mes patients a une boutique de location de smokings ! dit Thomas d'un ton satisfait. Nous pourrons aller le voir ensemble. Bill Chambers. Un homme sympathique. Il te plaira."

Akhil ne réagit pas.

"Eh, Akhil ? Nous pouvons aller le voir ?" Une joue gonflée de riz non mâché, Thomas s'était arrêté de manger. "Akhil ?"

En face de lui, tête sur la poitrine, Akhil ne bougeait pas. Sa respiration était légère et superficielle.

"Qu'est-ce qui lui prend ? demanda Thomas.

— Rien. Il dort, dit Amina.

— Quoi ?

— Ne t'en fais pas. Il est fatigué, c'est tout, dit Kamala.

— Qu'est-ce que tu racontes ? Il était en train de nous demander s'il pouvait sortir toute la nuit. Il s'énervait.

— Et maintenant, il dort, dit Kamala. Un garçon en pleine croissance, tu l'as dit toi-même.

— Il a déjà fait ça ?

— Il est toujours fatigué pendant le dîner", dit Kamala en agitant la main en direction du lait caillé, qu'Amina lui passa. "Il a besoin de plus de sommeil."

Thomas se leva et contourna la table. Il s'inclina vers Akhil, cherchant à voir son visage, mais quand il voulut lui prendre le poignet, Kamala l'écarta d'une claque.

"*Tchi !* Laisse-le se reposer."

Mais on ne pouvait dissuader Thomas. Penché sur Akhil, il agita d'abord une main devant ses paupières closes, puis les souleva, l'une après l'autre, exposant deux globes blancs. Il lui prit le poignet et le pinça entre deux doigts pour sentir son pouls. Il s'adressa à Kamala : "Combien de fois est-ce arrivé ?

— Combien de fois il s'est endormi ? persifla Kamala. Au moins une fois chaque soir.

— Endormi en plein pendant qu'il fait autre chose ?

— Mais non. Il dort beaucoup, c'est tout. Bon Dieu, il y a des mois que je t'en ai parlé. Mais ça va mieux. Demande à Amina.

— Tu l'as vu faire ça ?" demanda-t-il à Amina.

Amina le regarda, mal à l'aise. "Ouais.

— Au cours d'une activité normale ? Alors qu'il devait normalement être éveillé et stable ? Est-ce que d'habitude c'est déclenché par une émotion ?

— Je…" Que lui demandait-il ? "Je ne sais pas.

— Combien de fois est-ce arrivé ?

— Je ne me souviens pas. Quelquefois."

Thomas se tiraillait la barbe, regardait sa montre en fronçant les sourcils. "Et quand est-ce que ça a commencé ?

— Je ne suis pas sûre. Il y a six mois, peut-être."

Thomas s'agenouilla, le front labouré de rides profondes. Il tenait la main d'Akhil et la caressait doucement. En les regardant, Amina se rendit compte qu'il y avait des années qu'elle n'avait plus vu son père faire un geste aussi intime que de toucher l'un d'eux. Quand Thomas appuya son front contre le visage endormi d'Akhil, elle dut se détourner.

"Qu'est-ce que tu fais ?" demanda Akhil, s'éveillant en sursaut.

Thomas recula. "Eh. Tu vas bien ?

— Pourquoi j'irais pas bien ?

— Tu viens de t'endormir.

— Non, j'ai pas dormi." Akhil regarda Amina, qui essaya de ne confirmer qu'avec ses yeux. "J'ai juste piqué du nez une seconde."

Thomas se rassit sur ses talons.

"Finis de manger, dit-il. Nous parlerons après."

Deux jours après, ils partaient à l'hôpital.

"Que vont-ils faire ?" demanda Amina en regardant Akhil poser son oreiller et son sac à dos sur le siège arrière de la voiture de Thomas. Ils ne reviendraient pas avant le lendemain en fin d'après-midi, avait expliqué Thomas, en coupant son bipeur en plein milieu d'une phrase. À présent, son père était au volant et sa bouche formait des mots dont Amina devinait qu'ils n'étaient pas du tout adressés à son frère mais au téléphone récemment installé dans la voiture.

"Qui sait? Monitorage des rêves, une sottise de ce genre", fit Kamala, renfrognée.

— Mais pourquoi c'est si long?

— Ils mesurent l'activité nocturne et diurne, je ne sais quelle stupidité.

— Mais papa craint quoi?

— Rien! Il n'y a rien à craindre, il veut juste faire quelques tests pour s'assurer qu'il n'y a rien à craindre."

Kamala s'entendait-elle lorsqu'elle disait haut et fort des choses pareilles? L'incrédulité agacée d'Amina s'atténua soudain devant le visage de sa mère, l'angoisse fiévreuse de quelqu'un qui nagerait sur place sans un rivage en vue. Elle serra l'épaule de Kamala et monta lire à l'étage.

3

Le problème, s'agissant de parler à Paige, c'était qu'Amina n'avait encore jamais vraiment parlé avec elle. Ou certainement pas plus d'une ou deux phrases, avec Akhil toujours dans les parages, veillant à ce que la communication reste brève et gentille. Et pourtant, le lendemain, à l'école, Amina se retrouva en train de marcher vers la table de pique-nique, derrière le bâtiment des seniors, ou Paige était assise seule, plongée dans un livre.

"Oh, salut, dit Paige en relevant la tête. Qu'est-ce qui se passe ?

— Rien.

— Ah ?

— Ouais, hum." Qu'était-elle censée dire ? Amina sourit nerveusement. "Akhil n'est pas là aujourd'hui.

— J'ai remarqué.

— Ouais. Il a, euh, est-ce qu'il t'a appelée ? Pour expliquer pourquoi il n'est pas là ?

— Non." Paige ferma son livre. "Il y a quelque chose qui ne va pas ?

— Non. Non, non. Rien."

Paige la dévisageait, les yeux plissés, avec la même expression qu'avait parfois Jamie au cours d'anglais, comme s'il pensait qu'on essayait de le rouler alors qu'en réalité on essayait seulement de trouver quoi dire. Amina contempla le jean de Paige, qui était bleu et légèrement pattes d'éléphant, et lui moulait les cuisses.

"Tu l'as déjà vu s'endormir ? demanda Amina.

— Quoi ?" Paige se raidit.

"Je veux dire, c'est juste… est-ce qu'il s'est déjà endormi brusquement quand il était avec toi? Par exemple, peut-être, quand il est ému ou excité ou quelque chose comme ça?"

Paige rougit légèrement, se repoussa derrière l'oreille une mèche de cheveux noirs. "Je ne sais pas.

— T'en fais pas. C'est idiot. J'essaie simplement, tu sais, de comprendre un truc. C'est pas grave. Mon père m'a posé des questions là-dessus et j'ai pensé…

— Attends, ça inquiète ton père?

— Quoi? Non, non. Je veux dire, un peu. Il m'a juste… il m'a demandé et en réalité je ne vois plus tellement Akhil, maintenant, je veux dire, c'est très bien comme ça, mais tu es, comment dire, la personne qui le voit le plus en ce moment, alors j'ai pensé que peut-être tu… Mais c'est pas grave. Merci."

Elle n'avait aucune idée de la raison pour laquelle elle remerciait Paige, ni même de ce qu'elle disait. Affolée, elle pivota et repartit vers le bâtiment des deuxième année si précipitamment que les pâquerettes se confondaient aux limites de sa vision.

"Eh, Amina!" lui cria Paige, mais elle se contenta d'agiter la main, comme si elles venaient de conclure une conversation qu'en réalité elles n'avaient pas commencée.

"Qu'est-ce qu'on mange?" demanda Amina en entrant dans la cuisine en fin d'après-midi.

Assise sur un tabouret, Kamala triait des lentilles rouges. "Curry de poisson, riz, chou. Je prépare du *dahl*, aussi, mais pour demain."

Amina posa son sac et se dirigea vers le garde-manger.

"Akhil est rentré?

— Oui.

— Cool." Elle saisit une barre fruitée.

"Ne l'embête pas, hein? Le pauvre, on l'a réveillé toute la nuit.

— Ouais, d'accord." Amina monta l'escalier, en ôtant ses chaussures avant d'arriver à la chambre d'Akhil. Sa porte était entrouverte, ses pieds en chaussettes dépassaient au bord du lit. Du seuil, Amina observa son dos qui montait et descendait.

"Sors.

— Tu dors même pas.

— Sors quand même."

Contournant le lit, elle alla à son bureau et prit la chaise, balayant à terre une collection de tee-shirts richement odorants. "Alors qu'est-ce qu'on t'a fait?

— Des examens.

— Ouais, ça je sais, mais c'était comment?

— Comment tu crois?

— Ils ont scanné ton cerveau?

— Ils ont surveillé mon sommeil. Ils avaient mis des capteurs sur moi. M'ont réveillé plusieurs fois.

— Papa était là?

— La plupart du temps.

— Ça faisait mal?"

Akhil ne répondit pas.

"Bon, en tout cas, c'est fini, hein? Je veux dire, ils ont trouvé quelque chose?"

Son frère resta silencieux, seul son pied en chaussette s'agitait au bout du lit.

"Eh, dit Amina, tu te souviens d'*Incroyable mais vrai*, ce type qui avait un jumeau enfermé dans sa tête? Tu te souviens, ce type qui avait des maux de tête?

— SORS!" rugit Akhil, relevant la tête de l'oreiller, et elle bondit de sa chaise, le cœur battant.

"Eh, t'es malade, je demandais, c'est tout!"

Mais il était déjà debout, debout et menaçant et plus grand, si possible, qu'il ne l'était encore la veille. Amina essaya de lui échapper mais Akhil attrapa un bras, le tordit derrière son dos et lui cala le poignet entre les omoplates.

"Aïe! Akhil, arrête!"

Il lui fit une clé à la tête et la traîna sur le plancher. Arrivé sur le seuil, il la jeta dehors et claqua la porte derrière elle.

"Enfoiré!" hurla Amina, les joues brûlantes. Qu'est-ce qui avait provoqué ça? Il y avait des années qu'il ne lui avait plus fait une clé à la tête et elle était furieuse de s'apercevoir qu'elle n'était pas plus capable de s'en dégager que lorsqu'elle avait onze ans. Elle envoya à la porte un violent coup de pied.

"Fous le camp! tonna Akhil.

— Connard!" répliqua-t-elle sur le même ton.

"Amina! cria Kamala d'en bas. Pour l'amour de Dieu, qu'est-ce que tu fabriques? Fiche-lui la paix! Il en a eu assez pour aujourd'hui."

C'était Paige, évidemment, qui allait lui apporter le réconfort dont il avait besoin. Amina les observa le lendemain à l'école, sur le parking à l'heure du déjeuner, manifestement trop absorbés dans une conversation pour se soucier de s'éloigner du campus. Akhil était assis sur le capot du break et Paige, debout devant lui, lui tenait les deux mains pendant qu'il parlait. Quand il se pencha vers elle, Amina détourna les yeux.

Il s'en était fallu de peu, le lendemain soir, que le repas mitonné par Kamala fût délicieux. Culminaison de deux journées de travail, il avait été entrepris par amour familial mais fut touché par l'angoisse dans les heures ultimes de sa préparation, quand Thomas revint à la maison et parla à voix basse avec elle dans la cuisine.

Le résultat fut une version rafistolée du repas préféré de la famille. Les *idlis* de Kamala, d'ordinaire si légers, étaient noyés dans un *sambar* légèrement trop fumé. Une étrange saveur piquante infectait le chutney de noix de coco. Le *lassi* à la mangue servi au dessert était beaucoup trop pulpeux, mais chacun veilla à avaler jusqu'à la dernière goutte, comme si leurs propres organes les incitaient à éviter la conversation à venir. Finalement, Thomas joignit les mains.

"Tu ne peux plus conduire pendant quelque temps, dit-il.

— Quoi? Akhil s'assombrit. Combien de temps?

— Ça va dépendre.

— De quoi? Qu'est-ce que j'ai fait?

— Tu n'as rien fait.

— Alors pourquoi tu me punis?" Renversé contre le dossier de sa chaise, Akhil dardait sur son père des yeux furibonds.

Amina vit les regards de ses parents se croiser, battre en retraite. Silence.

Akhil se pencha en avant. "Papa, tu ne peux pas te contenter de me dire ça va dépendre et ne rien m'expliquer. Tu dois m'expliquer, pour que je sache quelles sont les règles. Je veux dire, c'est la moindre des choses.

— Nous devons faire d'autres examens."

Les lèvres d'Akhil béèrent. Il cligna des yeux. "Quoi?

— Il faut que nous fassions quelques examens à l'hôpital, à partir de la semaine prochaine." Thomas inspira profondément, ouvrit grand les mains. "Les schémas de ton sommeil sont révélateur d'une narcolepsie de l'adolescent."

Akhil le regardait fixement, son visage se vidait de toute couleur.

"Il existe une possibilité que tu aies besoin d'un traitement, poursuivit Thomas.

— Narcolepsie? Comme : je m'endors?"

Thomas hocha la tête.

"Mais je ne fais plus ça." Akhil regarda sa mère. "Maman, dis-lui.

— Je crois que ce n'est pas tellement grave, dit Kamala.

— Quoi?

— Je ne vois pas en quoi ce sommeil est si différent de l'autre sommeil, dit-elle à Thomas. Bon, il dort! La dernière fois, je t'en ai parlé, ce n'était rien, *pas grave, garçon en pleine croissance, tout dans ma tête*, hein? Maintenant il va mieux et tu penses que c'est un drame."

Akhil se tourna vers Amina. "Dis à papa que je ne dors plus comme je le faisais. Apparemment il n'a pas été là suffisamment pour s'en rendre compte."

Amina regarda son père. Akhil lui envoya un coup de pied sous la table.

"Aïe! Ça va pas?

— Dis-lui!

— C'est…" Amina, effrayée, se racla la gorge. "Tu le fais encore, pourtant.

— Quoi?

— C'est différent maintenant. C'est plus aussi long, comme si tu n'allais jamais te réveiller. Maintenant tu t'endors juste un petit moment. De temps en temps. N'importe où.

— *Quoi?*

— Tu as quelque chose qui ne va pas! Je ne sais pas, moi!" Amina lança à son père un regard implorant. "Je suis pas le docteur."

Akhil se retourna vers Thomas. "Alors c'est pour ça que tu m'as fait faire ces examens ? Tu disais qu'ils cherchaient de l'apnée du sommeil."

Thomas hocha la tête. "Nous cherchions tout. L'apnée était une possibilité. La narcolepsie aussi était une possibilité.

— Mais tu ne m'as pas dit ça, à *moi*.

— Je voulais être sûr.

— Ah, alors, maintenant, tu es sûr ?

— Non, pas tout à fait. Mais il faut investiguer de ce côté si nous voulons te soigner…

— Me soigner ? Comme un de tes *patients* ?" La voix d'Akhil s'était élevée d'une octave.

"Pas le mien. Celui du Dr Subramanian.

— Tu vas laisser ce type tripoter mon cerveau ?

— Akhil, nous n'allons rien faire à ton cerveau…

— Foutaise ! Vous allez me faire une putain de lobotomie ! Vous allez… Qu'est-ce que tu crois ? Que tu peux me changer, comme ça ?

— De quoi parle-t-il ?" demanda Thomas à sa femme, mais Kamala, bras croisés serrés sur son cœur, haussa les épaules.

"Dieu seul sait ce que vous pouvez vous dire, ton fils et toi. Alors ? Maintenant il est en colère. Bravo, Thomas.

— Je te l'ai dit, ce n'est pas quelque chose que nous pouvons ignorer…

— Bien sûr que non. Quand je t'en parle, c'est une blague idiote, hein ? Une bonne femme idiote, avec la tête à l'envers. Mais quand tu décides, *alors* c'est un problème.

— Ça n'a rien à voir avec ça. Combien de fois dois-je te répéter…

— Je n'irai pas", déclara Akhil. Ses parents le regardèrent. "Faire d'autres examens. Je ne le ferai pas.

— Tu dois, dit Thomas.

— On ne touchera pas à mon cerveau.

— Bien sûr que non ; l'examen n'est pas invasif…

— Je te dis que je n'irai pas.

— Fils, n'aggrave pas la situation, d'accord ? Tout ce que je dis, c'est que nous devons comprendre de quoi il s'agit. C'est tout.

— Et alors quoi ? On découvre que je suis atteint de narcolepsie, et alors ? Comment ça se soigne ?

— Pourquoi sauter des étapes ? Nous devons juste y aller doucement. Commencer par comprendre à quoi nous avons affaire.

— Nous ? *Nous ?* Tu vas t'occuper de mon cas comme si tu t'en souciais ?

— Évidemment, je m'en soucie ! Ne dis pas de bêtises !

— Conneries. T'es jamais foutu d'être là. T'as même pas…" Akhil regarda sa mère, Amina, la bouche de son père, déjà entrouverte pour le contredire. "Tu ne nous aimes même pas."

La bouche de Thomas se referma. Les yeux d'Akhil devinrent d'un rose vif et pendant un moment atroce Amina pensa qu'il allait se mettre à pleurer, mais il n'ajouta rien.

"Tu crois que je ne vous *aime* pas ?" demanda Thomas, presque en riant, mais alors il se figea, tel un cerf dans la forêt à l'écoute d'un silence intempestif. Il regarda Akhil, Kamala, Amina.

"Vous croyez que je ne vous aime pas ?" leur demanda-t-il.

Aucun ne répondit. La question flotta dans la cuisine, par-dessus les yeux douloureux et les bras croisés d'Akhil, caressa une mèche folle sur le front convulsé de Kamala et vint enfin comprimer la base de la gorge d'Amina, de telle sorte que si même elle avait pu trouver quoi dire, elle aurait été incapable de l'énoncer.

Thomas baissa la tête. Il emporta son assiette à l'évier et s'y tint debout, silhouette imprécise dans la lumière fluorescente.

"Il faut que quelqu'un travaille", dit-il avec calme.

Amina regardait la table, son glacis de miettes et de taches, l'empreinte circulaire du pied d'un pot de mangues au vinaigre. Du coin de l'œil, elle vit son père s'appuyer lourdement au comptoir de la cuisine.

"Il faut que tu fasses ces examens, dit Kamala.

— Quoi ? demanda Akhil.

— Il le faut.

— Maman, tu *viens* de dire…

— Et maintenant je dis autre chose.

— Fondé sur quoi ?" protesta Akhil, salive volant d'un bord à l'autre de la table. "Papa ? Sa putain de… *patriarchie* ? Tu vas juste rester passive et encaisser sans discuter ? ON EST DANS LES ANNÉES 1980, MAMAN. TU AS LE DROIT D'AVOIR TON OPINION."

Kamala ferma les yeux et exhala lentement, comme pour effacer jusqu'à la dernière trace de la phrase. "Tu ne conduiras pas avant de les avoir faits.

— *Quoi ?*

— Ce n'est pas prudent.

— Depuis quand ?

— Depuis maintenant." Kamala se leva de table, parcourut le salon des yeux et se dirigea vers le canapé, sur lequel gisait le sac d'Akhil.

"Attends !" Akhil bondit. "Attends, qu'est-ce que tu fais ?

— Je veux les clés.

— Non ! Je veux dire, t'as pas besoin de les prendre. Je conduirai pas. C'est promis. Juré.

— Alors ça n'aura pas d'importance que tu n'aies pas les clés.

— Mais quand est-ce que je les récupère ?"

Penchée au-dessus du sac, Kamala regarda son mari.

"Dès que nous connaîtrons la gravité de ton cas, répondit Thomas.

— Et si c'est grave ?" demanda Akhil.

Amina vit ses parents se consulter du regard, de nouveau. Kamala s'humecta les lèvres. "Alors tu ne conduiras plus, mais ce n'est pas la fin du…

— Je ne conduirai plus *jamais* ?

— Pas avant que nous ne sachions que tu n'es un danger ni pour toi ni pour autrui", dit Thomas.

Kamala tendit la main vers le sac, mais Akhil la prit de vitesse, attrapant le sac d'une main et écartant sa mère de l'autre. Ses yeux étaient grands et blancs dans leurs orbites, son visage en sueur.

"Pas pendant les week-ends ? Même pas au bal de promo ? demanda-t-il.

— Donne-les-moi, dit Kamala, en faisant un geste.

— Non.

— Donne.

— Non !"

Le corps à corps qui suivit fut bref, idiot, catastrophique. Kamala empoigna le sac et le tira à elle tandis qu'Akhil tirait dans l'autre sens. De la table de la cuisine, Amina vit sa mère se pencher en arrière de tout son poids comme une sorte de guerrier en sari. Akhil se pencha de son côté. Il y eut des grognements, des gémissements, des jurons, et juste au moment où Akhil commençait à l'emporter, sa mère redoubla d'efforts, tira plus fort, tout entière décidée à gagner, à tel point qu'elle ne vit pas la décision qui palpita sur les lèvres de son fils en un sourire cruel. Il lâcha, d'un coup, et le sac la heurta au visage, la projetant en arrière avec violence. Elle atterrit à plat sur le dos. Pendant un moment, le reste des Eapen demeura silencieux, les yeux fixés sur les bras et les jambes en désordre de Kamala, son sari retroussé, le sac à dos là où aurait dû se trouver son visage.

Amina était debout, bien qu'elle ne se souvînt pas de s'être levée. Son père bougea rapidement, repoussant Akhil et soulevant le sac. Sous le nylon et les fermetures à glissière, Kamala clignait d'un œil, l'autre fermé de désarroi.

"Ne bouge pas, dit Thomas. Reste là un moment."

Kamala leva une main à sa joue, qu'elle palpa prudemment. Elle fixa des yeux le sang qui lui tachait le bout des doigts.

"C'est une petite coupure, fit Thomas, rassurant. N'y touche pas. Amina, va chercher l'eau oxygénée."

Amina se détourna et courut au garde-manger sur des jambes tremblantes de chaleur. Il faisait frais dans le garde-manger, plein d'odeurs de soupe et de confit, et elle aurait aimé y rester un moment, cachée, jusqu'à ce que ce qui devait arriver là, dehors, soit arrivé. Sa mère gémit. Amina mit le pied sur un sac de basmati pour atteindre les tampons de coton, les pansements et l'eau oxygénée.

Elle entendit son frère dire : "Oh, mon Dieu, maman!"

Amina passa devant lui en revenant et eut presque pitié de lui, agenouillé sur le tapis avec l'air de souhaiter s'y fondre.

"Apporte de la glace dans un sac", aboya son père lorsqu'elle lui tendit le tout, et elle retourna en courant à la cuisine. Elle ouvrit le congélateur, attrapa deux bacs à glaçons et regarda autour d'elle avec affolement.

"Où sont les sacs en plastique? cria-t-elle.

— Oh, maman.

— Sous l'évier", dit sa mère d'une voix faible, et Amina en prit un. Elle vida les bacs dedans et revint, toujours courant. Akhil n'avait pas bougé d'un pouce, mais Kamala se promenait les mains sur le visage en palpant ses traits comme si c'était du Braille.

"Quoi d'autre?" demanda Amina, essoufflée, se sentant soudain importante.

"Avons-nous un steak? demanda son père.

— Seulement de l'agneau, dit Kamala.

— Va me chercher l'agneau.

— J'y vais", dit Akhil.

Kamala tressaillit quand le tampon de ouate fut enlevé, dévoilant l'enflure rapide de sa pommette en un arc bulbeux. Rouge et sanguinolent, son œil se crispa dans son orbite. Amina s'étrangla.

"Tout va bien, dit son père. Quelques vaisseaux sanguins ont éclaté, ça a juste l'air plus grave que ce n'est. Tu vois mes doigts?" Il en leva deux et couvrit de l'autre main l'œil valide de Kamala.

Elle fit signe que oui.

"Combien?

— Deux.

— Bon."

Akhil revenait, l'agneau à la main. Quand l'œil sanguinolent de sa mère se fixa sur lui, il se mit à pleurer.

"Peux-tu t'asseoir? demanda Thomas d'une voix douce. Il faut que nous voyions ta tête."

Elle s'assit. Elle se tint la tête dans les mains comme un bol rempli de quelque chose qui risquait de se renverser tandis que Thomas lui palpait le cou de haut en bas ainsi que l'arrière du crâne.

"Tu as une petite bosse, ici", dit-il en appuyant, et elle laissa échapper un petit cri. "Je veux que tu suives mes doigts des yeux."

Les contrôles ne révélèrent rien. La vision de Kamala était bonne. Elle ne paraissait pas désorientée, ni même perturbée, seulement très, très profondément calme. Elle restait assise sur le canapé, la tête entre glaçons et viande, les yeux fermés. Akhil s'assit auprès d'elle. Il ne pouvait la regarder sans que sa bouche ne tremble et se tenait donc le dos tourné. De leur côté, Amina et son père s'affairèrent à ranger la cuisine, trouver des Tupperware convenant aux restes du repas et gratter les traces de curcuma. Ils empilèrent et alignèrent la vaisselle sur l'évier, que, tandis que Thomas balayait par terre, Amina remplit d'eau chaude savonneuse et citronnée.

"Je vais le faire, dit son père en posant le balai de côté.

— Ça va, papa, je…

— Assieds-toi."

Il était difficile à déduire de son ton s'il parlait dans une intention bienveillante ou punitive, mais Amina ne se risqua pas à discuter. Un coup d'œil au canapé l'assura qu'elle n'avait pas envie de s'asseoir dans le courant douloureux entre sa mère et son frère. Elle se dirigea plutôt vers son cartable, resté sur le meuble de la cuisine où elle l'avait déposé plus tôt, et en sortit son appareil.

Verrait-on jamais Thomas, avec toute la lumière qui rejaillissait, étincelante, des carrelages devant lui ? Amina n'en avait aucune idée, et elle modifia donc le réglage deux ou trois fois, espérant saisir l'ombre en forme de S qui se dessinait sur son dos pendant qu'il lavait la vaisselle, les quelques bulles de savon qui s'élevaient en l'air, telles des pellicules. Elle se retourna pour aller dans la salle à manger photographier la nappe éclaboussée et tachée. De là, elle prit quelques photos de sa mère et son frère sur le canapé, de leurs visages illuminés d'éclairs bleus selon les fluctuations de l'écran de télévision. En affinant sa mise au point, elle vit remuer la bouche d'Akhil. Puis celle de Kamala. Puis de nouveau celle d'Akhil. Qui aurait deviné exactement ce qu'il disait, ou ce que Kamala répondait ou pourquoi, dix secondes après, ils échangeaient un regard en riant, avant de retomber dans le silence ? Tout ce que sut Amina, c'était que lorsque son père eut fini la vaisselle, ils étaient passés à *Hill Street Blues*, qu'ils regardaient côte à côte, le métal brillant des clés en sécurité dans la main de sa mère. Debout devant eux, Thomas se séchait les mains avec un torchon.

"Je vois que tu as retrouvé la raison", dit-il à Akhil qui, le regard dur, ne répondit pas. Amina prit la photo.

"Je comprends que c'est très difficile, de tels moments", poursuivit Thomas un peu trop fort, comme si on l'enregistrait pour la postérité. "Personne n'aime ces cadeaux que la vie nous offre. Mais, devenir un homme, c'est aussi comprendre comment faire face au lieu de toujours fuir. Il est temps que tu apprennes cela."

D'où vient que les pères provoquent si souvent le résultat même qu'ils souhaitent éviter ? Leur besoin de dominer est-il tellement plus fort que leur instinct protecteur ? Thomas savait-il, se demandait Amina en l'observant, qu'il venait de se comporter comme l'équivalent humain d'un lion enfonçant ses crocs dans son propre lionceau?

Le regard d'Akhil se détacha de celui de son père, se tournant d'un seul mouvement vers le chemin d'accès. Il pinçait les lèvres, comme s'il les serrait sur un secret et, en un éclair, Amina comprit ce que c'était. L'évidence surgit dans sa tête avec la netteté d'une lame si tranchante qu'elle n'en aurait même pas senti la coupure. Elle s'immobilisa, l'appareil collé au visage. Akhil la regardait dans le viseur, entouré d'un tourbillon de fureur, tel un vent invisible, la mettant au défi de dire quoi que ce fût. Elle ferma les yeux et prit la photo.

4

Le lendemain après-midi, debout dans l'espace entre la porte de sa chambre et celle d'Akhil, Amina serrait et desserrait les poings. Elle n'en pouvait plus. C'était un bruit affreux, et le fait qu'il n'ait manifesté aucun signe d'accalmie pendant les dix minutes durant lesquelles elle avait attendu lui donna le courage d'entrer.

Akhil pleurait dans son lit. Il pleurait *vraiment*. Il pleurait comme elle ne l'avait plus vu pleurer depuis le jour où, quand ils étaient petits, il avait malencontreusement laissé tomber par la fenêtre de la voiture son sabre lumineux de *La Guerre des étoiles*, pulvérisant tout cet héroïsme en herbe en débris de plastique sur la grand-route.

"Sors", dit-il, mais même ce mot était geint si faiblement qu'elle ne pouvait le prendre au sérieux. Elle s'assit au pied du lit, ne sachant que dire. Les Grands leur adressaient d'en haut leurs sourires déments.

"Paige va me laisser tomber.

— Quoi? Elle a dit ça?

— C'est ce qu'elle dira quand elle saura.

— Comment ça? Tu ne lui en as pas parlé?

— Pas vraiment. Je peux pas. Aucun traitement ne marche. J'ai regardé aujourd'hui ; c'est juste un tas de conneries qu'on essaie sur toi et presque rien ne change la moindre chose."

Cela pouvait-il être vrai? Amina pensa à leur armoire à pharmacie, à tous ces comprimés et sirops aux couleurs de bonbons. "Mais Papa connaît peut-être quelque chose qui…

— Papa n'y peut rien, putain! C'est une maladie!

— Mais…" Amina se lécha les lèvres nerveusement. "Attends, t'es même pas sûr de l'avoir.

— C'est toi qui l'as dit! Je m'endors tout le temps sans raison, hein?"

Amina repéra des peaux et les mordilla, regrettant d'avoir jamais dit quoi que ce soit à qui que ce soit et, comme Akhil se remettait à pleurer : "Mais…

— Mais rien! Tu ne vois pas, petite conne? laissa-t-il échapper. Rien ne changera jamais pour nous. On aura beau grandir, changer, essayer de devenir comme tout le monde, à la fin, on est mal foutus, putain, et ils le sauront. On est trop mal foutus pour qu'on nous aime."

Amina pensa à son père debout devant l'évier, au rôti non mangé de Kamala, aux crispations du visage d'Akhil pendant le Grand Sommeil, à la maison de Salem qui, dans ses rêves, ne cessait de grandir, un étage incliné après l'autre. Elle pensa au moment où elle aurait pu prendre la main de Jamie mais ne l'avait pas fait.

"Ça va s'arranger", déclara-t-elle à voix haute, surtout pour s'arrêter de penser.

Akhil ne dit rien.

"Elle t'aime encore", lui dit-elle, d'une voix forte à défaut de conviction réelle, et comme il ne répondait toujours pas, elle se rendit compte qu'il s'était probablement endormi une fois de plus. Super. Échec sur échec. Elle regarda les Grands. *Salauds*, pensa-t-elle. *Faites quelque chose pour lui.*

"Tu crois? demanda Akhil doucement, la faisant sursauter. Tu crois qu'elle voudra encore de moi?

— Bien sûr que oui, dit Amina, soulagée. T'as qu'à lui parler."

Dieu bénisse les samedis matin. Un répit dans le familier, une journée intouchée par les routines. Tout était possible. La semaine pouvait encore être rachetée. Amina descendit dans la cuisine, étonnée mais pas mécontente d'y trouver son père en contemplation devant les placards.

"Qu'est-ce que tu cherches?

— Le café.

— À côté des épices. Le couvercle rouge."

Thomas attrapa la boîte de Nescafé, l'ouvrit et renifla avec hésitation avant de hocher la tête. "Tu en veux?

— Dégueulasse.

— Bon." Prenant la petite louche en plastique qui se trouvait dans la boîte, il versa une dose dans une tasse. "Qu'est-ce que tu cherches?"

Elle parcourait les horoscopes du journal en quête d'une quelconque indication qu'elle manquait à Dimple ou, à défaut de cela, que quelqu'un était sur le point de tomber amoureux d'elle. Thomas surveillait la bouilloire avec une concentration remarquable.

"Tu sais ce qu'il nous faudrait?" demanda-t-il quelques instants plus tard, et elle releva la tête, momentanément désorientée par la phrase : *Quelqu'un de spécial vous a remarquée.*

"Hein?

— Une cafetière combinée avec un réveil. Tu sais? Pour que, lorsque le réveil se déclenche, le café commence à passer. Comme ça, quand tu arrives dans la cuisine, c'est là – un pot plein de café! – en train de t'attendre. Malin, hein?

— Très." Elle regarda le journal pour lire l'horoscope de son père. "Bon, papa, aujourd'hui, pour le Lion, ça dit…"

La sonnerie du téléphone l'interrompit et Thomas décrocha.

"Cindy!" s'écria-t-il, comme à une amie perdue de vue depuis longtemps. C'était ainsi qu'il parlait toujours aux infirmières qui appelaient. "Que se passe-t-il?

— Quoi? dit Thomas. Non, il est ici, pourquoi?"

La voix au bout du fil dit quelque chose et Thomas posa la main sur le combiné et se tourna vers Amina.

"Regarde dans l'allée si tu vois le break", dit-il d'une voix calme. Il parla de nouveau dans le combiné. "À quelle heure dis-tu qu'ils sont arrivés?"

Queen Victoria était assise devant la porte quand Amina s'en approcha et ne fit aucun effort pour se déplacer lorsqu'elle tourna la poignée.

"On se bouge, Votre Majesté", dit-elle, et la chienne se leva avec un grommellement canin et se traîna de côté pendant qu'Amina ouvrait la porte. Elle s'arrêta, clignant des yeux dans le matin ; la chaleur de l'été réchauffait le sommet des arbres et faisait voler du haut des branches au chemin des houppettes de coton.

La voiture d'Akhil n'était pas là.

"Quelle est la gravité des brûlures ?" demanda Thomas tout en conduisant, le téléphone calé entre épaule et oreille, et Amina entendit en réponse une explosion de parasites. Il roulait vite, les bras tremblants, et la meute de véhicules qu'il dépassait leur céda le terrain, comme des chiens, jusqu'à ce qu'ils n'aient plus devant eux qu'une route et un ciel nettoyés.

"Oui, disait son père. Oui. Avait-il encore une quelconque réactivité quand on l'a amené ?"

À côté de lui, Kamala déchiffrait chaque mouvement de son visage.

Amina regardait par la fenêtre le défilé des piquets verts qui marquaient le milieu de la grand-route jusqu'à ce qu'ils se fondent ensemble, révélant les voitures qui roulaient en sens inverse de l'autre côté. Elles filaient à une vitesse étonnante et elle les comptait frénétiquement quand elle entendit son père raccrocher, sa mère demander : "Quoi ? Qu'est-ce qu'il y a ?

— Arrivons là-bas, d'abord", dit Thomas.

Tatie Sanji passa les portes vitrées coulissantes en fonçant comme un hippopotame en fureur, *salwar* retroussé autour des hanches, cheveux mouillés massés sur le front. En voyant Amina, elle se précipita à travers la pièce en criant : "Ça va ?" et la serra dans ses bras à l'étouffer sans lui laisser le temps de répondre.

"Ça va ?" répéta tatie Sanji, en tenant fermement Amina à distance et en la regardant.

"Moi, oui. C'est Akhil.

— Papa a parlé au téléphone d'un accident de voiture ?"

Amina confirma d'un hochement de tête. "C'est l'ambulance qui l'a amené. Aux urgences, on l'a reconnu et on a appelé papa.

— Alors ils sont là-dedans ? Tu attendais ici toute seule ?"

Amina hocha la tête ; elle se sentait soudain au bord des larmes. Sanji s'assit sur le siège voisin du sien et l'attira sur ses genoux, ce qui aurait dû lui sembler ridicule, mais ne l'était pas. Elle ferma les yeux et fourra son visage dans le cou de sa tante.

"Pauvre chou, tu as dû avoir peur, non ?"

Amina hocha la tête et se laissa aller à pleurer un peu tandis que tatie Sanji lui massait le dos en cercles, sans cesser de parler.

"… failli ne pas entendre le téléphone sonner parce que je sortais justement de la douche, mais alors j'ai eu envie de savoir ce que c'était, et ton père m'a raconté et je suis arrivée en courant. Ton oncle est en route, et Bala et Chacko sont chez eux avec Dimple, qui est si inquiète pour toi. Je leur ai dit que nous les appellerions dès que j'aurais des nouvelles. Pauvre chou. Mais ne t'en fais pas, hein ? Akhil n'a rien. Maman et papa ont peur, maintenant, c'est tout. Mais ça va aller.

— Oui", chuchota Amina.

Tatie Sanji ne dit plus rien mais continua à lui masser le dos, ce qui faisait du bien. Par la fenêtre, Amina vit clignoter des lumières et une autre ambulance s'arrêta. Cette fois, lorsque les ambulanciers descendirent pour ouvrir l'arrière, elle pensa à regarder ailleurs. Tatie Sanji inspira, soupira, déplaça Amina sur ses genoux. Elle commença à dire quelque chose et s'arrêta.

"Quoi ?" demanda Amina.

Elle soupira. "Je me disais juste qu'on est mal, ici, non ? Si je t'emmenais chez les Kurian ? Tu pourrais attendre là ?

— Et maman et papa ?

— Je demanderais à une infirmière de les prévenir. Ils peuvent venir te rechercher plus tard. Ce n'est pas bien pour toi de rester ici."

Amina se redressa et regarda les portes d'acier, avec un léger sentiment de culpabilité.

"Ça ira, Ami, maman et papa préféreraient que tu sois là-bas, de toute façon. J'appelle Bala ?" Sanji parcourut des yeux la salle d'attente. "Viens, il y a un téléphone, là."

Elles traversèrent la pièce jusqu'au coin opposé, où deux des téléphones publics étaient déjà occupés. Sanji décrocha le troisième et, après avoir attendu la tonalité, glissa une pièce. Amina vit un homme s'effondrer sur le siège qu'elle venait d'abandonner, en regardant sa montre.

"Je l'ai avec moi, disait tatie Sanji au téléphone. Je l'amène voir Dimple ? Je n'ai pas envie qu'elle attende ici avec tant de choses affreuses dans cet endroit."

La voix de tatie Bala couina dans le combiné, et Amina crut entendre quelqu'un qui disait son nom. Elle regarda sur le côté.

"Ami." C'était son père. Amina aperçut un éclair flou dans ses yeux, et il les détourna. Rouges. Il avait les yeux terriblement rouges. Derrière lui, la mère d'Amina se tenait immobile, serrant quelque chose dans ses bras. Un chat. Un bébé. Amina plissa les yeux et vit le blouson de cuir d'Akhil.

"Kamala, qu'est-ce qui est arrivé à ton œil ?" demanda Sanji et le regard de Kamala lui passa au travers comme au travers d'une vitre. Et quelque chose s'arrêta alors. C'était peut-être sa respiration ou les sirènes ou tous les bipeurs de l'hôpital, mais, en ces quelques secondes, Amina vit à quel point les yeux de sa mère étaient devenus lisses et creux, comme vidés de toute perception. Comme plus personne ne disait rien, Sanji raccrocha le téléphone.

"Il y a eu un accident", commença Thomas, sans poursuivre.

Une main couvrit la bouche de Sanji, une autre vola sur les épaules d'Amina, comme pour les raffermir. Quelqu'un, quelque part, disait *non, non, non, non.*

"Quoi ?" Amina s'entendit poser la question alors même que son père la regardait, alors même qu'elle savait. "Quoi ?"

Tenant ses clés devant elle comme une torche, Kamala traversa le parking d'une démarche assurée jusqu'à la portière de la voiture. Derrière elle, Thomas suivait et, derrière lui, Amina et Sanji.

"Kamala, Thomas, laissez-moi vous reconduire chez vous, je vous en prie", répéta tatie Sanji, et Kamala secoua la tête.

"Nous allons bien.

— Vous n'allez pas bien, mon chou, comment pourriez-vous aller bien ? Ce n'est rien pour moi ; on reviendra ce soir, Raj et moi, récupérer votre voiture.

— Non, dit Kamala fermement, en déverrouillant la portière. Non, merci."

Sanji s'écarta de la voiture. Saisissant le bord de son *salwar*, elle en frotta le fruit bulbeux de son nez. Elle se pencha, la main à plat contre la vitre arrière, regardant Amina au moment où le moteur commençait à tourner.

"Appelle-moi", articulèrent ses lèvres, et Amina hocha la tête. Elle recula quand la voiture démarra.

Ce fut instantanément pire sans elle. Ils n'étaient pas sortis du parking qu'Amina sentait déjà le silence s'abattre sur eux, aussi lisse et impitoyable que du béton. Kamala démarra et Amina observa son père dans le rétroviseur du côté passager. Étrangement, elle lui trouvait à présent l'air normal – calme et fatigué, comme toujours quand il revenait du travail, mais normal. Elle ne voyait pas le visage de sa mère.

"Il faut que nous appelions Chacko et Bala, dit-il lorsqu'ils arrivèrent à la grand-route.

— Sanji le fera.

— Nous devrions le faire nous-même.

— Appelle-les, toi."

À l'extérieur, les voitures passaient, indistinctes, les souffletant d'un coup de vent avant de disparaître à l'horizon. Kamala se déporta sur la voie de gauche.

"Où vas-tu ?" demanda Thomas.

Amina regarda par la fenêtre et vit qu'ils se dirigeaient vers la I-40.

"La voiture, dit sa mère.

— Plus tard, Kamala. Nous la verrons plus tard. Ils ne l'ont pas encore récupérée de la montagne.

— Aujourd'hui."

Amina sentit le regard de son père dans le rétroviseur. Il se pencha vers sa mère et lui chuchota quelques mots de malayalam, mais elle repoussa sa tête.

"Bon ? Elle restera dans la voiture. Et alors ?"

"J'ai besoin que tu restes dans la voiture", disait son père. Il avait ouvert la portière arrière et, agenouillé auprès d'elle, la regardait dans les yeux. "J'ai besoin que tu restes ici, tu comprends ? Peux-tu faire ça, Ami ? Veux-tu faire ça pour moi ?"

La voiture était garée au bord de la route. Au dehors, l'air de la montagne sentait les pignes, la roche, l'essence et les cendres, et Amina acquiesça d'un hochement de tête. Elle regarda son père se détourner et courir pour rattraper sa mère, qui avançait déjà à grands pas vers le virage et le garde-fou, avec sa tresse noire qui se balançait dans son dos.

À regarder ses parents par la fenêtre, Amina se sentait sûre qu'ils ne se trouvaient pas au bon endroit. La route était trop pareille à elle-même, cette même veine d'asphalte sinueuse par laquelle ils roulaient toujours vers le sommet, ces mêmes garde-fous peu élevés qui maintenaient à l'écart les frondaisons des pins. Deux pick-up blancs et des hommes en blouson orange accueillirent ses parents, mains gantées désignant le bas de la pente. Ses parents se tournèrent pour regarder.

Qu'était-ce qu'ils virent ce jour-là ? Qu'était-il arrivé à la voiture d'Akhil, qui riva son père sur place tandis que sa mère se détournait, marchait d'abord vers la route et puis s'y agenouillait avec prudence, les paupières frémissantes, closes ? Et furent-ils à jamais perdus l'un pour l'autre à ce moment-là, achevant la séparation qui avait commencé lors du dernier voyage à Salem, ou leur union s'effrita-t-elle plus lentement, au fur et à mesure que le poids quotidien de ce qui s'était passé vint s'appesantir sur eux ? Amina ne le saurait jamais mais, pendant des années, il lui fut impossible de fermer les yeux sans voir ses parents tels qu'ils avaient été juste avant de regarder en bas, avec les frondaisons des pins étalées devant eux comme des vagues sous le ciel du Nouveau-Mexique, aussi vide et blanc que l'éternité.

LIVRE 8

UN PARC SECRET

Albuquerque, 1998

1

Ramener Kamala du jardin et la mettre au lit ne furent pas une mince affaire. Le choc de découvrir le blouson d'Akhil enfoui au milieu des légumes avait été une chose. La boue, une autre. Elle en était couverte – traînées séchant sur son front, ongles bordés de noir, mottes de terre tombant de son sari – lorsqu'elle suivit Amina vers la maison comme un zombie. À la fin, il n'y eut rien d'autre à faire que la mettre en chemise et la passer au jet d'eau tandis que Thomas s'en allait furtivement lui chercher du Valium. Séchée et médicamentée, elle s'effondra dans son lit sans un mot, détournant la tête sur l'oreiller quand Amina lui demanda si ça allait. Amina baissa les stores et ferma la porte de la chambre.

Dehors, Thomas attendait, les mains crispées devant lui. "Alors?"

Un doigt posé sur les lèvres, Amina le guida vers la cuisine. Elle le laissa d'un côté du comptoir et se rendit de l'autre : elle avait besoin entre eux de cette surface dure et blanche.

"Comment la trouves-tu?

— Fatiguée.

— Bien." Son père fit une pause. "Ta mère est très forte, tu sais.

— Alors c'est toi qui as mis le blouson là?"

Thomas fit un hochement de tête.

"Pourquoi?

— J'ai demandé pardon à ta mère. Je te demande pardon. C'était inapproprié.

— Mais je ne comprends pas ce qui t'a poussé à faire ça." Elle commençait à trembler et s'efforçait de s'en empêcher parce qu'il lui semblait stupide de se sentir aussi démolie, aussi bouleversée à cause d'un foutu vêtement. Elle croisa les bras pour essayer de s'affermir.

"Eh, *koche*, fit Thomas, apaisant. Ce n'est pas si terrible. J'avais passé une mauvaise nuit. J'avais un peu trop travaillé. Je devrais peut-être ralentir quelque temps."

Amina le regarda ; avec ses lunettes dans la poche de devant de sa salopette, il lui donna un moment l'impression que son explication était non seulement vraie mais, aussi, juste, comme une rue nouvellement pavée ou un sourire publicitaire pour un dentifrice, ou un horoscope auquel on a vraiment envie de croire.

"Va te chercher un verre d'eau, disait son père, et bois-le lentement.

— Qu'est-ce qui s'est passé aux urgences avec Derrick Hanson?"

Elle vit le visage de son père passer rapidement de la surprise à autre chose, la peau entourant sa bouche se raidir. Son regard se durcit, et Amina se sentir rougir de la gorge au sommet du crâne.

"Ça ne te concerne pas, dit-il.

— Si quelque chose ne va pas, je dois le savoir. Pour aider.

— Je n'ai pas besoin de ton aide.

— Ou pour trouver le médecin qu'il te faut.

— Nom de Dieu, Amina, médicalement je vais très bien!" cria soudain Thomas, et le cœur d'Amina sursauta entre ses côtes.

"M-mais comment le sais-tu?

— Parce que je le sais!

— Mais en as-tu parlé à quelqu'un après? As-tu fait faire des examens? Prends-tu quelque chose? Le Dr George m'a dit qu'il avait essayé de te faire venir…

— Tu as parlé de ça avec Anyan?

— Je… ça… oui. Mais…

— Tu as parlé avec un de mes *collaborateurs*?

— Oui, je pensais simplement que…

— As-tu la moindre idée de ce que tu as fait?" Le sang s'était retiré du visage de Thomas. "Non, bien sûr que non! Pourquoi réfléchir sérieusement à quoi que ce soit quand ta mère et toi pouvez rester ici à vous lamenter et à me juger coupable? Vous n'en êtes pas encore fatiguées?"

Amina avait les yeux pleins de larmes. Cela constituait une humiliation nettement féminine, de la sorte que les filles proches de leur père se donnent le plus grand mal à éviter, aussi révélatrice de leur fragilité qu'une tache dans le dos de la jupe.

"Oh, arrête ça." Son père détacha deux serviettes du dérouleur sur le comptoir et les poussa vers elle. Amina respira dans la serviette, consciente de la pression qui s'accumulait dans son crâne, telles des bulles de condensation. Elle se moucha. Ça n'arrangea rien.

"Je pense qu'il est temps que tu retournes à Seattle", dit son père.

Elle fit de la serviette une balle humide.

"Tes patients", dit-elle.

Il y eut un instant, une rupture entre eux, et puis un long corridor de silence avec, à un bout, le visage consterné de Thomas. Amina déposa sur le comptoir la serviette chiffonnée.

"Demain j'appelle le Dr George." Elle respira brièvement. "Tu vas aller le voir, ainsi que toute autre personne que tu aurais besoin de voir. Sinon, j'irai moi-même raconter ce qui se passe au conseil d'administration de l'hôpital."

Alors elle sortit de la cuisine, franchit la véranda et passa la porte moustiquaire menant au jardin, là où le blouson d'Akhil gisait encore en un tas entre les plis esquintés duquel des cloportes faisaient la course.

2

Au moins, il avait raison quant à la faculté de récupération de Kamala. Alors que le lendemain matin traînait au-dessus des Sandia un ciel gris et fané comme une vieille chemise de nuit, que Thomas partait au travail et qu'Amina, groggy, restait assise dans la cuisine, Kamala se leva, cassa une noix de coco dans l'évier et repoussa toute question à l'aide d'une fournée fumante de crêpes accompagnées de chutney. Après quoi elle fit la vaisselle, rangea son placard à épices et mit à mariner un lot de citrons verts.

"Tu veux du thé? demanda-t-elle.

— Volontiers", dit Amina. Elle était épuisée. Ses rêves avaient été pleins de cris. Elle attendit que le thé soit infusé et devant elle avant d'annoncer : "Il va aller voir un médecin.

— Quoi?

— Papa. On en a parlé ce matin." Parlé, c'était beaucoup dire pour qualifier ce qui n'avait guère été qu'un bref hochement de tête de son père, mais Amina se pencha sur le comptoir, s'efforçant de projeter une certaine confiance. "Il va y aller cette semaine."

Kamala farfouilla dans le frigo, d'où elle sortit un morceau de gingembre grand comme une poupée vaudou. "Pour quoi faire?

— Tu ne voudrais pas t'asseoir une seconde?

— Chutney au gingembre!

— OK, bon... Il y a eu un *incident* aux urgences." Amina commençait à détester ce mot, son air faussement officiel, comme d'une chose qu'un proviseur d'école moyenne pouvait arranger. Elle toussota. "Apparemment, papa a cru que Derrick Hanson était encore vivant quand on l'a amené et il a essayé de le sauver.

— Et alors?

— Il ne l'était pas. Vivant.

— Oh.

— Ouais. Alors depuis la direction de l'hôpital le tient à l'œil. Et maintenant avec cette… Bref, je crois qu'il doit consulter un médecin. Pour savoir s'il y a vraiment quelque chose qui ne va pas.

— Tu crois que oui?

— Je ne sais pas. Je me demande si c'est de la dépression ou quelque chose comme ça.

— Pff. Thomas n'est jamais déprimé.

— Ça arrive à tout le monde d'être déprimé, maman, dit Amina, dont le visage s'échauffait. Et ça peut certainement affecter ce qu'on ressent."

Kamala arrêta de couper. Quand elle se retourna, son visage était anxieux et las, comme si tout le travail de la matinée venait de réclamer son dû. "Et s'il avait quelque chose?"

Elle était si menue, Kamala. Sous l'avalanche quotidienne de ses opinions et accusations, Amina ne s'en rendait presque jamais compte, mais à présent, dans la cuisine, elle voyait à nouveau combien sa mère pouvait sembler petite sous certains éclairages.

"Ou peut-être qu'il est tenté par de mauvais esprits", continua Kamala, sur un ton si doux et si pensif qu'il fallut quelques secondes à Amina pour comprendre ce qu'elle disait.

"Maman, arrête.

— Ça arrive! Mort Hinley dit que des gens comme ton père sont sensibles à toutes sortes de diableries – *particulièrement* les médecins. Jouer tout le temps au Bon Dieu, ça leur donne des idées…

— S'il te plaît. Je t'en supplie.

— Mais suppose que ce soit lui qui les laisse entrer? Ils n'ont besoin que d'une fêlure – Kamala pointa un doigt en l'air – et ils investissent une âme entière! J'ai vu ça moi-même sur l'*Oprah Show*. Parfait, ne me crois pas, qu'est-ce que ça peut me faire? Tu as tes théories sur la dépression, moi j'ai les miennes."

Amina se frotta le crâne. "Il va voir le Dr George demain, j'ai pensé qu'on pourrait y aller ensemble.

— *Oh!*

— Quoi?"

Kamala lui fit un sourire par-dessus l'épaule. "Bien sûr. Si tu veux.

— Ce n'est pas ce que tu penses, maman.

— Non, bien sûr." Le téléphone sonna et Kamala se sécha les mains sur son tablier avant de décrocher. "Allô ?"

Amina laissa tomber son front sur le dessus du comptoir, appréciant le silence que sa fraîcheur imposait à son cerveau. Diablerie ? Était-ce seulement un mot ?

"Elle est occupée en ce moment, dit Kamala. Elle vous rappellera.

— Attends, c'est pour moi ? Je suis là. Qui est-ce ?"

Kamala tenait l'appareil à distance avec un air pincé. "Américain."

Amina reprit le téléphone à sa mère.

"Allô ?

— Amina ?"

C'était Jamie Anderson. Elle le sut instantanément et se sentit bête de le savoir, comme si elle avait été surprise en train de l'attendre. Elle entra dans la réserve, fuyant l'air mécontent de Kamala.

"Bonjour. Salut. C'est Jamie. Jamie Anderson. De Mesa…

— Oui, je sais. Salut.

— Salut."

Il y eut un long silence.

"Allô ? fit Amina.

— Je suis vraiment nul au téléphone, dit Jamie. On s'était dit un dîner ?

— Quoi ?

— Je disais que je suis nul…

— Non, ça, j'ai compris. Dîner ?

— Oui. Ou, je veux dire, si tu es encore dans les parages d'ici là.

— D'ici à quand ?

— Ce soir.

— Oh." Amina rit. "Oui, je serai là ce soir.

— Pas de sortie ce soir ! cria Kamala en ouvrant à la volée la porte de la réserve. Nina Vigil veut voir tes photos avant de t'engager. Je lui ai dit que nous viendrions !

— Quoi ?

— *Quinceañera !* Sa petite-fille ! Je lui ai dit que nous apporterions les photos Bukowsky ce soir." Kamala loucha vers le téléphone. "Qui est-ce ?

— Un ami." Amina chassa sa mère de la réserve et ferma la porte derrière elle. "Allô?

— Alors… pas ce soir.

— Si, c'est bien. On pourrait peut-être juste prendre un verre quelque part à neuf heures?

— Tu es sûre?

— Je suis sûre que j'aurai besoin d'un verre à ce moment-là", dit Amina, et il rit.

— Que dirais-tu de Jack's Tavern? Ça se trouve…

— Tu crois que je ne sais pas où c'est, chez Jack? demanda-t-elle, taquine.

— Oh. Oui, évidemment."

Amina raccrocha. Devant la porte de la réserve, sa mère attendait, tel un petit sergent, les bras croisés sur la poitrine. "Qui était-ce?

— Qui est Nina Vigil?

— La famille Vigil, de Toad Road. Tu les as rencontrés chez les Bukowsky! Elle t'a vu prendre des photos et m'a demandé si tu ferais l'anniversaire de sa petite-fille…

— Super. Combien?

— Quoi?

— Combien me paie-t-elle?

— Je lui ai dit que tu le ferais pour rien.

— Tu *quoi*?

— Et alors ils te paieront s'ils veulent commander des tirages, au même prix que Jane.

— Je ne travaille pas pour rien, maman!

— Ah, *pah*! Tu as autre chose à faire? Et d'ailleurs, tu peux te rattraper avec Jane en lui donnant sa part. Te la remettre dans la poche, hein?"

Le pire, Amina s'en rendait compte, c'était que Kamala avait raison, mais l'admettre, c'était accepter de négocier avec une terroriste. Elle n'aurait plus de limites ensuite.

"Tu sais, ce serait bien que tu passes par moi d'abord. C'est une bonne idée de prévenir la personne qui fait le travail.

— Je te le dis maintenant, idiote. Ne te mets pas dans tous tes états.

— Parfait, marmonna Amina. Mais, écoute, j'accepte pour te rendre service parce que tu as déjà promis. Mais après ça, c'est fini.

— Rien que les Campbell, convint Kamala.

— Maman! Doux Jésus!

— Pas de Jésus. C'est leur anniversaire. Et, reste là." Elle alla prendre son sac et, ouvrant son portefeuille, en sortit plusieurs billets de vingt dollars.

"Qu'est-ce que c'est que ça?

— Tu pourrais peut-être aller à la galerie marchande aujourd'hui, t'acheter des vêtements.

— Quoi?

— Pour ne pas avoir tout le temps l'air d'un homme."

Amina secoua la tête et sortit de la cuisine.

"Des couleurs vives, lui cria sa mère. Tout le monde aime les couleurs vives."

Une heure plus tard, Amina occupait une cabine téléphonique dans un hall de la galerie marchande où la crotte, le parfum et la graisse provenant de l'aire de restauration composaient le genre d'atmosphère qu'on pourrait trouver dans la tache rouge de Jupiter.

"Le gamin qui avait l'afro? demandait Dimple. Le frère de Paige?

— Jamie, ouais.

— C'est un rencard?

— Non." Amina regardait fixement le signal *Exit* au bout du hall. "Il est chauve maintenant. Je veux dire, pas chauve, mais il se rase la tête en été.

— Bizarre, ça.

— Non, pas vraiment.

— Donc, avant tout, évite les pastels. Ils te font un teint crayeux.

— Tu m'avais jamais dit ça.

— Tu me l'as jamais demandé. Bon, et quelles chaussures tu as là-bas?

— Mes tennis.

— Quoi d'autre?

— Je n'étais venue que pour une semaine, tu te rappelles?

— Alors trouve-toi des chaussures plus jolies. Quelque chose d'un peu plus féminin.

— Pourquoi est-ce que tout le monde trouve que je m'habille comme un homme?

— Des sandales, par exemple. Ou des ballerines.

— Je n'aime pas les robes, c'est tout. C'est pas comme si j'étais une espèce de travesti.

— Tu es sûre que c'est pas un rencard? Parce que tu me parais nerveuse.

— Je n'ai pas parlé à un être humain à part mes parents depuis une semaine." Amina entendit tousser à l'arrière-plan, et aussitôt un *chut* de Dimple. "Qui est là?

— Quoi? Oh, c'est juste Sajeev.

— Juste Sajeev?" Amina se mit à rire et puis s'arrêta. "Attends une minute. Tu *sors avec* Sajeev?

— Ne quitte pas", dit Dimple, qui courut rapidement, clac-clac-clac sur le sol de sa galerie et puis, à en juger d'après les bruits, aux toilettes, où elle chuchota : "Oui.

— *Quoi?*

— C'est pas une telle affaire.

— Pas une telle... Tu te fous de moi? *Sajeev Roy?* Ta mère va organiser une conférence de presse internationale!

— Chh. J'essaie de ne pas penser à ça." Dimple fit une pause. "Il me plaît vraiment.

— Vraiment?

— C'est si étonnant?

— Ben... oui.

— Je sais." Dimple soupira. "Putain, c'est super bizarre. Parfois, quand il dort, je le regarde et je me demande *Mais qu'est-ce qu'il fout dans mon lit?* Mais alors il se réveille et je sais pas... il est *gentil* avec moi. J'ai l'impression de ne pas avoir besoin de faire d'efforts avec lui.

— Oh, fit Amina, non sans un petit pincement de jalousie. C'est chouette.

— En tout cas, sois sympa, n'en parle pas aux autres. Je voudrais pouvoir en profiter sans que tout le monde, enfin tu vois...

— Prépare un défilé triomphal dans le tout-Albuquerque?" Dimple rit. "Exactement."

Amina raccrocha quelques instants plus tard et revint sur ses pas dans le hall blanc, un peu désorientée. Dimple et Sajeev? Ce genre d'attraction des contraires était-il possible ailleurs que dans une comédie romantique ? Elle retraversa l'aire de restauration, avec son faux paysage de montgolfières, et rentra chez Macy, où elle évita les horribles robes qui l'avaient envoyée, paniquée, aux cabines téléphoniques, et s'arrêta devant le premier étal de chemisiers. Elle en souleva un en fronçant les sourcils devant la coquetterie de ses courbes. "Puis-je vous aider ?" demanda, en lissant sa taille rebondie, une dame qui ressemblait à une poule.

"J'ai besoin d'un haut."

La femme se figea, surprise. Elle récupéra rapidement. "C'est pour une grande occasion ? Un gala ? Un mariage ?

— Non, juste un dîner normal.

— Ah, très bien." Elle souriait avec une nervosité qui mit Amina à l'aise. "Alors ne restons pas dans les tenues de soirée."

Vingt pas et quelques tournants plus loin, elles se retrouvèrent entourées de vêtements nettement moins "belle-de-bal". "Vous cherchez quelque chose de particulier ? Un débardeur ? Une chemise à boutons ?

— Je ne sais pas.

— Une couleur, peut-être ?

— Quelque chose de vif.

— Ça marche." Avec une prestesse surprenante, vu son embonpoint, elle se mit à soulever et cueillir des hauts sur les portants comme si c'étaient des fruits mûrs. "Vous n'avez rien contre le jaune ?

— Non, ça va.

— Très peu de gens peuvent en porter, dit-elle en décrochant un débardeur jaune tournesol. Mais avec votre teint, ce sera formidable. Et le vert ?

— Pas de vert."

La femme fit signe à Amina de la suivre vers une cabine d'essayage, où elle suspendit les chemises bien en ordre. "Autre chose ?

— Non, merci, c'est parfait."

Amina avait ses raisons pour ne pas aimer faire des courses, et son torse trop long, avec ses minceurs mal placées, en était une. La blouse fuchsia lui pendait dessus comme une voile. La chemise bleue à boutons lui donnait l'apparence d'une lycéenne gay.

Elle enfila le débardeur jaune, suffoqua un instant en se regardant dans le miroir. Ça marchait. Elle avait l'air rayonnante.

"Tout va bien?"

Amina ouvrit la porte de la cabine. La vendeuse sourit.

"C'est vraiment épatant.

— Vous croyez?

— Absolument. C'est la bonne couleur et la bonne taille. Ça met en valeur votre cou et vos bras.

— Le jaune ne fait pas bizarre?

— Pas du tout."

Amina referma la porte et, tournant le dos au miroir, essaya de voir comment Jamie la verrait. Quelques minutes après, elle se tenait à la caisse, ivre d'un plaisir inhabituel. Était-ce l'euphorie de l'achat? la tâche accomplie? Elle prit le reçu et le plia.

"Merci, merci beaucoup, fit-elle avec effusion. Vous avez été d'une grande aide. Ç'a été, comment dire, si facile.

— Oh, je vous en prie." La femme hésita avant de lui tendre le sac contenant le tee-shirt. "Je suis Mindy.

— Enchantée, Mindy. Moi, c'est Amina.

— Je sais."

Amina la dévisagea un moment avant que la trappe ne s'ouvre dans son cerveau. "Bon Dieu!"

Mindy eut un petit rire, se dandina, nerveuse. Ses doigts vinrent rectifier son collier, une petite croix d'argent pendue à une fine chaîne.

"Salut", dit-elle, tandis qu'Amina s'efforçait de retrouver un vestige de la jeune fille qui avait séduit Akhil avec un joint et un décolleté. En était-il toujours ainsi? Est-ce que tous les anciens condisciples finissaient par avoir l'air de fac-similé des parents des autres?

"Ça arrive tout le temps", dit Amina.

Mindy opina. "Alors, tu es revenue en visite?

— Oui. Les parents.

— Ah, bien. Moi je vis ici. Évidemment." Une légère rougeur lui montait aux joues. "Tu te rappelles Nick Feets, à l'école?"

Amina ne se rappelait pas. Elle hocha la tête.

"On s'est mariés il y a quelques années. On habite dans la vallée." Mindy respira brièvement. "Ouais, trois gosses, des chiens, tout le tremblement. Notre aîné va sans doute commencer à Mesa l'année prochaine. Ils ont ouvert une section moyenne, tu sais.

— Chouette." Amina sentait distinctement qu'elle aurait dû en dire plus. Félicitations ? Alléluia ?

"Et toi ? Aux dernières nouvelles, Dimple et toi, vous étiez à New York, je crois ?

— Seattle", dit Amina, distraite par cette étrange impression qu'une pensée montait en bulles de son subconscient. "On est parties à Seattle.

— Ah oui ? Ça vous plaît ?

— Dans l'ensemble."

La fille dans les bras de qui son frère avait perdu sa virginité avait l'air d'une poule et trois gosses. Voilà ce qu'était cette pensée peu charitable, suivie de l'idée qu'Akhil pourrait paraître vieux à présent, chose si évidente qu'Amina se sentait stupide de n'y avoir jamais pensé. Et pourtant, il en était ainsi. Dans le tout petit coin de son imagination réservé aux révisions de l'histoire, il était toujours revenu plus ou moins tel qu'il était, un peu plus grand peut-être, ou un peu plus large de carrure et de taille, selon la tendance des garçons après l'université.

"Oh, non, disait Mindy. Tu as l'air bouleversée. Je ne voulais pas... Je pensais seulement..." Elle rougissait vraiment maintenant, des taches rouges s'épanouissaient sur ses joues et sa gorge comme une réaction allergique. "Je veux dire, je ne savais pas si tu m'avais reconnue et si tu voulais juste être gentille...

— Oh, dit Amina, en s'écartant du comptoir. Non, je ne t'avais pas reconnue.

— Je veux dire, c'est un boulot, tu sais ?

— Oui, bien sûr. Et tu le fais drôlement bien."

Les yeux de Mindy s'étrécirent et, pendant une fraction de seconde, Amina crut voir l'ancienne Mindy, celle qui allait, d'une phrase, la lacérer, mais la jeune femme se contenta de hausser les épaules. "Merci. Bon, on fait une ristourne de trente-trois pour cent sur tous les articles portant des étiquettes rouges, à partir de mercredi – tout sauf les articles ménagers.

— D'accord." Amina éleva le sac en un salut maladroit, et battit en retraite. Elle marcha rapidement dans l'allée devant elle, tournant ici et puis là, se hâtant à travers l'atmosphère dorée des rayons bijouterie et parfums, jusqu'à se retrouver enfin rejetée dans la caverne obscure de la galerie marchande. Sur une rive, quelques corps se colletaient à des forces invisibles dans une salle de jeux vidéo et, sur l'autre, une collection de fauteuils de massage était totalement inoccupée, à part un vendeur solitaire et ondulant. À l'extrémité de la galerie, un magasin de chaussures spécialisé dans les marques dégriffées lui tendait les bras. Amina s'y dirigea.

3

Jamie Anderson était avec une autre femme. Pourquoi était-ce si désagréable, Amina n'avait pas envie de s'appesantir là-dessus, même si elle était certaine que la douche, le débardeur et l'optimisme avec lequel elle s'était rasé les jambes avaient à y voir. Elle restait plantée sur le seuil de Jack's Tavern, le souffle bloqué dans la poitrine, tandis que Jamie souriait à une jolie rouquine, le genre de fille qui transforme le fait de jouer avec ses cheveux en performance artistique.

"Vous entrez?" demanda derrière elle un type au visage lunaire, et Amina fit quelques pas hésitants dans le bar en s'efforçant de ne pas se sentir mal à l'aise sous le regard de la fille.

"Eh!" fit Jamie qui, en la voyant, s'était levé. Le costume avait été remplacé par un tee-shirt, un short et des tongs, ce qui lui donnait l'air d'un surfeur.

"Salut." Amina se tourna vers la fille. "Bonsoir. Je m'appelle Amina.

–'soir." La fille la considéra froidement.

Une seconde inconfortable passa.

"Bon, à un de ces jours, Maizy?" fit Jamie, et la fille regarda alternativement Amina et lui avant de se lever avec lenteur. Sa main tirailla brièvement le tee-shirt de Jamie, et elle se pencha sur lui. "Vous ne m'aviez pas dit que vous attendiez quelqu'un."

Jamie se recula. "Bonne soirée.

— C'est ça." Elle tourna la tête dans la direction d'Amina, sans vraiment la regarder, avant de s'en aller lentement vers le bar où, Amina le voyait à présent, un petit groupe de filles l'attendait, enregistrant tout du coin de l'œil. Elle se glissa à la place libérée. "Désolée d'interrompre.

— Tu n'interromps rien. C'est une étudiante de mon cours « Intro à l'anthro ».

— Ah.

— Ouais." Jamie se déplaça sur la banquette, heurtant la table de ses genoux. "J'avais oublié que c'est un repaire d'étudiants, ici.

— Ça te met mal à l'aise ?

— Non." Il se frotta le crâne un instant, en parcourant la salle des yeux. "Si, peut-être un peu."

Au bar, les filles ne faisaient pas mystère, à présent, du fait qu'elles la regardaient et Amina essaya de se détendre ou, au moins, de paraître détendue. Évidemment, il avait une cour féminine. Existait-il une chose que les étudiantes trouvaient plus sexy que de s'entendre dire quoi penser ?

"Comment t'appellent-elles ?

— Professeur Anderson.

— Ouah."

Jamie éleva un sourcil. "Était-ce du sarcasme, Amina Eapen ?

— Non, pas du tout." Amina rit, croisa et décroisa les jambes. "Je suis impressionnée.

— Ouais, tu m'as l'air impressionnée." Son regard tomba sur ses clavicules. "Joli tee-shirt."

Le visage d'Amina s'épanouit. "Merci."

Au même instant, le groupe de filles au bar éclata de rire, la rouquine plus fort que toutes. Elle riait avec la tête penchée très en arrière, la main nichée dans son décolleté et, sans même regarder la salle, Amina sentit le repositionnement collectif des regards masculins, l'appétit éméché, émoustillé qui l'animait.

"Eh." Jamie se pencha vers elle, un pied heurtant les siens. "Tu veux filer d'ici ?

— Quoi ?

— Aller ailleurs, plus loin dans la rue ? Ou juste faire un tour ? Il y a un très joli parc à quelques rues d'ici, si tu…

— Oui."

C'était bien mieux dehors. Un crépuscule bleu nuit s'étendait sur Albuquerque, effaçant les montagnes et diaprant les lumières de la circulation sur Central Avenue. L'odeur de l'air était douce, teintée de gasoil, comme la promesse d'un voyage. Quelques minutes plus tôt, une décision avait été prise qui impliquait de laisser la voiture d'Amina où elle était, d'acheter de la bière et de se rendre au parc et, depuis ce moment, ils marchaient vers la ville et Jamie lui racontait des détails de sa vie qu'elle souhaitait connaître mais était trop nerveuse pour enregistrer.

Il avait toujours la même démarche. Non qu'elle trouvât rien de particulièrement remarquable à la façon qu'il avait de se pencher en arrière sur ses talons, les mains fourrées dans ses poches, en s'adressant à quelque point central du ciel comme à un amphithéâtre flottant, mais cela lui donnait comme une impression de *déjà-vu**, mêlant à ce qu'il y avait de nouveau en lui une familiarité déconcertante. Il avait toujours ce ton étrange, légèrement dédaigneux, et cette façon curieuse de plisser les yeux quand elle parlait, comme s'il ne l'entendait pas bien ou ne pouvait croire ce qu'elle disait.

"Le moment semblait donc bienvenu", disait-il à présent, concluant la trajectoire de ses douze dernières années, dont les points les plus marquants comprenaient un doctorat à Berkeley, quelques années en Amérique du Sud, la possibilité d'une titularisation à l'université du Nouveau-Mexique et un divorce.

"Tu as été marié?

— Pendant environ trois ans.

— Oh." Amina se sentit étrangement gênée, quoique moins pour lui que pour elle-même. Qu'avait-elle fait de sa vie? Elle n'avait même jamais suffisamment tenté d'avoir une relation pour que ça échoue.

Jamie pointa le menton. "Voilà, c'est là."

Là, c'était un 7-Eleven, avec, sous une lumière orange, ses rayonnages bourrés de produits aux couleurs vives donnant l'impression qu'on pourrait survivre à un hiver nucléaire. Jamie lui tint la porte ouverte et la suivit à l'intérieur, en lui indiquant par

* En français dans le texte

une petite tape sur la hanche qu'elle ne s'engageait pas dans la bonne allée.

Ils s'arrêtèrent devant la vitrine des bières, évaluant les options. "Rolling Rock?

— D'accord."

Deux minutes plus tard, ils ressortaient, non sans avoir ajouté au panier des grains de maïs grillé, de la viande de bœuf séchée et des M&M's. ("Piquenique malbouffe", avait commenté Jamie d'un air approbateur en voyant les additions qu'elle avait faites à la dernière minute.) Ils tournèrent dans une rue transversale, puis dans une autre, serpentant au travers d'un quartier résidentiel où de petites maisons aux façades en stuc rêvaient derrière des pelouses poussiéreuses.

"Où on va? demanda Amina.

— C'est une surprise. Donne-moi une seconde." Il s'arrêta devant un break et sortit ses clés de sa poche.

"Attends, c'est ta voiture? demanda Amina.

— Oui." Il ouvrit le hayon et en sortit une couverture. Il la lui tendit, de même qu'une petite glacière.

"C'est ici que tu la gares?

— Devant chez moi? Oui."

Amina se retourna. La maison qui lui faisait face n'était pas spécialement différente des autres, même s'il semblait que quelqu'un en avait récemment balayé le perron.

"Eh, n'aie pas l'air si déçue, fit Jamie en riant.

— Non, je ne suis pas déçue." À vrai dire elle l'était, un peu. L'entendre parler de titularisation et d'anthropologie avait suscité en elle des visions d'épais murs en adobes couverts de bibliothèques, du genre de maison où abondaient tapis kilim et statuettes de fertilité. Avec sa façade en stuc blanc, celle qui lui faisait face n'avait pas beaucoup plus d'allure qu'une station de pesage au bord d'une route. Elle rit. "Alors la surprise, c'est que tu me ramènes chez toi?"

Jamie eut un moment l'air confus, puis inquiet. "Oh non! Pas du tout! Simplement, je, euh, je ne pensais pas que, en fait, je…" Il referma le hayon et s'éloigna rapidement de la maison et de la voiture, comme pour s'en débarrasser. "Viens. Suis-moi."

Amina suivit le dos de Jamie marchant à grands pas dans une ruelle étroite et sale avec une curiosité grandissante, jusqu'à ce qu'ils aboutissent à un coin de verdure. De grands et vieux arbres, rares en tous lieux à si grande distance du fleuve, les accueillaient de toute leur hauteur, avec leurs frondaisons assombries par la nuit.

"Oh. Dis donc!" fit Amina.

Jamie lui lança un regard en coin plein de fierté. "Le parc secret."

Amina se retourna vers les maisons qui se tenaient en cercle autour du parc, pas plus jolies que leurs façades mais à présent dotées d'un charme infini à cause du mystère qu'elles dissimulaient.

"Alors c'est ton jardin?

— Plus ou moins." Il fit quelques pas, déposa leurs achats et, bras tendu, demanda la couverture. Il la déploya et Amina l'aida à en aplanir les bords et ôta ses sandales avant de s'installer. "Pas mal, hein?

— Que c'est beau! Je suis un peu jalouse.

— Ouais, Corrales, c'est pas ça côté espaces verts." Il lui tendit une bière. "Tiens.

— C'est un…

— Manchon à bière? Bien sûr.

— Tu en gardes dans ta voiture?

— Je garde un tas de trucs dans ma voiture. Quoi?

— Rien.

— Le manchon te déplaît? Je le remporte tout de suite, tu sais."

Amina sourit en faisant tinter sa bouteille contre celle de Jamie, et but une gorgée. Jamie ôta lui aussi ses sandales et recula jusqu'à se trouver au même niveau qu'elle, jambes dépassant de la couverture sur l'herbe.

"Alors. Tu ne m'as pas encore dit ce que tu photographies, dit Jamie.

— Ah. C'est vrai. Eh bien, avant, je faisais du photoreportage.

— Sans blague. Les guerres, la jungle?

— Euh… plutôt des fêtes de quartier et des centres de délivrance de méthadone, mais, oui.

— Ça doit être sympa.

— C'était du sarcasme?

— Juste un peu. Je suis surtout impressionné.

— Oh, il n'y a pas de quoi." Amina secoua la tête. "De toute façon, je fais comme qui dirait un break. Je fais de l'événementiel maintenant : mariages, anniversaires, *quinceañeras*. Et toi, tu ne fais qu'enseigner ou tu…" Jamie la regarda bizarrement. "Je ne veux pas dire *que* enseigner, corrigea-t-elle précipitamment. J'ai toujours entendu dire qu'enseigner, c'est vraiment dur. Je voulais juste dire, tu travailles aussi sur le terrain?"

Il but une gorgée de bière, qui laissa une petite trace de mousse au coin de sa bouche. "C'est en partie pour ça que je suis revenu, à vrai dire, pour étudier les effets du Casino des Sandia et de la culture du jeu sur l'autorité des anciens des tribus.

— C'est aussi triste que ça en a l'air?

— Pas toujours. Tu serais étonnée. En tout cas, j'essaie de ne pas me laisser affecter.

— Et ça marche?"

Il se pencha vers elle et chuchota : "Je suis un anthropologue chevronné, tu sais."

Savon et biscuits salés. C'était ça, son odeur, et autre chose, quelque chose qu'elle n'arrivait pas tout à fait à nommer, mais elle aurait voulu, et ce désir avait une telle force de persuasion qu'elle se surprit à engloutir la moitié de sa bouteille de bière afin d'éviter d'enfouir son visage dans son cou.

"Et qu'est-ce que ça veut dire, ce break? C'était planifié?

— Euh, non." Amina changea de position.

"Tu as été virée?

— Non." Elle s'éclaircit la gorge. "En réalité, je me suis virée moi-même, en quelque sorte.

— Qu'est-ce que tu veux dire?"

Que voulait-elle dire? Amina regarda l'herbe au-delà de l'épaule de Jamie, surprise par une sensation inconnue, l'envie de lui raconter la vérité. Comme beaucoup de ceux dont la vie a pris forme autour d'un événement particulièrement douloureux, elle s'était habituée à recourir à des ellipses à propos de la mort de son frère. À partir d'un certain moment, la logique subconsciente de cette habitude s'était étendue au restant de sa vie, de sorte qu'elle parlait rarement de choses qui l'avaient affectée profondément. Ce n'était pas difficile. Ça ne lui avait certainement jamais posé problème. Et voilà qu'ici, avec Jamie, elle se sentait frappée par le sentiment qu'elle raterait quelque chose d'important si, au moins, elle n'essayait pas.

"Ce n'était pas mon intention, dit-elle. Ou, en tout cas, je ne pensais pas que ça durerait aussi longtemps. J'ai juste pris une photo... quelques photos... ça a été difficile. Je suppose que j'ai eu besoin d'arrêter un peu, après, mais alors plus j'ai passé de temps sans en faire, plus c'est devenu difficile de recommencer...

— Pourtant tu continues à faire des photos.

— Oui, mais ce sont..." Amina se tut. Il n'avait pas besoin d'un catalogue de ses déceptions. "Oui, c'est vrai.

— Tu avais l'air d'y prendre un réel plaisir. L'autre soir, à ce mariage, je veux dire.

— Oh, c'était juste du soulagement. Je crois que quand tu m'as vue j'avais à peu près fini.

— Je t'ai vue à l'église."

Il fallut un moment pour que l'information pénètre.

"Tu n'as rien dit?

— Je ne savais pas si je pouvais."

Il n'y avait pas beaucoup de lumière dans le parc, chose qui ne devenait évidente qu'à présent que la nuit tombait. Une lueur domestique chaude et jaunâtre émanait de certaines des maisons, mais à part ça, il n'y avait qu'un seul réverbère qui s'allumait et s'éteignait en bourdonnant, faisant de Jamie, quand elle le regardait, une silhouette noire. Il ne ressemblait en rien à sa sœur. Cette idée s'imposa à Amina et, avec elle, un très vague reflet du visage de Paige, ces joues dont la courbe était celle de fruits de pierre, de vases Ming. Elle sortait avec le frère de la fille qu'Akhil avait aimée.

"Incroyable, que tu sois professeur, dit-elle.

— Mon père était professeur.

— Je sais. Mais tu détestais les profs à l'école.

— *Détestais*, le mot est fort.

— Mr Tipton?

— Ah oui, ce type-là, putain, je le détestais."

Ils rirent. Rire faisait du bien. Ça évacuait la pression dans sa tête vers la nuit apaisante, le ciel à travers les arbres, jusqu'aux deux étoiles qui venaient de devenir visibles. Amina termina sa bière et la contempla un instant avant de décider de s'allonger sur la couverture.

Jamie se pencha sur le sac. "Tu veux des grains de maïs?

— Ça va merci.

— OK." Il sembla farfouiller parmi le contenu entier du sac, tandis qu'Amina, près de lui, était en proie à des picotements. Que faisait-il? Elle devait se rasseoir. Elle allait compter jusqu'à cinq et puis se rasseoir.

"Je crois que je n'en ai pas vraiment envie non plus." Jamie lui jeta un coup d'œil avant de s'allonger, lui aussi. Une chaleur cotonneuse émanait de son avant-bras, aussi attirante que la gravité. Elle s'imagina roulant de côté, sur lui. Elle imagina la chaleur venue de lui en train de bouger sous elle.

"Tu trouves ça bizarre que je sois divorcé?

— Quoi? Non. Pourquoi?

— Tu avais l'air un peu troublée, tout à l'heure.

— Non! Je veux dire, je n'ai jamais été mariée, alors je ne sais pas. Je crois que ça fait simplement très adulte…

— Plus adulte que le fait d'être marié?

— Carrément."

Jamie rit. "Oui, je crois que t'as raison.

— C'est bizarre d'être divorcé?" Que faisait-elle? Amina se mordit les lèvres, trop tard.

Jamie réfléchissait. "Quelquefois, oui. Je ne sais pas. Beaucoup moins que d'être mal marié.

— Comment tu as su que vous étiez mal mariés?

— Oh, là, tu t'en tiens vraiment aux questions simples ce soir, hein?"

Amina s'assit, embarrassée. Elle était en train de gâcher ce moment. Et pour quoi? Il fallait qu'elle se reprenne.

"Tu veux des M&M's? demanda-t-elle.

— Volontiers." Jamie restait couché à plat, et elle se pencha au-dessus de lui pour palper le fond humide du sac, fixant par inadvertance la fermeture éclair de son short, légèrement protubérante. Une pâle bande de peau apparaissait entre sa ceinture et son tee-shirt. Jamie toussota. "On se disputait mal.

— Quoi?

— Miriam et moi. Il y avait trop de méchanceté dans nos disputes."

Amina essaya de ne pas sourire. Elle n'aimait pas ce prénom, Miriam. Elle tenait les M&M's. "Tends ta main.

— Et toi?" demanda Jamie.

Elle fit tomber quelques bonbons du sachet dans sa paume, puis dans la sienne. "Quoi, moi?

— Tu vois quelqu'un?"

Amina se sentit rougir dans l'obscurité. "Pas vraiment."

Jamie s'enfourna dans la bouche la poignée entière de bonbons et croqua bruyamment. "Prête pour une autre bière?

— Oui, je veux bien." Elle n'avait pas vraiment envie d'une autre bière, mais peu importait. Elle prit la bouteille fraîche qu'il lui offrait et la posa dans l'herbe. Ils s'étendirent en même temps et, cette fois, leurs épaules se touchèrent. Au-dessus d'eux, les étoiles étaient douces et abondantes.

"Eh." La voix de Jamie vibrait dans sa clavicule. "Comment va ton père?

Elle avait oublié qu'elle lui en avait parlé. "On ne sait pas encore vraiment.

— Des examens?

— Oui.

— Je suis passé par là il y a quelques années pour ma mère.

— Ah oui? Comment va-t-elle maintenant?

— Elle avait un cancer du sein en phase quatre quand on s'en est aperçu. Elle est morte quelques mois plus tard.

— Oh, mon Dieu, Jamie, je suis désolée.

— Moi pas. Je veux dire, je trouve odieux qu'elle ait eu ça, mais je ne suis pas mécontent qu'elle soit partie rapidement."

Il avait quelque chose dans la voix – contrôlée, fragile – qui mit Amina mal à l'aise. "Mon père n'est pas vraiment malade comme ça. Je crois que c'est plutôt un genre de dépression, chez lui.

— Alors ça veut dire que tu vas devoir rester quelque temps?

— Je ne sais pas encore.

— Pigé."

Avait-il pigé? Amina n'en était pas sûre, et puis ça n'eut plus d'importance parce que, la seconde d'après, Jamie se redressait sur un coude pour la regarder, et la lumière du parc lui faisait comme un halo. Il lui écarta de la joue une mèche de cheveux et, en un éclair, elle le reconnut enfin, le garçon qui s'asseyait toujours à l'autre bout de la classe d'anglais et se plongeait d'un air furieux dans un livre de poche chaque fois qu'elle ouvrait la bouche.

4

Les petits canards en caoutchouc étaient une surprise. Le lendemain après-midi, tandis que les Eapen attendaient dans le bureau
d'Anyan George, Amina ne pouvait détacher ses regards d'une file
de petits corps jaunes alignés avec soin, becs contre queues. Tout le
reste, dans ce bureau – de l'impeccable rangée de diplômes aux fauteuils en tissu écossais vert, en passant par les deux cadres occupés
par le visage d'un garçon à l'air gentil qui avait vieilli d'au moins
un an entre les deux photos –, était tel qu'on pouvait l'attendre.
Mais les canards sur le bureau étaient déconcertants. Amina en
prit un et le renifla avant de le remettre soigneusement à sa place.

"Adorable, non?" demanda Kamala.

Amina fronça les sourcils pour la décourager. Toute la matinée, sa mère s'était montrée trop joyeuse, revêtant son plus beau
sari bleu sarcelle pour accompagner Thomas aux scans, tentant
de passer des bracelets d'or aux bras d'Amina au moment où
elles sortaient de la maison. À présent qu'ils attendaient le retour
d'Anyan George avec les résultats préliminaires, elle avait pratiquement l'air ivre.

"Un vrai sens de l'humour!" Du menton, elle désignait les
canetons. "Comme toi!"

Thomas décroisa et recroisa les jambes, en regardant sa montre.

"Je suis sûre qu'il va pas tarder", dit Amina. Pauvre Thomas :
le mauvais patient type, tout en rides d'inquiétude et irritabi-
lité, imaginant le pire. Elle aurait voulu pouvoir le débarrasser
de son anxiété ou, mieux encore, lui communiquer la bienveil-
lance capiteuse qui circulait dans ses veines, tel un thé délicieux,
laissant à chacune des parties d'elle que Jamie avait touchées la

sensation d'être bénie et consacrée. Elle se caressa les lèvres du bout des doigts.

"C'est tellement bien pour un homme d'être en contact avec, vous savez, son côté féminin, roucoulait Kamala. *Good Morning America* y avait consacré toute une émission! Celui-ci fait des petits gâteaux, celui-là coud chaque année le déguisement d'Halloween de sa fille." Elle lissa son sari sur ses genoux, tripota les boucles d'oreilles en corail qu'elle avait mises le matin. "Tu es sûre que tu ne veux pas détacher tes cheveux? C'est tellement plus joli quand ils pendent.

— C'est bon, maman.

— Tu es malade?

— Quoi?

— Pourquoi as-tu la voix tout enrouée?

— Ma voix est normale."

Elle ne l'était pas. Trop parlé. Amina rougit.

"Si Anyan n'est pas là à treize heures, il va falloir prendre un autre rendez-vous, annonça Thomas.

— Il n'a que quelques minutes de retard", dit Amina, ignorant la mine hostile que lui faisait son père. Sauf pour coordonner les éléments de temps et de lieu, Thomas s'était appliqué à l'éviter depuis quelques jours, sortant des pièces où elle entrait, décourageant d'un grognement toute tentative de conversation. C'était prévisible, bien sûr, mais tout de même perturbant et elle se surprit à attendre avec impatience la fin du rendez-vous, quand ils pourraient commencer à réparer ce qui s'était faussé entre eux.

"Tiens, *koche*!" Un bâton de baume à lèvres surgit devant le visage d'Amina, tenu entre les doigts de Kamala comme un billet gagnant de la loterie. "Tu as les lèvres sèches."

Amina se le passa sur les lèvres et le lui rendit. Elle regarda le carnet à spirale, sur ses genoux, les mots "Papa – résultats examens" écrits en haut d'une page blanche ; elle ajouta la date dans la marge pour faire bonne mesure.

Il avait la bouche de sa sœur. Elle avait compris ça, la veille, comme un enfant comprend une illusion d'optique dans un manuel, l'œil balançant entre la révélation d'oiseaux blancs et d'oiseaux noirs, la femme âgée et la jeune femme. Le visage de Jamie, la bouche de Paige.

La porte du bureau s'ouvrit et le Dr George entra. Il était plus petit que dans le souvenir d'Amina, ou peut-être écrasé par sa blouse de labo et son pantalon à pli, par la gigantesque enveloppe jaune entre ses mains.

"Bonjour, bonjour. Bon après-midi, docteur. Vous êtes venus en famille, je vois." Il leur sourit avec un peu de timidité, tout en prenant place à son bureau. "Je vous demande pardon pour le retard.

— Oh, je vous en prie." Thomas souriait sans la moindre trace de sa récente irritation. "C'est nous qui devrions vous remercier d'avoir fait si vite dans un délai aussi court. Je déteste l'idée de vous arracher à vos vrais patients.

— Comment va Anjan ? demanda Kamala, tout sourire.

— Bien. Il va bien, merci.

— Il fait si grand garçon, vous savez. En quelle année est-il ?

— En seconde, dit le Dr George. Il est grand pour son âge.

— Je pense bien." Kamala caressa la jambe d'Amina.

"C'est moi, ça ?" demanda Thomas en désignant l'enveloppe.

Le Dr George hocha la tête. "Oui. Et on nous envoie tout de suite les analyses de sang.

— Eh bien, voyons ça. Nous ne voudrions pas vous retarder.

— Avant de venir, j'espère que ça ne vous contrarie pas, j'ai demandé au Dr Curry de jeter un coup d'œil.

— Ah, bien. Comment va Luther ? Revenu d'Hawaï, alors ?

— Oui, docteur." Le Dr George s'approcha de l'écran lumineux et Thomas vint se mettre devant, les bras croisés. Amina se leva et y vint aussi, en s'efforçant d'avoir l'air au fait lorsque la lumière fluorescente s'alluma, les baignant de sa lueur froide et blanche.

Les images étaient magnifiques. Elles l'étaient toujours, avec leurs blancs et noirs s'étendant entre les minces courbes du crâne comme les cartes du temps d'une planète lointaine. Quand elle était plus jeune, Amina essayait d'y voir des formes : fleurs, dragons, bateaux.

"Je voulais un deuxième avis avant de venir, bien entendu", dit calmement le Dr George.

Deux hippocampes se faisaient face dans un miroir, museau contre museau. L'un avait des ailes et l'autre portait un œuf.

"Gliome", dit Thomas.

Le Dr George confirma du geste.

Amina contemplait les vagues de gris en éventail, les boucles noires et les lacs symétriques. "Quoi?"

Son père ne répondit pas. Elle regarda son visage inexpressif, qui semblait de cire, tout à coup, comme s'il n'avait jamais connu de mouvement. Un téléphone sonnait quelque part.

"Curry était de cet avis?

— Oui.

— Son estimation?

— Entre deux et trois.

— Je vois.

— Attendez, quoi?" demanda Amina, plus fort maintenant, d'une voix où perçait la panique.

"Et l'ECG? demanda Thomas, en levant une main pour la faire taire.

— Il arrive, dit le Dr George.

— Oui, mais y avait-il…

— Un ralentissement focal considérable, dit le Dr George. Oui."

Thomas hocha la tête. Il baissa les yeux, fixant le tapis, et ne bougea plus.

"Qui?" demanda Kamala en se glissant entre eux pour regarder les scans, elle aussi. "Il y a quelque chose qui ne va pas?"

Personne ne lui répondit. Amina sentit un contact frais sur son bras. Baissant les yeux, elle vit la main du Dr George qui lui tenait le coude.

"Asseyons-nous", proposa-t-il.

Il y avait dans son ton quelque chose qui suscita chez Amina l'envie de se comporter le mieux possible et elle se détourna aussitôt, heurtant presque Kamala, qui paraissait tout aussi résolue à reprendre son propre siège. Le Dr George s'assit en face d'elles. Thomas resta debout.

"Il semble qu'il y ait une masse dans le lobe occipital, dit le Dr George.

— Une masse? C'est la même chose qu'une tumeur? demanda Amina.

— Oui.

— Non, dit Kamala.

— C'est grave?" Amina sentait la stupidité de sa question. Toutes les tumeurs n'étaient-elles pas graves à un niveau ou à un autre?

"Nous devrons faire une biopsie pour en savoir plus", dit le Dr George.

Le carnet d'Amina était sur le bureau. Elle le reprit sur ses genoux et écrivit lentement "tumeur" en haut de la page. Elle barra aussitôt le mot et écrivit "biopsie" à la place.

"Je me rends compte que c'est un choc, disait le Dr George. Pour nous tous. Bien qu'évidemment ça explique certains des symptômes. Amina, vous m'aviez parlé des hallucinations. Les incohérences auditives et visuelles sont fréquentes dans ce type de...

— Taisez-vous, dit Kamala.

— Maman!

— Ce n'est rien, dit le Dr George. C'est compréhensible."

Kamala était assise tout à fait immobile sur son siège, le visage levé, comme un enfant bien résolu à ne pas recevoir un châtiment. Derrière elle, Thomas était tout noir, la lumière de l'écran donnant à ses boucles une blancheur encore plus blanche.

"Mais..." Amina s'éclaircit la gorge. "Enfin, quel est le traitement? On opère? On l'enlève?

— Nous en saurons plus quand nous aurons fait d'autres examens, mais l'emplacement et la grosseur indiqueraient...

— Non." Thomas s'était retourné. Son visage était pâle et il lui souriait tristement. "C'est inopérable.

— Alors, je ne sais pas? Des rayons? Une chimio?"

Thomas haussa les épaules.

"Nous avons connu certains succès dans la limitation de la croissance grâce à des rayons", dit le Dr George, mais il parlait à présent à Kamala, Kamala dont la tête s'inclinait de plus en plus en arrière, le regard brûlant au plafond. Des larmes s'échappaient des coins de ses yeux. Amina vit avec surprise son père faire un pas vers elle et se pencher pour en chasser une, et puis l'autre.

"Kam", dit-il doucement, et sa mère lui tira la main en avant jusqu'à ce qu'elle recouvre son visage entier.

On frappa à la porte, et elle s'ouvrit devant une petite Asiatique qui tenait en main deux dossiers de plus. Elle sourit en voyant Thomas.

"Merci, Lynne, dit le Dr George en se levant pour prendre les enveloppes. Nous en avons encore pour une minute.

— Bien sûr." Elle ferma rapidement la porte derrière elle, et Thomas fit signe qu'il voulait les enveloppes. Il les ouvrit et feuilleta page après page, en lisant pendant ce qui sembla vingt minutes bien qu'évidemment ce ne pût être autant. Amina fixait le vide devant elle. Elle comptait les petits corps jaunes, perdait le compte, recomptait. Son père rendit les papiers au Dr George.

"Faut que j'y aille, dit-il. J'ai un patient qui m'attend.

— Quoi ?" Amina leva brusquement la tête. "Papa…

— Docteur, dit le Dr George en se levant, j'aimerais vous prévoir un rendez-vous pour une biopsie dès que…

— C'est très bien. Merci d'arranger tout ça avec Monica. Mon emploi du temps sera dégagé.

— Attendez !" fit Amina, criant presque, et Thomas se tourna vers elle, les yeux glacés. "Il faudrait que nous en parlions, non ?

— Je suis déjà en retard." Thomas pivota, cherchant la poignée de la porte et évitant de regarder Kamala qui, de toute façon, ne le regardait pas mais contemplait ses propres genoux, comme si elle ne pouvait imaginer à qui ils appartenaient. "Assure-toi que ta mère rentre à la maison sans encombre."

LIVRE 9

UN PÈRE D'INVENTION

Albuquerque, 1983

1

Le matin des funérailles d'Akhil, le restant des Eapen, assis dans la voiture, contemplait les portes en verre de la station routière. À l'extérieur, un semi-remorque passa, tel un navire de ligne, et la voiture se balança légèrement. "Bon, dit Thomas à personne en particulier. Allons-y."

Amina regarda son père ouvrir la portière et se mettre debout. Il secoua les jambes pour que son pantalon tombe droit, et lorsqu'il ouvrit son portefeuille, elle détourna les yeux. Ce n'était pas qu'elle s'attendît à ce que le monde cesse de tourner pour l'enterrement. Mais certaines choses, comme la musique country tonitruante dans la voiture voisine, ou le fait d'avoir besoin d'essence pour se rendre à l'église, ou de devoir payer quelque chose à quelqu'un, semblaient cruelles.

À la place du passager, Kamala réajustait les plis de son sari blanc, les lissait d'une main. Elle s'appuya au repose-tête et Amina l'observa dans le rétroviseur. L'hématome était spectaculaire. Un grand coquelicot violacé s'épanouissait sur la joue et l'orbite de Kamala, l'œil bordé de rouge en son centre. Étrangement, la meurtrissure avait pour effet d'accentuer la beauté de son visage, rendant son nez plus patricien, ses lèvres plus pleines et son bon œil plus beau que jamais, de sorte que la somme de ses parties lui donnait l'air d'une starlette torturée, à l'éclat renforcé par la tragédie.

"C'étaient les plus grandes qu'ils avaient", dit Thomas en ouvrant la portière et en s'asseyant, suivi d'une bouffée de gasoil et de poussière ; il tendit les lunettes de soleil à Kamala avant de refermer la portière. Amina la regarda les ouvrir et attendre. La monture était violette et scintillante, les verres grands comme des soucoupes. Kamala les chaussa prudemment.

"Laisse-moi voir", dit Thomas, et elle tourna la tête vers lui. Posant le pouce sur son menton, il lui fit tourner la tête d'un côté et de l'autre.

"Très bien", dit-il, et il mit le moteur en marche.

Elle ne pleurerait pas. Pendant les funérailles, Amina garda les yeux fermés, de peur de voir n'importe quelle image qui s'imposerait trop profondément, faisant de ce jour quelque chose de réel. Elle suivait des doigts les bords du carton dans sa main, en glissant un coin sous l'ongle de son pouce. Elle l'avait déjà trop vu, ce programme blanc avec la photo d'Akhil en dernière année et, dessous, les dates, 1965-1983. Déjà, ça lui avait coupé le souffle, qu'avait remplacé une torpeur vrombissante. La pièce était, elle le savait, bourrée d'Indiens, de médecins, d'infirmières, de patients, de parents, de professeurs et de tous les gens de Mesa High, méconnaissables, tellement adultes en costumes et robes noires. La promo, avait pensé Amina en les voyant. C'était comme s'ils répétaient pour le bal. Et, en vérité, il y avait quelque chose de ça dans leur attitude, un mélange terrible de crainte, de calme et de faim de l'inconnu qui passait sur leurs visages comme la lumière du soleil.

"Deuxième livre de Samuel, chapitre douze, versets vingt-deux à vingt-trois", dit l'officiant. Le froissement des bibles qu'on ouvrait faisait penser à l'envol d'une bande d'oiseaux dans l'église. Kamala, le visage dissimulé par les lunettes, ne bougea pas.

"Quand l'enfant vivait encore, je jeûnais et je pleurais car je disais : le Seigneur aura peut-être pitié de moi, et l'enfant vivra ? Mais maintenant qu'il est mort, pourquoi jeûnerais-je ? Puis-je le faire revenir ? J'irai vers lui, mais il ne reviendra pas à moi." Le pasteur Kelley poussa un soupir et releva les yeux. "Ce jour est un jour difficile pour vous. C'est un jour de questions et de désespoir, quand les jeunes ont vu l'un des leurs emmené par la main du Seigneur. Et vous êtes donc venus ici chercher consolation, et je ne peux que vous dire…"

Amina garda les yeux fermés pendant que le pasteur Kelley continuait son sermon sur les favoris de Dieu, croyant apparemment qu'Akhil en était un. Elle ne vit pas Mrs Macklin monter à la tribune pour prononcer, à la demande de Kamala, un étrange hommage au courage d'Akhil face à la langue française. Elle ne remarqua pas que Mindy Lujan regardait le cercueil en réprimant des sanglots, surprise et terrifiée par son propre chagrin ; ni qu'un groupe de jeunes de l'équipe de maths contemplaient leurs chaussures de soirée fraîchement cirées en se demandant quel effet ça faisait de s'envoler d'une falaise, et à quelle vitesse exactement Akhil roulait au moment de l'impact ; ni que tout le monde regardait sans cesse de tous côtés, cherchant des yeux Paige l'absente, comme si elle était censée être l'Étoile du Nord de leur deuil, à laquelle ils pourraient se raccrocher, qui pourrait les guider.

Non, ce que voyait Amina dans l'obscurité de ses propres paupières, c'était le visage de sa mère, si clairement qu'il sembla une minute que le temps avait eu l'aménité de revenir sur ses pas. Elle vit le reflet orange de la lumière de la cuisine sur la pommette de sa mère, la vapeur montant des *idlis* et du ragoût, comment la bouche de Kamala s'était adoucie tandis qu'elle regardait Khalil manger, comment en cet instant tout superflu avait été effacé. Deux bouches, l'une en train de manger, l'autre de dissimuler un sourire. Elle ouvrit les yeux et vit son frère assis sur le banc du chœur.

Elle cligna des yeux. Il cligna aussi. Elle aspira, tâchant de faire remuer sa bouche, de faire remuer n'importe quoi. Il agita la main. Elle ne pouvait respirer. Elle essaya de hurler ou brailler ou crier ou simplement dire quelque chose, mais Akhil lui fit un clin d'œil et se posa un doigt sur les lèvres, sur lesquelles naissait un petit sourire ambigu. Elle secoua la tête. À la tribune, Mrs Macklin se pencha en chuchotant : *"L'esprit est éternel pour les enfants**"* et Akhil lui adressa un doigt d'honneur, embrassant son majeur avant de le dresser bien haut.

"Arrête", dit Amina et une Mrs Macklin apparemment subjuguée s'arrêta de parler.

"Il est là", dit Amina, mais son bras, soudain, lui pesait trop pour qu'elle pût le soulever et, de toute façon, personne ne regardait. La main de Dimple était fraîche sur son poignet.

* En français dans le texte.

"Il est là", dit Amina aux lunettes noires de sa mère, et elle vit les lèvres de Kamala rentrer au point de disparaître complètement. Les yeux de son père étaient de pierre.

"Toilettes", lui chuchota Dimple à l'oreille, et Amina se leva et se laissa emmener dans l'allée centrale, en passant devant les Indiens, devant Jamie Anderson, qui se tenait debout, silencieux et affligé, coincé au milieu de sa rangée pendant qu'elle passait. Quand elle eut l'idée de se retourner, Akhil était debout, lui aussi, en train de s'étirer à côté de la tribune. Il lui adressa un signe paresseux de la main et se dirigea nonchalamment vers une fenêtre ouverte. Quand il l'escalada, personne ne l'en empêcha.

"Ami?" Les bouts des souliers noirs de Dimple pointaient dans la cabine.

Elle avait déjà demandé à pouvoir entrer. Elle le demanderait encore. Par la fente dans la porte de la cabine, Amina apercevait le miroir des lavabos, le reflet de la tête de Dimple appuyée contre le battant de métal, à l'écoute. Au dehors, les assistants chantaient un hymne plat et moche qui parvenait à leur donner à la fois l'air d'enfants et d'insectes.

"Je t'en prie?" Dimple passa d'un pied sur l'autre. Amina se pencha en avant et fit glisser le loquet. Sa cousine entra, en verrouillant la porte derrière elle, et Amina se percha sur le réservoir. Dimple y grimpa, en surveillant nerveusement l'eau de la cuvette. Quand elle se pencha en arrière, ce fut Amina qui soupira. C'était mieux avec Dimple. Elles restèrent assises l'une à côté de l'autre, une poche de chaleur naissant entre leurs épaules jointes. Leurs pieds cerclaient la cuvette.

"Je ne suis pas folle, dit Amina au bout de quelques minutes.

— Je n'ai jamais dit que tu l'étais." Dimple chassa une peluche de sa jupe.

Amina pliait les doigts devant elle en les comptant silencieusement.

"Qu'est-ce que tu as vu?"

Amina haussa les épaules. Savon rose et talc, l'odeur dégoûtante des toilettes lui irritait le fond de la gorge. Dix. Tous ses doigts, le compte y était. Dimple étendit les deux mains, en couvrit celles d'Amina, les replia en poings serrés. Amina enfonça la tête sur sa poitrine pour s'empêcher de pleurer.

"Tu peux, dit Dimple. Personne ne te voit."

Amina secoua la tête. Comment expliquer son impression que si elle pleurait, si elle se mettait réellement à pleurer, elle risquait de ne jamais s'arrêter ? Que ça paraissait trop abyssal, comme de sauter dans l'un de ces lacs souterrains pas plus grands que des mares mais qui ont en réalité des centaines de mètres de profondeur ? Non, impossible d'expliquer ça à quiconque, même pas à Dimple, qui la tenait embrassée dans une demi-étreinte maladroite, alors que le service s'achevait et que les assistants se levaient pour s'en aller.

Ils formaient un nœud d'embarras dans la cuisine. Longtemps après la fin de la réception et le départ des autres invités, les Ramakrishna et les Kurian, réunis autour du comptoir, observaient Kamala. Des heures avaient passé depuis l'enterrement, des heures depuis leur arrivée à la maison, sur quoi Thomas s'était aussitôt réfugié dans sa chambre tandis que sa femme prenait position à son fourneau. Un nuage de *ghi* tournoyait au plafond en sifflant et, au-dessous, Kamala faisait sauter et pliait encore une crêpe dorée aux bords minces brunis à la perfection.

"Qui est prêt pour une autre ?" demanda-t-elle.

Bala et Sanji secouèrent la tête tandis que Raj et Chacko échangeaient des regards hésitants. Tous avaient mangé autant qu'ils le pouvaient, et certainement plus qu'il ne leur en fallait. Même Dimple, disposée pour une fois à accepter tout ce que Kamala avait à offrir, s'était bourrée au-delà de toute raison.

"Amina ? gazouilla Kamala.

— Non, maman.

— Je la prendrai, Tatie", dit Dimple en s'avançant.

Avec un bref hochement de tête, Kamala fit glisser la crêpe sur l'assiette avant de retourner au bol de pâte. Elle souleva la louche d'une main preste.

"Non ! Non, Kamala, protesta Bala en se levant. Vraiment, pas besoin. Nous avons tous tellement mangé. N'en fais plus que pour toi."

Kamala la dévisagea, les yeux vitreux. "Je n'ai pas faim.

— Bien sûr que non. Ne mange pas, alors. Pourquoi ne viens-tu pas t'asseoir?"

Kamala, silencieuse, y réfléchit. Elle se détourna. "Avez-vous vu la fresque?" demanda-t-elle.

Bala lança à Sanji un coup d'œil désespéré.

"Kamala, viens t'asseoir un moment, dit Sanji.

— Venez, je vais vous montrer", dit Kamala en sortant vivement de la cuisine.

Les autres se regardaient, trop angoissés pour bouger.

"Croyez-vous qu'un sédatif, peut-être?" demanda Sanji à Chaco et Raj, mais les paupières de ce dernier désignèrent nerveusement Amina. Tous se tournèrent vers elle.

"C'est en haut, dit Amina. La fresque."

Dans l'escalier, froissement de soie contre soie, poids épais des épices et de la sueur de la journée. Amina monta à la suite de ses parents. Il était assez étrange de voir les Kurian et les Ramakrishna dans l'escalier, puisqu'ils ne faisaient d'habitude qu'appeler pour signaler qu'ils partaient, mais quand ils entrèrent dans la chambre d'Akhil, serrés tous les huit autour du lit, Amina se sentit nettement mal. Elle garda les yeux fixés au plancher pendant que Kamala tournait la lampe de bureau de façon à éclairer le plafond et que les autres se décrochaient le cou. Un silence pesant emplit la chambre.

"Ce sont les Grands", l'entendit-elle dire. Une impression de mouvement lui passa au coin de l'œil au moment où sa mère tendait le bras. "Vous voyez?

— Oui, dit enfin Sanji, et les hommes acquiescèrent, en traînant les pieds.

— Gandhi, c'est celui qui a des lunettes, poursuivit Kamala. Gandhiji, Che Guevara, Martin Luther King, Nelson Mandela, Rob Halford!

— Rob Halford? demanda Chacko.

— C'est un prêtre chantant", dit Kamala, et les autres opinèrent vivement. "Akhil l'admirait beaucoup."

"Je voudrais rentrer à la maison."

La voix, douce et tremblante, les fit taire. Relevant les yeux, Amina vit Dimple debout dans un coin, les coudes serrés dans les mains.

"Je voudrais rentrer à la maison", répéta sa cousine, la lèvre frémissante. Son visage se chiffonna et elle s'étreignit plus fort, tandis que des larmes s'échappaient de ses yeux. Tatie Bala traversa rapidement la chambre, mit un bras autour de Dimple et l'autre en avant, comme pour arrêter quiconque tenterait de s'opposer à ce qu'elles gagnent la porte.

"Il faut que nous la ramenions", dit-elle à Kamala, qui acquiesça sans un mot ; sur son visage, la lumière était soudain de plomb.

"Nous allons rester", dit Sanji, mais Kamala secoua la tête.

"Non, partez, dit-elle. Ça ira."

"Appelez-nous. S'il vous faut quelque chose, n'importe quoi ? Appelez, je vous en prie." Sanji se tordait les mains dans l'allée, en regardant Amina et sa mère comme pour absorber leur chagrin rien que par ses yeux. Kamala hocha la tête et rentra dans la maison. Le rectangle lumineux de la porte resta béant.

"Amina, mon petit chou, tu m'entends ? demanda tatie Sanji, cueillant au creux de sa main le menton d'Amina. Appelle-moi quand il te manque, d'accord ? Appelle-moi quand il te manque trop."

Amina hocha la tête et sentit les doigts de Sanji glisser de son visage, remplacés par deux baisers mouillés. Elle se retourna, passa la porte et la ferma.

2

Il s'avéra que ce ne fut pas Akhil qui lui manqua le plus pendant ces premières semaines mais sa famille, ou la famille qu'ils avaient été. Comme sa mère dormait pendant tout le dîner, tandis que son père errait dans la maison, tel un cheval qui aurait glissé dans un aquarium, Amina réchauffait des ragoûts insipides, les arrosait de Tabasco et allumait les informations bien qu'elle n'eût nulle intention de les regarder. Plusieurs fois, elle remonta même dans sa chambre où, les yeux fermés et en écoutant Tom Brokaw à travers le plancher, elle faisait semblant qu'il n'était rien arrivé du tout. C'était étonnamment facile à faire, étonnamment convaincant. Oh, elle n'était pas bête au point de prétendre que tout avait été bien, avant, avec Thomas à l'hôpital, sa mère parlant à la télévision pour se tenir compagnie et Akhil et Paige en train de rêver d'un monde meilleur pendant qu'Amina surveillait l'allée déserte. Mais c'était mieux. Ça, elle en était sûre.

Elle avait tout oublié de cette photographie. Ce n'est qu'après avoir rangé toutes ses barrettes par ordre de taille, retourné son couvre-lit du côté blanc uni au lieu de celui qui était imprimé de petites fleurs, et mis à la poubelle son affiche d'Air Supply roulée en boule en guise d'offrande de paix à Akhil, qu'Amina se souvint. Son cartable, qu'elle n'avait pas ouvert depuis plus de quinze jours, gisait sous la chaise de son bureau. Elle le ramassa.

Ses livres de classe. Ils se répandirent de son cartable, tels de vieux amis d'une ville qu'elle n'habiterait plus. Les volumes reliés d'algèbre et de biologie glissèrent les premiers, avec leurs joyeuses jaquettes vert et jaune, suivis de deux cahiers à spirale, de l'exemplaire de *Sur la route* que Mr Tipton lui avait recommandé d'emprunter, et d'une trousse à crayons. Et là, tout au fond, se trouvait le classeur blanc renfermant ses photos dans des enveloppes de plastique. Amina le saisit et s'assit sur son lit.

Elle s'arma de courage, l'ouvrit, brouilla sa vision en louchant presque. Oui, celles-là, c'était Akhil. Elle ne regarderait pas vraiment, elle ne verrait pas. Elle feuilleta rapidement, en passant d'autres photos de lui, et puis de sa mère et de tatie Sanji, suivies de quelques ombres noires dont elle était sûre que c'était ses tentatives de composer une nature morte avec les bouteilles de parfum de sa mère, et puis Dimple en train de souffler une bulle de savon, et puis une étude de son propre pied. Vite, vite, en ne s'arrêtant que lorsqu'elle vit la photo qui paraissait presque d'un noir pur. Elle regarda. C'était celle-là. Elle la prit.

Il restait plusieurs heures avant l'aube, et quelques-unes encore avant que Kamala ne quitte son lit sale pour prendre une douche, ou plutôt pour s'asseoir dans la douche, où ses cheveux noirs se plaqueraient contre ses seins et les carreaux jaunes jusqu'à ce qu'Amina lui passe un drap de bain. Mais Thomas, l'oiseau de nuit, devait être levé. La télé était allumée, muette, dans la cuisine, lançant sur le canapé désert des éclairs de couleurs vives.

"Papa ?"

Les pantoufles de son père étaient impeccablement rangées devant le canapé, comme aux pieds d'un homme invisible. Des pages de journal glissaient de la table au sol.

"Hello ?"

La porte du réfrigérateur se ferma dans son dos et Amina pivota sur place, suffoquée.

"Bon Dieu, papa !"

Thomas clignait des yeux derrière un verre de scotch. "Amina ? Quelle heure est-il ?"

Elle regarda l'horloge du micro-ondes. "Il est trois heures. Enfin, trois heures et quart.

— Qu'est-ce qui se passe ?" Il avait dans la voix une nuance de panique, nuance qui s'affirmait depuis l'enterrement. Il posa son verre. "Tu vas bien ?

— Oui, je voulais juste…" Amina recula, un peu démontée par la crainte, l'anxiété et le besoin de protéger qui émanaient de lui et se diffusaient dans toute la cuisine. "Je voulais juste te montrer une image.

— Image?

— Photographie.

— Ah, dit-il.

Il trouva une expression intéressée et parvint à la garder. "Voyons voir."

Comme ça, tout simplement? Elle n'avait pas assez réfléchi. Elle aurait dû l'avertir, peut-être, le préparer un petit peu. Amina regarda son père, avec son pantalon qui lui flottait sur le corps, sa barbe et ses cheveux en éventail autour de son visage. Il ne sentait pas bon. Et si ça l'effrayait? S'il attrapait une crise cardiaque? Amina se représenta Kamala et elle vieillissant seules ensemble dans la maison, les arbres étouffant l'allée. Elle posa une main sur le bras de Thomas et il oscilla légèrement.

"Tu vois, je l'ai prise il y a quelque temps, après la mort d'Ammachy."

Elle se tut. Thomas parut comprendre une seconde trop tard qu'il était censé réagir. "M'oui?

— Oui. C'était comme important, pour moi, et ensuite je n'y ai plus pensé, et puis je viens de m'en souvenir. Maintenant.

— Hmm.

— Et, tu vois, papa, c'était même pas une seule photographie, il y en avait deux. Je veux dire que j'ai utilisé deux négatifs. Donc je ne pourrais probablement même plus la retirer. Mais voilà comment elle est sortie."

Elle lui tendit la photographie. Thomas la retourna, et ce fut lui qu'ils eurent sous les yeux, six mois auparavant, journaux éparpillés autour des chevilles, une ampoule blanche allumée au coin de la véranda. Les yeux de son père glissèrent sur le cadrage entier, rebondissant de lumière à ombre.

"Qu'est-ce que c'est?

— C'est toi." Elle mit le doigt sur le personnage dans le fauteuil. "Tu vois?"

Il s'enfonça les doigts dans sa barbe. Après un silence, il se retourna vers Amina. "C'est un très beau travail. Très joli.

— Tu la vois ?

— Qui ?

— Ammachy." Elle tapota la silhouette sur la photo. "Regarde derrière le fauteuil."

Thomas la dévisageait sans comprendre.

"Ici, dit Amina en la désignant de nouveau. Sur la photo."

Mais il ne regardait pas la photo. C'était elle qu'il regardait, son visage. Avec curiosité, répulsion, comme si elle était un insecte qui avait trouvé le moyen d'entrer dans sa douche.

Le pouls d'Amina s'accéléra. "Je sais. Je veux dire que je sais que c'est glauque mais, tu sais, peut-être qu'elle savait que tu étais triste, peut-être qu'elle est juste venue pour être…"

Thomas laissa la photo tomber de ses mains. Il tremblait. Amina se raidit de peur, comprenant tout à coup combien son père était grand, avec quelle rapidité il pourrait la jeter à terre. Il chancela vers elle. Il lui tint la tête si serrée contre son torse qu'elle avait les oreilles aplaties et qu'elle sentait le cœur de son père battre contre ses côtes comme des eaux agitées contre un quai. À son horreur, il se mit à sangloter. Il essayait de dire quelque chose.

"Quoi ?" demanda Amina, étouffée par sa chemise. Elle pencha la tête en arrière, en quête d'un peu d'air. "Qu'est-ce que tu as dit ?

— P-p-pardon.

— Quoi ?"

Il l'écarta de lui, les mains crispées autour de ses biceps. Il avait les joues inondées de larmes. "Je regrette tellement, Amina. Ça n'aurait pas… ça n'aurait pas dû arriver. J'aurais dû le v-voir. Arriver. J'aurais dû être i-i-ici, je sais.

— Qu'est-ce que tu dis ?" Elle avait peur. "Pourquoi tu dis ça ?

— Tu as le droit de m'en vouloir. Je ne m'attends pas à ce que tu me pardonnes tout de suite. Je ne… Je ne… Je ne m'y attends vraiment pas." Thomas s'efforça de reprendre le contrôle de son visage, mais il succomba à une nouvelle crise d'étouffements et de râles.

"Je ne t'en veux pas !" La voix d'Amina se brisa, et à présent elle pleurait, elle aussi. Elle le repoussa. "Je te montre ça, c'est tout, je pensais que tu… Je pensais que tu serais content.

— C'est d'accord, si tu as besoin de me détester, en ce moment, je comprends que ça pourrait…

— Non, attends ! Arrête !" Amina se pencha jusqu'au sol, ramassa la photo et la lui mit sous le nez ; "*Ici*, dit-elle, en montrant le sari de sa grand-mère. *Ça*, c'est son corps. *Ça*, c'est sa tête. Tu vois ?"

Thomas ferma les yeux, le visage frémissant. Il inspira profondément, exhala toute une nuit de scotch. Quand il rouvrit les yeux, ils étaient neutres, précis. "Il n'y a rien, là, Amina.

— Tu ne regardes même pas !

— Il n'y a aucune raison de regarder. Il n'y a rien sur cette photo.

— Mais on l'a vue à mon cours. On l'a vue et la prof a dit..."

Mais il s'était de nouveau replié sur elle, l'étouffant en une étreinte si forte qu'elle avait le larynx écrasé contre son épaule. Il demandait pardon, à nouveau, dans un chuchotement désespéré, comme un homme dans un confessionnal et, comble d'indignité, en la berçant d'un côté à l'autre comme si elle était un genre de bébé.

"Ils ne reviennent pas, *koche*, lui murmura-t-il à l'oreille. Je suis désolé, si désolé, mais ils ne reviennent pas."

— Arrête !" Elle le repoussa et il laissa instantanément retomber les bras. Son visage était un cratère de désespoir. Amina s'essuya les joues avec sa manche.

"Ami, je t'en prie...

— Bon Dieu, laisse tomber, d'accord ? Laisse tomber !" Elle sortit de la cuisine, monta l'escalier en faisant tout le bruit qu'elle pouvait. Quelle importance ? Sa mère ne se réveillerait jamais, et son père était un zombie alcoolique. Rentrée dans sa chambre, elle chassa d'une main les livres de son lit, envoyant son album de photographies s'ouvrir en heurtant le sol. Elle alluma la lampe de son bureau, glissa la photo dessous et la regarda.

Oui. Elle était toujours là. Les dents et les yeux d'Ammachy étaient les seules parcelles de blanc dans ce coin, mais le bonheur qui en irradiait montait de la photographie comme l'éclat des étoiles. Bon, et alors. Amina posa ses pouces sur le bord supérieur de la photo et la déchira en deux, de haut en bas. Elle mit les deux moitiés l'une sur l'autre et déchira de nouveau, et puis une fois encore, jusqu'à ce qu'il ne reste sur son bureau que des fragments de quelques centimètres. Elle ramassa sa poubelle et y poussa toute la pile, morceau après morceau. Quand elle eut fini, elle récupéra son affiche d'Air Supply.

À son retour à l'école, la semaine d'après, les chuchotements étaient partout. Ils la suivaient d'anglais à biologie, se déplaçaient de sa nuque à l'arrière de ses oreilles quand elle ouvrait son vestiaire. Quelques-uns des élèves de sa classe avaient tenté de lui parler les deux premiers jours après son retour, mais ils avaient bientôt renoncé avec l'air de suggérer qu'ils ne l'avaient fait que pour être gentils. Les groupes se scindaient lorsqu'elle passait parmi eux, les têtes s'appesantissaient sur les devoirs quand elle entrait dans une classe sans professeur. Des gens dont les frères ou sœurs étaient dans la classe d'Akhil parlaient à tous les autres comme s'ils possédaient une intelligence particulière.

"Quoi ?" avait-elle crié, ce vendredi, à Hank Franken qui la dévisageait. Il avait laissé tomber son stylo et Dimple lui avait, elle aussi, lancé un regard furibond, mais, plus tard, assise avec Amina sur la piste de sport déserte, elle paraissait embarrassée.

"Personne n'essaie de te mettre mal à l'aise, tu sais. C'est juste qu'on ne sait pas quoi dire. C'est ce qu'on m'explique, en tout cas.

— Pourquoi tu parles de ça ?

— Quoi ?

— Ne parle plus jamais de ma famille avec personne."

Dimple cligna des yeux, l'air confus. "Bon. OK. Écoute, je n'en parle que si les gens me disent qu'ils sont tristes ou quelque chose, et même alors je dis à peine…

— Qu'est-ce qu'ils ont besoin d'être tristes pour toi ? Tu n'es même pas vraiment de la famille."

Ça n'aurait pas dû être bon de voir la blessure à nu dans les yeux de Dimple, mais ça l'était. Bon comme un rayon de soleil sur des doigts froids. Amina se pencha en arrière et sentit quelque chose claquer entre elles. Elle vit trembler la bouche de Dimple.

"Tu devrais peut-être aller t'asseoir toute seule quelque part si tu as besoin de pleurer", suggéra-t-elle.

Dimple se leva d'un bond et elle avait parcouru plusieurs mètres avant qu'Amina cesse de sourire. Elle suivit Dimple des yeux jusqu'à ce qu'elle tourne et traverse le parking, pour aller s'y asseoir sur le muret. Et, pour la première fois depuis sa mort, Amina ressentit le besoin urgent de parler à Akhil.

Quelques soirs plus tard, on sonna à la porte. Là-haut, sur le Balcon, Amina laissa tomber sa cigarette sur les lacets d'une de ses Adidas, qui commencèrent immédiatement à fumer.

"Merde!" Elle tapa dessus.

Toute cette tentative de fumer n'était pas très probante. En dépit d'une pratique quotidienne assidue, elle ne s'en tirait pas mieux qu'au printemps pour inhaler, et carrément moins bien pour tenir en main ces foutus trucs. Pourquoi insistaient-ils toujours pour lui sauter des doigts? Que faisait-elle de travers?

Putain d'Akhil, pensa-t-elle, tout en escaladant sa fenêtre. C'était encore une nouvelle habitude, de toujours penser *putain* avant *Akhil. Ce putain d'Akhil aurait dû m'apprendre à fumer et à rouler un putain de joint. Maintenant il y a tous ces putains de trucs que j'sais pas faire.*

Amina parcourut le couloir en allumant les lumières et en essayant de se débarrasser les mains de l'odeur de fumée. Sanji s'en ficherait, bien sûr, mais si c'était Raj ou Bala ou, pire, Chacko, elle était certaine d'avoir droit au sermon bienveillant-mais-ferme que les autres semblaient résolus à lui assener, comme pour la rassurer ainsi qu'eux-mêmes sur l'existence de règles valant encore d'être suivies. On sonna de nouveau.

"J'arrive!" cria-t-elle en passant devant la chambre de ses parents, avec le vague espoir que Kamala en sortirait animée d'un souci quelconque de savoir qui était à la porte et pourquoi. Mais non, évidemment non. Charles Manson aurait pu être là avec la Famille entière et un sac de couteaux, et Kamala se serait sans doute bornée à attendre dans son lit qu'ils viennent la démembrer.

"Salut."

Ce n'était pas la famille Manson. Ce n'était pas non plus un membre des familles Ramakrishna ou Kurian. C'était Paige Anderson, aussi belle et incongrue qu'une biche au bord d'une route pavée. Amina la dévisagea, toute forme normale de salutation s'étant flétrie dans son larynx. Ce n'était pas qu'elle n'ait pas vu Paige depuis l'accident (elle l'avait vue, seule à l'école, assise avec le visage dissimulé derrière plusieurs livres), mais, quelque part, sa réalité – ses cheveux qui avaient poussé plus bas que ses épaules, son corps engoncé dans une sombre robe bleu marine, ses joues encore rougies en permanence – lui paraissait déconcertante. Elle était si réelle, là, debout, si intense, si insistante, si *vivante*. C'était comme la vision d'un cœur nu en train de battre.

"Je peux entrer?" demanda Paige.

Ici? se demanda Amina. *Dans cette maison?* Mais son corps se déplaça de côté comme si c'était normal, et Paige entra. Derrière elle, Amina entraperçut une silhouette sur le siège passager de la Volvo des Anderson, dans l'allée.

"C'est Jamie?

— Quoi?" Paige jeta un coup d'œil inquiet dans son dos. "Oh, ouais. Il n'a pas voulu que je vienne seule.

— Il ne veut pas entrer?

— Oh, non. Il m'accompagne, c'est tout. Je, euh…" Elle toussota. "J'espérais pouvoir parler à tes parents."

Amina referma la porte. "Mes parents?

— Ton père?

— Il est encore au travail.

— Et ta mère?

— Ma mère?" fit Amina, le visage empourpré de se sentir en proie à une sorte de maladie répétitive, un mal qui condamnait à faire écho aux mauvaises idées d'autrui au lieu de s'y opposer énergiquement. "Elle est au lit."

Instantanément, ce qui avait été source de lumière dans le visage de Paige – nervosité, anticipation, courage – s'éteignit. Ses épaules s'affaissèrent et elle parut perdue, le vestibule semblait s'élever autour d'elle. Quand elle parcourut l'escalier du regard, et puis le palier obscur au-dessus, Amina se sentit triste pour elle.

"Tu veux monter?

— Quoi?

— Dans sa chambre. C'est en haut.

— Oh…" Paige cligna des yeux plusieurs fois, elle réfléchissait. Elle respira profondément et regarda Amina. "OK. Oui."

S'il avait été étrange d'avoir les Ramakrishna et les Kurian à l'étage, ça l'était doublement d'y voir Paige, en train d'examiner les photos d'école d'Akhil, dans le couloir, avec l'attention de quelqu'un qui essaie de trouver la marque "vous êtes ici" sur le plan d'une galerie marchande. Elle étudia les photos les plus anciennes (troisième année primaire, dents de lapin ; cinquième, dents de lapin et moustache) avant de s'arrêter devant la photo des seniors, celle qui avait été prise de lui après son réveil du Grand Sommeil et avant leur rencontre. Son front se plissa.

"Il ne m'a jamais invitée ici", dit-elle, et puis elle regarda Amina comme si ce fait avait une importance, comme si c'était un point marqué contre elle et non contre les Eapen.

Amina indiqua d'un geste la chambre d'Akhil. "Tu peux entrer si tu veux."

Paige opina et passa rapidement auprès d'elle, mais en entrant dans la chambre, elle s'arrêta soudain, comme si elle avait heurté un mur invisible.

"Oh", dit-elle en se couvrant le visage d'une main.

Ce n'était pas un oh de déception, ni un oh de surprise, mais un oh qu'Amina n'avait encore jamais entendu, écorché par une émotion qu'Amina ne connaîtrait pas pour sa part avant des années, quand elle comprendrait ce que c'est que d'avoir envie de quelqu'un, d'être affamé de son odeur et de son goût sur vous, d'imaginer avec tant de précision le poids de ses hanches clouant les vôtres que vous cambrez à la rencontre de votre propre désir invisible. Elle vit Paige traverser la chambre sans se laisser distraire par ce qui arrêtait d'ordinaire les gens – les Grands, le bureau d'Akhil, le blouson de cuir sur le dossier de son siège – et marcher droit à son panier à linge, l'ouvrir et en sortir un tee-shirt oublié qu'elle écrasa contre son visage. "Oh", répéta-t-elle d'une voix étouffée. *Oh.* Et même si Amina ignorait encore ce que c'est que d'aimer ainsi, de brûler au point que votre colonne n'a d'autre option que d'essayer de s'enrouler autour d'une chemise vide, elle comprit que les gens qui prétendaient qu'il vaut mieux avoir aimé et perdu que n'avoir jamais aimé du tout n'étaient qu'un tas d'imbéciles.

"Amina ?"

Comment n'avait-elle pas entendu Kamala monter l'escalier ? Amina, en se retournant, découvrit sa mère en train de marcher dans le même couloir où Paige venait de se tenir, la chemise de nuit de la veille retroussée à hauteur des genoux. Elle regarda la porte ouverte de la chambre d'Akhil et son visage s'assombrit.

"Que fais-tu là-dedans ?

— R-rien", bégaya Amina, souhaitant de toutes ses forces que Paige repose le tee-shirt et s'éloigne du panier, mais il était trop tard pour ça désormais, Kamala la bousculait déjà pour entrer dans la chambre, avec une expression de suspicion profonde. Paige se retourna, son visage parut envahi de panique avant qu'elle ne semble reprendre possession d'elle-même. Elle déposa le tee-shirt sur le lit, défroissa sa robe et fit face.

"Vous devez être Kamala", dit-elle, en tendant une main à serrer, et Amina tiqua. "Je suis Paige."

Kamala regarda sa main, déconcertée.

Paige déglutit, réessaya. "Je suis… J'étais… Je suis l'amie d'Akhil."

Kamala regarda Amina. "C'est avec elle qu'il allait au bal de la promo", expliqua Amina.

À ces mots, Kamala se raidit un peu, sentant l'aiguille raccordant la promo et tout ce qui avait suivi piquer un coin de son cerveau.

"J'étais… je regrette tellement de n'être pas venue à l'enterrement, dit Paige, la main baissée, les joues incandescentes. C'est pour ça que je suis ici. Je voulais… Simplement… Je voulais venir vous voir tous les deux. Vous et Thomas. Pour vous dire combien j'aimais votre fils."

Kamala la dévisagea longuement, quelque chose couvait dans son regard qu'Amina ne situait pas bien, jusqu'à ce qu'elle dise : "Aimais ?"

Le mot était prononcé sur un ton neutre, mais un coup d'œil à son visage suffit à Amina, qui tendit la main vers le coude de Paige.

"Oui." Paige repoussa Amina ; elle avait l'air intriguée. "Oui, bien sûr."

Kamala rit, une fois, d'un rire dur : une pelle heurtant du ciment.

"Paige, dit Amina calmement, laisse-moi te raccompagner."

Paige se redressa à cette suggestion, plus grande que les deux autres. Son regard passa de l'une à l'autre, et son visage s'éclaira soudain d'une expression qu'Amina lui avait vue face à Akhil un millier de fois. C'était une expression d'espoir, de compassion, de – bonté divine – d'amour.

"Amina, je voudrais parler seule à seule avec ta mère.

— Je ne pense vraiment pas que ce soit une bonne…"

Peu importait, en réalité, ce que pensait Amina, parce que Paige disait déjà : "J'aimais votre fils plus que je n'ai jamais aimé personne", d'une voix basse et calme, une voix adoucie par la conviction qu'il restait pour elle dans cette maison quelque chose à quoi se raccrocher, que deux personnes dans l'affliction pouvaient se trouver un terrain commun. C'était une opinion qui était sans doute bien accueillie à la table des Anderson, ou du moins prise au sérieux, mais elle ne l'était pas dans cette chambre où le visage rigide de Kamala renvoyait chaque mot d'une claque, et Amina se détourna en silence et s'enfuit, filant comme une flèche par le couloir, l'escalier, le seuil. Elle rabattit la porte derrière elle avec violence.

Va te faire foutre, Paige. Va te faire foutre, Kamala. Va te faire foutre, Akhil.

"Eh", entendit-elle, tout près d'elle, et elle faillit hurler. Jamie lui faisait signe. Il se tenait debout, embarrassé, près de l'une des jardinières, le visage tiré d'inquiétude.

"Ça va ?" demanda-t-il.

Ça n'allait pas. Amina en avait la certitude tout en se ruant vers lui, tremblante comme une comète et prête à l'écraser, elle fut donc surprise de la facilité avec laquelle il l'attrapa, ouvrant les bras juste assez pour qu'elle se glisse entre eux, accueillant fermement son menton sur son épaule. Chaud. Il était chaud. Amina sentait contre sa poitrine battre le cœur de Jamie et elle ferma les yeux, elle aurait voulu continuer à avancer jusqu'à disparaître en lui entièrement.

Pourquoi n'était-ce pas étrange que Jamie Anderson la tînt entre ses bras ? Ce n'était pas comme si elle s'était jamais trouvée auparavant entre les bras de quelqu'un qui n'était pas un membre de sa famille, et aucun de ceux-ci ne ressemblait si peu que ce fût à Jamie, qui était exactement de la même taille qu'elle, et maigre, et avait la peau plus chaude qu'elle ne l'eût jugé sain. Mais ce n'était pas étrange, même si elle était à moitié perchée sur un de ses pieds et si sa chevelure afro lui grattait l'oreille. Ce ne fut même pas étrange quand il demanda : "Comment ça se passe ?" comme s'ils étaient déjà collés l'un à l'autre.

"C'est horrible", dit-elle.

Il l'étreignit plus fort et chuchota quelque chose. Ça ressemblait à *je suis désolé* mais ça ressemblait aussi à *je suis inquiet* et elle voulait lui demander ce qu'il voulait dire, parce que la différence paraissait assez grande, mais juste à ce moment la porte s'ouvrit et Paige en surgit, les yeux mouillés, la bouche tremblante.

"On y va", dit Paige à Jamie, comme ils se séparaient d'un bond. "On y va!

— Quoi?" demanda Jaimie pendant qu'elle dégringolait les marches du seuil. "Attends!"

Mais Paige n'attendait pas. Elle courait vers la Volvo des Anderson, robe claquant au creux des genoux. Jamie regarda Amina, son visage s'assombrissait.

Que croyaient-ils qui allait se passer? Où se croyaient-ils?

"Vous n'auriez pas dû venir", dit Amina, et elle vit Jamie enregistrer ces mots avec un léger tressaillement, un tic au fond de son regard, qui se transforma en un mouvement de recul et puis il courut après sa sœur.

Longtemps après que les feux arrière eurent disparu sous l'obscurité des arbres et que les traces de la chaleur de Jamie se furent évaporées de sa peau, Amina resta debout sur le perron, en s'efforçant de ne pas penser à l'idée que Jamie devait se faire d'elle à présent, ni à la sensation de bien-être qu'elle avait éprouvée dans ses bras, ni au fait que Paige ne l'avait même pas regardée en partant. Ses pieds lui semblèrent lourds lorsqu'elle monta, et plus lourds encore tandis qu'elle marchait dans le couloir vers le léger mouvement d'air et de lumière venant de la chambre d'Akhil.

Dedans, Kamala priait. C'est ce qu'Amina crut d'abord en voyant cette improbable pietà : sa mère assise sur le lit d'Akhil, avec le tee-shirt mollement étendu sur ses genoux. Kamala penchait la tête vers lui et quelque chose – le fait de ne pas apercevoir son visage – fit soudain comprendre à Amina combien sa mère lui manquait. Kamala claquant les portes des placards dans la cuisine lui manquait. Kamala criant le matin, du bas de l'escalier, "Debout, paresseux!" lui manquait. Et aussi Kamala disant "Ah, vraiment?" lorsque Queen Victoria laissait échapper un renvoi trop bruyant, comme si elles étaient en train d'échanger une vraie conversation, et aussi sa façon de venir parfois à l'improviste serrer l'épaule d'Amina, ce qui paraissait à l'époque un faible succédané d'étreinte mais à présent, dans la mémoire, semblait aussi bon que d'être assis devant un feu flambant alors que le monde extérieur est sous la neige.

"Maman?" Elle fit un pas dans la chambre.

Comme mue par un ressort, la tête de sa mère se releva et, frappée d'effroi, Amina se rendit compte de son erreur. Il n'y avait pas ici de noble affliction, pas de Marie révérencielle. Kamala dardait sur elle les yeux brûlants d'un tigre accroupi sur une proie fraîche, et Amina se surprit à penser *elle va me tuer maintenant, moi aussi*. Non que Kamala ait tué Akhil. Personne ne l'avait fait – ni Kamala, ni Thomas, ni Akhil lui-même, ni même Amina. Sauf que, là, en regardant sa mère, Amina comprit soudain qu'ils y avaient tous contribué, d'une manière ou d'une autre. Tous.

Kamala ouvrit la bouche, ses yeux noirs étincelaient.

"Ferme la porte", dit-elle.

Les choses s'arrangèrent après la visite des Anderson. Pas au sens qu'il se passa quoi que ce soit de vraiment bon, mais Amina cessa de s'y attendre. C'était comme un signe de ponctuation posé sur l'événement de la mort d'Akhil, lui définissant une figure exacte qu'elle pouvait saisir. Elle cessa d'attendre de se sentir normale. Elle cessa de s'attendre à ce que quelqu'un comprenne. Elle cessa de guetter Paige du coin de l'œil à l'école et, quand Jamie parlait en classe, elle le fixait sans le voir, se mettant au défi d'éteindre ses sentiments pour les deux Anderson jusqu'à ce qu'ils finissent par se fondre dans la masse des élèves de Mesa, corps parcourant les couloirs en file régulière, en l'évitant sans même le faire exprès.

"Amina?" Son père entrouvrit la porte de sa chambre le dernier soir de l'année scolaire. "Je peux entrer?"

Pourquoi les pères ont-ils toujours l'air empoté dans les chambres de leurs filles? L'air d'animaux mythiques sortis des forêts d'un autre monde? Thomas s'efforça de naviguer au large des piles de vêtements d'Amina, de son bureau et de ses étagères de livres, mais il s'arrangea tout de même pour bousculer toute la surface de la commode et se cogner la tête au ciel de lit.

"Coucou, dit-il, penché en dessous.

— Salut."

Elle était étendue là depuis son retour à la maison, en contemplation devant la photo d'Akhil sur le canapé le soir de la bataille pour les clés, occupée à jouer le jeu du temps inversé. C'était un jeu simple : tout ce qu'il fallait, c'était imaginer jusqu'où elle devait remonter pour modifier ce qui s'était passé. Combien de jours aurait-elle à revivre – minute par minute, sans faire de ces choix qui perturbent l'ordre de l'univers comme dans Star Trek – pour modifier celui-là ? Remonterait-elle jusqu'à la vision de ses parents en train de se disputer dans l'allée, cet été-là ? Facile. À Dimple, le jour où elle était rentrée du camp ? Ce n'était même pas une question. À son bras cassé, en sixième, à la quatrième, quand tous les garçons de sa classe la traitaient de négresse ? Plus difficile. Mais, oui. Quand Thomas avait frappé, elle était en troisième, au cours où elle avait tellement ri qu'elle avait accidentellement mouillé sa culotte.

"Que fais-tu ?" demanda-t-il.

Elle haussa les épaules.

Il s'assit sur le lit, auquel son poids infligea une bande spectaculaire. Il était tout en épaules et genoux, trop à ras du sol. "Comment vas-tu ?

— Bien."

Quand elle avait tout repassé, quand elle avait revécu chaque moment sans rien changer, elle finissait par revenir à ce soir-là. C'était la meilleure partie du jeu. Cette soirée-là, elle la revivait minute par minute, en ralentissant tout afin de se rappeler exactement comment elle s'était déroulée. Elle parlait avec Akhil dans sa chambre. Descendait dîner. Mangeait les *idlis* et le *sambar*. Elle voyait son père, devant l'évier, devenir sans interruption de plus en plus triste. Elle savait exactement quand y aller – après la bataille, pendant que Kamala et Akhil regardaient la télé et que Thomas rangeait la cuisine. Elle faisait ça à la perfection : se glisser par la porte du jardin, traverser l'allée. Elle s'accroupissait sous la voiture, sentait les cailloux s'imprimer dans ses genoux. Dans l'air imprégné d'une odeur de pneus et d'essence, elle tendait la main sous le moyeu que ses doigts exploraient jusqu'à toucher le métal. Elle vidait la boîte cache-clés.

Le regard de Thomas effleura la photo qu'elle tenait et se détourna. "J'ai pensé que tu aurais peut-être envie de faire quelque chose.

— Comme quoi?

— Comme aller au cinéma.

— Demain, c'est le dernier jour de classe.

— Ah. Oui. Et si nous allions chercher un dessert quelque part?

— Un dessert?

— Oui. Une tarte Heidi. Tu aimes les tartes de chez *Heidi Pies*, hein?

— Je n'ai pas faim." Elle vit son visage s'allonger et ressentit une pointe de remords. "Merci quand même."

Thomas ouvrit les mains, déchiffra ses paumes comme si un livret s'y étalait. "Il faut que tu te lèves, maintenant.

— Quoi?

— Tu ne peux pas faire ça, *koche*.

— Faire quoi?

— Amina." Il se pencha et lui caressa la jambe, gauchement. "Je sais qu'il te manque. Moi aussi, il me manque. Nous ne serons… Nous ne serons plus jamais…" Il se racla la gorge. "Mais tu ne peux pas rester assise sur ton lit comme ça pendant des heures. Ce n'est pas bien.

— Moi? C'est maman qui reste au lit toute la journée!

— Maman fait ce que maman veut faire. Elle va se lever, d'ailleurs. Bientôt. Mais toi, tu es trop jeune.

— Et toi, alors? Tu te contentes de rester assis toute la nuit dans ta véranda sans rien faire que boire du scotch!

— Pas vrai."

Elle le foudroya du regard.

"Je bois du scotch, oui, corrigea-t-il. Sans rien faire, non. Je suis très occupé à faire quelque chose.

— Ouais, bien sûr.

— Je vais te montrer." Il se leva, non sans se heurter la tête au ciel de lit. Il lui fit signe en agitant un doigt. "Viens."

Une fois qu'elle avait vidé la boîte cache-clés, Amina s'autorisait à ouvrir les yeux. *Akhil est dans sa chambre*, se disait-elle. Et peut-être qu'un bruit allait se produire, un léger tap-tap dans le couloir, le clic de ce qui pouvait être l'interrupteur de la salle de bains, et son cœur tressaillirait et elle se dirait : *Je l'ai fait. Merde, alors, je l'ai fait. Je l'ai ramené.*

"Viens avec moi", dit son père.

"Qu'est-ce que c'est ?
— Ça a l'air de quoi ?
— Un sac-poubelle."

Thomas sourit. "Exactement. Sauf que celui-ci, je l'ai fabriqué."

Une évidence, vu l'amoncellement de sacs-poubelles vides dans toute la véranda.

Amina regarda son père. "Tu fabriques des sacs-poubelles ?
— Pas n'importe lesquels. Tiens, prends-le." Thomas lui tendait celui qu'il tenait en main.

Elle le prit. Il n'avait rien de bien particulier, sauf des fentes découpées dans le haut et une longue bande d'un autre sac-poubelle enfilée de fente à fente.

"Attends." Il regarda autour de lui, attrapa une pile de journaux, une boîte d'eau gazeuse, une bouteille. "Prête ?"

Elle tint le sac ouvert et il jeta le tout dedans. Elle regarda. Il ne se passait rien. Elle releva les yeux vers son père.

"Tire sur les liens !
— Quoi ?
— Les trucs sur les côtés. Les poignées !"

Elle tint le sac à bout de bras. Oui, il y avait de longues boucles des deux côtés. Elle tira dessus et le haut du sac se resserra, réduisant l'ouverture à un petit *O*.

"Tu as fait un sac-poubelle à poignées ?
— J'ai fait un sac-poubelle facile à fermer ! Ça se noue. Et alors, regarde." Il tendit la main vers le sac et elle le lui passa. "C'est une poignée. Comme ça on peut le porter. Tu vois ?" Il fit quelques pas d'un air désinvolte, star de sa propre pub. Il déposa le sac par terre et se redressa, mains aux hanches, comme s'il surveillait une frontière et non une simple porte moustiquaire.

Un moment passa, un moment assez long, en vérité, pendant lequel Amina s'imagina sortant en droite ligne de la maison et descendant le chemin en terre battue jusqu'à la route principale, où elle ferait de l'autostop jusqu'en ville et s'amènerait chez Raj et Sanji avec une valise pleine et des instructions précises en vue de son adoption. Elle pourrait devenir leur fille, leur joie immédiate, l'élément essentiel d'une famille qui s'agrandirait dès lors au lieu de se réduire. Serait-elle plus heureuse à longue échéance ? Impossible de le prédire. Mais ce qu'Amina savait, ce dont elle était soudain tout à fait sûre, c'était que, contrairement à Raj et Sanji, ses parents auraient besoin désormais qu'elle existe plus qu'elle n'avait jamais existé et que, en même temps que grandirait ce besoin, grandirait aussi son incapacité de le satisfaire. Même à son meilleur, elle ne pourrait être qu'un rappel de ce qu'ils avaient perdu, cette tache noire qu'était l'absence de son frère effacerait pratiquement ses traits à elle et, vraiment, se retrouver l'objet de l'affection de cœurs aussi définitivement défigurés, ça ferait quel effet ? Que resterait-il de sa propre forme ? C'est alors qu'elle se rendit compte que Thomas la considérait avec une expression si douloureuse et si pleine d'espoir qu'elle ne pouvait que demander : "Qu'est-ce que tu as fabriqué d'autre ?"

Ce fut le commencement de quelque chose. Des projets auxquels son père et elle allaient travailler ensemble, évidemment, mais aussi du retour de Thomas à la maison. Ni à la voiture, ni à l'hôpital pendant des jours d'affilée, ni même à sa véranda, mais à la maison, où il dînerait presque chaque soir ou bien, si ce n'était le cas, la réveillerait pour un petit-déjeuner matinal. Et même si, au début, il lui posait trop de questions sur ses horaires, ses intérêts et ses professeurs, ils se mirent bientôt au travail, conférant à des objets usuels une vie nouvelle. Ils installèrent dans une chaussure de tennis un ventilateur actionné par le talon, créèrent des poignées en caoutchouc pour les brosses à dents et, inspirés par le fromage en bombe, essayèrent de fabriquer une crème pour le visage en aérosol.

Quand Kamala se réveilla, se rendit à la galerie marchande et rencontra Jésus grâce aux discours enflammés des Trinity Baptists, ils construisirent un réceptacle qui recueillait l'eau de pluie et l'acheminait jusqu'à son potager. Quand elle se remit à cuisiner, ils fixèrent des aimants à ses épices les plus utilisés et les plaquèrent à une feuille métallique juste à côté de son fourneau.

Quand elle alluma la radio un matin sur WEXD, *Exode dans le Sud-Ouest*, et se mit à crier, debout sur la table de la cuisine, "Il ressuscitera de nouveau!" avec une expression de ravissement désespéré, ils allèrent dans les champs et mesurèrent des troncs d'arbre afin de décider lesquels conviendraient le mieux à une famille de hamacs.

Elle avait raison, à propos des larmes. Quand elles vinrent, elles semblèrent ne jamais devoir tarir. Couchée, tremblante, sur le lit d'Akhil, Amina chuchotait *s'il te plaît, s'il te plaît, s'il te plaît, Dieu, je t'en supplie*, parce qu'elle n'avait pas encore demandé à Dieu de l'aider et ça paraissait à présent la seule chose encore à faire. *Je t'en supplie, Dieu.* Ça faisait trop longtemps, maintenant. Il y avait trois mois qu'Akhil était parti et si les premiers jours avaient été durs parce que se souvenir de choses le concernant faisait mal, ces jours-ci, les jours où elle n'y pensait pas faisaient encore plus mal.

Mais ne reviendrait-il pas? Il semblait impossible qu'il ne revienne pas. On sentait encore son odeur dans sa chambre – une âcre combinaison de chaussettes humides, de cigarettes, de mari-juana et de crème capillaire. Il y avait ses souliers dans son placard, prêts à être chaussés à tout moment, et son peignoir suspendu dans leur salle de bains commune. Ses clés de voiture, déposées sur son bureau par Kamala le jour de l'enterrement. Sûrement, il ne pouvait pas avoir disparu comme ça. Il faudrait peut-être une saison, voire une année, mais Amina avait la certitude qu'elle reverrait son frère.

Elle ne se trompait pas entièrement sur ce point. Pendant presque un an, après sa mort, elle aperçut son frère un peu par-tout. Un jour, il avait disparu dans l'arrière-salle du bureau de poste au moment où elle y entrait. Une autre fois, il était assis avec un groupe d'ouvriers immigrés dans les champs de piments aux environs de Corrales alors que la voiture passait comme l'éclair. Plus tard, comme elle se trouvait au rayon des aliments exotiques du Safeway, elle le vit balader, du côté de la laiterie, son corps sombre devant toutes ces bouteilles de lait. Et une fois, une seule fois, elle avait été éveillée par une forte odeur de fumée de cigarette flottant au-dessus de son lit, un air vivant de l'haleine d'un autre.

LIVRE 10

ACCIDENTEL/OCCASIONNEL

Albuquerque, 1998

1

Thomas ne rentra pas à la maison le soir du diagnostic. Tout en téléphonant à intervalles réguliers pour les assurer qu'il serait là dans quelques heures, il s'arrangea pour ne jamais arriver effectivement, laissant Kamala et Amina s'endormir sur le canapé, d'où chacune finit par se lever pour aller passer quelques heures dans son lit avant de retrouver l'autre dans la cuisine, à l'aube, sans un mot. Enfin, dans la matinée, il arriva en plein petit-déjeuner, avala un verre de jus d'orange et déclara qu'il allait se coucher.

Monica appela peu après, d'une voix rauque et étrangement peu volubile. *On s'en occupe*, dit-elle, après quoi elle fondit en larmes silencieuses et si intarissables qu'Amina se vit dans l'obligation inattendue de rester optimiste, comme si la prémisse universelle au cinéma, selon laquelle l'espoir est en tous points aussi important que la réalité, était une chose à laquelle elle croyait réellement ; comme si elle comprenait de quel *on* et de quel *en* il s'agissait.

Mais n'y avait-il aucune raison d'espérer ? Personne n'avait évoqué *la mort*, après tout, et Thomas avait encore des examens à passer, ce qui signifiait qu'il restait sans doute une possibilité de traiter ce qu'on pouvait avoir découvert dans le bureau du Dr George. Huit heures après, quand son père se leva et, debout dans la cuisine, exposa un plan d'action bref et détaillé (de nouveaux scans, une biopsie, un hiatus temporaire dans le travail et le commencement immédiat de séances de rayons), Amina se surprit à penser qu'il semblait, sinon mieux qu'auparavant, en tout cas plus clair, dégagé d'une mare fangeuse et lessivé par sa résolution.

"L'attente des résultats peut être éprouvante pour les familles", dit-il à Kamala et Amina comme si c'étaient elles les patientes. "Je vous conseille de rester actives et d'essayer de ne pas trop envisager les éventualités. Mangez régulièrement. Imposez-vous une forme ou une autre d'exercice quotidien."

Peu après ce discours, Thomas entreprit de nettoyer la véranda avec le zèle d'un nouveau locataire. Les journaux de plusieurs mois furent expulsés, les câbles électriques enroulés et suspendus bien en rang, trois sacs de vis, clous et boulons divers, triés dans des boîtes en plastique, redevinrent utilisables.

De son côté, Kamala fit l'achat saugrenu d'un exemplaire de *Comment maîtriser la cuisine française* et se consacra à la besogne plus invraisemblable encore d'en suivre les recettes à la lettre, ce qui eut pour résultat un déploiement aguicheur de plats si fourrés de crème, de beurre et de farine qu'elle semblait vouloir déclencher une crise cardiaque familiale, malgré la réticence des siens à ce changement. ("Tu veux ma mort?" demanda Thomas sans ironie, un soir, en faisant la grimace devant un pot de sauce béchamel.)

Même Amina, poussée par le besoin très vif de faire *quelque chose*, s'extirpa de ses limbes professionnels, clarifia ses projets vis-à-vis de Jane et rencontra un tel succès auprès des invités au quinzième anniversaire de la fille de Nina Vigil qu'elle avait aligné deux nouvelles commandes avant la fin de la soirée. Elle ratissa sa chambre à la recherche des moindres cigarettes restantes, qu'elle jeta dans les toilettes comme une sorte de prix karmatique à payer pour la guérison de Thomas. Elle allait arrêter de fumer, et il irait mieux.

À travers tout, la famille observait un silence complice quant à l'état de santé de Thomas, lequel se mit à paraître étrangement progressif au fur et à mesure que la deuxième semaine faisait place à la troisième. Il y eut davantage d'imagerie, un mois de rendez-vous avec des patients fut reprogrammé, et puis Thomas abandonna à la biopsie un bout de chevelure de la taille d'un demi-dollar. Certes, c'était une impression étrange que de le faire entrer discrètement à l'hôpital et en sortir de même, et d'ignorer les appels téléphoniques (Bala, Sanji, Dimple). Il semblait plus bizarre encore d'ignorer les deux messages de Jamie, ou plutôt de les écouter cinq fois chacun sans jamais rappeler, mais chaque fois qu'elle décrochait le téléphone, elle se surprenait à raccrocher. C'était trop. Trop lourd. Il valait mieux attendre et appeler tout le monde après, quand elle pourrait faire de l'ensemble un paquet bien net appartenant au *passé*.

À la fin de la troisième semaine, leur attitude vis-à-vis du cas de Thomas paraissait véritablement efficace, comme si en refusant d'admettre le diagnostic les Eapen avaient mis la tumeur en quarantaine, l'empêchant de s'étendre dans leur vie. Plus d'une fois pendant cette semaine et la suivante, Amina se retrouva en train de considérer leur présent d'un point de vue qui scintillait dans l'avenir, certaine que sitôt cette étape franchie (franchissement dont les détails restaient vagues, mais qui était sûrement possible), ils pourraient reprendre l'existence qu'ils avaient connue auparavant, aussi banalement que des touristes revenant chez eux. Et tout alla donc son train, ménage et poulet *à l'orange** et rendez-vous suffisamment rapprochés pour bloquer toute pénétration de la crainte de ce que pouvait comporter l'avenir, jusqu'à quatre semaines exactement après le diagnostic original, quand, sans le moindre signe avant-coureur, Thomas s'assit sur son fauteuil dans la véranda et commença une conversation longue, mélodieuse et par instants exaspérée avec le cousin Itty.

"Encore?" demanda Amina. Kamala fit signe que oui, en regardant à travers la porte moustiquaire de la véranda, sourcils froncés et bras croisés. Un minuteur réglé de manière à signaler quand le bœuf bourguignon aurait besoin d'attention cliquetait doucement derrière elles.

Au moins, il n'était plus assis. Quelque chose, dans le fait de rentrer à la maison pour trouver Thomas en train de bavarder avec le siège vide à côté de lui, avait fait paraître la situation beaucoup plus pénible qu'à présent, quelque neuf minutes après, qu'il se promenait dans l'atelier en expliquant des choses.

Amina regarda sa mère. "Est-ce qu'il croit encore…"

* En français dans le texte.

"NE TOUCHE PAS À ÇA, rugit Thomas, bondissant en avant. Tu vas perdre un doigt! Tu as envie de perdre un doigt?"

"Nom de Dieu! souffla Amina.

— Pas de Dieu", fit Kamala.

Le pire, c'était qu'il semblait impossible de le faire taire. Amina avait tenté de l'interrompre quand elles étaient arrivées, et Thomas s'était borné à la fixer d'un regard vide jusqu'à ce qu'elle sorte de la véranda. Cinq minutes après, armée de la conviction qu'il ne pouvait avoir perdu la tête aussi brusquement et ostensiblement, Amina l'avait affronté de nouveau, sans autre résultat que de se voir totalement ignorée. Il ne répondait pas à ses questions. Il ne paraissait pas conscient de sa présence. Il attendit simplement qu'elle fût à court de mots pour reprendre son tour de l'atelier.

"Pour couper des planches, expliquait à présent Thomas en frappant un petit coup sur le pied d'une scie de table. Des grosses. Plus grosse que ça."

Il parlait à Itty, ça ne faisait aucun doute. Bien qu'il y ait des dizaines d'années qu'elle ne l'avait plus entendue, la cadence plate et sonore de Thomas était immédiatement reconnaissable, telle une langue étrangère.

"Tu as appelé Anyan? demanda Kamala.

— J'ai laissé un message dans son service.

— Et qu'est-ce qu'on t'a dit?

— On m'a dit qu'on me rappellerait.

— Mais qu'a-t-on dit à propos de *Thomas*?

— On n'a *rien* dit à propos de Thomas par ce que *je n'ai rien* dit à propos de Thomas. Ce ne sont pas des docteurs, seulement des opératrices.

— Et alors, quoi? On se contente d'attendre?

— Quoi d'autre?

— Va lui parler.

— Va lui parler, toi!

— *Tchi!*" s'exclama sa mère pour dissimuler le fait que même en ce moment, en pleine catastrophe, elle refusait encore de mettre un pied dans la véranda. "C'est insensé! Tu laisses ton propre père se balader en papotant comme un idiot?

— Je ne crois pas que nous allons le laisser, pas du tout, pas avant d'être sûres qu'il…" Amina regarda son père tenir un niveau en l'air et en examiner les bulles fluorescentes comme si elles mesuraient quelque chose. "En tout cas, je crois qu'on doit le tenir à l'œil.

— Je ne reste pas à regarder cet homme comme une télévision! Tu crois que je n'ai rien d'autre à faire?

— Oh, c'est vrai, tu es occupée à préparer des repas que *personne n'a de plaisir à manger.*

— Je prépare des repas qui vont le faire grossir. Tu veux le voir dépérir? Il a besoin de réserves pour les séances de rayons.

— Alors retourne à la cuisine, si c'est là que tu as envie d'être!"

Kamala lui lança un long regard glacial. À la surprise d'Amina, elle poussa la porte moustiquaire et pénétra dans la véranda. Celle-ci parut se recroqueviller autour d'elle, tels des copeaux de bois consumés par les flammes, et elle s'arrêta un instant, cherchant à se repérer. Elle s'avança entre les machines, les poings serrés, faisant lever sous ses talons de petites bouffées de poussière. "Thomas!"

Ignorant sa présence, il se pencha pour remettre sa montre droite sur son poignet.

"Thomas!" Kamala lui enfonça entre les omoplates un doigt tendu.

"Aïe, cria-t-il, en se tournant face à elle. Quoi!

— Qu'est-ce que tu fais?"

Thomas regarda nerveusement autour de lui. Que ce soit la simple présence de Kamala dans sa véranda pour la première fois depuis quinze ans, ou le fait qu'elle le menace, comme d'un poing, de son visage crispé de fureur, elle lui avait fait peur. Il respira rapidement avant de répondre : "Je parle avec Itty.

— Pourquoi?"

Pourquoi? Dans la buanderie, Amina cligna des yeux. Elle n'aurait pas pensé à demander pourquoi.

"Parce que…" Thomas regarda derrière lui, sans doute là où se trouvait Itty. "Parce qu'il est *là*."

Kamala reçut sa réponse en fronçant les sourcils, puis se pencha brusquement de côté comme si elle avait une chance d'apercevoir Itty à condition d'être assez rapide. Elle se redressa, s'adressa de nouveau à Thomas. "Tu le vois?

— Oui.

— Maintenant?"

Thomas hocha la tête.

"Alors dis-lui de partir."

Thomas parut frappé. Il se mit à trembler visiblement, les yeux baissés.

"Thomas, tu m'entends? Arrête ça tout de suite."

Thomas secoua la tête, perdu, apparemment, entre les copeaux, la limaille et les vis ou clous clignotant çà et là.

"Eh!" aboya Kamala, et il releva les yeux vers elle. "Qu'est-ce que tu fabriques?

— Je… je ne sais pas." Il déglutit, les larmes aux yeux. Il regarda derrière lui et puis de nouveau Kamala. De l'autre côté de la moustiquaire, Amina se sentit les yeux et le nez soudain liqué-fiés de chagrin. Il ne devait pas s'en aller comme ça. Il ne devait pas perdre sa dignité.

Les épaules de Thomas étaient agitées de haut en bas par l'effort qu'il faisait de parler, mais Kamala l'arrêta, en étreignant ses avant-bras. Elle parla si doucement qu'Amina dut cesser de respirer pour l'entendre.

"Ne t'en fais pas. C'est pas grave. Je serai à la cuisine. Je ne partirai pas sans te prévenir. Viens me chercher si tu as besoin de moi. D'accord?"

Thomas baissa la tête. Kamala se détourna et revint à grands pas vers Amina, qui réalisa à ce moment seulement que le bourdonnement qu'elle entendait sans l'entendre n'était pas que le sous-produit d'un excès d'émotion, mais le trille vif et urgent du téléphone. Anyan George rappelait. Kamala ouvrit la porte moustiquaire et entra dans la cuisine, en passant devant le téléphone qui sonnait toujours.

"C'est pour toi", dit-elle.

Jamie Anderson n'avait pas balayé son seuil depuis un moment. Cet après-midi-là, comme elle marchait de long en large après avoir sonné à sa porte, Amina faillit écraser de minuscules amas de fourmilières parsemant un joint entre des briques et dut exécuter un petit saut comique pour reprendre son équilibre. Mais, non, même à bout de souffle, même perturbée par le peu d'aide offerte par Anyan George ("Tenez-le à l'œil", avait-il dit, comme si détourner les yeux était une option), elle ne détruirait pas le monde construit à grand soin par une autre créature. Si elle était Dieu, elle serait un peu plus gentille, merde.

Quelques secondes passèrent. Elle sonna de nouveau. Après le coup de téléphone d'Anyan George, elle avait raccroché et pris sa voiture pour venir droit ici sans s'avouer, avant de s'être garée derrière le break de Jamie, qu'elle savait exactement où elle allait.

Pouvait-il vraiment être sorti? Amina tambourina sur la porte. Faisant un pas en avant, elle y posa le front. Si c'était un film, c'est à cet instant que Jamie ouvrirait. Elle tomberait dans ses bras. Ils feraient l'amour. Elle ne saurait pas si elle avait un orgasme parce que les femmes, dans les films, ne se touchaient jamais pendant l'amour et ça lui inspirait des soupçons quant à leur jouissance.

Ce n'était pas un film. Il n'était vraiment pas chez lui. Amina recula, s'efforça de faire baisser la tension dans sa poitrine. C'était sans doute une bonne chose. Que faisait-elle là, en réalité? Elle ne connaissait pas cet homme. Elle ne savait rien de son tempérament, de ses habitudes personnelles, et la hâte n'avait été qu'une ruse, un truc pour éviter de penser clairement. À présent, sa main avait retrouvé le bouton de la sonnette et elle le pressait et le pressait encore, sans réel espoir de faire apparaître Jamie mais afin d'éprouver le pouvoir de ses propres cause et effet. Elle avait une bulle dans les poumons, du genre qui se produisait quand elle restait trop longtemps sous l'eau. *Air Supply**. L'évidence la fit s'étrangler. Ce groupe était vraiment bien meilleur qu'on ne le pensait.

Sans avertissement, les poils se dressèrent sur ses bras, son cerveau animal comprenant une fraction de seconde avant le reste de son corps qu'il y avait quelqu'un derrière elle. Amina se retourna et vit Jamie arrêté sur le trottoir, une maison plus loin. Il avait sous le bras la couverture du parc.

"Salut", dit-elle. Jamie répondit d'un hochement de tête, le genre de signe qu'on fait d'un côté à l'autre d'une pièce quand on n'a aucune intention d'approcher. Un voisin alluma une radio qui émit brièvement un rap tonitruant, avant d'être amortie et réglée sur la radio publique.

* On pourrait traduire *Air Supply* par "provision d'air".

"Tu es là, dit-il enfin.

— Ouais.

— Tu n'es pas retournée à Seattle?

— Non."

Il attendit qu'elle en dise plus, mais elle n'y arrivait pas, troublée par la réalité de Jamie, son tee-shirt 94 ROCK, son air méfiant.

"Je peux entrer? demanda-t-elle.

— Je t'ai laissé deux messages.

— Je sais. Je suis désolée."

Jamie ne quittait pas son visage des yeux et, bien que rien en eux n'exprimât de vulnérabilité à son égard, elle se rappela leur premier baiser, combien ils s'étaient tous deux montrés étranges et impatients, semblables à deux muets tentant de décrire une formidable tempête.

"J'ai eu une drôle de semaine", dit-elle.

Ces mots parurent le libérer de la paralysie qui l'avait immobilisé. Il marcha vers sa voiture, ouvrit le hayon, mit la couverture à l'intérieur et referma d'un coup précis. Elle recula quand il s'approcha de la porte.

"Il y a combien de temps que tu es là?" Il dégageait une odeur douce et javellisée, comme une journée à la piscine.

"Pas longtemps.

— Hm." Jamie déverrouilla la porte et l'ouvrit, en lui faisant signe d'entrer la première. Elle traversa un vestibule ouvrant sur un living ensoleillé, en contrebas, avec deux canapés. Amina se dirigea vers le plus petit pendant que Jamie déposait ses clés.

"C'est joli, chez toi.

— Assieds-toi."

Elle n'avait pas été si loin du compte avec ses tapis et ses images de fertilité. Un immense kilim couvrait le sol et des pots en terre de tailles variées étaient logés dans des niches. Le canapé était parsemé de coussins et, dans un coin, sur un bureau en bois étonnamment ouvragé se trouvaient des piles de papiers bien rangés. À part ça, on sentait néanmoins que c'était la maison d'un homme : sans plantes, poussiéreuse, avec une sécheresse qu'elle ne comprit qu'en se rendant compte qu'il n'y avait rien aux murs.

"Tu as de beaux tableaux.

— Tu veux boire quelque chose ?" Jamie passa sous une voûte, et elle entendit s'ouvrir la porte d'un frigo. "J'ai de l'eau gazeuse ou de la bière."

— De l'eau, c'est parfait.

Le choc assourdi de portes de placard fut remplacé par un robinet ouvert, et une voix de femme robotique et terne annonça trois messages. Le premier bip fut suivi d'un rappel du cabinet du dentiste. Le deuxième, d'une voix féminine enrouée : "Saluuû, professeur Anderson, je suis vraiment désolée de devoir vous appeler chez vous, j'ai quelques questions à vous poser au sujet du semestre prochain", disait-elle ; elle donnait l'impression d'être défoncée, peut-être nue. Jamie enfonça le bouton d'avance rapide.

"James Mitchell Anderson", dit une voix rieuse après le troisième bip, et le cœur d'Amina bondit en la reconnaissant. "Tes nièces voudraient te parler. On a inventé ce jeu, avec cette photo chez les Quinn, sur laquelle on te dessine chaque semaine de nouveaux cheveux qu'on colle dessus, et cette semaine Cici…

— Mohok !" cria à l'arrière-plan quelqu'un de manifestement petit et ravi.

"Oui, confirma Paige en riant. Tu as une crête mohawk cette semaine. Verte, pour tout dire. Mais je crois que ça te plairait tout à fait. En tout cas, rappelle-nous. On sera là tout l'après-midi."

"Paige a des enfants ?" demanda Amina comme Jamie revenait avec un verre d'eau et une Corona.

Il lui lança un dessous de verre avant de s'asseoir sur le canapé opposé. "Trois filles. La plus jeune a six mois.

— Elle habite ici ?

— Oui."

Amina hocha la tête. "Cool."

Jamie avala une longue lampée de bière. Son regard ricocha sur elle et se détourna.

"Alors, qu'est-ce que tu deviens ?

— Ça va.

— Beaucoup de travail ?

— Oui."

Une conduite intérieure bleu pâle s'arrêta dans l'allée de la maison d'en face et Amina, en la regardant, fut prise de sueurs froides. Voulait-il qu'elle parte ?

"Je suis désolée de ne pas avoir appelé. J'ai eu une semaine assez glauque.

— Pas grave." Il tapotait la bouteille du bout des doigts. "Quatre semaines.

— On a reçu les résultats de mon père. Il a une tumeur." Elle se sentait trop nerveuse pour le regarder franchement, mais elle devina son sursaut. "Au cerveau. Une tumeur au cerveau.

— Quand l'avez-vous découvert?

— Le lendemain du jour où je t'ai vu.

— Je suis désolé de l'apprendre."

L'était-il? Amina regarda le visage de Jamie, en quête de réconfort ou de sympathie, mais n'y vit que de la réticence, comme s'il craignait d'attraper ce qu'elle avait.

"Bref, il commence un traitement la semaine prochaine." L'effort de garder son calme lui pinçait la voix. Elle but encore un peu d'eau ; sa peine s'épanouissait plus vite et plus fort qu'elle ne s'y attendait, comme l'un de ces stupides jouets en éponge qui grossissent dans l'eau jusqu'à cinq fois leur taille originale. C'était donc ça qu'on ressentait quand on disait la vérité aux gens. Un sentiment de merde.

"Bref." Elle se leva. "Voilà pour moi. Et toi? Tu as revu de tes anciennes étudiantes? Comment va Maizy?"

Jamie fronça les sourcils. "Qu'est-ce que tu fais?"

Elle marchait de long en large. Amina haussa les épaules.

"Tu m'en veux? demanda-t-il.

— *Tu* m'en veux?

— Un peu."

Elle se figea. "Attends, c'est vrai?

— Ouais.

— Parce que je n'ai pas appelé? Je viens de te dire qu'on a découvert…

— Je sais. Je sais ça.

— Alors qu'est-ce…

— Je ne sais pas. Ce n'est pas comme si tu n'avais pas une bonne raison. Mais tu m'as demandé si je t'en voulais, et je t'en veux, un peu."

Il y avait quelque chose dans sa manière raisonnable de dire ça, comme si c'était justifié, qui donnait à Amina l'envie d'allonger les bras pour l'étrangler. Elle tourna sur ses talons et se dirigea vers la porte.

"Ne fais pas ça.

— Quoi?" Elle fit volte-face. "Qu'est-ce que je fais?

— Ne fais pas de moi un connard.

— Tu fais ça très bien tout seul."

Jamie déposa sa bière. "Assieds-toi.

— Pour quoi faire?

— Peux-tu, s'il te plaît, te rasseoir?"

Amina hésita au milieu de la pièce, la dynamique de l'instant s'éparpillant en issues également impossibles. Elle aurait voulu être rentrée à Seattle. Elle aurait voulu se trouver déjà dans sa voiture, en route vers Corrales. Elle aurait voulu que ce soit de nouveau la nuit dans le parc, avec la clavicule de Jamie sous sa langue. Il désigna le canapé, à côté de lui. Elle marcha vers lui et s'assit avec raideur. Une nouvelle bouffée de grains de poussière s'envola entre eux.

"J'ai cru que tu étais partie, dit-il après un moment. Et ça me faisait chier, mais au moins j'avais quelque chose à me dire. Mon vieux, ça l'a tellement émue qu'elle n'a pu que *partir*." Il rit, embarrassé. "Et puis en fait tu étais là et tu ignorais mes messages."

Il tourna son visage vers elle, telle une fleur blessée avec, en son cœur sombre, quelque chose de triste et de trop délicat, et elle se contracta un peu.

"Je ne voulais pas en parler", dit-elle.

Il ne parut pas spécialement ému par cette information.

"C'est juste… Je me disais tout le temps qu'une fois qu'on saurait avec certitude à quoi on avait affaire, on pourrait simplement le dire à tout le monde et en finir. Mais, de semaine en semaine, il semble qu'on en sache moins, et maintenant c'est…" Elle se laissa aller contre le dossier du canapé, sa combativité ayant cédé le pas à un calme frôlant l'épuisement. "La biopsie a révélé des cellules de faible grade, mais le problème, c'est que ça pourrait n'être qu'une petite partie de la tumeur, et que c'est peut-être pire ailleurs. C'est ce que pense mon père, en tout cas. Et puis il avait l'air tout à fait bien jusqu'à cet après-midi et maintenant il…" Amina soupira, agita les mains en l'air. "Et, honnêtement? Je n'ai pas envie d'en parler avec toi. Pas maintenant. C'est le truc le moins bandant du monde."

Elle suivit des yeux un flocon de poussière flottant dans l'air devant elle, atrocement consciente du silence qui s'abattait.

Jamie toussota. "Tu as bien dit band…

— Oui. Je ne sais même pas d'où ça sort.

— C'est sexy.

— Vraiment?

— Non. Mais c'est sympa. Que tu aies pensé à ça, je veux dire."

Elle appuya la jambe contre la sienne, sur le canapé, en songeant combien dire pour la première fois une petite vérité est plus effrayant que de ne rien dire du tout.

"Je ne sais pas, fit Jamie dans un soupir. Ce n'est pas comme si j'étais expert en la matière. Pour être honnête, j'ai été complètement nul quand ma mère est tombée malade." Il secoua la tête. "Mais je crois qu'il n'y a que deux façons de s'en tirer dans ces circonstances : ou bien on essaie de bien se comporter envers les gens qui nous entourent, ou bien on se donne carte blanche pour se conduire aussi mal qu'on veut, tu comprends?"

Amina hocha la tête. Il avait raison. Même si elle ne s'était pas trouvée aussi effroyablement proche de son cou, emplie de soulagement et de désir par l'odeur de sa peau, elle n'aurait pu qu'en convenir.

"Je regrette", dit-elle.

Il avait posé la main sur sa jambe. Elle la regarda glisser vers son genou et puis remonter, ses doigts lui caressant l'intérieur de la cuisse.

"Alors qu'est-ce qui s'est passé aujourd'hui pour te faire enfin ramener tes miches?" demanda-t-il, et elle secoua la tête. Elle tira sa main vers le haut et la vit avec reconnaissance disparaître sous sa jupe. Elle lui répondrait plus tard, quand ils se lèveraient du canapé, assoiffés et congestionnés, prêts à engloutir la totalité des boissons contenues dans le frigo, mais, maintenant, elle était prête à arrêter de parler.

La maisonnée entière dormait quand Amina rentra cette nuit-là, ce qui facilita infiniment ce qu'elle avait à faire ensuite. Elle trouva Prince Philip roulé en boule sur le coin le plus frais du sol du salon et le tira par son collier jusqu'à ce qu'il se lève.

"Viens", dit-elle. Il la suivit à pas feutrés à travers le salon, la cuisine et la buanderie, jusqu'à la véranda, où ils s'arrêtèrent juste le temps de prendre une lampe de poche. Amina ouvrit la porte moustiquaire qui donnait sur le jardin.

"Avance", dit-elle.

Elle trébucha à sa suite dans l'obscurité, en luttant contre l'impression qu'elle était en train de jouer le rôle, dans le film, de la femme bien intentionnée qui se fait assassiner dans le carré d'aubergines de sa mère.

"Approche pas des haricots", souffla-t-elle lorsqu'ils arrivèrent entre les rangs de légumes. Le chien prit la rangée qui menait aux perches, et elle prit l'autre, passant devant les laitues, les concombres et les pois croquants, en direction du bout du terrain. Le seau d'outils de jardin de Kamala attendait à mi-chemin, et elle y prit une petite pelle à main avant de continuer vers le fond.

"Qu'est-ce qu'il a dit, pour le blouson ?" avait demandé Jamie ce soir-là, tandis qu'assis sur le comptoir de sa cuisine ils se partageaient une bouteille d'eau gazeuse.

— Il a dit qu'il regrettait.

— C'est tout ?

— Qu'est-ce qu'il pouvait dire d'autre ?

— Eh bien, d'abord, pourquoi l'avait-il mis là ?"

Amina avait froncé les sourcils. "Tu as entendu la partie où je parlais d'une tumeur au cerveau ?

— Oui", avait dit Jamie, avec une pression rassurante sur sa jambe. "Mais ça, c'est médical. Les médecins s'en occuperont. Mais qu'essayait-il de faire ? C'est ça qu'il faut que tu comprennes." Son visage avait une expression intense qui la mettait mal à l'aise.

"Je viens de te dire qu'il ne veut pas en parler, avait-elle dit.

Jamie s'était gratté la nuque. "Le blouson, c'est la seule chose qu'il ait enterrée ?"

À présent, dans l'obscurité, elle creusait la terre humide, en essayant de ne pas trop penser aux serpents qui se baladaient régulièrement dans le jardin où ils se faisaient des domiciles temporaires de bêches chauffées par le soleil ou de sacs de farine de sang. Sa main effleura quelque chose de dur et, avec un mouvement de recul, elle chercha la lampe de poche.

Du verre. Pas un tesson mais un objet aux bords arrondis qui, lorsqu'elle le dégagea, ressemblait à un pot de quelque chose. Pendant un instant atroce, elle crut voir des organes humains mais un regard prolongé, plus calme, ne révéla rien de plus terrifiant qu'un confit de mangues maison de Kamala. Elle le posa près d'elle et continua à creuser. Moins de dix secondes après, elle heurta un coin en carton qui se trouvait être celui d'un album voilé de Nat King Cole, *Love is the Thing*. Juste au-dessous, la coupe dorée du trophée MEILLEUR MÉDECIN DU SUD-OUEST 1991 de Thomas gisait sur le flanc. Quelques minutes plus tard, découvrant la masse scintillante des clés de voiture de Thomas, Amina ferma les yeux, submergée par la sensation paniquée que les objets n'avaient pas tant été cachés qu'en train de patienter, en attendant qu'elle les trouve. Elle se leva, nauséeuse.

"Putain de merde", dit-elle à haute voix et, de l'autre côté du jardin, Prince Philip agita la queue d'un air coupable, provoquant parmi les gousses de haricot un applaudissement argenté.

"Allons-y", dit-elle en marchant vers la barrière, ses trouvailles en vrac entre les mains. Prince Philip ne la suivait pas. Elle dirigea sur lui le rayon de la lampe. "Eh, remue-toi."

Il vint vers elle à contrecœur, avec un long haricot disparaissant sous le tendre rideau de sa lèvre, et s'arrêta pour lancer aux perches un regard de regret. Elle n'avait pas de patience pour ça. Amina fit à grands pas les quelque six mètres qui la séparaient de lui, empoigna son collier et fit demi-tour. Un éclair blanc traversa sa ligne de vision. Elle sursauta. Là, attendant poliment au bord du chemin qu'elle venait de parcourir, se trouvait une paire flambant neuve de tennis blanches à scratch.

2

Le lendemain, le tambourinage ne cessait pas.

"Hého? Ami? Hého?" Grossi par la lentille du judas, le nez de Sanji était métamorphosé en une sorte d'îlot, aussi rugueux et grêlé que ceux dont a été parsemé le Pacifique Sud au cours des derniers millénaires. Ses yeux, en comparaison, ressemblaient à des étoiles dures et distantes. Tournant la tête, elle cligna rapidement un œil dans le judas avant de sonner à nouveau.

"Qui est là?" demanda Amina, pour gagner du temps.

"Tu ne vas pas faire comme si tu ne m'observais pas depuis trente secondes?"

Amina ouvrit la porte. "Salut, tatie Sanji."

Des bras frais et flasques l'étreignirent autour de la taille, plus Heimlich que véritable salutation. Elle scruta, dans le dos d'Amina, le vestibule désert. "Alors? Où sont tes parents?

— Ils font des courses.

— Vraiment? Où ça?

— Je sais pas exactement. Ils m'ont pas dit."

Sanji lui tira vivement l'oreille. "Menteuse!

— Aïe!

— Ils sont à l'hôpital! Bala m'a appelée il y a une demi-heure pour me dire que Chacko venait de lui téléphoner que tes parents étaient là pour des scans! Vous allez nous parler, ou quoi? Parce que, sinon, on aimerait le savoir tout de suite et passer à autre chose!"

Sanji, essoufflée, se tapotait la lèvre supérieure avec son *chuni*.

"Passer à autre chose?" demanda Amina, sceptique. Mais le regard de sa tante était implacable. Elle changea de tactique. "Comment oncle Chacko a-t-il su qu'il s'agissait d'un scan?

— Pardon ?"

Amina éleva un sourcil.

"Eh bien, évidemment, il a un peu fureté ! s'exclama Sanji, incrédule. Tu crois que ça fait problème ? Un mois qu'on n'a plus entendu un mot de votre part, et maintenant tu voudrais parler confidentialité médecin-patient, ces bêtises ? Vraiment ?"

Vraiment, Amina ne voulait pas. Vraiment, elle aurait voulu fermer la porte et remonter, essayer de préparer ce dont elle aurait besoin pour photographier le mariage Lucero ce week-end ou, tout simplement, de ne penser à rien du tout.

"Bon, ne reste pas là à prendre un air pathétique, ordonna Sanji. Sers-moi du thé."

Elles allèrent à la cuisine. Amina désigna un tabouret devant le comptoir et Sanji s'y installa, en se faisant bouffer avant de se poser, comme un pigeon dans une manche à air.

"Caféiné, ça va ? demanda Amina.

— Le déca, c'est pour les enfants et les Américains."

Le placard était bourré comme un bunker : Typhoo, Red Label, Darjeeling et Assam serrés les uns contre les autres. Amina dégagea une boîte. "Dessert ?

— Non, merci.

— Maman a fait de la crème caramel."

Sanji renifla d'un air méfiant à cette nouvelle. "Un petit peu, s'il te plaît."

Amina trouva le bon Tupperware, servit quelques cuillerées généreuses sur une assiette et la tendit à sa tante, qui observait ses hanches d'un air réprobateur.

"Tu es trop maigre, Ami.

— C'est vrai ?" Amina, surprise, baissa les yeux. "Bizarre.

— Bizarre, ricana Sanji. Bon Dieu, qu'est-ce que je ne mangerais pas avec un ventre aussi inexistant que le tien ! Des pâtisseries ! Des villages entiers !"

Amina se tourna vers la cuisinière et, tout en surveillant la bouilloire, elle observa, reflétée dans le four à micro-ondes, Sanji en train de manger la crème caramel. C'était bon, en réalité, de l'avoir dans la maison, sa colère franche et affirmée soulageait de toutes les autres folies sans queue ni tête.

Du lait, du sucre, un bol de mixture, deux cuillères, deux mugs de thé. Une minute plus tard, Amina déposait le tout entre elles deux sur le comptoir et s'asseyait, immédiatement plus agitée, comme si elle avait au cul un bouton "panique". Elle regarda le nuage de crème se mêler au thé et remua aussi lentement que possible.

"Ami?" Elle releva la tête, surprise de constater sur le visage de sa tante une nervosité égale à la sienne. "Ça va, ma chérie?

— C'est juste que je ne sais pas par où commencer.

— Peut-être par le commencement?"

Il y avait une fêlure dans le mur derrière la tête de Sanji. En la fixant, Amina dit: "Papa a une tumeur au cerveau. On lui fait des rayons depuis quelques semaines, et maintenant il passe un nouveau scan pour voir si ça marche. Il ne peut pas travailler parce qu'il voit des choses qui ne sont pas là."

Le visage de Sanji ne broncha pas. Le reste non plus.

"Une tumeur au cerveau?" répéta-t-elle.

Amina confirma du geste.

Sanji se plaqua une main ferme sur la bouche, mais pas avant qu'un hoquet ne lui échappe, fendant l'air d'une manière qui ôta à Amina l'envie de respirer, de peur que l'émotion ne soit contagieuse.

"C'est un gliome", poursuivit-elle au bout d'un moment, en partie pour préciser et en partie pour éponger le silence choqué qui émanait de sa tante. N'aurait-elle pas pu dire quelque chose? Offrir un tout petit geste de réconfort? Plusieurs secondes s'écoulèrent, toutes plus atroces que les précédentes.

"On s'en occupe", ajouta Amina faute de mieux, et enfin sa tante réagit.

"Oh, ma chérie! Oh, non!" Sanji plongea vers elle à travers le comptoir et rebondit deux fois sur ses seins avant de sauter de son siège et de faire le tour. Son étreinte fut rapide et brutale, une dégelée de parfum teintée d'une légère odeur corporelle. Comme folle, elle caressait le dos d'Amina. "Ma pauvre petite! Grands dieux, et moi qui arrive ici pour te crier dessus!" Elle s'écarta, tapota d'une main épaisse le visage d'Amina. "Est-ce que ça va? Bien sûr que ça ne va pas, seule avec ça! Oh, pourquoi je n'ai pas simplement écouté? Bien sûr, ce ne pouvait pas être un truc tout simple! Chacko lui-même disait que ça devait être grave, et Raj disait que non, que Thomas nous préviendrait évidemment, et alors Bala a raconté qu'une de ses sœurs ne lui a parlé que le mois dernier d'une grosseur qu'elle avait eue à un sein il y a cinq ans – tu imagines? Mais, aussi, qu'est-ce qu'on peut espérer, dans un cas pareil, de la part d'une sœur aussi éloignée? Pas comme une famille dans une même ville, hein? Où nous pouvons tous nous occuper les uns des autres?" Elle adressait à Amina un regard suppliant.

"On ne voulait inquiéter personne."

Sa tante hochait la tête avant même qu'elle eût fini. "Oui, oui, évidemment. Et maman, comment va-t-elle?

— Difficile à dire.

— Ach." Sanji serra le coude d'Amina. "Le choc doit être terrible.

— Je ne sais pas. D'un côté, oui, mais, après ce premier jour, elle n'en a plus vraiment parlé. Je crois qu'elle pense simplement qu'il va guérir."

Les yeux de Sanji débordaient d'inquiétude. "C'est grave?

— C'est ce que dit le Dr George.

— Anyan George? Ce jeune?

— Oui", dit Amina, sans trop savoir si c'était ou non une sorte d'accusation. "Et le radiologue.

— Grands dieux, chuchota Sanji à nouveau, en secouant la tête. Et toi, ma chérie, comment tu vas?" Amina haussa les épaules, et Sanji lui pétrit les bras comme si c'était de la pâte à pain. "Pish! Qu'est-ce que je dis? Bien sûr que tu ne vas pas bien! Toute cette affreuse histoire et personne pour te prêter l'épaule! Et maintenant ta mère s'est mise à la cuisine française!

— C'est très bon", dit Amina d'un air malheureux, et Sanji la serra plus fort.

"Mais je ne comprends pas pourquoi vous ne nous avez pas appelés. Vous ne vouliez pas nous déranger? Ça a dû être terrible, tous ces examens, et attendre sans personne pour aider! On serait venus!

— Papa n'était pas en état, et il me semblait…" Amina agita la tête, prise d'une soudaine claustrophobie. D'une poussée, elle s'écarta de Sanji en respirant profondément. "De toute façon, il n'y a pas vraiment grand-chose à faire."

Sanji se pinça le bout du nez, l'air perplexe. "Et tu dis qu'il voit des choses ?

— Oui.

— Quelles choses ?

— Seulement, tu sais…" Amina se déplaça légèrement. "Des genres d'hallucinations.

— Des lapins ?

— Quoi ? Non, des gens. Sa famille d'Inde."

Sanji en resta bouche bée. "Ceux qui ont brûlé dans l'incendie ?

— Oui. Mais pas seulement eux. Apparemment, il y a eu un incident à l'hôpital, c'est une des raisons pour lesquelles il ne travaille pas en ce moment." Amina se tut, elle aurait volontiers parlé à Sanji de ses trouvailles de la nuit et, en même temps, elle souhaitait protéger l'image de son père dans la famille. Et si Raj et Chacko devaient l'en estimer moins ? Et si Bala ne pouvait tenir sa langue ?

Sanji regarda sa montre. "Alors ils seront là-bas toute la matinée ?

— Oui.

— Bon." Elle parcourut la cuisine du regard et, comme si elle barrait un point sur une liste de choses à faire, avala une dernière et généreuse cuillerée de crème caramel. "Alors je vais aller attendre avec eux.

— Quoi, maintenant ?

— Bien sûr !

— Mais… Euh… Je veux dire, ils ne savent pas que tu sais. Je ne suis pas sûre qu'ils aient envie que quelqu'un…

— Tant pis ! J'y vais. Et quand ils sauront, les autres viendront aussi. Assez, c'est assez. Encore un mois de cachotteries et vous serez tous fous, non ? Et alors où en serons-nous ?

— Mais, tatie Sanji…

— Pas de mais ! Tu crois vraiment que ça va les contrarier ? Ridicule !

— Je pense seulement…

— Ne pense pas tant ! Amina Eapen, écoute-moi, veux-tu ? Nous sommes tout ce que nous avons, ici. Tu comprends ? C'est comme ça. Et nous pouvons parler du bon vieux temps, et du Campa Cola, et de comme ce serait bien si on pouvait retourner, mais aucun de nous ne voudra jamais retourner. À quoi ? À qui ?

Nos propres familles ne nous supportent même plus au-delà de quelques jours! Non, nous sommes déjà chez nous, que ça nous plaise ou nous, et c'est comme ça que nous…" Sanji déglutit furieusement. "*Tes parents*, reprit-elle d'une voix tremblante. Ils nous ont accueillis, non? Raj et moi, il y a un million d'années. Ils se fichaient pas mal de savoir qui nous étions ou d'où nous venions, ils nous ont juste invités à venir prendre le thé et des samoussas et, crac, famille instantanée! Le lien était créé. Et ça va continuer comme ça, hein?" Se détournant brusquement, elle se dirigea vers la porte, réduisant Amina à la suivre. "Alors j'y vais, et je rappellerai. Et je vais en parler à Raj et à Chacko et Bala, et elle, ne t'en fais pas, je vais lui dire de la fermer pour l'amour de tous ceux qui sont concernés. Tu en as parlé à Dimple?

— Pas encore. Je vais le faire.

— Fais-le aujourd'hui, d'accord? Elle devrait savoir. Ce n'est pas bien de se couper de tout le monde comme ça."

Elles avaient atteint la porte et Sanji l'ouvrit, clignant des yeux dans la lumière crue de la mi-journée. Se retournant vers Amina, elle l'enveloppa d'une dernière étreinte avant de poursuivre son chemin en bas de l'escalier, et jusqu'à la voiture qu'elle avait abandonnée au beau milieu de l'allée.

Revenue dans sa chambre, Amina regarda par la fenêtre le jardin, au-dessous, avec une conscience aiguë du silence qui avait envahi la maison. Ces derniers temps, avec Thomas qui ne travaillait pas et Kamala qui s'essayait à la pâte feuilletée, il y avait presque tout le temps quelqu'un là, quelqu'un qui circulait en bas, donnant l'impression que même s'ils n'étaient pas vraiment synchronisés, ils formaient une sorte d'équipe, une petite unité homogène. À présent que Sanji était en route pour l'hôpital, Amina restait seule face à l'inconfort d'avoir amené les autres dans le bain. Non qu'elle doutât de leur amour ni de leurs intentions, mais le poids de cet amour ne serait pas anodin. Que feraient-ils avec l'inquiétude de tous les autres en plus de la leur? Thomas n'encaissait pas bien la sollicitude d'autrui. Il ne serait pas content d'elle.

Faire plaisir à son père lui manquait. La conscience lui en vint d'un coup, tel un œuf pondu dans une paume prête à l'accueillir, et elle l'examina de toutes parts, surprise et embarrassée de sa familiarité. Depuis des années, elle avait tablé sur l'idée qu'elle était la personne la plus proche de son père, mais à présent que ses parents se trouvaient à l'hôpital pendant qu'elle se cachait dans la maison, il lui fallait admettre que ce n'était plus vrai. Il y avait des semaines que Thomas ne l'avait plus invitée dans la véranda, et plus longtemps encore qu'elle ne l'avait plus vu détendu en sa compagnie. Et, si elle savait qu'il n'était pas assez mesquin pour lui reprocher le diagnostic qui avait été posé, elle savait aussi qu'en l'obligeant à consulter elle s'était gâtée, en quelque sorte, exclue de sa confiance. Elle se hérissait au souvenir de la veille, de l'air morose qu'il avait dans la véranda, des questions dont elle n'avait cessé de le harceler, comme si ça avait pu marcher. Et puis Kamala, elle entre tous, faisant ce qu'il fallait.

La sonnerie du téléphone la fit sursauter. Elle le fixa quelques instants avant de décrocher.

"Faut qu'on parle." C'était Dimple, qui paraissait, sinon affolée, du moins essoufflée, comme si elle venait de faire un jogging pour la première fois en trente années.

"Ah! Bien. Oui.

— Bien?

— Non, pas bien. Je veux juste dire que c'est bien que tu appelles. J'allais te téléphoner. Il faut qu'on parle.

— Je sais." Dimple hésita. "Attends. Tu es au courant?"

L'autre ligne vibra. "Zut, tu peux rester en ligne, Dimple? C'est sans doute mes parents.

— Non, attends…

— Juste une seconde." Amina changea de ligne. "Allô?

— ESPÈCE DE SALE MENTEUSE!"

Le cœur d'Amina bondit. "Jane?

— Tu te fous de moi?"

Amina réfléchit à toute vitesse, le pouls inconfortablement rapide. "Vous n'aimez pas les photos de *quinceañera*?

— Ne fais pas ta chochotte avec moi, chérie. Ça ne nous va ni à l'une ni à l'autre.

— Jane, attendez, restez là, OK?" S'efforçant de ne pas paraître aussi effrayée qu'elle l'était, Amina avalait des mots entiers. "Je ne sais pas… mais… pouvez-vous… laissez-moi juste raccrocher l'autre ligne.

— Si tu OSES…"

Amina changea de ligne, le silence lui offrant un abri bienvenu.

"Ami? demanda Dimple. C'est toi?

— Bon Dieu de merde!

— Quoi?

— C'est Jane. Elle est furieuse. Faudra que je te rappelle.

— NON. Parle-moi d'abord.

— Quoi?

— Il faut qu'on parle.

— Plus tard, Dimple, elle est…" Jane raccrocha, et le bruit de la coupure fendit, telle une flamme, la brume de la confusion d'Amina. "Attends. Pourquoi Jane m'engueule-t-elle?

— Eh bien, avant tout, il faut que Jane se calme et qu'elle comprenne que…

— POURQUOI JANE M'ENGUEULE-T-ELLE?

— Parce qu'elle croit que l'exposition va faire du tort à ses affaires. OK. Donc." Dimple fit une pause. "J'ai pris l'initiative de faire monter et encadrer dix de tes photos. Je les expose avec Charles White.

— *Quoi?*

— Accidentel occasionnel, la tragédie de tous les jours."

La panique qui envahit Amina fut aussi rapide qu'inattendue, comme si, en marchant dans une flaque, elle s'était retrouvée prise dans une lame de fond. Ses jambes tremblaient. Elle regarda ses genoux, puis sa main, serrée autour d'un des montants du lit.

"Accidentel, *slash*, occasionnel, point, compte rendu de la tragédie quotidienne", précisa Dimple.

Amina serra plus fort le montant du lit. "Tu…?

— Je t'en prie. Pas de panique. Ça va être génial.

— Tu ne peux pas faire ça.

— Bien sûr que si.

— Non, tu *ne peux pas*. Elle va me tuer. J'ai promis.

— Tu n'as rien promis. Pas par écrit.

— Quoi?

— J'ai vérifié.

— *Vérifié?*" Amina parcourut la chambre des yeux. "Dimple, je lui ai dit que je ne les *prendrais* même pas. Ça sera la fin, pour elle.

— Oh, ça va. C'est ce qu'elle t'a dit?

— Elle a raison. Les gens n'ont pas envie de voir leur merde immortalisée! À quoi tu pensais? Oh, mon Dieu, elle va me faire un procès.

— Elle ne peut pas te faire un procès. C'est-à-dire qu'elle peut, mais elle ne gagnera pas. Ces photos ne sont pas à elle.

— Mais si, elles sont à elle.

— Non, pas les photos. Jane n'est pas propriétaire des droits si les clients ont acheté les négatifs. Donc, du moment que les clients signent l'autorisation, on n'a rien fait de mal."

Amina cligna des yeux, abasourdie. "Tu ne peux pas vraiment croire ça.

— Pourquoi pas?

— Je suis son employée, Dimple. Elle m'a formée.

— Oh, bon sang, tu ne vas pas te mettre à réciter le scénario entier de *La Couleur de l'argent*, hein? Parce que toute cette histoire du bleu-qui-entube-le-patron, c'est éculé. C'est pas elle qui t'a appris à prendre ce genre de photos. Ça, c'est ce que toi, tu fais. C'est ce que tu as *toujours* fait. Jane ne veut pas qu'on voie ce que tu as fait de mieux? Très bien, c'est son affaire. Mais ça ne peut pas être la tienne.

— Ce sont ses clients. Ils ne feront plus jamais appel à elle s'ils les voient.

— Ce n'est pas ce que dit Lesley Beale."

Amina avait l'impression de ne plus même avoir pensé depuis des années à la fleur de la société de Seattle. "Qu'est-ce que Lesley peut bien en avoir à foutre?

— Je suis allée dans ton bureau pour voir s'il y avait de nouvelles photos, et j'ai trouvé celle qui était dans l'enveloppe jaune sur ta table. La demoiselle d'honneur nue sur les manteaux avec Brock Beale? Sacré bon Dieu de merde! *Incroyable!* La grimace du bonhomme! Je crois que c'est ma préférée, en fait.

— Oh, mon Dieu!" Amina s'assit sur le lit. "Qu'est-ce que tu as fait?

— Arrête de réagir comme si c'était une catastrophe, tu veux? J'ai été autorisée à exposer ton œuvre par les clients propriétaires des négatifs.

— Tu as montré cette photo à Lesley?" Elle se sentait la gorge brûlante et nauséeuse.

"Oui, évidemment. Il fallait. Elle a *adoré*, je te signale. Attends, tu rigoles ? Et on peut discuter une journée entière de son diplôme en histoire de l'art et de « l'authenticité de la vision » et de « l'intégrité du moment » – ce que nous avons fait, soit dit en passant, et je pourrais même être d'accord si être d'accord avec cette femme ne me donnait pas envie d'enfoncer un pieu dans mon propre cœur –, mais ne t'y trompe pas : cette photo est ce qui pouvait arriver de mieux en faveur de ses prétentions à la fortune Beale, et elle le sait. Elle veut qu'on la voie. Elle veut qu'on voie toute cette foutue expo pour que ça n'ait pas l'air d'être la vendetta que c'est en réalité. Pourquoi crois-tu qu'elle nous aide ?

— Lesley divorce ?

— Ah, d'accord, tu savais pas. Ouais, c'est le gros événement par ici. Apparemment ce salopard a baisé la moitié des…

— Elle t'*aide* ?

— Nous, Amina, elle *nous* aide. Elle téléphone personnellement aux clients. Elle leur parle de la valeur de l'art, de l'honneur de l'honnêteté, du privilège d'en faire partie, blablabla. Franchement, on s'en contrefout, de ce qu'elle raconte. Ça marche. On a six autorisations sur les dix, pour l'instant. Il ne nous reste qu'à…

— Non. Arrête. Je ne marche pas.

— À cause de Jane ?

— Oui, à cause de Jane.

— Alors élimine-la du problème. Qu'est-ce qu'elle va te faire ?

— Je ne me ferai pas virer à cause de ça.

— Amina, fit Dimple, en respirant un grand coup. Tu es déjà virée.

— Ce n'est pas vrai." Elle savait, tout en le disant, que ça l'était probablement. Dimple était rosse, mais pas menteuse et, de fait, ça paraissait inévitable. N'était-ce pas exactement ce qu'elle avait craint chaque fois qu'elle recevait un nouveau tirage ?

"Elle l'a dit à son équipe, poursuivit Dimple. Apparemment, il y a eu comme une fouille générale chez elle ce matin. Elle essaie de découvrir qui d'autre était au courant."

Amina s'affaissa, emportée par la nouvelle vague de remords qui s'écrasait sur elle. Jane avait-elle repéré José, trouvé des preuves de ses tirages ? "Elle a viré quelqu'un d'autre ?

— Aucune idée."

Sa main lui faisait mal. Amina lâcha le montant du lit et se dérouilla lentement les doigts. "Elle va me haïr.

— Possible. Et puis, aussi, possible que non, une fois qu'elle sera calmée. C'est pour ça que je te dis de l'éliminer de l'équation. A, parce que tu es déjà virée, et B, parce que tu ne sais pas réellement si ça va faire du tort à ses affaires. Elle non plus. Ce n'est qu'une hypothèse. C'est vrai, supposons que cette exposition soit montée et que ça ne lui fasse absolument aucun tort. Tu te sentirais toujours aussi moche ?

— Là n'est pas la question.

— Bien. Alors pourquoi les as-tu toutes gardées ?

— Quoi ?

— Ces photos ? Pourquoi as-tu pris cette peine ?

— Je… je ne sais pas.

— Vraiment ? Tu ne sais pas ? Tu ne sais pas que tu les as conservées dans ton placard – ton *placard*, soit dit en passant, la pire des métaphores – parce que tu souhaites en secret que d'autres gens puissent les voir ? Parce que, ça, je le sais. Ça paraît assez évident, en fait. Et pourquoi pas ? Elles sont super, putain. Elles sont ce que tu as fait de mieux. Je veux dire, écoute, tu peux m'affirmer que ce n'est pas vrai, et qu'elles n'étaient là que pour ton propre plaisir à les regarder et que tu veux que tout redevienne comme avant, continuer à faire semblant que ta vie n'est pas de la merde maintenant que tu as échangé ton ambition contre la nom de Dieu de crise morale tardive de l'Amérique et, tu sais quoi ? Je les rends. Je le ferai vraiment. Je les rendrai et tu devras juste me pardonner un jour ou l'autre dans l'avenir, parce que, j'ai beau avoir raison, je n'ai pas envie que tu me détestes à cause de ça. D'accord ? Mais il faut que tu m'affirmes que c'est vraiment ça que tu veux, pas juste un truc pitoyable que tu te joues parce que tu n'as pas été assez aimée quand tu étais petite ou Dieu sait quoi."

Amina resta silencieuse, allongée sur le lit, le téléphone à côté de sa tête. La voix de sa cousine ne remplissait plus la totalité de son oreille, seulement l'espace voisin. Ça semblait moins personnel ainsi ; la différence entre une prise de sang et une piqûre de moustique. Ça lui donnait aussi la distance nécessaire pour admettre qu'il se passait quelque chose chaque fois que Dimple disait *ce que tu as fait de mieux*. C'était comme manger ou baiser ou toute autre façon d'avoir ce qu'il faut là où il faut. C'était primordialement bon.

"Quelles autres autorisations Lesley a-t-elle obtenues?" demanda-t-elle.

Il y eut une pause, suivie d'un bruit de papier froissé. "OK, bon, les Lorber, bien sûr. La grand-mère dans les pommes me fait penser à Blanche-Neige dans son cercueil. Dara Lynn Rose est d'accord que nous utilisions celle où elle paraît prête à tuer son mari avec la brosse à cheveux. Et Caitlin McCready nous a concédé celle de ses sœurs en train de se battre pour le bouquet. Elle a voulu un exemplaire signé, aussi, c'est ce que j'offre aux gens s'ils ont l'air hésitant. Hum, quoi d'autre… Oh, Lorraine Spurlock qui regarde son père avec des yeux de poisson frit. C'est aussi cochon que je le pense?

— C'est le mari de sa mère.

— Dégoûtant. Mais excellent pour nous. Lila Ward est d'accord pour le porteur d'anneau en train de mouiller son pantalon, les Abouselman ont signé pour le malheureux grand-père en fauteuil roulant sur la piste de danse, les Freeden sont à deux doigts de nous accorder Papa remettant leur chèque aux traiteurs, et les Murphy ne sont pas décidés pour le témoin qui pisse dans le coin de la tente.

— Ça fait huit.

— Ouais." Dimple reprit son souffle. "La demoiselle d'honneur en train de vomir appartient à Jane. Je pensais qu'elle pourrait vouloir nous la prêter. Ça ferait meilleur effet pour ses affaires, en fin de compte, si elle participe.

— Laisse-moi deviner comment ça s'est passé.

— Mmm.

— Et l'autre?

— Bobby McCloud.

— Non.

— *Oui*. C'est l'œuvre de référence. Le catalyseur. Ça donne son sens à tout ce qui suit.

— Mais ce n'est même pas une photo de mariage.

— Non, c'est une photo de sortie Microsoft en bateau. Ça marche, fais-moi confiance. Je le ferai marcher." Amina crut entendre Dimple refermer un classeur. "Écoute, cette histoire, nous allons la récrire, d'accord ? Tu comprends ? C'est ta chance de mettre les choses au clair."

Elle avait de nouveau changé de ton, imprégné sa voix de cette qualité de confiance en elle qui lui avait rendu service dans la communauté des galeristes, ces gens censés être les arbitres des significations lorsque les artistes derrière les œuvres avaient perdu le fil de leurs propres récits. Le sang battait entre les yeux d'Amina. Elle l'apaisa avec son pouce.

"Ami, tu es là ?

— Plus ou moins.

— Je suis désolée de ne pas t'avoir appelée cette semaine, dit Dimple au bout d'un instant. J'ai eu tes messages, mais il se passait tout ça et je voulais juste y voir un peu plus clair avant de t'en parler. De toute façon, comment ça va ? Quand est-ce que tu reviens ?"

Il paraissait impossible à ce moment d'avoir une conversation sur quelque autre sujet que ce soit. Amina respira profondément, en s'efforçant de faire face. Elle tourna un peu la tête, incluant le trophée de son père dans son champ de vision, et attendit que l'information trouve le moyen de lui échapper.

3

"Je crois, dit Jamie ce soir-là, que tu viens de me violer." Sous l'oreille d'Amina, son cœur faisait un bruit de tonnerre.

Ils gisaient sur le sol entre vestibule et salon. Au plafond, au-dessus d'eux, les ventilateurs tournaient paresseusement.

Amina se laissa rouler de lui sur le carrelage, où sa culotte trouva sa cheville et s'y accrocha. "Vraiment? Tu avais l'air de participer volontiers.

— Non, m'dame." Jamie laissa retomber sa main sur son ventre. "Je le jure devant Dieu, je n'ai fait qu'ouvrir la porte."

Amina rit. Elle n'avait pas eu l'intention de se ruer sur lui de cette façon, si vite, si avidement. Elle tourna la tête pour le regarder. Des gouttelettes de sueur ourlaient sa lèvre supérieure et la racine de ses cheveux. Il paraissait un peu submergé.

"C'était… trop?

— Pas du tout. Simplement, je ne t'attendais pas."

Elle s'assit, trouva sa chemise et l'enfila. "Alors tu veux que je m'en aille? Que je revienne plus tard?"

Il lui entoura le mollet de ses mains, le serra. "Fais pas l'idiote."

Amina sourit afin de lui montrer qu'elle n'était pas idiote. Elle se leva et l'enjamba pour se rendre à la cuisine.

"Tu veux quelque chose à boire? demanda-t-elle. Tu as de l'eau gazeuse et de la bière.

— Je n'ai pas de bière, à vrai dire. On a tout bu hier.

— Tu as de l'eau gazeuse?

— Oui. Tu as faim? Je pourrais nous préparer quelque chose."

Elle n'avait pas envie de manger, sans doute pas avant des mois, mais Amina émit les bruits enthousiastes appropriés. Depuis que ses parents étaient revenus de l'hôpital, ratatinés comme de vieilles pommes et incapables de rien dire au-delà du fait que les résultats ne paraissaient pas formidables, elle avait l'étrange impression de planer. Pas d'être camée, mais plutôt intoxiquée – défoncée comme on peut l'être dans son propre garage par les vapeurs d'essence.

Jamie s'en fut dans le couloir vers sa chambre, en ôtant sa chemise. "Laisse-moi juste le temps de prendre une douche rapide."

Amina se servit un verre d'eau et s'assit à la table de cuisine, un vieux machin en formica datant de la fin des années 1960, rouge avec un imprimé arlequin légèrement plus pâle. Une serviette en papier solitaire traînait dessus, et elle en replia un bord.

"Et comment ça va depuis hier?" cria Jamie de la salle de bains, où il était en train de pisser. Elle frissonna. Les gens qui parlaient en pissant l'avaient toujours sidérée. Comment pouvaient-ils? Ne vous laisser aucune possibilité de ne pas écouter?

"Bien. Toi?

— Bien. Très bien, même."

On avait de sa cuisine une belle vue sur le parc, le haut des arbres, les frondaisons luxuriantes et emmêlées qui semblaient maintenir le ciel en l'air au-dessus d'elles. Amina déchira un coin de la serviette en écoutant grincer le robinet de la douche et en se demandant ce que ça signifiait pour leur avenir que Jamie se douche la porte ouverte. Elle était partisane de la porte fermée, avare de vapeur et d'intimité et, pendant une minute, il lui sembla que ça signifiait quelque chose, quand la douce et riche senteur du savon déodorant se répandit dans le couloir, la comblant d'une telle satisfaction que même déchirer la serviette en devenait gratifiant. Jamie arrêta la douche et se rendit dans sa chambre. Il en ressortit quelques minutes plus tard, vêtu du même short mais, à part ça, propre d'une façon qui donna à Amina l'envie de le salir à nouveau.

"Tu brunis." Elle lui toucha l'arête du nez, là où la trace laissée par les lunettes de soleil accentuait le vert de ses yeux.

"J'ai passé la journée à la piscine.

— Ah, ouais? À quelle piscine tu vas?

— Chez Paige. Elle aimerait beaucoup te voir un de ces jours, à propos.

— Mmm." Amina regarda la serviette, dont elle plia ce qui restait en un carré bien net. Quand elle releva les yeux, Jamie l'observait avec une expression curieuse.

"Ça te paraît bizarre ?

— Non, c'est pas ça, c'est juste que…" Il était vain de terminer la phrase, comprit-elle, *malaise, nervosité* et *peur de voir Paige devenue adulte* n'étant pas des sensations dont elle souhaitait faire part. "Faim. J'ai faim. Tu nous fais à manger ?"

Jamie hocha lentement la tête, comme réticent à abandonner son idée. "En fait, je me demandais, sous la douche : que penserais-tu d'aller plutôt à La Frontière ?

— Je pense que tu es un génie."

De tout ce qu'Amina aimait dans le restaurant La Frontière (son extérieur ringard de fausse grange, ses murs encombrés de croûtes représentant le désert, la machine à tortilla cracheuse de mottes de pâtes, qui paraissait sortie de chez un Willy Wonka mexicain), c'était les banquettes en vinyle orange qu'elle préférait. Juste en face du comptoir où l'on passait commande, elles offraient une vue dégagée sur la cuisine et sur la clientèle de médecins, galeristes, vendeurs de voitures, étudiants et junkies qui y venaient tout le jour, tous les jours.

"Qui reçoit l'échantillonnage socioéconomique d'Albuquerque le plus complet, à ton avis : cet endroit ou le service des cartes grises ?" demanda-t-elle en piquant une rondelle d'oignon dans l'assiette de Jamie.

— Ici, bien sûr. Tu es certaine que tu ne veux plus rien à manger ?

— Je n'ai pas si faim que ça.

— Tu as mangé ton repas et la moitié du mien.

— C'est pas vrai !

— Un tiers. Au moins un tiers.

— Dis donc ! Tu surveilles ton territoire ! Tu as compté chacune des rondelles d'oignon que j'ai prises ?

— Quatre-vingt-dix-neuf." Sous la table, le genou de Jamie effleura le sien ; contact velu et légèrement humide, étrangement pas répugnant. "Alors, tu vas le faire ?

— Je crois, oui.

— Tu n'as pas décidé ?

— Si, j'ai décidé. C'est juste que je me sens bizarre à cette idée."

Jamie attrapa une rondelle d'oignon oubliée et la traîna dans le ketchup. "Ça ouvrira quand ?

— En septembre.

— Oh.

— Ouais. Si tout va bien, je pourrai y aller." Elle s'efforçait de ne pas penser aux visages de ses parents lorsqu'ils étaient sortis de la voiture cet après-midi. L'apparition de Sanji ne les avait pas fâchés, ou du moins ils n'avaient rien dit de tel à Amina, mais ils n'avaient pas dit grand-chose, de toute façon.

"Comment va ton père ?" demanda Jamie.

Incertaine de pouvoir parler sans craquer, Amina secoua la tête.

"Ils ont évoqué un pronostic ?"

Elle secoua la tête, de nouveau.

"Donc tu n'as pas envie d'en parler.

— C'est juste que je n'ai pas grand-chose à en dire."

Jamie but une gorgée de soda. "Tu n'as besoin de moi que pour baiser, hein ?

— C'est pas vrai", s'écria Amina, se rendant compte trop tard qu'une réponse sérieuse en faisait une question sérieuse. Jamie ne dit rien, il faisait tourner les glaçons dans son verre.

Elle inspira profondément. "Simplement, toute ma vie, tu vois, j'ai cru que les médecins savaient des choses que le reste d'entre nous ignorons. Comme s'ils avaient accès à une espèce de bibliothèque métaphysique.

— Bibliothèque métaphysique ?

— S'il te plaît.

— Les livres sont écrits à l'encre invisible ?

— Non, ballot, avec du sang de fantôme."

Jamie la considéra d'un air appréciateur. "Continue

— Et, maintenant, je suis tellement, euh – elle rit pour dissimuler les larmes qui lui montaient aux yeux – je suis tellement déçue. Sérieusement ! Personne ne sait *rien*. Il y a des examens et des résultats et encore des examens, mais c'est quand, qu'ils vous entraînent dans une pièce où ils vous disent *Il lui reste deux mois à vivre* ou *On n'est pas passé loin mais on dirait qu'il va s'en tirer* ? C'est quand que j'arrête de passer des marchés avec l'univers comme si c'était une espèce de mont-de-piété du karma qui lui permettra de guérir si je deviens quelqu'un de meilleur?"

Jamie lui tendit une serviette et elle la pressa sur son visage, avec la volonté d'en reprendre le contrôle.

"Merde, dit-elle. Excuse-moi. On se donne en spectacle?
— Non. Toi, seulement."

Elle rit et roula la serviette en boule. "Tu avais raison, à propos. Il y avait d'autres choses dans le jardin en plus du blouson.
— Ah bon?"

Elle le lui raconta, attentive à parler d'un ton calme mais en observant le visage de Jamie comme si ç'avait été un bulletin météo d'urgence. Les clés, expliqua-t-elle, avaient été perdues juste avant qu'elle revienne à la maison. En ce qui concernait le confit de mangues, elle n'avait aucune idée. Mais les autres objets étaient manifestement destinés à des membres de la famille : le trophée pour Ammachy (Thomas avait toujours dit à la blague qu'il aurait dû le lui envoyer), l'album pour Sunil, les chaussures pour Itty et, bien sûr, le blouson pour Akhil.

"Wow!" fit Jamie, qui semblait plus impressionné qu'inquiet. "Donc il voit aussi ton frère.
— Je suppose. Je ne sais pas. C'est triste.
— Triste? Eh, ne me regarde pas comme ça, tout ce que je dis, c'est que ça pourrait être pire. Au moins, il voit des gens qu'il aimait."

Amina le regarda. Le regarda vraiment : le léger écheveau de rides aux coins de ses yeux et la petite zone de poils qui avait échappé à son rasoir, près des favoris, et cette façon qu'il avait de la dévisager comme si c'était *elle* qui, quelque part, avait négligé la vérité de ce qui était réellement en train de se passer. "Jamie Anderson, comment as-tu pu, toi, entre tous, devenir une espèce de Pollyanna?"

Il saisit une rondelle d'oignon et se la fourra entière dans la bouche. "Le divorce, sans doute."

La famille s'amena le lendemain. D'abord Raj, montant précipitamment les marches, avec des cercles bleu pâle sous les yeux et une boîte en carton d'où s'échappaient plusieurs sortes d'odeurs délicieuses, suivi de Sanji ahanant sous une glacière rouge vif.

"Salut, mon chou", dit-elle, en tendant à Amina une joue à embrasser.

Bala arriva ensuite, l'air nerveux et quelque peu corrosif dans un sari d'un vert-jaune éclatant. Elle donna à Amina un paquet de cookies du commerce, tandis que Chacko garait la voiture.

"Son cerveau? Tu en es sûre", demanda-t-elle, comme si c'était une mauvaise décision qu'Amina était en train d'envisager. *Tu es sûre que tu veux abandonner tes études? Tu es sûre que tu veux donner à ton père une tumeur au cerveau?* "Parce que Sanji a dit qu'elle les avait vus hier et qu'il avait l'air bien, mais évidemment elle a raconté qu'il voit des choses, alors il doit avoir voulu faire bonne figure devant elle, hein?

— Il est dans la cuisine." Amina tendit le bras vers la porte. "Va te rendre compte par toi-même."

Chacko traversait l'allée en regardant autour de lui, observant la prolifération du jardin comme si elle constituait une infraction au code de la route. Il monta rapidement les marches et lui serra l'épaule avant d'entrer.

Dans la cuisine, Kamala et Thomas sortaient de la boîte de Raj un plat après l'autre, en ouvrant et refermant les couvercles.

"Des *chapatis* avec du bœuf *et* des *appams* avec des légumes? fit Kamala, réprobatrice. C'est trop. Nous n'avons pas besoin.

— Parle pour toi, femme." Thomas saisit un *chapati* directement dans le plat à réchauffer. "Avec toutes tes truffes et tes trucs, il y a des semaines que je n'ai plus fait un repas normal.

— Les rayons t'ont provoqué des nausées? demanda Bala.

— Étonnamment peu, dit Thomas.

— Je vais te donner un peu de bœuf." Raj fit signe à Amina de lui passer une cuillère. "Tu peux aussi avoir des légumes, bien sûr. J'ai juste pensé que le bœuf serait bien parce que riche en fer. J'ai aussi fait une salade de tomates et carottes, pour la vitamine C. Elle favorise l'absorption, n'est-ce pas?"

Thomas ouvrit une autre boîte. "Bon Dieu! Des samoussas, aussi! Tu dois avoir cuisiné toute la nuit, Raj.

— Non, non, j'ai juste fait deux ou trois petites choses. J'ai aussi apporté un peu de yaourt maison, au cas où tu digérerais mal. Sanji nous dit que tu penses commencer une chimiothérapie?

— On l'envisage. Mets-moi un peu de salade aussi, tu veux?

— Parfait, oui, absolument. Sanji, peux-tu dénicher le *kichadi* dans la glacière ?

— Ho ho !" Il y avait des semaines qu'Amina n'avait plus vu à Thomas l'air plus authentiquement excité. "Oui, volontiers, merci !

— Il ne devrait manger que des aliments neutres", déclara Chacko de l'autre côté du comptoir de la cuisine, où il s'était installé. "Les aliments neutres valent mieux pour les nausées. Du riz et du lait caillé, peut-être un peu de *dahl*.

— *Kichadi !*" annonça Sanji en brandissant un Tupperware.

"En fait, ce qu'on peut manger, ça dépend d'une personne à l'autre." Bala se tenait, hésitante, sur le seuil de la buanderie. "Ma sœur qui eu le cancer du sein m'a dit que tout le monde tient à faire connaître son opinion quant à ce qu'on peut manger et ce qu'on peut faire et comment on va se sentir, mais en réalité c'est à chacun son corps.

— Tu as encore des assiettes ?" demanda Raj au moment précis où Amina allait en chercher d'autres. "Ah, bien. Prends peut-être quelques bols aussi, pour le *payasam*.

— Du *payasam*", gazouilla Thomas, et même Kamala dut sourire.

Une demi-heure plus tard, ils étaient tous assis au salon avec des assiettes qui avaient été remplies et vidées deux fois, les dames et Chacko perchés sur les canapés tandis qu'Amina, Thomas et Raj s'étaient calés contre des coussins épars. Pauvre Raj. Retombé de l'exaltation qui lui avait permis de cuisiner treize plats différents, il avait l'air particulièrement épuisé. La fine peau sous ses yeux formait des poches. Sanji lui pressa l'épaule avant de se laisser aller en arrière dans le canapé.

"Alors, maintenant, je suppose que nous devrions simplement aller chacun à notre tour à l'hôpital, dit-elle.

— Hmm ?" Bala jouait avec ses bracelets.

"Je pensais juste que l'un de nous devrait toujours être avec lui.

— *Je* serai avec lui, dit Kamala.

— Bien sûr, bien sûr, dit Sanji. Je dis seulement que l'un de nous devrait être là pour toi aussi.

— Quoi, moi ? Je vais très bien, moi !

— Juste pour aider, dit Amina en adressant un signe de tête à Sanji. Je crois que c'est une bonne idée, maman. Et toi et moi, nous devrions alterner, nous aussi.

— Et tu apprécies cet Anyan George ? demanda Chacko à Thomas.

— Oui. Un jeune homme brillant.

— Peu importe tout ça. Est-il capable de *gérer* ceci ? J'ai été un peu surpris que tu te sois adressé à lui plutôt qu'à Rotter ou à Dugal."

La mâchoire de Thomas se raidit légèrement. "J'ai également montré mes clichés à Rotter ; il est d'accord avec tout ce qu'Anyan a dit et fait jusqu'à présent.

— Et ici ? demanda Sanji. À la maison ? Vous vous en tirez ?"

Il y eut un long silence pendant lequel les Eapen s'efforcèrent de ne pas échanger de regards.

"Nous voulons juste dire que si nous pouvons faire quelque chose… commença Raj.

— Ça va très bien, dit Kamala.

— Et ces hallucinations ? demanda Chacko. Tu en as régulièrement ?"

Thomas hésita, puis hocha la tête.

"Et elles sont avant tout auditives ou visuelles ?"

Amina vit son père s'agiter sur le sol, comme si quelque chose lui rentrait dans le dos. "Elles sont les deux."

Chacko fit la moue comme s'il avait un mauvais goût dans la bouche.

"Quel est le problème ? demanda Amina.

— Il est inhabituel d'avoir les deux. La tumeur se trouve dans le lobe occipital. À ce titre, les hallucinations visuelles sont plus fréquentes, mais il est très inhabituel d'entendre des choses, à moins qu'elle ne se soit étendue au…

— Nous examinons la question, dit Thomas rapidement.

— Ça pourrait aussi être des mauvais esprits, dit Kamala. Quoi ? Ça arrive. Oh, ne me regarde pas comme ça, Sanji Ramakrishna, c'est une réalité vérifiée et documentée. Vous croyez que tous ces moines mentaient, au XVIIe siècle ? Parfois un mal physique peut devenir un portail pour des forces non désirées."

Amina soupira. "C'est une tumeur, maman. Tu as vu le scan.

— Personne ne dit qu'il n'y a pas de tumeur ! Je dis seulement qu'il est tout à fait possible que des forces obscures en profitent *et se fassent passer* pour des membres de la famille. Pourquoi viendraient-ils le voir, sinon ? Ce n'est pas comme s'ils se voyaient tellement dans la réalité."

Thomas se leva et se dirigea vers la porte. "Quelqu'un veut quelque chose à boire ?

— Je n'ai sans doute pas été clair, fit Chacko, les sourcils froncés. Je ne voulais pas du tout suggérer que les hallucinations sont inhabituelles, Kamala, je veux simplement dire qu'il est inhabituel de voir et entendre des choses en même temps, bien que si le cerveau…

— Ma sœur avait des hallucinations ! déclara Bala en hochant la tête avec conviction. Tous les soirs, elle rêvait d'une vieille aya que nous avions quand nous étions petites, la méchante avec des doigts crochus qui nous pinçait.

— C'est un rêve, ça, pas une hallucination, fit Kamala, furieuse.

— Pourrions-nous revenir à nos moutons ?" Sanji se redressa sur le canapé. "Je crois que nous devrions établir une espèce de programme."

Les autres n'entendirent pas cliqueter le loquet de la porte d'entrée et ne remarquèrent pas, comme Amina, le rayon de soleil qui balayait le plancher de la salle à manger. Elle se leva, marmonna "petit coin" – comme si quelqu'un avait écouté – et se dirigea vers le vestibule.

Par la porte d'entrée restée grande ouverte, elle vit son père, debout dans l'allée, en contemplation devant le tunnel des arbres qui s'élevaient de part et d'autre, telles des mains jointes en prière. Il semblait petit, là, les bras ballants à ses côtés. Il ne se retourna pas quand elle approcha et pendant un moment elle crut qu'il pouvait être de nouveau en train de les voir – Itty ou Sunil, ou Akhil, ou n'importe lequel d'entre eux susceptible de s'amener un samedi en fin d'après-midi, désireux de faire le tour de la maison. Elle tendit la main vers sa main inerte et fut surprise par la force avec laquelle il réagit, sa sûreté. Il l'attira contre lui, les doigts serrés autour des siens à lui faire mal.

4

"Bonjour, mon beau. Comment allez-vous?"

Thomas sourit à l'infirmière aux cheveux noirs qui écartait les rideaux. "Maryann!

— J'ai essayé de prendre congé aujourd'hui quand on m'a dit que vous veniez." Elle sourit, arrondissant encore sa face ronde de Hopi, et donna à Thomas un baiser sur la joue avant de jeter un coup d'œil au goutte-à-goutte. "Alors, qu'avons-nous au menu aujourd'hui? Vous avez commencé le Decadron?

— Ouais.

— Et comment ça s'est passé?

— Très bien. Léger vertige pendant la première trentaine de secondes, mais ça s'est normalisé."

Une semaine avait passé, et sur l'insistance de Thomas, on commençait la chimio. Quelques études de cas expérimentales à MD Anderson l'avaient persuadé que ça pouvait marcher et, bien que convaincu de la faible probabilité de succès, Anyan George avait finalement cédé.

L'infirmière regarda Amina. "Votre père est vraiment très populaire, ici, vous savez."

Amina savait. Depuis deux heures qu'ils étaient là, au moins une demi-douzaine d'infirmières et une poignée de docteurs étaient déjà passés, avec des sourires enthousiastes et beaucoup trop de questions concernant le sujet présumé sans risque de la vie d'Amina.

Maryann inscrivit quelque chose sur son porte-bloc. "Et ce bras, comment se sent-il?

— Bien.

— Froid ?"

Thomas hésita, puis confirma d'un signe de tête.

Elle lui tapota la jambe affectueusement, triste sous son sourire d'une façon qui inspirait à Amina à la fois plus de confiance et plus de peur que les autres. "Je vais aller vous chercher un pack thermique. Pas encore de nausées ?

— C'est mon premier jour, espèce d'oie.

— Simple test." Elle disparut derrière les rideaux avec un clin d'œil.

"C'est une des meilleures", dit Thomas.

Amina opina. Il avait dit ça de chacune des infirmières qui étaient passées.

Dehors, la forte pente de Central Avenue révélait Albuquerque par plans successifs : parkings, panneaux d'affichage, immeubles, montagnes.

"Ça te fait drôle de te retrouver ici ? demanda Amina. À l'hôpital ?

— Non. Pas vraiment. Je pensais que ce serait le cas mais, en fait, c'est agréable.

— Familier ?"

Il eut un sourire triste. "C'est drôle, on fait une chose toute sa vie… et puis, l'autre jour, je me demandais : *Et si j'avais touché mon dernier cerveau ?* On s'y habitue, tu sais, à se servir de ses mains d'une certaine façon." Il contempla ses mains, les plia et les déplia, comme pour vérifier que c'étaient vraiment les siennes. "Et toi ? Ton boulot ?

— Oh, tu sais." Amina haussa les épaules. Elle n'était parvenue à parler de Jane ni à l'un ni à l'autre de ses parents, tout en ne sachant pas trop si c'était parce qu'elle se sentait coupable ou par nervosité. "Ça va bien. Je suis contente de trouver du travail par ici.

— Quand a lieu ton prochain événement ?

— Samedi. Le fils Lucero se marie.

— Mon Dieu, c'est vrai. Suis-je censé y aller ?

— Seulement si tu te sens d'attaque."

Thomas hocha la tête en regardant la perfusion dans son bras. Il se frotta l'épaule et grimaça un peu.

"Engourdissement, dit-il sans lui laisser le temps de l'interroger. C'est normal. Je vais sans doute perdre une certaine sensibilité dans les bras et les jambes."

Amina se leva et s'approcha de la fenêtre afin qu'il ne puisse voir son visage. Il devenait de plus en plus difficile, ces temps-ci, de ne pas partir en spirale, entendre une chose et penser à la suivante et encore la suivante, jusqu'à ce qu'il ne reste plus qu'un placard plein des pulls et des chaussures de son père.

"Tu as mal? demanda-t-elle.

— Pas vraiment. J'ai eu de la chance sur ce plan.

— Oui." Petites mais furieuses, des larmes lui jaillissaient au coin des yeux.

"Viens t'asseoir, *koche*."

Elle se détourna de la fenêtre et revint vers le lit. Qu'avaient donc les lits d'hôpital, qui donnaient à tout le monde l'apparence de modèles réduits d'eux-mêmes? Elle savait que son père n'était pas plus petit, en réalité, qu'il ne l'avait été avant le diagnostic et pourtant, dans le lit, sa diminution paraissait tangible, comme un soleil couchant, sans la beauté ni le soulagement. Il posa une main sur son bras. Ses doigts semblaient de glace.

"Tu vas bien?" demanda-t-il.

Elle hocha rapidement la tête.

"Ça peut être dur, tu sais. L'inquiétude.

— Papa, je t'en prie.

— Je dis simplement…

— On peut parler d'autre chose?" On aurait dit une petite fille et elle le savait. Près d'eux, le goutte-à-goutte émit quelques bips.

Thomas soupira. "Comment sais-tu à quel moment prendre une photo?

— Quoi?

— Je me le demande toujours. Mes photos sont affreuses."

Amina sourit. Il avait raison. Ses photos étaient très mauvaises, pleines de membres manquants, de doubles mentons et de grimaces.

"Simple question d'habitude.

— Non, ce n'est pas vrai. J'ai passé un mois entier à m'entraîner, et c'est devenu pire, pas meilleur.

— Qu'est-ce que tu photographiais?

— Ta mère.

— Eh bien, voilà ton problème. Personne ne peut prendre une bonne photo de maman. C'est une jolie femme qui fait de vilaines grimaces.

— Bon sang." Thomas paraissait à la fois confondu et soulagé. "Tu as absolument raison."

Amina frictionna les mains froides de son père. Ses paumes pelaient.

"Tu penses parfois à revenir vivre ici? demanda-t-il.

— Oui, bien sûr", dit-elle.

Thomas hocha la tête et la détourna si promptement qu'Amina mit une minute à comprendre que sa réponse l'avait ému, sa bouche se convulsait comme s'il allait pleurer.

"OK, mon chou, voici pour vous", annonça Maryann en repassant le rideau avec le pack thermal et une couverture supplémentaire. Amina se leva et écouta l'infirmière cajoler son père en roucoulant, experte en apaisement des indignités du corps.

"Ton père est trop malade pour venir", déclara Kamala le samedi suivant. Debout sur le seuil de la chambre d'Amina, elle-même paraissait un peu malade, les mains sans cesse occupées à lisser le sari cramoisi et violet qu'elle avait revêtu pour le mariage Lucero.

"Il vomit de nouveau? demanda Amina.

— Rien à vomir! Il ne veut pas manger!

— C'est normal." Amina avait lu si souvent la feuille avec laquelle les infirmières les avaient renvoyés à la maison qu'elle avait la certitude de pouvoir en citer des paragraphes au hasard. "Il pourrait n'avoir aucun appétit pendant une semaine environ.

— Il va mourir de faim!

— Si tu lui donnais du bouillon de poule?

— Tu sais combien de *chapatis* ton père peut manger en un seul repas?" Kamala parcourut la chambre des yeux, comme si elle mettait les meubles au défi de deviner avant qu'elle n'annonce : "Huit!"

Amina comptait ses rouleaux de film et les rangeait dans son sac à dos. Ces mariages en plein midi seraient sa mort, avec leur lumière trop crue, trop plate. Kamala fit un pas dans la chambre.

"Et maintenant il me crie d'y aller. Il me dit qu'à force de lui tourner autour je l'énerve. Que dois-je faire d'autre? *Ne pas* m'occuper de lui? *Ne pas* lui apporter à manger quand il n'a rien avalé de toute une journée?

— Peut-être que l'odeur des aliments l'écœure.

— *Tout* l'écœure. Que sommes-nous supposées y faire? On aurait dû s'en tenir aux rayons!"

Amina respira profondément. "Il faut un peu de temps.

— Qu'est-ce que c'est que tout ça?" Kamala regardait les objets ramenés du jardin, encore alignés sur le bureau d'Amina et de jour en jour plus poussiéreux.

Amina soupira. "Oui, je voulais t'en parler. Je les ai trouvés dans le jardin. Près de là où était le blouson. Enterrés dans la même plate-bande. J'ai tout déterré."

Kamala s'avança lentement, se pencha pour examiner le pot de mangues confites, et puis l'album. Elle toucha brièvement les chaussures avant de ramasser le trousseau de clés. "Il m'avait dit qu'il les avait perdues."

Amina haussa les épaules. "Il le croyait sans doute."

Elle tressaillit quand sa mère laissa tomber les clés en poussant un cri comme si elle avait été blessée, comprenant trop tard que c'était trop, qu'un certain réconfort avait été espéré en vain dans sa compagnie. Elle se hâta vers Kamala, étreignant ses épaules raidies jusqu'à se sentir repoussée avec douceur.

"Vas-y, toi, dit Kamala. Je resterai ici avec lui.

— Non, maman, viens. C'est ce dont il a envie. Et moi, je dois y aller. Et c'est tout près d'ici.

— Mais quelqu'un devrait rester.

— Prince Philip va rester."

Sa mère secoua la tête mais sourit un peu.

"Ce n'est que pour quelques heures", insista Amina, soudain pleine d'espoir, comme si sortir de la maison pouvait changer quelque chose à ce qui s'y passait. "Et il peut nous appeler s'il a besoin de nous, non? Allons-y.

— Très bien, soupira Kamala", comme si c'était une guerre qu'elles se livraient depuis des semaines, et non quelques minutes. "Allons-y."

Le lendemain matin, au réveil, Amina trouva un message :
Ton père a besoin de manger.

Rédigé de la minuscule écriture arrondie de sa mère, il était collé au miroir de la salle de bains et ne comportait aucune autre instruction. Amina descendit. La chambre de ses parents était vide, stores relevés, lit fait.

"Papa ? appela-t-elle. Prince Philip ?"

La cuisine aussi était vide, ainsi que le salon. Amina se servit un grand verre d'eau qu'elle avala en retournant vers la buanderie. Elle trouva son père et le chien sur un lit pliant, dans la véranda. Thomas était étendu, plat comme une planche, et au bas de ses jambes Prince Philip tentait bravement de se rouler proprement en boule, mais ses pattes glissaient des bords. La lumière du soleil entrait à flots, blanchissant murs, outils et piles de journaux. Le chien agita la queue quand Amina approcha.

"Papa ?"

Les yeux de Thomas tournèrent lentement dans leurs orbites pour s'arrêter sur elle. Il n'était pas endormi.

"Eh ?" Elle tourna une chaise face au lit, s'y assit. "Qu'est-ce qui se passe ?"

Il haussa les épaules.

"Tu viens de te réveiller ?" demanda-t-elle.

Thomas remua, poussant Prince Philip à se lever et à dégringoler du lit.

"Tu veux petit-déjeuner ?" demanda-t-elle.

Son père se tourna sur le côté, face au mur opposé. Prince Philip pencha légèrement la tête, regardant tour à tour le père et la fille avec une nervosité canine. Pauvres chiens. Toute cette intuition, et aucun recours.

"Papa ?"

Thomas secoua la tête en marmonnant quelque chose. Elle se pencha plus près. "Quoi ?

— Je ne t'ai pas demandé de venir.

— Je sais. Maman m'a laissé un message."

Thomas se jeta un bras par-dessus la tête, se bouchant l'oreille. Prince Philip s'approcha pour flairer son aisselle et Thomas se dressa d'un coup, lui attrapa le museau et le repoussa brutalement.

"Papa, arrête ! Qu'est-ce que tu…"

— Je ne veux pas de toi ici", cria Thomas, qui se dressa en montrant les dents, et Amina bondit de sa chaise et recula vivement. Mais ce n'était pas elle que Thomas regardait. Il regardait le portemanteau.

"Papa?

— Sors d'ici.

— À qui parles-tu?"

Thomas fixait sur les vêtements des yeux furieux, qu'il traîna d'eux à Amina comme s'ils conspiraient ensemble.

"Papa? Mon petit papa?"

Thomas tressaillit. S'enfouit la tête entre les mains. Se balança d'avant en arrière, les bras serrés autour du corps. Quand Amina lui toucha l'épaule, il frissonna.

"Qu'est-ce que je peux faire? demanda Amina, en essayant d'étreindre ses épaules voûtées, sa colonne agitée de tressaillements. Qu'est-ce qui t'aiderait?"

Son père secoua la tête.

Deux jours plus tard, attiré par une odeur de coriandre et de gingembre, Thomas entra dans la cuisine, l'air un rien bouffi mais décidé. Les boucles s'emmêlaient en touffes autour de sa tête, et sa vieille robe de chambre bleue exposait deux genoux qui semblaient à peine plus gros que la pomme d'Adam d'un autre homme.

"Kam…" commença-t-il et, sans le laisser finir, sa femme posa devant lui une assiette de curry de poulet. Deux *chapatis*, un beau pilon et un peu de lait caillé plus tard, il fit signe qu'il en voulait encore.

"Tu vas manger? demanda-t-il à Amina entre deux bouchées.

— Pas encore."

Il n'était que dix-huit heures trente. Elle regarda son père ronger la chair sur l'os; sa récente perte de poids le faisait ressembler davantage à un animal. Ossements humains dévorant des os de poulet. Viande mangeant de la viande.

Kamala posa une assiette devant elle. Elle en apporta une autre pour elle-même, avec une expression menaçante, comme si la seule chose pouvant empêcher Thomas de mourir de faim était que tout le monde mange immédiatement du curry de poulet.

Amina saisit un *chapati* sans un mot et, pour la première fois depuis la pose du diagnostic, les Eapen prirent ensemble un repas normal, déchiquetant viande et pain en morceaux de plus en plus petits jusqu'à balayer du bout des doigts la porcelaine propre.

"Je prendrais bien une douche", dit Thomas, mais il ne fit pas mine de s'en aller de la cuisine. Il regardait autour de lui avec l'air étourdi d'un homme revenu en trébuchant d'une excursion dans le désert. "Et alors, quoi de neuf?"

Tu as été malade. Tu as pris le portemanteau pour une personne. Amina haussa les épaules. "Pas grand-chose.

— Le fils des Lucero s'est marié, avança Kamala.

— Ah, oui? Et comment était-ce?

— Affreux. Le repas était horrible. La mariée était grasse.

— Maman!

— Quoi? C'est vrai.

— Elle était enceinte!

— Eh bien, en plus, elle était grasse", dit Kamala en se léchant le bout des doigts à la manière d'un chat, et Thomas parut amusé.

"Quoi d'autre? demanda-t-il.

— Je vais avoir une exposition", dit Amina, en observant l'effet de la surprise sur les visages de ses deux parents. "Ou, plutôt, c'est Dimple. La galerie de Dimple va exposer des photos que j'ai faites.

— Ouah!" Thomas souriait faiblement. "Des gens les verront?

— C'est l'idée.

— Quand? demanda Kamala.

— En septembre. J'y retournerai sans doute pour le week-end ou quelque chose comme ça.

— Je suis content pour toi. Parfait, parfait." Thomas la regardait, les yeux plissés, comme s'il la voyait dans l'avenir, quand elle serait enfin devenue celle qu'il avait toujours su qu'elle deviendrait. "Quelles photos? Nous les avons vues?

— Pas vraiment, non. Des trucs plus récents. Surtout des moments bizarres pendant des mariages.

— Jane doit être tellement fière!"

Amina hocha la tête. *Bien sûr. Pourquoi pas?*

Thomas se leva, en déroulant lentement sa colonne vertébrale, et saisit son assiette.

"Je la tiens." Kamala tendait la main. "Va prendre cette douche, j'y ai mis un tabouret, en cas de besoin.

— Pschtt! Je ne suis pas impotent, femme.

— Je sais. C'est seulement au cas où." Elle lui souriait timidement, gentiment, pensa Amina, débordante du désir de l'assurer qu'il n'était pas de faiblesse qu'elle ne pût oublier, aucune action qu'elle ne pût récrire, et Amina se rendit compte qu'il n'y aurait jamais de bon moment pour parler de ce qui se passait.

"J'ai retrouvé des affaires à toi dans le jardin, dit-elle.

— Tu veux des *rasmalaï* comme dessert? demanda Kamala en la foudroyant du regard.

— Quelles affaires?" demanda Thomas.

Amina le lui dit, mal à l'aise de le voir baisser les yeux vers le sol en brique, tendre les bras vers le comptoir, l'air de nouveau pris de nausées. Il se rassit pesamment.

"Tu ne te rappelles pas avoir mis ça là? demanda Amina.

— Non.

— Peu importe, dit Kamala. Tout le monde s'en fiche, de toute façon.

— Aucun de ces objets?"

Il la regardait avec embarras. "Pas vraiment.

— Je pensais que tu pouvais avoir laissé les chaussures pour Itty.

— Ne sois pas stupide!" souffla Kamala avec colère. Elle attrapa l'assiette d'Amina et la remporta à l'évier. Thomas la regardait attentivement.

"C'était lui que tu voyais, l'autre jour, hein?" demanda Amina.

Son père fronça les sourcils, comme s'il essayait de localiser son propre souvenir. Au bout d'un long moment, il confirma d'un geste.

"Et le trophée, c'était pour Ammachy?

— Amina, lança Kamala en tournant la tête. Laisse ça.

— C'est simplement... je ne veux pas que tu aies l'impression que tu ne peux pas en parler, dit Amina. Tu vois des choses. Tu n'y peux rien. Je ne sais pas pourquoi nous devons faire tant de mystères à ce sujet.

— Personne ne fait de mystères! Qui fait des mystères?

— Toi, maman."

Avec une force surprenante, Kamala éleva une assiette au-dessus de sa tête et la jeta dans l'évier, où elle s'écrasa, libérant un silence vivant, bourdonnant. Amina regarda le corps menu de sa mère se tasser, les mains agrippées aux bords de l'évier comme si elle allait le soulever tout entier et le flanquer par terre si elle pouvait.

"Itty les réclamait, alors je les lui ai données", dit Thomas.

Amina hocha la tête, calmement, en s'efforçant d'empêcher son visage d'exprimer un souci quelconque mais, dans sa poitrine, quelque chose se ramassait, tel un chat acculé dans un coin. À la périphérie, elle vit Kamala se pencher sur l'évier et commencer à ramasser les morceaux, qui grinçaient les uns contre les autres comme des carapaces de scarabées.

"Ammachy t'avait demandé le trophée ?

— Non, dit Thomas, l'air mal à l'aise. J'ai juste pensé que ça lui ferait plaisir.

— Et l'album ?

— C'était pour Sunil quand il…" Thomas, désemparé, contemplait le comptoir.

"Quand il quoi ?

— Quand il aurait envie de l'écouter."

Ce n'était pas stupide de penser que parler améliorerait les choses. Des écoles entières de psychologie ne reposaient-elles pas sur cette hypothèse ? N'avait-elle pas donné naissance au confessionnal des talk-shows télévisés ? Et pourtant, lorsque Thomas, penché vers elle, raconta ses derniers mois à Amina (d'abord de manière entrecoupée et puis plus vite et plus librement, comme si chaque mot était de l'eau creusant un canal plus large entre le cerveau et la bouche), lorsqu'il parla non seulement d'une brève rencontre avec Derrick Hanson mais aussi de semaines entières avec Itty, Sunil, Ammachy et même Divya ("Mon Dieu, a-t-elle toujours été aussi portée aux jérémiades ?"), elle s'aperçut qu'elle se sentait nettement plus mal.

Ils étaient tous exactement ce qu'ils étaient avant, disait son père, ni plus gentils, ni meilleurs, ni plus sages. Ils ne venaient à lui qu'un à la fois. Ils voulaient surtout voir des choses, comme la maison, les outils, ou le supermarché. Ils ressemblaient à ce qu'ils avaient été le plus beau jour de leur vie.

"Les plus beaux qu'ils avaient jamais été ?

— Non. Exactement tels qu'ils étaient le jour qu'ils avaient préféré. Même âge, mêmes vêtements."

Mais comment pouvait-on avoir un jour préféré dans une vie entière? Amina ne posa pas la question, mais son père haussa néanmoins les épaules, comme pour dire : *Qui sait comment ces choses-là fonctionnent?* Et, pendant une minute, elle sentit l'attrait de cette logique aussi vivement qu'une main.

"Assez", protesta Kamala du fond de la cuisine, le visage rayé de larmes.

"Maman.

— N'y a pas de « maman ». Arrêtez immédiatement cette conversation.

— Je crois juste que nous devrions…

— Vous allez faire entrer le diable dans cette maison!

— Nous ne faisons que parler de ce qui se passe. Il n'y a rien de mal là-dedans.

— Oui, oui, bien sûr, Miss Diplômée en Psychologie, Miss Bouche freudienne. Parce que tu le sais, toi, ce qu'il y a de mieux, hein? Oui, déterrons tout, sortons tout!

— Ça va, dit Thomas avec calme. Tout va bien. Contentons-nous…

— Idiots! On ne se mêle pas de ces choses-là! *On ne les introduit pas dans la maison.* Vous ne croyez pas qu'ils attendent les tumeurs et les cancers et je ne sais quoi d'autre? Bien sûr que si! Les esprits faibles sont toujours leur cible!"

Amina lança à sa mère un regard furibond. "Comme le tien?

— Eh!" s'exclama Thomas, mais il était trop tard. Kamala se couvrit la bouche de la main, pivota et sortit de la cuisine. Quelques secondes après, la porte de leur chambre à coucher claqua, faisant tressaillir la maison.

Amina se retourna vers son père, qui s'était affalé sur le comptoir. "Elle ne pensait pas vraiment ça, papa, elle…

— Ne parle *jamais* à ta mère sur ce ton."

Le visage d'Amina flamboya. "J'essayais simplement de…

— C'est dur pour elle.

— C'est dur pour tout le monde.

— Elle est *ta mère*."

Amina baissa les yeux, maussade et troublée. Elle ne savait jamais ce qui allait la déclencher mais, chaque fois qu'elle se manifestait, la loyauté de Thomas envers Kamala était inébranlable, comme si un seul acte d'allégeance pouvait compenser tous les torts qu'il avait envers elle.

"Très bien", dit-elle.

Les épaules de son père s'affaissèrent légèrement. Il contemplait le comptoir d'un air malheureux.

"Et le blouson?" demanda Amina.

Thomas ne répondit rien. Les rides de son visage devinrent des ombres profondes.

"Akhil le voulait?

— Non.

— Tu le lui as simplement donné?

— Je ne l'ai pas vu."

Amina se laissa sombrer dans le silence, surprise par cette réponse et par la déception soudaine et violente qui l'accompagnait. "Mais alors pourquoi as-tu...

— Je n'en ai aucune idée.

— Mais il était dans le jardin avec le reste!

— Je sais.

— Alors pourquoi...

— Amina, je ne sais pas." Il était en colère – en colère à cause de la façon dont elle avait parlé à Kamala, mais à présent à cause de ceci aussi, comme si, avec cette seule idée que quelque chose, dans tout ça, avait la moindre signification, Amina l'avait trahi. Et n'était-ce pas vrai? Amina observa son père, de l'autre côté de la tablette blanche, en regrettant sa propre transparence, son besoin que le brouillard qui se refermait sur eux ait un sens.

Thomas posa la tête sur le comptoir, crâne luisant sous une couronne de boucle. Il respirait lentement et profondément, et Amina tendit le bras et appuya les doigts sur la petite zone où les cheveux repoussaient après la biopsie. À quelle distance étaient-ils de la tumeur? Elle avait toujours éprouvé un sain scepticisme envers les chamans et autres guérisseurs mais, depuis quelque temps, elle avait du mal à se débarrasser de la conviction qu'avec suffisamment de désir et de supplication elle pourrait chasser le cancer.

"Elles s'en vont, de toute façon", dit son père d'une voix sourde, à contrecœur.

"Quoi?

— Les visions. Avec la chimio. Je les vois moins.
— C'est vrai?"

Il confirma, hochant la tête sous sa main, et Amina ne dit rien. Elle avait peur de son propre espoir, peur de se fier indûment à la moindre suggestion qu'il pourrait aller mieux. Elle posa la tête sur le comptoir à côté de celle de son père, la glissant vers lui jusqu'à se trouver crâne contre crâne.

5

Ce soir-là, Jamie et Amina sirotaient du vin dans un nouvel endroit des Northeast Heights. Un lieu sombre et caverneux, qui se glorifiait d'offrir des tabourets ressemblant à des éclats d'iceberg, une carte des vins impressionnante et une barmaid inversement minuscule. ("Faites-moi savoir si je peux vous aider", avait-elle proposé, avec une expression qui suggérait qu'elle en serait incapable). Tout autour d'eux, les nantis d'Albuquerque observaient le scintillement des bijoux de leur prochain dans la lumière. Les menus du bar, en somptueux carton crème imprimé d'une typographie en relief si moderne qu'on eût dit un éternuement numérique, suggéraient des choses telles que "rouleaux de crabe" ou "mousse de canard".

"Qu'est-ce qu'on fait ici, déjà?" demanda Amina, essayant en vain de s'asseoir confortablement.

"On risque tout pour sauver des vies innocentes." Jamie lui tendit un imprimé errant – fausse note isolée, sur un méchant papier Kinko rose. *Venez à notre happy hour!* pouvait-on y lire. *Voyez le soleil se coucher dans une symphonie de couleurs!* "Je ne sais pas, j'ai pensé qu'on pourrait se mêler à des gens de notre âge.

— Ces gens-là ont notre âge?

— Ça te donne l'impression d'être vieille?

— Ça me donne l'impression d'être pauvre."

La barmaid revint, un sourire plaqué sur le visage. "Vous avez des questions?

— C'est quoi, une symphonie de couleurs?" demanda Jamie, en lui tendant l'imprimé.

Elle ne le regarda même pas. "Nous avons un très beau coucher de soleil.

— Ah, merci. Avez-vous aussi de la Budweiser?

— Nous n'avons que de la Sierra Nevada à la pression.

— Nous en prendrons deux", dit Amina.

Une heure et deux bières chacun plus tard, ils étaient souriants. Ils parlaient aussi trop fort. Amina le comprenait à la façon dont la barmaid les évitait ostensiblement. Mais qui s'en souciait? Elle était de sortie avec Jamie Anderson. Il sentait bon, comme quelque chose qu'elle aurait voulu manger.

"Je suis allée à Mesa Prop aujourd'hui, dit-elle.

— Ah oui? Pourquoi?

— Je ne sais pas. J'avais envie de prendre des photos. De toute façon, je n'ai pas pu entrer.

— Comment ça?

— On ne m'a littéralement pas laissée entrer. Le garde, devant l'entrée.

— Le garde? Tu veux dire qu'il y a réellement *quelqu'un* dans cette guérite à l'entrée?

— Ouais.

— Non! dit Jamie. J'y suis passé plusieurs fois. Je pensais que c'était simplement, je sais pas, pour la frime. Ils ont de vrais gardes?

— Des *ninjas*." Amina cracha le mot.

Jamie rit et but une longue goulée de bière.

"Non, vraiment. C'est comme ça qu'on les appelle. *Ninja Security*. C'était écrit sur la poche de ce type. Ils sont dans les vingt-cinq sur le campus. Apparemment, ils arrêtent toute personne qui n'a pas un rendez-vous ou une carte de presse."

Jamie s'étouffait un peu. "Attends, il t'a demandé si tu avais une *carte de presse*?

— Oui. Parce que j'avais mon appareil.

— Mais tu as été élève de cette école!

— C'est ce que j'ai dit.

— N'importe quoi! C'est pas comme si t'étais une... une – la main de Jamie gesticulait furieusement – *délinquante!* Je veux dire que tu as payé pour étudier là, pendant *des années*! Et on te traite comme une *criminelle*!

— Insultant, approuva Amina. Criminelle.

— Alors tu t'es plainte à quelqu'un?

— Je n'ai pas pu entrer pour me plaindre à qui que ce soit!

— Fascistes!" Il frappa le bar avec énergie. La barmaid regarda un autre des clients en faisant la grimace. "C'est une espèce de dictature, maintenant? Des *ninjas*?

— Des ninjas, confirma Amina.

— Qu'ils aillent se faire foutre." Il reposa sa bière sur le bar. "On y va.

— Absolument."

Jamie fit signe à la barmaid. "L'addition, s'il vous plaît?

— Attends, maintenant? Tu veux aller à Mesa maintenant?

— On peut sauter cette barrière en, disons, deux secondes. Et alors on sera bel et bien sur la mesa dans l'obscurité jusqu'à ce qu'on arrive aux bâtiments."

Amina les imagina en train de se ruer sur les sols en marbre du bureau des admissions et rit, la tête renversée en arrière. La barmaid fit claquer leur note.

"Je suis sérieux, bordel!" Jamie y jeta un coup d'œil et déposa deux billets de vingt. "On va reconquérir notre école."

Amina ne bougeait pas.

"Quoi, tu as peur des ninjas?"

Elle hocha la tête. Elle avait une peur bleue des ninjas, qu'elle avait imaginés trapus, rapides et japonais, en dépit de la petitesse notoire de la population asiatique d'Albuquerque.

"Ce campus est immense! Seize hectares, et en grande partie rien que la mesa nue. Combien peuvent-ils être?

— *Vingt-cinq.*

— Alors on pénètre par une section de la clôture en face de ce truc chinois – comment ça s'appelle? – la Grande Muraille. Ouais. Et on reste à l'écart de la guérite. Et là c'est tout bon.

— Jamie." Elle posa la main sur son bras.

"Amina." Il attira cette main contre son cœur.

"Ce n'est pas une bonne idée.

— C'est la meilleure des idées.

— Et si on se fait prendre?

— On leur explique qu'on allait là autrefois et qu'on a décidé de faire une promenade inoffensive et je te garantis qu'ils n'auront pas envie de porter plainte contre leurs propres *alumni*, quelle que soit la façon dont ils traitent les gens au portail. Allez. Je suis prof à l'UNM. Ils veulent des ennuis de ce côté ?

— Oooh." Amina riait en dépit de ses appréhensions. "Tu vas faire descendre sur eux toute la fureur de ton département ?

— Je pourrais." Jamie baissa la voix d'un ton. "Ou je pourrais bien faire descendre sur toi la fureur de mon département.

— Qu'est-ce que ça peut vouloir dire, ça ?

— Aucune idée. Finis ta bière."

Elle n'était pas obligée d'y aller. Elle le savait. Mais l'odeur de houblon qui flottait dans l'atmosphère, le sourire en coin et le tee-shirt jaune de Jamie, la proximité entre sa main à elle et son cœur à lui avaient quelque chose de vraiment délicieux.

Elle avala une dernière gorgée et se laissa glisser du tabouret. "Allons-y."

Vingt minutes plus tard, ils étaient assis dans la voiture de Jamie, arrêtée sous la lueur jaune de la Grande Muraille.

"Bon", chuchota-t-il, comme s'ils étaient déjà dans l'enceinte de Mesa Prep. Il montra du doigt la partie nord de la clôture. "Je propose qu'on pousse jusqu'à ce coin-là, on saute au-dessus de ce gros machin en brique et on court à travers tout jusqu'au parking.

— On traverse toute cette mesa en courant ? Dans le noir ?

— Ce qu'il y a, c'est qu'on doit éviter la baraque des gardes et l'endroit où la circulation ralentit, donc je pense que la seule façon d'y arriver, c'est en passant par la nature.

— Cactus, lui rappela Amina. Serpents à sonnettes."

Jamie se pencha au-dessus d'elle et ouvrit la boîte à gants en souriant. "Lampe de poche, dit-il, en lui mettant le métal froid dans la main. J'en ai deux. Et j'ai une trousse de secours d'urgence dans la voiture.

— Tu rigoles, là.

— Quoi ?

— Le nombre de trucs que tu as dans ta voiture ! Ça doit signifier quelque chose. Complexe du sauveteur ? Problèmes d'abandon ?

— N'essaie pas de gagner du temps."

Amina ouvrit sa portière et sauta dans la nuit. Jamie la suivit. Ils examinèrent l'autre côté de la rue. Sans l'écran du pare-brise, le mur paraissait un peu plus costaud, un peu plus malveillant. C'était une combinaison de grilles de fer et d'épais poteaux en brique, le genre de choses qui convenait bien aux écoles militaires et aux cimetières du Sud. Amina se mit à sauter sur place en écartant bras et jambes.

"Qu'est-ce que tu fabriques?

— Je m'échauffe.

— Ah. D'accord." Jamie suivit son exemple. Ils firent ensemble une vingtaine de sauts et s'arrêtèrent, essoufflés.

Jamie fit une fente. "Pense à étirer tes ischio et tes quadriceps, aussi."

Amina hocha la tête et se fendit. "Et on devrait faire nos épaules, ensuite."

Trente secondes après, Jamie faisait tourner vigoureusement ses bras repliés, tandis qu'Amina se tirait les coudes sur la poitrine.

"Prête?" demanda Jamie.

Amina regarda, de l'autre côté de la route, la mesa obscure qui entourait l'école. "Tout à fait."

Dix minutes plus tard, ils haletaient devant la barrière, mains, avant-bras et tibias étonnamment éprouvés par ce qui était supposé être un parcours facile. Amina cracha sur le côté pendant que Jamie allait et venait en toussant.

"Bon", dit Jamie, considérant d'un air sombre ses paumes écorchées. "Bon, alors, peut-être pas? Peut-être qu'on renonce tant qu'on peut encore?"

Amina agita la tête en signe de dénégation. Non, ils n'allaient pas se dégonfler devant Mesa Preparatory. Elle voulait ceci, désormais.

"Ce que je pense, c'est que c'est plus haut qu'on l'imaginait, hein? dit-il, en indiquant la barrière. Carrément plus haut que ce qu'on voit de la route. Donc, voilà.

— *Vous êtes capables de plus*", rappela-t-elle à Jamie en posant un pied à la base de la grille. "Viens, donne-moi un coup de main."

Jamie tendit la main.

"Non, idiot, comme ça…" Amina entrelaça ses doigts, se voûta.

"Je suis quoi, moi, devin?" Jamie se pencha.

"C'est pour l'élan. Y en a qui savent comment donner de l'élan." Amina se hissa en hauteur et passa au-dessus, cramponnée tant bien que mal aux barreaux de fer. Et puis, d'un coup, elle tombait, les pointes en fer de lance s'éloignaient. Elle atterrit sur le derrière avec un bruit sourd.

Jamie lui souriait à travers la barrière. "Bravo.

— Au moins, je suis passée.

— Attends." Il suivit son exemple, l'air nettement nerveux lorsque son bas-ventre frôla les pointes de fer. Il se posa, biceps tremblants, et lui sourit. "On y est."

Amina observait la mesa nue qui s'étendait devant eux, l'obscurité cotonneuse teintée de brun par les silhouettes des touffes d'herbe sèche dessinées par les lumières venues de la route.

"Ne t'en fais pas. S'il y a des serpents ici, ils nous ont entendus et ils sont en train de se tirer, fit Jamie, rassurant.

— Tu ne vas pas me la faire ils ont plus peur de nous que nous d'eux, hein ? Parce que je sais parfaitement que je suis l'animal le plus terrifié des environs."

Jamie lui prit la main et ils s'avancèrent. À leur droite, on voyait clairement le campus, les alignements de lumières éclairant les allées pavées de ciment et les arcades en brique. À leur gauche se trouvait le terrain de football, entouré par la piste et bordé d'un côté par la petite éminence des gradins intégrés.

"Où on va ?

— Stade." Jamie le montra du doigt.

"Et les ninjas ?

— Écoute, c'est un terrain de foot. Qu'est-ce qu'on pourrait y faire comme dégâts ? D'ailleurs, il est pas éclairé, donc c'est pas comme si c'était facile de nous voir."

Ils continuèrent d'avancer pendant ce qui lui parut un quart d'heure, bien qu'évidemment ça ne pût être autant. Elle suivait Jamie en essayant d'éviter les ombres les plus sombres, jusqu'à ce qu'il s'arrête soudain et la saisisse par le bras.

"Chht !

— Quoi ?"

Amina se figea et tendit l'oreille. Dans le lointain, une voiture klaxonna. À côté d'elle, Jamie s'accroupit lentement, un doigt sur les lèvres. Elle l'imita, le cœur battant.

« J'ai cru entendre quelqu'un, chuchota Jamie au bout d'un moment.

— Un ninja ? » Les yeux écarquillés, Amina regardait autour d'elle.

« Je sais pas. Quel bruit ça fait, un ninja ?

— Des pas étouffés. Des nunchakus.

— C'était définitivement un ninja. »

Elle rit silencieusement, terrifiée par les ninjas et à l'idée de se pisser dessus. Jamie attendit quelques instants et puis se remit lentement debout et lui tendit la main pour l'aider à se relever. Ils regardèrent, de l'autre côté de la route, le stade qui s'élevait, tel un temple dans la nuit noire, avec ses gradins de métal déserts, spectateurs du vide.

« Splendide », dit Jamie.

Ils partagèrent un joint sur l'herbe en contemplant l'endroit où se seraient trouvées les étoiles si la nuit n'avait été voilée par une étrange brume brunâtre. L'herbe grattait plus qu'Amina ne l'eût souhaité, et elle avait besoin de pisser, mais, à part ça, le campus était bizarrement paisible, plein de cette symétrie hypnotique qu'on retrouve sur tous les campus : arbres, lampadaires et bancs espacés avec régularité. Elle souffla un nuage minuscule et il parut s'envoler droit vers la pollution, où il se joindrait à des gaz polluants et autres particules, pour redescendre en pluie acide sur un des lacs du Nord-Ouest, si c'était ainsi que ça se passait. Était-ce ainsi que ça se passait ?

« Qui tu avais en chimie ? » Elle lui repassa le joint.

« Brazier. Et toi ?

— Wills.

— Hmm. » Jamie tira une longue bouffée. « Pourquoi ? »

Amina haussa les épaules, ne sachant plus très bien ce qu'elle avait demandé et moins encore pourquoi. Elle regarda Jamie en essayant d'évaluer si c'était important, mais il avait une petite graine noire de quelque chose coincée entre les dents. Elle aurait voulu le lui dire, mais c'était trop d'effort.

« Tu te souviens de cette soirée, au bal ? demanda-t-il. Tu étais tellement sexy. »

Amina sourit dans l'obscurité, avec un plaisir si profond que le féminisme aurait pu n'avoir jamais existé. "Ouais, je me rappelle.

— Je mourais d'envie de faire ça avec toi.

— Me shooter ?

— Non, idiote, t'avoir près de moi.

— Quelle blague. Tu me regardais à peine.

— Ça, ça faisait partie de mon jeu. Joue-la décontracté." Jamie aspira entre ses dents. "J'étais allé à cette connerie de bal pour te voir.

— C'est vrai ?" Amina s'assit, en cherchant à se stabiliser. Elle le dévisagea, tâchant de voir s'il la faisait marcher. "Tu me fais marcher ?

— Tu crois que j'avais envie d'être là ?

— Oh, Jamie", dit-elle, si touchée qu'elle ne savait qu'en faire. Elle lui caressa le front, ce petit espace entre le bord des sourcils et la naissance des cheveux pour lequel elle s'était prise d'une affection particulière, et il glissa une main sous sa chemise.

"Attends une seconde." Elle se leva et attendit que le monde se remette en place afin qu'elle puisse marcher sans mal.

"Où tu vas ?

— Derrière les gradins. Pisser."

Jamie releva la tête, évalua la colline obscure dans laquelle étaient construits les gradins. "Si loin ? Fais ça ici.

— Je ne pisse pas devant toi.

— C'est pas une telle affaire.

— Si. C'est un engagement.

— Quoi ?" Jamie rit. "De quoi tu parles ?

— Tu as été marié.

— Quel est le rapport ?"

Elle ne savait pas, mais elle savait que ça avait un rapport avec pisser en parlant, prendre sa douche avec la porte ouverte et être optimiste comme elle ne l'avait jamais été. Peut-être qu'un jour l'aisance de Jamie déteindrait sur elle. Peut-être même qu'elle deviendrait un jour le genre de femme qui pourrait s'accroupir devant lui, mais ce jour-là n'était pas encore arrivé. "Je reviens tout de suite."

Elle marcha à travers la pelouse et puis la piste, et prit un petit sentier qui menait au parking en terre battue derrière les gradins. Au moment où elle tournait derrière ceux-ci, comme la pelouse disparaissait dans son dos, la peau lui picota. Ce n'étaient que taches de lumière et d'ombre de ce côté. Un cercle de pins pignons broussailleux l'abritait à peu près des lumières vives du parking mais, par-ci, par-là, un bout de terrain brillait, mystérieux comme un éclat de soleil au fond d'un lac. Amina s'arrêta, baissa culotte et plia les jambes.

Hank Franken. Chaque fois qu'elle pissait en plein air, elle se rappelait l'étrange visage plein de taches de rousseur du gamin, ses dents, qu'il semblait sans cesse faire grincer. En dernière année, Hank Franken s'était assis sur un cactus en essayant de chier lors d'une soirée bière sur la mesa. On l'avait entendu crier de loin, et puis à chaque pas, et il avait fini par surgir dans le cercle des feux arrière, le pantalon à mi-cuisses, sa verge à la main, suppliant que quelqu'un retire les épines. Quelqu'un avait-il retiré les épines ? Amina se leva, remonta sa culotte.

Quelqu'un fumait une cigarette. Il fallut un moment à Amina pour s'en rendre compte, et un autre pour se rendre compte que c'était effrayant, attrapant aussitôt la chair de poule. Qui que ce fût, il était proche. Amina parcourut l'obscurité des yeux, en s'efforçant de voir. Était-ce un ninja ? L'observait-il ? Elle entendit un petit clic dans son dos et se retourna lentement, le cœur glacé à la vue d'une braise orange qui se déplaçait dans l'air à quelques pas d'elle. Sa gorge se dessécha. Juste au moment où elle se sentait basculer dans une panique silencieuse, le fumeur tira sur la cigarette et le halo de lumière orange révéla un visage si familier que la nuit elle-même parut reprendre vivement son souffle autour d'elle, précipitant vers la flamme tout ce qu'il y avait d'oxygène.

Il était toujours le même. Exactement le même, avec ces pommettes étalées en arcs qui lui étaient venues après le Grand Sommeil. La lueur de la cigarette s'éteignit, laissant une traînée verdâtre devant le ciel nocturne.

Il marchait vers elle. Amina le comprit dans un recoin paralysé de son cerveau, celui qui avait vu d'innombrables verres lui échapper des mains, des assiettes s'écraser par terre, des voitures entrer en collision dans des allées voisines et, de même qu'elle était restée immobile dans toutes ces occurrences, convaincue que l'accident était trop évident pour se produire réellement, elle resta immobile en ce moment. Des taches de lumière s'accrochaient à lui, à son jean, à son tee-shirt, et puis il passa à côté d'elle, marchant vers les arbres.

Amina se retourna, brûlante et claquant des dents. *Attends.*

Elle n'arrivait pas à parler. Il n'attendit pas. Akhil écarta les branches et s'en fut vers les lumières éclatantes du campus principal.

6

Ils galopaient à travers la mesa, les chaussures inondées de sable, mollets et chevilles déchirés par les broussailles et les roseaux.

"Du calme!" lui criait Jamie.

Amina sentit qu'il tentait de lui saisir l'épaule et se dégagea d'un geste brusque. Il n'avait pas dit un mot lorsqu'elle était revenue des gradins en courant comme une folle. Le temps qu'elle se retrouve sur la voie principale vers la sortie du campus, il courait à côté d'elle, en maintenant, avec ses longues enjambées, la même allure qu'elle dans sa hâte frénétique.

"Amina, nom de Dieu, calme-toi!" Il l'attrapa fermement, cette fois, et l'obligea à s'arrêter. "Il n'y a pas de danger. Personne ne nous suit, je te le jure."

En se tortillant, elle lui échappa. À distance, les pointes en fer de lance de la grille venaient d'apparaître et Amina se dirigea vers elles, frissonnante, vaguement consciente d'avoir un problème à une cheville. Elle tremblait.

"Eh." Jamie lui toucha l'épaule, légèrement cette fois. "Eh, ça va?"

Ça n'allait pas. Amina avait l'impression d'avoir un crayon fiché dans cette cheville. Elle s'arrêta.

"Qu'est-ce qui s'est passé? Un ninja?" demanda Jamie.

Amina secoua la tête, sentant le visage de son frère se ruer sur elle comme le vent par une porte ouverte. Elle se couvrit la face de ses mains. Un bruit rauque jaillissait de sa gorge, et Jamie l'entoura de ses bras, en se recroquevillant pour réduire sa taille. Il lui caressait les cheveux à petits gestes répétés, de ceux qu'on fait pour apaiser les chats et les bébés.

"Qu'est-ce qui s'est passé?"

Elle secoua la tête et s'essuya le visage avec le bras ; elle était embarrassée et avait un besoin désespéré d'un mouchoir. "Allons-nous-en."

Le retour fut silencieux. Jamie avait insisté pour la ramener chez elle et l'aider à récupérer sa voiture le lendemain, mais à présent que le silence s'installait entre eux, Amina regrettait d'avoir accepté. Pour être juste, il avait essayé de lancer plusieurs conversations, et même de plaisanter, mais l'incapacité qu'elle manifestait de lui offrir le moindre mot en réponse l'avait découragé, et ils étaient l'un à côté de l'autre dans la voiture comme deux pierres jetées ensemble au fond d'un étang. Le break dégringolait de la mesa vers la vallée, calme territoire agricole une fois les quartiers urbains disparus dans l'obscurité, et ils se retrouvèrent bientôt sur Corrales Road, où passaient comme l'éclair des panneaux signalant des cavaliers et du bétail.

"Ici", dit-elle et Jamie, quittant la route principale, s'engagea sur une plus petite. Elle le guida, au-delà du fossé, jusqu'à la route en terre.

"Tu peux rouler jusqu'au bout ?

— Quoi ?

— De cette route. Roule jusqu'au bout, s'il te plaît."

Ils roulèrent lentement, dépassant l'entrée vers chez elle, sur la route jaune et poussiéreuse. Jamie laissa la voiture s'arrêter au cul-de-sac. Il coupa le moteur, en gardant les phares allumés, et ils regardèrent les sauterelles qui jaillissaient de l'obscurité pour y disparaître aussitôt. Il avait les épaules au niveau des oreilles, comme s'il se tenait prêt à encaisser un coup.

"Je suis désolée, dit-elle.

— Tu vas mieux ?"

Elle fit signe que oui, mais elle avait les yeux brûlants.

"Qu'est-ce qui s'est passé ?

— Je crois que c'est le joint."

Le mur de roseaux oscillait devant eux, sombre rideau de tiges et d'insectes conduisant à l'eau.

"Sûrement", dit-il, d'un ton peu convaincu. Elle tendit le bras vers lui. Elle le surprit et il recula légèrement la tête quand elle promena ses doigts au coin de sa bouche, sur la chair de sa lèvre.

"Écoute", commença-t-il, de la voix calme des ruptures paisibles, et elle se pencha en avant, sentit la bouche de Jamie chaude et immobile sous la sienne. Elle embrassa sa lèvre supérieure et puis, comme il ne réagissait pas, sa lèvre inférieure, en la suçant doucement. Jamie ne lui rendit pas son baiser, mais il ne la repoussait pas non plus, elle se pencha un peu plus et un éclair douloureux lui déchira la cheville tandis qu'elle humait sur lui un goût de bière et de sel. Il s'écarta.

Elle lui embrassa la mâchoire. Ses doigts trouvèrent sa nuque et elle l'attira vers elle, craignant qu'il ne veuille l'arrêter. Elle ne voulait pas arrêter. Elle promena la main sur sa cuisse, sa fourche, le Braille tiède de son entrejambe, et fut surprise pas la soudaineté de sa réaction : il plaqua une main sur son cou et, de l'autre, trouva son mamelon avec une assurance qui la laissa sans souffle. Il se poussa, venant à elle à présent, arrondissant le dos. Amina attrapa la poignée de la porte, derrière elle. Elle sortit dans l'air moite, marcha, jambes tremblantes, jusqu'à l'arrière du break et ouvrit le hayon.

"Viens."

Il ne bougeait pas.

"S'il te plaît", dit-elle.

Il ouvrit sa portière et elle se glissa dans la voiture, envoyant promener ses chaussures dans la nuit. Il se glissa auprès d'elle et la voiture rebondit un peu sous son poids. Elle se ramassa le long de Jamie, souleva sa chemise pour embrasser la zone de peau imberbe au-dessus de sa hanche. Elle tira sur son caleçon et respira l'odeur profonde de son corps.

"Attends."

Elle n'avait pas envie d'attendre. Son pénis était un poids délicieux, chaud, solide, et aussi rassurant dans le noir qu'une lampe de poche.

"Amina, attends."

Elle le prit dans sa bouche.

"Putain." Les mains dans ses cheveux, autour de son crâne, il la poussa vers le bas tout en balançant ses hanches en avant. Il avait un goût de plage, de soulagement.

Elle roula sur le côté pour enlever sa chemise et s'extraire de son short et de ses sous-vêtements. Elle sentit sur elle le regard de Jamie quand elle le chevaucha, ignorant la douleur soudaine dans ses genoux. Les yeux de Jamie étaient des fentes vitreuses tandis qu'elle se soulevait dans l'obscurité et se laissait retomber. D'une main, il la saisit à la clavicule tandis que l'autre se glissait entre ses jambes. Elle s'affala sur lui au point de ne plus pouvoir respirer.

"Viens", dit-il, et c'est ce qu'elle fit, aussi simple que ça, comme si elle était une bombe sur le point d'exploser.

Et puis elle posa la tête sur le ferme oreiller de ses biceps, parcourue par les petites pulsations d'après l'amour.

"Tu m'as fait peur", finit par dire Jamie avec un léger rire. Elle avait le front contre sa gorge, de sorte que les mots qu'il prononçait résonnaient dans son cerveau. "Tu es revenue en courant si vite que je me suis dit *Merde, quelqu'un essaie de la tuer.* Comme si j'allais devoir me battre."

Il se tourna un peu et l'oreille d'Amina s'aplatit contre son épaule. Pendant une minute, elle s'imagina lui racontant qu'elle avait vu Akhil derrière les gradins, qu'il était juste le même qu'après le Grand Sommeil, mais la main de Jamie avait trouvé sa joue et la caressait doucement, d'un geste à la fois propriétaire et absent, et elle se rendit compte que ce qui avait commencé comme une tentative de le récupérer, de rabattre la nuit douillettement autour d'eux et de s'y blottir à deux comme sous une couette, ne marchait pas.

Elle ne se sentait pas plus proche de Jamie. Elle n'éprouvait pas cet assouvissement qui était devenu pour elle indissociable de l'amour avec lui, cette libération du corps entier. Au contraire, elle se sentait déloyale. Les vitres de la voiture les entouraient, tels des yeux, et Amina avait la nette impression qu'on la surveillait, étendue là, qu'on la jugeait. L'apparition d'Akhil (laquelle, au fur et à mesure que l'effet du joint s'estompait, commençait à moins ressembler à une visite du surnaturel et davantage à un tour de son propre subconscient) avait ouvert une porte, donnant accès à un monde dans lequel elle pouvait être taxée de traîtrise par une version de son frère restée bloquée pour toute éternité à Mesa Preparatory tandis que le reste d'entre eux – Paige, Jamie, Amina – s'en allaient nonchalamment vers un avenir lumineux et mortel.

"Je ne sais pas si je peux déjà voir Paige", dit-elle.

Jamie garda le silence si longtemps qu'elle aurait cru qu'il ne l'avait pas entendue si sa respiration n'était pas soudain devenue superficielle.

"Alors ne le fais pas, dit-il enfin.

— Je veux dire que… je ne sais même pas ce que je devrais lui dire.

— Bon sang, Amina." Il s'assit, et la tête d'Amina glissa sur le tapis rugueux. "Est-ce qu'on pourrait ne pas parler de ma sœur *maintenant*?

— Je croyais que tu avais envie de parler", dit-elle, gênée de l'acidité féminine de sa voix. Elle contempla le plafond capitonné pendant qu'il renfilait son caleçon.

"Je suis désolée, dit-elle. Je pensais simplement que c'était important, peut-être, de te le dire.

— Où est mon short?"

Elle souleva une jambe, le repêcha en dessous d'elle.

"Merci." Il le revêtit tant bien que mal, en se roulant d'une fesse sur l'autre. Amina s'assit. "Je peux rentrer à pied, si tu veux.

— Ce n'est pas ce que je veux." Il regarda autour de lui, retrouva ses baskets et y fourra les pieds. "Tu fais toujours ça. Tu ne dis plus rien, et puis tu provoques une bagarre, et alors tu essaies de foutre le camp.

— Toujours?" Elle sentait son visage picoter de chaleur. "Définis *toujours*.

— Franchement, c'est quoi le problème? C'est si difficile de simplement expliquer aux gens ce qui se passe? « Jamie, je suis triste. » « Jamie, aller à Mesa était la pire idée possible. » « Jamie, je ne suis pas encore à l'aise avec ce qui est arrivé à Paige et Akhil. » C'est si difficile?

— Jamie, tu te comportes comme un con."

Il se figea, renfrogné.

Amina l'observait attentivement, le cœur battant la chamade. "Et toi, ça ne te met pas mal à l'aise?

— Honnêtement, je n'y pense plus tellement. Tout ça s'est passé il y a si longtemps. Ils n'étaient que des gosses."

Amina hocha la tête. Les paroles de Jamie tournaient dans son esprit comme une devise étrangère, valable ailleurs. *Que des gosses.* Akhil n'était à jamais qu'un gosse, aurait-elle voulu dire ; il ne serait jamais *que ça*, un gosse, mais la douleur là-dessous lui paraissait trop évidente, trop dévastatrice, trop pleine d'apitoiement sur elle-même pour qu'elle la manifeste.

"Qu'est-ce qui s'est passé, là-bas ?" demanda Jamie, non sans gentillesse.

Le visage d'Amina était brûlant. "Je ne sais pas."

Il prit sa main et la posa dans la petite zone velue entre ses côtes, celle qui évoquait pour elle les chiens, la loyauté, la protection, et elle comprit soudain qu'elle était en train de tomber amoureuse de lui. Il était bon, ça semblait assez évident, mais il y avait aussi autre chose, cette façon dont il lui donnait l'impression d'être exclusivement *à elle*, transplanté d'un passé lointain et amené à elle, quelque chose dont elle ne s'était pas autorisée à ressentir le manque avant de l'avoir retrouvé. Et maintenant quoi ? Qu'était-elle supposée en faire ? Elle sentait le cœur de Jamie battre doucement contre le dos de sa main, et elle ferma les yeux jusqu'à ce que ces pulsations minuscules remplissent l'espace entre eux.

7

Elle avait quelque chose à la cheville. Le lendemain, comme Kamala ouvrait sa porte sans cérémonie, relevait les stores et lui ôtait sa couverture, Amina laissa échapper un hoquet de douleur.

"Non, gémit-elle.

— Si." Kamala ouvrit la commode et lui jeta à la tête des sous-vêtements propres. "Et dépêche-toi. Ton père pense qu'il y a un problème. Il va passer un scan ce matin."

Amina s'assit avec précaution, les yeux fixés sur la protubérance bulbeuse attachée à son pied. "Quoi?

— Il veut que nous le retrouvions chez Anyan."

Dix minutes et pas mal de boitements plus tard, elles se hâtaient sur Corrales Road dans une voiture dont la clim soufflait dans leurs trachées des grains de poussière. Amina se tenait inclinée en avant, oppressée par un film de bière, de sexe et d'herbe. Elle baissa légèrement sa vitre et se pencha vers la fenêtre à la façon d'un chien.

"Clim allumée, fit Kamala, sèchement.

— Je me sens bizarre.

— Oh, alors maintenant tu es malade?

— Pas exactement."

Sa mère la considéra d'un air désapprobateur. "J'ai voulu te réveiller à sept heures, mais ton père ne m'a pas laissée faire.

— Dieu merci.

— Pas de merci! Voilà ce pauvre homme qui a passé toute la nuit à se tourner et se retourner dans son lit, et maintenant il faut qu'il parte seul à l'hôpital!

— Maman", dit-elle. C'était une mise en garde et sa mère se tut, rétrograda en grinçant à l'approche d'un carrefour.

Amina se déplaça un peu et la douleur se déplaça avec elle, de sa cheville à un bref flamboiement de remords entre ses côtes. "Comment ça, il pense qu'il y a un problème ?

— Il pense qu'il y a un problème. C'est pourtant clair ! Il se fait faire un scan.

— Il y a quelque chose de nouveau ?

— Comment je le saurais ? Tu crois que je reste assise comme une espèce de star télé pendant qu'il se prépare à partir ? Non, je lui prépare un sandwich à l'œuf !" Sa mère lui lança un regard oblique, et puis se tourna, lui fit face et la regarda de haut en bas.

"Quoi ? fulmina Almina.

— Rien." Au coin de la rue, des gamins brandissant des banderoles proposant des lavages de voitures agitaient vers elles des éponges excitées. "Tu es sortie avec un garçon ? Cet ancien ami ?

— Oui."

Les bracelets dorés de Kamala s'entrechoquèrent quand le feu devint vert et qu'elles passèrent devant les gamins. "Alors amène-le à dîner.

— Quoi ?

— À dîner. À la maison."

Amina regarda par la fenêtre les mesas desséchées. Ses sensations de la veille lui semblaient empruntées à un rêve ; elles risquaient de disparaître, si on les examinait de trop près. "Je ne sais pas.

— Pourquoi pas ?"

Amina secoua la tête, mentit : "Je ne suis pas sûre qu'il en est déjà là.

— Oh, *koche*, tu sais…" fit sa mère, apaisante. Mais elle se tut.

"Quoi ?

— Non, non, rien.

— Non, qu'est-ce que tu allais dire ?"

Sa mère la regarda. Elle semblait apercevoir, à travers sa peau, son incertitude intérieure. Elle ramena une mèche de cheveux derrière l'oreille d'Amina.

"Il y a une brosse dans mon sac", dit-elle.

La salle d'attente du Dr George résonnait de rires. La réceptionniste avait le visage dans les mains, un couple âgé se serrait les avant-bras, une jeune femme aux cheveux ras chassait les larmes de ses yeux en reniflant. Debout au milieu de tout ce monde, Thomas avait le visage figé dans une expression de surprise.

C'était l'histoire de la rue à sens unique. Amina avait entendu mille fois son père raconter comment, pendant son premier mois en Amérique, il s'était engagé dans une rue où toutes les voitures arrivaient en face de lui. "Dans mon pays, on n'a pas de sens uniques, disait-il. C'est partout dans tous les sens!" C'était une de ses histoires préférées, qu'il aimait raconter aux Américains inconnus, mis à l'aise par son accent, son charme, son incapacité à naviguer dans les espaces qu'ils avaient créés.

"Étonnant pays que vous avez ici", concluait-il à présent, d'un air comiquement perplexe, et une nouvelle vague de rires parcourut la pièce. Il écarta un bras et Amina vint en boitant s'y blottir.

"Qu'est-ce que tu as au pied? demanda son père.

— Me le suis un peu tordu. Ça va.

— Vous devez être la fille, dit la femme du couple âgé, en lui souriant avec trop de familiarité.

— Oui.

— Nous avons beaucoup entendu parler de vous.

— Tu as le scan? demanda Kamala.

— Amina est photographe!" déclara Thomas en saluant, comme si elle était un lapin qu'il tirait de son chapeau.

"Magnifique, dit la femme.

— Anyan est en retard? tenta de nouveau Kamala.

— Le Dr George devrait être ici dans cinq minutes", dit la réceptionniste, et la pièce sembla s'effondrer un peu, dégonflée par la réalité des raisons que chacun avait de se trouver là.

"Elle va avoir une exposition de ses photos à Seattle", insista Thomas, mais les autres se contentèrent de sourire faiblement à Amina. L'homme du couple âgé caressait la main de sa femme.

"Dr Eapen." Anyan George arrivait en faisant valser la porte de la salle d'attente ; il paraissait tourmenté. "Bonjour, docteur. Désolé d'être en retard. J'ai vos clichés. Vous êtes prêt à revenir?

— Bien sûr, bien sûr." Thomas lança un clin d'œil aux autres avec l'insolence d'un gamin malicieux se glissant dans le bureau du proviseur. "Allons-y."

Anyan George ne souhaitait pas s'asseoir. Il n'y aurait rien eu là de remarquable s'il n'avait invité les Eapen à prendre un siège avant de s'asseoir lui-même, pour se relever d'un bond quelques secondes après en repoussant son fauteuil sous son bureau. Il se tenait maintenant devant l'écran lumineux, les mains crispées sur l'enveloppe, avec une expression étrange. La famille l'observa quelques secondes. Finalement, Thomas demanda : "Tout va bien?

— Oui." Il ne donna pas de détail.

"Les scans? suggéra Amina.

— Oui." Il alluma le panneau et commença à les mettre en place. Thomas se leva, s'approcha. Ensemble, ils regardèrent les scans. Ou, plutôt, Thomas regardait les scans et le Dr George regardait Thomas avec une expression étrange, indéchiffrable. Thomas s'approcha d'un scan, s'éloigna. Il l'ôta du panneau et lut ce qui était inscrit au bord.

"Quoi?" Les doigts d'Amina s'enfonçaient dans son siège.

"C'est vous, dit le Dr George. J'ai vérifié.

— Bon Dieu, dit Thomas.

— Qu'est-ce qui ne va pas? demanda Amina.

— J'étais en retard parce que j'ai appelé Wilker pour avoir son avis, dit le Dr George.

— Et son avis?

— Oui. D'au moins trente pour cent.

— Quoi?" demanda Kamala.

Personne ne répondit pendant un long moment. Amina fixait le scan en essayant de voir ce dont ils avaient parlé la fois précédente, mais ç'avait l'air d'être pareil – les hippocampes, l'œuf, les tourbillons du cortex.

"Lowry a vu ça? demanda Thomas au Dr George.

— Il est d'accord, même si bien sûr il est préoccupé à l'idée que nous n'ayons pas le bon angle et que la réduction puisse donc n'être pas tout à fait aussi significative.

— Réduction. C'est-à-dire que c'est plus petit ? demanda Amina.

— Oui, confirma le Dr George.

— Ça diminue ?" Elle élevait la voix.

"On dirait bien, répondit Thomas.

— Ha !" cria Kamala, se levant d'un bond, tel un minuscule escrimeur en sari. "Ha, ha, ha !"

Amina regardait alternativement le visage perplexe de son père et celui d'Anyan. Sa cheville battait fort. "C'est bien ?

— C'est inhabituel." Thomas se tourna vers Anyan. "Vous en avez parlé à MD Anderson ?

— Nous envoyons les scans aujourd'hui au docteur Salki.

— Ont-ils déjà vu une régression de ce genre ?

— Non.

— C'est mauvais ?" demanda Amina, haïssant l'absence de connaissances médicales qui la réduisait au sens des nuances d'un enfant de cinq ans : bon/mauvais, clair/sombre, bien/mal.

"Non, pas du tout, dit le Dr George. C'est juste inhabituel. Nous n'avons encore jamais vu de régression de ce genre, nous évitons donc de trop y croire avant d'en savoir plus sur ce qui pourrait avoir provoqué…

— Un miracle, intervint Kamala. C'est un miracle, n'est-ce pas ?"

Le Dr George parut agacé. "J'hésiterais à qualifier ça de quoi que ce soit en ce moment. Je crois qu'il importe que nous modérions notre espoir avec…

— Évidemment ! railla Kamala. Vous autres, les docteurs, vous hésitez toujours, hein ? Experts dès qu'il s'agit de fourrager dans le corps mais incapables d'accepter une vraie guérison quand elle vient de Dieu en personne ?

— C'est venu de la chimio, maman", fit observer Amina, mais son père secouait la tête.

"C'est peu probable. Je n'ai suivi qu'un seul protocole complet. Il serait tout à fait exceptionnel que ça fasse le moindre effet, sans parler d'un effet notable.

— Et vos symptômes ? Avez-vous remarqué un changement ? demanda le Dr George.

— De fait, oui. Les hallucinations ont considérablement diminué.

— En intensité ou en fréquence ?

— Les deux. Je les vois moins. Je ne les entends plus parler. Bien que, récemment…" Thomas secoua la tête. "Je ne sais pas.

— Quoi?

— Je sens une odeur de brûlé depuis quelques jours. Au début, c'était assez léger pour que je pense que c'était simplement l'un de nos voisins en train de nettoyer les broussailles à quelques maisons de chez nous, mais…

— C'est tout dans sa tête", dit Kamala au Dr George, comme si une explication était nécessaire. "Personne au village n'est assez stupide pour allumer des feux en juin.

— Aura", dit le Dr George.

Thomas hocha la tête. "C'est ce que j'ai pensé."

— Quoi?" demanda Amina, en regardant Thomas puis Kamala. "Tu as pensé que tu faisais une crise la nuit dernière?

— C'est pour ça que j'ai voulu un scan, dit Thomas.

— La bonne nouvelle, c'est qu'apparemment vous n'en avez pas faite", dit le Dr George d'une voix apaisante qui sembla déclencher son attitude professionnelle. Les traits empreints d'une expression rassurante, il regarda successivement Kamala, Amina et Thomas et se rassit, non sans inviter Thomas à en faire autant. "Nous sommes entraînés, Thomas et moi, à rester sceptiques devant un changement soudain comme celui-ci, particulièrement lorsqu'il n'existe pas d'antécédent, mais il s'agit manifestement d'une évolution favorable. La meilleure chose à faire, maintenant, c'est de continuer exactement le même traitement le mois prochain et voir comment ça évolue.

— Oui, dit Thomas en hochant la tête. Oui.

— Alors quoi? demanda Kamala. On fait encore plus de tout? Chimio, radio, tout ça?

— Oui. On s'en tient au programme. Nous devrons rester attentifs aux symptômes, comportements erratiques, tout ce qui serait nouveau ou inhabituel. Amina, vous serez là?

— Oui. La plupart du temps. Je veux dire que je pourrais m'en aller pendant un jour ou deux, ou pour un week-end, mais oui.

— Amina a une exposition!" s'écria Thomas, heureux d'avoir enfin un endroit où accrocher ses espérances.

Le Dr George écrivit quelque chose sur une feuille d'ordonnance et la remit à Thomas.

"Très importante, une exposition prestigieuse de son œuvre." Kamala hochait la tête tout en donnant des coups de coude à Amina. "Un hommage des autorités de Seattle à son talent.

— C'est pour faire plaisir à une amie", rectifia Amina en foudroyant sa mère du regard, mais le Dr George ne semblait attentif ni à l'une, ni à l'autre. Il se leva soudain.

"Donc, sauf s'il y a du nouveau, je vous revois tous ici la semaine prochaine ?"

Il les accompagna à la porte de son bureau avec brusquerie, sur ses gardes, comme si l'espoir de vivre était une information plus difficile à communiquer que la menace de mort.

Au dehors, dans la lumière éclatante du milieu de journée, les Eapen s'arrêtèrent, sonnés, sur le trottoir. Amina transféra prudemment son poids d'une jambe à l'autre, mais même sa cheville donnait l'illusion d'aller mieux et elle s'appuya dessus avec précaution. Personne ne savait trop que dire, bien qu'il y eût entre eux un soulagement palpable, une corde commune qui semblait s'être relâchée, les laissant à la fois plus indépendants et plus liés qu'ils ne l'étaient lorsqu'ils étaient entrés dans le bureau.

"Bon", dit Kamala, et Amina, en se retournant, découvrit le visage de sa mère figé en une grimace douloureuse et heureuse, comme si ses joues essayaient de se défaire du souci qui les avait envahies depuis des mois. Thomas le vit aussi et tendit la main, en agitant les doigts comme on le ferait pour un enfant, jusqu'à ce qu'elle la prît. Il lui tint la main serrée, en clignant des yeux pour en chasser les larmes.

"Bon", répéta-t-il.

LIVRE 11

EN ÉTAT D'ESPÉRANCE

Albuquerque, août 1998

1

Ce soir-là, Thomas et Kamala se chamaillèrent d'un bout à l'autre de la maison. Montrant les dents, les yeux fulminants, ils se déchiraient avec un enthousiasme carnivore, détaillant toutes les injustices qu'ils s'étaient réciproquement infligées depuis quelques dizaines d'années, les affronts, les faux pas, les tourments. Comme si, libérés du fardeau d'avoir à se soucier l'un de l'autre, ils s'étaient trouvés en déficit de douleur et s'efforçaient de rétablir l'équilibre.

Ils se montraient efficaces, pensait Amina, réfugiée dans sa chambre. Si la cause de la bagarre lui était inconnue, les accusations d'égoïsme, de martyre, d'ineptie et de snobisme avaient été des éléments essentiels de son enfance, et aucune n'était vraiment surprenante, même si toutes déclenchaient les mêmes peurs anciennes, faisant ressurgir du fond des années sa vieille tristesse que ses parents, fondamentalement, ne soient pas du tout bien assortis. Au milieu de tout le reste, elle avait oublié ça. Elle appela Dimple.

"Ils remettent ça."

En bas, les cris étaient passés d'un coup au malayalam. Ils grondaient de bas en haut de l'escalier comme un orage imminent.

"Ça a l'air marrant.

— Pas mal. Et toi, comment vas-tu ?

— Bien ! Bien. Vraiment bien, en fait.

— Ouais ?

— Ouais. Je, euh…" Amina entendit s'ouvrir la porte de la galerie. "Une seconde." Un bruit de papier froissé, et quand Dimple reprit la parole, elle mâchait du chewing-gum. "Je suis fiancée.

— Quoi ?

— Sajeev et moi, on va se marier.

— *Quoi ?*

— On est…

— Depuis quand ?

— La semaine dernière. Je voulais te le dire, mais je ne voulais pas, tu sais, interrompre.

— Interrompre quoi ? Je ne fais rien, ici.

— Tu t'occupes de ton père.

— Tu te maries avec *Sajeev* ?

— T'as pas besoin de le dire comme ça.

— Non, mais… est-ce que c'était, euh. Je veux dire, vous avez…" Amina déglutit ; elle ne savait pas du tout ce qu'elle essayait de demander. "OK, bon, génial !

— T'as l'air d'avoir les boules.

— Non ! Je suis juste un peu étonnée. Vous vous connaissez à peine, tu sais ?

— On s'est connus toute notre vie.

— Oui, mais pas comme *se connaître*.

— J'en connais assez, répliqua Dimple avec un rire qui en disait long.

— Ah bon", fit Amina, et elle resta silencieuse jusqu'à ce qu'elle se rende compte que Dimple attendait autre chose, que ce moment était de ceux qui ne reviennent jamais. Elle déglutit et lança, d'une voix montée d'une octave : "Félicitations !

— Sois pas conne.

— Non, pas du tout ! Je suis heureuse pour toi ! Enfin, surprise, évidemment, mais heureuse !" Elle était consciente que s'exprimer en points d'exclamation affaiblissait son propos, mais dès lors qu'elle avait commencé, elle ne parvenait plus à s'en empêcher. "Ç'a l'air d'un type formidable !

— Oui, fit Dimple, méfiante. Et nous avons plus en commun que tu ne le penses. Il est très fort en photographie.

— Je sais : ce jour-là, au Hilltop. Il n'arrêtait pas d'en parler, tu te souviens ?"

La voix de Dimple changea brusquement, redevint éblouie. "C'est vrai ?

— Oui", dit Amina, soulagée d'avoir enfin pris pied dans la conversation. "Rappelle-toi : il avait plein de choses à dire à propos de Charles White, et c'était chouette, vraiment. Et puis il savait ce que j'avais fait, ce qui, tu sais…

— Signifie manifestement qu'il s'y connaît bien, compléta Dimple.

— Exactement." Amina sourit. "Alors comment ça s'est passé ? Il s'est mis à genoux et tout ça ?

— En fait, non, on était au lit.

— Je t'en prie, dis-moi que tu n'as pas raconté ça à tes parents.

— Je ne leur ai encore rien raconté. Je pense ne rien leur dire du tout.

— Oh, allez.

— Non, vraiment. On pensait filer le week-end après l'expo. Tu sais, genre Las Vegas, ou l'hôtel de ville.

— Tu peux pas faire ça ! Et la famille ?

— Oh, misère, deux mois que tu es rentrée et ils t'ont déjà lavé le cerveau !

— Non. Enfin, peut-être. Ce que je veux dire, c'est pourquoi commencer comme ça ? Vous avez vos vies entières pour décevoir tout le monde. Un mariage, c'est important.

— Dit la femme qui en immortalise les instants les plus compromettants.

— C'est pas juste. Et tu sais ce que je veux dire.

— Ouais, je sais." Dimple garda le silence un long moment et, pendant ce moment, Amina se rendit compte que ses parents avaient cessé de crier. Elle boitilla dans le couloir jusqu'à la chambre d'Akhil et regarda par la fenêtre. Les deux voitures étaient encore dans l'allée.

"J'ai l'impression que mes parents ont gagné, dit Dimple.

— Gagné quoi ?

— C'est ça qui est bizarre. Je veux dire, qu'est-ce qu'ils ont, en réalité ? Je vais finir avec un Suriani. Sajeev, par-dessus le marché. Et alors ? C'est juste que… J'ai pas envie d'affronter l'air jubilant de ma mère.

— Elle ne jubilera pas.

— Amina.

— OK, d'accord, mais c'est pas comme si tu faisais ça *pour* qu'elle jubile. Ça, ce serait pire.

— Tu crois vraiment que je le connais pas assez ?

— Non, ce n'est pas ça. Je crois que je l'ai juste pas vu venir", dit Amina, prudente, consciente de ne pas tout à fait dire la vérité. Elle se tut, réfléchissant à la façon dont une surprise n'est parfois que l'admission d'une chose qu'on s'est efforcé d'ignorer. Bien sûr, Dimple allait épouser Sajeev. "Je pense que ça a un sens, d'une certaine manière.

— Je n'arrête pas de me dire, tu sais, que nos parents l'ont fait. Et ils ne se connaissaient pas. Et les Américains divorcent tout le temps, *sans raison*. L'un est infidèle. L'autre dépense trop. Un autre ne reconnaît plus la personne qu'il a épousée, comme si c'était tellement rare. Alors s'il s'agit simplement de fermer les yeux et de sauter…

— Tu peux aussi bien le faire avec un Indien.

— Exactement."

Amina boitilla jusqu'à son bureau, où les objets trouvés dans le jardin en étaient maintenant au stade du ramassage intense de la poussière. Elle longea du doigt le bord du trophée.

"Je crois que je suis en train de tomber amoureuse de Jamie Anderson", dit-elle.

"AMINA!" La porte de sa chambre s'ouvrit à la volée.

"Ah!" hurla Amina.

Thomas se tenait sur le seuil, le front constellé de gouttes de sueur, exténué d'avoir tenu tête à Kamala.

"Quoi? cria Dimple. Qu'est-ce qui se passe?"

Il entra dans la chambre, les poings serrés sur un sandwich et une poche à glace.

Amina déglutit. "Il faut que j'y aille.

— Qu'est-ce qui vient de se passer? Tu vas bien?

— Très bien. Mon père vient d'arriver.

— Tu me disais que…?

— Plus tard, dit Amina, sentant sur son pied le regard furieux de son père.

— OK, mais rappelle-moi."

Ce n'était pas, en réalité, un sandwich, constata Amina lorsque son père desserra le poing. C'était un bandage. Thomas désigna le lit d'un geste brusque. "Assieds-toi."

Amina vint s'asseoir. Son père tira une chaise et souleva la jambe d'Amina de façon à ce que son pied repose sur son genou.

Ses doigts trouvèrent sans hésiter l'endroit le plus douloureux et appuyèrent. Elle sursauta.

"Comment est-ce arrivé ? gronda-t-il.

— Accident.

— Quel genre d'accident ?

— Je courais dans l'obscurité."

Plaçant une main sur son talon et l'autre sur ses orteils, il fit tourner son pied trop loin vers l'avant. Elle le dégagea d'une secousse.

"Ça fait mal ?

— Oui."

Il appuya en dessous de la malléole. Elle serra les dents et hocha la tête.

"Tu t'es fait une entorse. Je vais te bander ça, et puis tu devrais garder le pied en l'air et sous la glace.

— Ça va durer combien de temps ?

— Sans doute une semaine ou deux." Il se mit à dérouler le bandage tout en l'enroulant autour de son pied. "Pourquoi courais-tu dans l'obscurité ?

— Je dévalisais une banque."

La commissure des lèvres de Thomas tressaillit, bien qu'il fût encore trop crispé pour vraiment sourire. En bas, Kamala menait grand chambard de casseroles. Thomas enroulait le bandage prestement et régulièrement, installant une agréable pression entre Amina et la douleur. Quand il eut terminé, il souleva le tout et aida gentiment sa fille à balancer son pied sur le lit. Il glissa deux oreillers dessous et mit la poche de glace dessus.

"Tu as pris de l'Advil pour l'enflure ?

— Non."

Il hocha la tête, sortit et revint aussitôt avec un verre d'eau, deux comprimés et deux oreillers supplémentaires pris sur le lit d'Akhil, qu'il cala derrière elle.

"Ça va comme ça ?" Il recula et se cogna la tête au ciel de lit.

— Beaucoup mieux, merci.

— Tu devrais rester au calme pendant quelques jours." Il alla vers la fenêtre, les mains dans les poches, les épaules arrondies, beaucoup trop grand pour la chambre. "Alors ta mère me dit que tu sors avec un garçon d'ici ?

— Oui. Jamie Anderson." Elle se tut un instant et, comme il ne réagissait pas, elle ajouta : "On était en classe ensemble.

— À Mesa?"

Elle hocha la tête. Quelle autre école? "Il enseigne à l'université. Professeur d'anthropologie.

— Intéressant. Eh bien, dis-lui que je me réjouis de le rencontrer la semaine prochaine.

— Oui. Attends, de quoi tu parles?

— Ta mère m'a dit qu'il vient dîner.

— Quoi? Non! Bon Dieu! Je l'ai même pas encore invité. J'ai même pas encore *décidé* de l'inviter. C'est pas que je ne veux pas. C'est juste, tu sais. Peu importe. C'est très bien."

Thomas levait les sourcils.

"C'est très bien, répéta Amina, gênée de son éclat. Je devrais sans doute être reconnaissante qu'elle ne pense plus à Anyan George.

— Je n'en dirais pas autant. Tu connais ta mère."

Amina secoua la tête. C'était étonnant, en réalité, à quel point connaître Kamala ne servait à rien.

"Invite-le à dîner, suggéra son père. Elle sera obligée de renoncer."

C'était un mensonge, de l'espèce de ceux qu'il avait faits à Amina pendant son adolescence, quand dire "rien ne fera renoncer ta mère" eût été aussi peu gentil que vrai. Et Amina hocha la tête, non parce qu'elle le croyait mais parce qu'elle appréciait le sentiment à l'origine du mensonge, le simple désir qu'avait son père de l'aider. Elle lui prit la main, la serra.

"Comment vas-tu? demanda-t-elle.

— Je suis nerveux", dit-il, et il parut aussi surpris de l'avoir dit à haute voix qu'elle l'était de l'entendre. Il s'éloigna du lit de quelques pas, se figea à la vue des objets sur le bureau. "Je dis toujours à mes patients qu'il n'est pas sage de croire qu'on va être l'anomalie. Une partie du petit pourcentage pour lequel certains traitements sont efficaces, peut-être, mais l'anomalie? Peu probable.

— Oui, mais ce n'est pas comme si tu *pensais* simplement que tu vas mieux. Le Dr George a dit…

— Les résultats pourraient être erronés", dit-il sèchement, et elle comprit soudain que le visage d'Anyan George, le matin, avait exprimé de la peur sous couvert d'impatience, de même que celui de Thomas en ce moment.

"De toute façon, il faut que j'y aille. Monica m'attend.

— Maintenant?

— Oui.

— C'est rapide, dit Amina, avec un élancement de sympathie pour sa mère.

— Remettre les affaires en train prendra du temps.

— Mmh-mm.

— Ce n'est pas comme si l'argent se gagnait tout seul dans cette maison.

— Je n'ai rien dit. J'ai dit quelque chose?"

Thomas ouvrit la bouche comme pour répondre et puis se reprit. "Je reviens dans une heure.

— OK."

Ayant pris congé d'un hochement de tête, il se dirigea vers la porte.

"J'ai cru voir Akhil hier soir."

Avant de l'avoir dit, elle n'avait pas su qu'elle allait le lui dire. Thomas s'arrêta sur le seuil, lui tournant carrément le dos pendant plusieurs secondes. Il pivota pour lui faire face, les joues pâles.

"Tu… Quoi?"

Elle se racla la gorge. "Je veux dire, je ne l'ai pas vu, évidemment. J'ai juste, tu sais… Je crois que je voulais juste te dire que je comprends. Pourquoi c'était dur pour toi.

— Tu l'as vu ici?

— Non. Enfin, j'ai cru que je le voyais, mais…

— Dans notre jardin?

— À Mesa.

— Quelle mesa?

— Non, papa, mon ancienne école. Mesa Prep."

Son père hocha la tête, les traits fermement sous contrôle, et Amina comprit alors combien elle s'était trompée en croyant qu'ils avaient quelque chose en commun, et plus encore qu'ils le ressentaient de la même façon. Thomas n'avait pas l'air d'un homme réconcilié avec ses hallucinations. Il avait l'air de quelqu'un qui entend le téléphone sonner dans la pièce à côté et s'oblige à ne pas réagir.

"Il t'a parlé?" demanda son père.

Amina le dévisagea. "Il n'était pas réel, papa."

Il hocha la tête, en détournant le regard.

"Oh, mon Dieu, je suis désolée, je n'aurais pas dû te le dire. Ce n'est pas la même chose. Je pensais simplement…"

Mais déjà il lui étreignait l'épaule et repartait vers la porte.

"Ne t'en fais pas", dit-il, et il sortit.

2

Ils se remirent à espérer. Tandis que les dernières longues semaines de l'été passaient en soupirant sur les mesas et que la promesse de septembre amenait des matins légèrement plus frais, les Eapen reçurent de bonnes et puis de meilleures nouvelles. Le scan de contrôle confirma ce que le premier avait suggéré : la tumeur diminuait effectivement. Thomas accueillit cette nouvelle la tête basse et sans grande émotion, mais il devint évident dès les jours suivants qu'il avait pris un virage et se retrouvait soudain plein d'une énergie et d'un zèle frénétiques. Il allait recommencer à travailler. Reprendre ses patients à la concurrence. Leur montrer que tout était possible. Même lorsque les effets secondaires de la deuxième série de chimio – des boutons de fièvre plein la bouche – le mirent dans l'impossibilité de manger, lui faisant perdre quatre kilos en cinq jours, il se levait pour recevoir Monica, qui étreignait Amina comme une parente longtemps disparue, en chuchotant "c'est un miracle" avec une telle intensité reconnaissante qu'elle semblait avoir adopté les convictions de Kamala.

Quant à Kamala, elle aussi revenait à la normale, consacrant son temps libéré à préparer un déluge de conserves de cornichons au vinaigre et à faire griller des épis de maïs à la Chowpatty, et exigeant, de concert avec Mort Hinley, dont les harangues radiophoniques retentissaient dans la cuisine, le repentir ardent de tous les pécheurs. Au bout de deux semaines, elle franchit un pas supplémentaire en annonçant qu'elle serait parfaitement satisfaite de rester à la maison si le reste de la famille voulait se charger des chimios. Le tout si rapidement et avec tant d'efficacité que ça faisait penser à un changement de costumes pendant un spectacle théâtral et aurait paru tout à fait incroyable à Amina si elle n'avait vu passer de temps en temps sur le visage de sa mère une expression de nostalgie quand elle regardait la véranda.

Était-il raisonnable d'abandonner Thomas si rapidement à lui-même et à son travail ? De ressentir sa guérison comme un vague manque d'égards ? Bien que consciente de la folie qu'il y avait là, Amina ne pouvait contester qu'au fil des semaines l'impression de n'être pas nécessaire au rétablissement de son père devenait à la fois rassurante et accablante. Monica était là désormais, elle passait de plus en plus de soirées avec lui, et le personnel de l'hôpital était partout ailleurs, se pressant autour de lui depuis l'instant où Amina pénétrait avec lui dans l'hôpital à celui où ils en ressortaient.

Disparue, la dense et exigeante unité familiale, avec ces accalmies et intervalles où naissait le meilleur de leurs conversations, supplantée par un optimisme si vigoureux qu'il semblait effacer toute trace des derniers mois. En dehors de quelques soirs où Thomas avait titubé à travers champs en affirmant, en dépit de leurs protestations, qu'un incendie gagnait autour de la maison, son sens des réalités avait l'air assez ferme pour se passer de renforts.

Et c'est ainsi qu'Amina en vint à passer toutes ses nuits chez Jamie. C'était une situation temporaire, démentie par le billet pour Seattle qu'elle avait réservé en vue de l'exposition, fin septembre, et pourtant ils eurent bientôt adopté des habitudes qui paraissaient, sinon permanentes, du moins stables. Amina arrivait en fin d'après-midi, découpait quelques légumes et de la viande selon les instructions de Jamie et puis, sortant avec son appareil par la porte de derrière, allait explorer le Parc Secret dans la fraîcheur du crépuscule tandis que des lumières s'allumaient les unes après les autres dans les maisons qui l'entouraient. Et si elle avait d'abord été séduite par l'émotion familière qu'elle éprouvait à saisir des occupants inconscients de sa présence, elle s'aperçut bientôt que ce dont elle avait le plus besoin, c'était de trouver une pièce inoccupée depuis peu, une cuisine avec une tasse de café fumant sur le comptoir, une télévision en train de brailler devant un fauteuil vide. Un soir, elle visa la cuisine de Jamie, attirée par la façon dont les légumes attendaient sur la planche à découper, et eut un choc lorsqu'il fit irruption dans le cadre, dont son épaule remplissait complètement l'espace.

Leurs vies étaient soudain devenues routinières, l'avenir n'étant plus qu'un ailleurs qui allait se dérouler comme il le voudrait. Et, bien qu'ils n'aient jamais reparlé de ce qui s'était passé à Mesa, Amina trouvait réconfortante l'idée que certaines choses puissent simplement s'estomper au lieu d'être analysées, rationalisées et validées. Quelquefois, elles pouvaient tout simplement s'arranger. Elle fut donc surprise, un après-midi, d'entendre Jamie répondre au téléphone dans le salon, et puis venir la chercher, le visage crispé d'inquiétude.

"C'est ta tante", dit-il et, se frottant les mains sur son jean, elle attrapa le combiné.

"Il faut que tu viennes tout de suite!" cria Sanji et Amina entendit des cris à l'arrière-plan.

"Quoi? Qu'est-ce qui s'est passé?

— Thomas a disparu!

— Comment ça? Il va bien?

— Il a *disparu.*

— Quoi?

— Viens!"

Elle le trouva facilement. Non que Sanji, Anyan George et les infirmières qui avaient été appelées à le rechercher dans tout l'hôpital ne se fussent donné assez de mal mais, pour Amina, le trajet compliqué menant aux urgences s'éclaira devant elle comme la piste d'envol d'un avion, la seule voie possible, et lorsqu'elle mit le pied dans cette salle fraîche et sombre, un sourcil levé de l'infirmière responsable, qu'elle connaissait de vue, lui confirma qu'elle avait vu juste. Amina se dirigea vers le lit au chevet duquel se tenait son père, si immobile qu'on aurait pu le prendre pour une potence à perfusion.

"Papa."

Son père tourna la tête, un léger sourire éclaira son visage. "Qu'est-ce que tu fais ici?

— Tout le monde te cherche.

— Je suis ici.

— Oui, c'est ce qu'on dirait."

L'homme dans le lit était un grand blond, du genre qui évoquait pour Amina la Californie, des feux de camp sur les plages et des talents athlétiques. Quelque chose lui avait fracassé les jambes, il en avait une dans un plâtre et l'autre coupée sous le genou.

"Bon Dieu", dit-elle.

Son père confirma d'un hochement de tête. "Ça ne présage rien de bon.

— Tu le connaissais ?

— Non." Thomas prit une brève inspiration, comme s'il allait expliquer quelque chose, mais ils furent interrompus par l'approche de l'infirmière.

"Salut, doc, dit-elle en les rejoignant. Je viens de parler à Maggie, en chimio. Elle m'a dit qu'elle peut vous garder votre place pendant encore vingt minutes si vous voulez y aller.

— Merci, Shirley.

— Pas de problème." Elle adressa un coup d'œil à Amina tout en s'éloignant.

Thomas la regardait partir. "C'est une curieuse espèce.

— On devrait y aller.

— Différentes des autres infirmières, par certains côtés. Très anales, très déterminées. Très loyales envers leurs patients. Centrées sur les détails. Parfois, l'image d'ensemble leur échappe.

— Hm." Amina se tourna vers la sortie des urgences. Thomas ne la suivit pas.

"J'arrête la chimio, dit-il.

— Quoi ?

— Juste pour un petit moment." Il hocha la tête en disant cela, comme s'il donnait son accord à quelqu'un à l'intérieur de lui.

"Comment ça ? Qu'est-ce qui ne va pas ?" Amina tenta de croiser son regard, mais il concentrait la totalité de son attention sur l'occupant du lit. "Tu te sens trop mal aujourd'hui ? Ils avaient dit que ça arriverait, rappelle-toi. Surtout cette série-ci, ils ont dit que tu pourrais te sentir particulièrement à plat.

— Ce n'est pas ça.

— Alors quoi ?

— Je crois simplement que je devrais arrêter quelque temps.

— Quelque temps ? Ça fait combien de temps, ça ?

— Je ne sais pas. Peut-être juste quelques jours, quelques semaines.

— *Semaines?* Tu ne peux pas! Mais enfin, tu… le Dr George a dit… nous étions convenus que tu continuerais le traitement, non? On a juste à continuer, pas vrai?"

Thomas haussa les épaules, comme si l'on pouvait ainsi éliminer de telles questions.

"Tu crois que la tumeur a déjà disparu? Tu éprouves les mêmes sensations qu'avant?

— Non.

— Alors quoi?"

Il regardait fixement la main du patient, les doigts qui tressautaient spasmodiquement.

"Papa!

— Chht. Pas si fort!

— Pourquoi tu arrêtes la chimio?" chuchota Amina.

Thomas cligna des yeux deux ou trois fois et finit par se tourner vers elle. "J'ai vu Akhil dans le jardin il y a quelques jours."

L'information fit irruption dans le cerveau d'Amina, entraînant plusieurs images fugitives : Akhil sur le Balcon, Akhil dans l'allée, Akhil derrière les gradins à Mesa.

"Il était dans le potager, dit Thomas.

— Papa." Amina le regarda fermement. "Il n'est pas réel.

— Mais toi aussi, tu l'as vu.

— Non, je ne l'ai pas vu.

— Mais tu l'as dit!

— Non. J'ai eu un instant de fatigue, un sentiment bizarre, et je n'aurais pas dû t'en parler. Ce n'est pas la même chose.

— Comment le sais-tu?

— Parce que je le sais.

— Eh bien moi pas." Il lui lançait un regard provoquant, la défiant de le contredire.

"D'accord, dit-elle. Très bien. Mais pourquoi tu dois arrêter le traitement?

— Parce que la chimio l'empêchera de venir."

Amina secoua la tête, ses mots s'évaporaient.

"C'est vrai. Je te l'ai déjà dit. Je ne les vois plus autant avec la chimio.

— Papa.

— J'ai envie de voir mon fils."

Il dit cela comme si c'était non seulement possible mais même raisonnable. *J'ai envie de manger quelque chose. J'ai envie de prendre une petite douche.* C'était sensé. C'était sensé. C'était insensé.

Thomas se gratta le dos de la main, en examina la peau lâche et les veines avant de dire : "Itty a demandé de tes nouvelles, à propos. Cet horrible surnom qu'il avait pour toi. Comment, déjà ? *Mittack !* C'était un drôle de gosse, non ?"

Non, aurait voulu dire Amina, non, il n'était vraiment pas drôle du tout, mais elle se sentait soudain prise de vertige, les membres affranchis de la gravité.

"Et Sunil m'a confié qu'il aurait voulu être danseur", dit Thomas. Elle sursauta. "Quoi ?

— Il disait que c'était la seule chose qui le rendait vraiment heureux. Que si j'étais revenu en Inde comme j'étais censé le faire, s'il n'avait pas été obligé de s'occuper de tout à lui seul, il serait devenu danseur."

Un poids glacé serra le cœur d'Amina. Le souvenir de Sunil en train de valser dans le salon, à Salem, passa dans sa mémoire, clair et net derrière le rideau vaporeux du temps.

"Tu imagines tout ce qui aurait pu être différent sans cette unique bêtise ? Ils seraient peut-être tous encore là. Ta mère serait peut-être heureuse. Et peut-être qu'Akhil…" Une grimace s'esquissa sur le visage de Thomas et il s'efforça de la chasser. "Et tu sais le plus étrange ? C'était un soulagement de l'entendre dire que c'était ma faute. Un *soulagement.* Toutes ces années à imaginer combien il devait m'avoir détesté, m'avoir maudit et maintenant, enfin, c'est fait, fini, kaput. Maintenant je vais de l'avant, hein ?" Thomas lui souriait, mais il n'avait pas l'air soulagé. Il avait l'air épuisé.

"Papa, rentrons à la maison."

Il la contempla avec méfiance.

"Tu es fatigué, c'est tout. C'est pas grave. On passe, aujourd'hui."

Thomas se tourna de nouveau vers l'homme sur le lit. "Je suis fatigué tous les jours.

— Je sais." Elle glissa la main le long de son bras, jusqu'aux doigts cramponnés au barreau du lit du patient, et les détacha lentement.

Il marcha avec elle entre les rangées de patients et salua Shirley en sortant.

"Contente de vous voir, doc."

Thomas lui fit un clin d'œil. "Je reviendrai."

"Et elle a dit quoi, ta mère?" demanda Jamie quand elle rentra. Il était en train d'infliger quelque chose de violent aux tomates dans la casserole. La vapeur montait en éventail autour de sa tête, tel un nuage à senteur d'ail.

"Je lui ai pas encore dit.

— Non?" Surpris, il tourna la tête pour la regarder.

"J'avais juste envie de revenir ici une seconde. Tu sais, pour reprendre mon souffle."

Jamie attrapa le paquet de spaghetti, les cassa en deux et les jeta dans l'eau bouillante. Il les remua légèrement avec une fourchette, déposa celle-ci et vint vers Amina. Il lui glissa une mèche de cheveux derrière l'oreille. "Mets la table."

Il y a des gens qui ne peuvent pas manger en état de stress. Ils chipotent distraitement, trop soucieux pour se faire autre chose que du souci. Amina cédait à l'instinct opposé. La moindre petite odeur d'instabilité lui donnait une faim de loup et elle vint à bout, ce soir-là, d'une montagne de spaghetti, comme si elle préparait son corps à un hiver long et rude. Il lui fallut cinq bonnes minutes pour remarquer que Jamie ne mangeait plus mais l'observait, la fourchette en suspens. Elle se tapota le visage avec sa serviette.

"Qu'est-ce qui ne va pas?

— Je ne t'ai jamais vue manger comme ça.

— Comme quelqu'un qui a faim?

— Comme une réfugiée."

Au-delà de la fenêtre, derrière lui, un bleu crépusculaire envahissait le parc. Amina soupira. "Je n'ai pas envie de faire ça maintenant. Parler à son médecin. Parler à ma mère. Parler à la famille.

— Alors ne le fais pas. Dors d'abord.

— J'aimerais bien." Elle se leva et alla mettre son assiette dans l'évier. "Le Dr George va appeler demain matin pour discuter de la marche à suivre. Il faut que j'en aie parlé à ma mère avant.

— Merde. Alors je suppose que je vous vois tous demain."

Elle le contemplait d'un air absent.

"Je viens dîner chez vous ?

— Oh, mince. J'avais oublié."

Jamie haussa les sourcils. "T'es une véritable école de charme, ce soir.

— Excuse-moi. C'est formidable. Absolument formidable." Amina hochait la tête avec enthousiasme. "Ça sera marrant.

— Et maintenant tu me fais peur."

Amina revint près de la table, se pencha et l'embrassa sur la joue. "On va te manger tout cru."

Il fallait qu'elle mette sans tarder Kamala au courant. Amina en prit conscience, avec une inquiétude croissante, quelque part entre l'autoroute et la descente vers la vallée. Elle espérait que Thomas n'avait encore rien dit. Ce serait pire, sans doute, venant de lui. Amina en était certaine, même si elle ne savait pas exactement pourquoi. Allait-on réentendre l'ancienne accusation de *diablerie* ? Ou autre chose ? Kamala allait-elle hurler ? Cesser de parler ? S'installer dans une autre pièce de la maison ? Tout semblait possible.

Anxieuse, Amina accéléra. Il y avait, bien sûr, l'extrêmement faible possibilité que sa mère ait déjà arrangé les choses. Peut-être, si Thomas avait eu la sottise d'en parler, lui avait-elle déjà fait reprendre la chimio. Amina remarqua à peine l'étrange lueur au bout du chemin d'accès avant d'arriver en plein dedans.

La maison flamboyait. Amina la contempla pendant plusieurs secondes avant d'ouvrir sa portière et de se mettre debout, sentant sur ses joues la chaleur d'un éclat comparable à celui du soleil. Toutes les lumières, intérieures et extérieures, étaient allumées. Des lumières dont elle n'avait jamais soupçonné l'existence étaient allumées. Éclairage de la véranda, lampadaires, éclairages de placards, éclairage du vaisselier. Les trois jeux d'éclairage des couloirs. Amina passa à côté de deux lampions blottis l'un contre l'autre sur le sol du salon, tandis qu'au-dessus d'eux une télévision muette lançait de la couleur dans l'atmosphère. Tel un serpent, un câble se faufilait par la fenêtre du salon jusqu'au jardin, où une lampe halogène faisait un sort rapide et fumeux aux insectes curieux.

Abandonnée sur le poêle de la cuisine, une cocotte exhalait dans l'air du désert les dernières parcelles liquides d'un curry de poulet ; le *masala* était brunâtre. Une cuillère en bois gisait sur le sol.

"Maman?" Amina se sentait le cœur serré.

Prince Philip gémissait dans la buanderie, le nez collé à la moustiquaire. Depuis combien de temps était-il assis là? Sa queue battit pendant qu'elle approchait, et il se précipita dans la véranda dès qu'elle eut ouvert la porte. Toutes les lumières de l'atelier étaient allumées, elles aussi, même celles qui ne l'avaient plus été depuis si longtemps que des toiles d'araignée leur faisaient des barbes. Des flaques scintillantes de guirlandes de Noël entouraient les sièges vides de la véranda. La porte donnant sur le jardin était ouverte. Prince Philip s'y rua, et elle le suivit.

Ce fut leurs ombres qu'elle trouva d'abord, confondues et allongées sur la pelouse comme un géant d'une minceur impossible. Ils étaient assis dans des transats. Non. Amina cligna des yeux. Ils étaient assis dans un transat. Perchée sur le bord des genoux de Thomas, Kamala regardait intensément le jardin.

"Maman?"

Thomas tenait fermement la tresse de Kamala. Cela se voyait mal de loin, mais en approchant Amina vit la boucle sombre enroulée comme une laisse autour du poignet de son père, sa mère penchée en avant, tel un chat empêché de pourchasser une proie.

"Qu'est-ce que vous fichez?"

Ses parents se retournèrent pour la regarder et Amina sentit son souffle se bloquer dans sa gorge. Ils étaient lumineux. Morceaux de lune tombés du ciel, réfléchissant encore la totalité de la lumière de l'univers connu. Lui souriant du fond du jardin d'une façon qu'elle n'avait plus vue depuis des années, qu'elle n'avait peut-être jamais vue. Amina s'avança, consciente de l'inégalité du sol sous ses pieds. Sa mère attendit qu'elle soit tout à côté d'eux et, alors, trouva sa main, la saisit.

"Il est là, dit-elle. Il est revenu."

Amina secoua la tête. *Non.*

"Oui, dit sa mère, en souriant à l'espace. Oui."

3

"Où? demanda Amina.

— Le potager", répondit son père.

Amina fit mine de s'y rendre.

"Non, n'y va pas! dit Kamala.

— Pourquoi pas?

— Il viendra quand il sera prêt, expliqua Thomas. Nous n'avons qu'à attendre.

— Nous ne voulons pas l'effrayer", ajouta Kamala.

Amina regarda ses parents, leurs visages levés vers elle, radieux, doux et solennels.

"Je ne pourrais pas effrayer Akhil même si je le voulais", dit-elle.

Kamala glapit une protestation, mais ni elle, ni Thomas ne tentèrent réellement de l'arrêter, ce fut un soulagement. Contrairement à la dernière fois où elle s'était aventurée dans ce jardin en pleine nuit, à la lueur tressautante d'une lampe de poche et sur l'inspiration d'autrui, le sentier était bien éclairé cette fois et la détermination était sienne. Pourtant, en approchant de la clôture, elle eut l'impression de se trouver à la limite d'une envie si ancienne, si profonde et si claire qu'elle avait peine à marcher droit. Elle ouvrit la barrière et entra.

Il faisait plus frais dedans, sous d'épaisses ombres vertes. Amina parcourut des yeux les sombres rangées de légumes, les poivrons pendus en grappes cireuses, les perches à haricots dressées comme un géant à la fourrure moelleuse. Avançant lentement, elle dépassa les tomates, les aubergines, l'endroit où les citrouilles grossiraient à l'automne. Elle continua jusqu'au monticule dans lequel Thomas avait tout enterré.

"Akhil?" chuchota-t-elle. Elle ferma les yeux et sentit une brise légère, en provenance du fossé, qui lui amenait des odeurs de poisson, d'algues et de pierres mouillées, mais pas son frère. Rouvrant les yeux, elle pivota lentement sur 360° pour plus de sûreté, et puis se sentit gênée de décrire 360° dans le potager de sa mère en pleine nuit. Elle retourna vers la maison.

"Il faut que je te parle", dit-elle à Kamala, sans regarder Thomas et sans s'arrêter. Elle alla dans la véranda et attendit.

Moins d'une minute après, Kamala poussait la porte moustiquaire, en arrangeant hâtivement son sari. "Qu'y a-t-il?

— Qu'est-ce que tu fais?

— Comment ça?

— Tu le vois?

— Bien sûr que non!

— Alors pourquoi tu fais semblant?

— Je ne fais pas semblant."

Amina dévisageait sa mère.

"Il est revenu pour voir *ton père*, expliqua Kamala. Ce miracle est pour Thomas."

Cette nouvelle information bouscula un peu le cerveau d'Amina, tel un train ferraillant sur ses rails, chargé de trop de pensées, mais l'une d'entre elles ne cessait de dominer les autres. La chimio. Elles devaient lui faire reprendre la chimio. Il fallait qu'elles soient du même côté si elles voulaient lui faire reprendre la chimio. "Des esprits mauvais, dit-elle. Le mal."

Sa mère haussa les épaules. "Je me trompais.

— Mais tu disais…

— Non", fit Kamala, fermement, bien qu'en réalité Amina ne lui eût rien demandé. "Non, non, non.

— Mais on n'a plus beaucoup de temps!"

Les yeux de Kamala se fermèrent d'un coup. Ils restèrent fermés pendant que sa bouche tremblait, puis se calmait, qu'elle trouvait ses mains et les tenait serrées devant elle. Quand elle regarda enfin Amina quelques instants plus tard, elle avait les yeux brillants de cette foi intense qu'Amina n'avait jamais été capable d'ébranler.

"Je retourne dehors, auprès de ton père", dit-elle, et c'est exactement ce qu'elle fit.

Le lendemain matin, Amina appela Jamie, lui raconta ce qui s'était passé et annula le dîner.

"Bon sang!

— Je sais. C'est, euh... Écoute, donne-moi juste quelques jours. Je règle tout ça et tu viendras, je te le promets.

— Ce n'est pas vraiment du dîner que je m'inquiète.

— Trois jours, dit Amina. Ou, disons, quatre."

Mais en quatre jours, loin de s'améliorer, la situation empira à la maison. Les couloirs se remplirent de lumière et de poussière. Peu importait qu'après son coup de fil à Jamie elle eût récuré d'un bout à l'autre la totalité du rez-de-chaussée et remis toutes les lampes à leur place dans la maison : le soir même, un ruban humide de terre potagère courait de la véranda à la chambre de ses parents et, la nuit venue, les lampes se retrouvèrent dehors, vrombissant comme des sauterelles et couvrant toutes choses d'une épaisse lumière électrique.

Des choses se mirent à changer de place. Assez peu, dans les premiers jours : un paquet d'ampoules électriques abandonné dans la cour, deux oreillers du lit des parents fourrés dans les transats, mais, le troisième soir, pendant qu'Amina rêvait d'un navire défoncé par un iceberg, Kamala et Thomas trouvèrent le moyen de traîner le canapé du salon à travers le vestibule et, au matin, quand Amina se leva, il flottait au milieu du pré avec ses parents perchés dessus comme deux pingouins égarés.

"Mais qu'est-ce que vous fabriquez?" cria Amina du haut de la fenêtre de sa chambre, et ses parents se tournèrent dans cinq autres directions avant de lever les yeux vers elle.

"Oh, coucou, fit Kamala, en agitant le bras. On est assis! Descends.

— Papa ne devrait pas déplacer des meubles!

— Je vais très bien, cria Thomas.

— Pas bien du tout!" cria Amina en retour.

Et il n'allait pas bien du tout. Cela fut confirmé sans ambages par Anyan George, et puis par Monica et enfin par Chacko le quatrième jour, parce que son tour était venu de tenir compagnie à Thomas pendant sa chimio et qu'il n'avait pas de Thomas à accompagner.

"Il ne réfléchit pas de manière rationnelle en ce moment", expliqua Chacko à Amina, comme si une explication était nécessaire. "Il va falloir que tu l'amènes.

— J'y travaille. Je crois que dans quelques jours…
— Quelques jours, c'est trop !
— Je suis censée faire quoi ? Le garrotter et le bâillonner ?"

Chacko ne répondit pas et Amina craignit un instant qu'il ne l'ait prise au sérieux.

"Mais ta mère ? demanda-t-il. Elle peut sûrement y arriver ?"

Par la fenêtre de la cuisine, Amina voyait sa mère occupée à relier un parasurtenseur à un câble électrique. Ses tennis et l'ourlet de son sari étaient noirs de la terre du jardin. Accroupi à côté d'elle, Thomas attachait deux phares ensemble.

Amina soupira. Il fallait qu'elle mette Chacko au courant, bien sûr, qu'elle fasse savoir à toute la famille comment Kamala, s'étant haussée au niveau de la situation ainsi qu'elle le faisait toujours en cas de malheur, se tenait, loyale, au côté de Thomas, allant jusqu'à l'aider à faire toutes les choses dont il affirmait qu'elles mettraient Akhil plus à l'aise (sauf qu'elle refusait d'aller jusqu'à laisser dans le jardin des aliments cuisinés). Mais il semblait cruel, en un sens, d'exposer au regard des autres cette nouvelle collaboration entre ses parents. Tandis qu'elle les observait par la fenêtre, Thomas dit quelque chose à Kamala et puis, rapidement, farouchement, l'embrassa sur la joue, la faisant rire comme une jeune fille.

"Qu'est-ce que vous faites, ce soir ?" demanda Amina et, sans laisser à Chacko le temps de répondre, elle dit : "Parce que je crois que tu devrais aller chercher les autres et les ramener ici."

Ils arrivèrent tous en même temps, dans le crépuscule de fin d'après-midi, entassés comme des clowns de cirque dans la Camry des Ramakrishna. Sanji, Chacko et Raj en jaillirent aussitôt, l'air compassé et mal à l'aise dans leurs tenues de travail américaines, tandis que Bala, relativement neutre dans un sari orange et or, s'efforçait de s'extirper de l'arrière de la voiture en portant une cocotte remplie de pommes de terre. Amina les précéda dans la maison, se dirigeant vers la véranda en ignorant les regards horrifiés qu'ils échangeaient en chemin.

"Où est le canapé ? demanda Bala. Et ça, c'est des pendules ?
— Où ?"

Sa tante montra du doigt un fauteuil sur lequel étaient empilées toutes les pendules de la maison, cadrans entortillés dans un réseau serré de ficelles.

"Oh." Amina cligna des yeux. "Ouais, je suppose. Ha."

Elle continua vers la cuisine, Sanji sur ses talons.

"Ami, mon chou, qu'est-ce que… c'est lui qui a fait ça ? Thomas a fait tout ça en à peine quelques jours ? Et qu'est-ce que c'est que *ça* ?" Sanji, pétrifiée, contemplait le jardin, où des guirlandes lumineuses momifiaient le lampadaire halogène.

"Des lumières sur une lumière.

— Grands dieux !" s'exclama Sanji, tandis que les autres entraient en file silencieuse dans la cuisine. Le regard d'Amina passait d'oncle à tante et de tante à oncle, à leurs visages bouleversés d'inquiétude, d'inconfort et d'amour. Bon Dieu, l'amour. Difficile de ne pas se trouver complètement conne face à tant d'amour.

"Mes parents sont dehors", commençait-elle à dire quand on entendit s'ouvrir la porte extérieure de la véranda, et leurs visages se détournèrent d'elle, vers la buanderie. Quelques secondes plus tard, Kamala arrivait, encore vêtue du même sari mais sa chevelure à présent détressée tombant en vagues souples. Elle s'arrêta net, belle et sale apparition.

"Qu'est-ce que c'est que tout ça ?" fit-elle, les sourcils froncés. Incapable de répondre, Amina se mordit la lèvre. Sa mère la regarda de travers et se croisa les bras. "Et tu leur as dit ?

— Non."

Kamala hocha la tête, puis attrapa brusquement Sanji par le bras.

"Venez, dit-elle, en faisant signe à Bala, Chacko et Raj de les suivre. Venez voir."

Et que virent-ils ? Le canapé, couvert de houppettes de bourre cotonneuse envolées des arbres, les coussins tachés de boue ; Prince Philip, au paradis canin de n'être plus du mauvais côté de chaque porte ; Thomas en train de surveiller le potager avec des jumelles. Amina observa de la véranda la famille qui se dirigeait vers le canapé en hélant Thomas, jusqu'à ce qu'il dépose ses jumelles. Il tourna la tête et sourit en les voyant. Il dit quelque chose qu'Amina ne distingua pas.

"Quoi?" entendit-elle Sanji demander, et les deux Eapen se mirent à parler en même temps et à gesticuler en direction du potager. Amina revint dans la cuisine.

"Salut, dit-elle quand Jamie décrocha le téléphone. Désolée de ne pas t'avoir rappelé.

— Tu vas bien? Comment va ton père?

— Pas vraiment bien. La famille est là en ce moment.

— Je passerai demain", dit Jamie. Derrière lui, le vague bruit de ferraille de *Violent Femmes*, tel du gravier dans une boîte. "J'ai ma journée libre.

— Non! Non, je veux dire, ne t'en fais pas. Nous allons bien. Tu devrais en profiter.

— Quoi?

— Sors, fais quelque chose, je ne sais pas. Quelque chose de chouette.

— Amina, bon sang, qu'est-ce qui se passe? Tu as l'air bizarre.

— Je regrette.

— Ce n'est pas ce que je veux dire.

— Je t'aime." La tête lui battait dans le brusque silence qui suivit, et *Eight, eight, I forgot what eight was for* occupa la ligne tandis que son visage prenait feu. Quelqu'un revenait en courant vers la maison, ses pas résonnaient lourdement sur le sol. "Bon, il faut que j'y aille.

— Attends une sec...

— Je te rappelle."

Elle raccrocha juste à temps pour voir Sanji surgir dans la véranda, tel un sanglier sauvage, se précipiter dans la cuisine et rebondir à l'angle d'un comptoir. Elle empoigna le bras d'Amina en criant "*Merde de merde!*

— Hé, dit Amina.

— Grands dieux!" Sanji haletait, empourprée. "Quel cauche-mar!"

Amina esquissa un sourire nerveux. "Je sais, dit-elle. C'est bizarre.

— Bizarre? BIZARRE? Bizarre, c'est la cuisine française. Bizarre, c'est fabriquer un engin qui lance des tomates pourries sur Chacko juste pour rigoler! On n'est pas dans un rêve? Ils croient qu'il est là, *vivant* dans le *potager*? Que toutes ces foutues lumières vont le faire rester?

475

— Pas vivant.

— Quoi ?

— Eh bien, pas techniquement. Je veux dire, ils ne croient pas qu'il n'est pas mort. Ils croient simplement que papa peut le voir.

— Dans ce foutu potager !

— C'est ça."

Sanji se tourna vers elle, la regarda sévèrement. "Amina Eapen, dis-moi que tu ne crois pas ça, toi aussi."

Amina choisit ses mots avec soin. "Je crois qu'ils le croient.

— Incroyable !" Sanji se remit à déambuler, ivre de son propre désarroi. "Complètement cinglés ! Durant toutes ces années ils ne sont jamais d'accord sur rien, et les voilà pratiquement en train de chanter un duo ? Et où sont passés les grands discours de Kamala sur les esprits mauvais, les âmes faibles, et *les Voies du Très-Haut* ? Disparu, tout ça, maintenant ?

— Non. Elle pense simplement que les Voies du Très-Haut nous ont envoyé Akhil.

— Oh, Akhil !" dit Sanji, et prononcer son nom à haute voix sembla la briser un peu. Penchée en avant contre le comptoir, elle se pinça l'arête du nez. Elle paraissait vieille.

Amina lui posa une main sur l'épaule et Sanji se retourna et lui tomba dans les bras avec une telle violence qu'elle eut l'impression d'embrasser un jambon plutôt qu'un être humain. Sa tante ne dit rien pendant un bon moment, s'efforçant de régulariser son souffle avec de petits halètements qui étaient le seul bruit dans la cuisine. Son sein frémissait, gélatineux. Elle chuchota quelque chose.

"Quoi ? demanda Amina.

— C'est comme si tout recommençait", répéta Sanji.

Et voilà, c'était ça, ce qu'Amina n'avait pas réussi à se formuler mais qu'elle ressentait comme infailliblement vrai. Elle ne répondit pas, sentant ses peurs éparses converger soudain vers ce point comme de l'eau vers une bouche d'écoulement. C'était ça, non ? Au milieu de tout le reste, de tous les examens, les traitements, les disputes, ils revenaient précipitamment vers ce point ténébreux.

Sanji poussa un profond soupir qui sentait l'oignon. "Toutes ces années, à peine s'ils pouvaient parler de lui. Certains jours, je me souviens, moi aussi, et c'est à peine si je le supporte. Il était notre premier, tu vois ? Notre bébé. Ce gentil petit garçon qui courait partout mettre ses petites mains sur tout, qui nous volait nos chaussures quand Dimple et toi étiez encore dans les langes ? Ah !"

Parce que, réellement, peu importait qu'il soit un effet secondaire de la tumeur de Thomas ou un filament de temps insinué par une fissure de l'univers, peu importait que Kamala et les autres ne puissent pas le voir et ne le verraient jamais. La seule idée qu'Akhil pouvait être dans le jardin avait ravivé sa disparition, en avait comblé tous les recoins au point de faire saigner la maison. Amina percevait avec précision combien son frère n'était plus là, sa capacité de ressentir son absence était d'une acuité extrême, multipliée comme la capacité d'entendre d'un aveugle. Un air frais lui caressa les joues et la poitrine, et elle se rendit compte que Sanji la tenait à bout de bras.

"Te voilà toute chamboulée à cause de moi. Oh, mon chou, je suis désolée. Je ne sais pas pourquoi je n'arrête pas de te crier dessus tout le temps chaque fois qu'il y a du nouveau." Elle pétrissait les avant-bras d'Amina. "Ce n'est pas ta faute.

— Ce n'est pas grave.

— Mais si.

— D'accord, c'est grave."

Elles se tinrent encore embrassées un moment et puis, comme il ne semblait plus rester grand-chose à dire, elles mirent de l'eau à bouillir et remplirent la théière de Red Label.

Bala fut la suivante à revenir, en jacassant à voix haute tout le temps qu'elle traversait la véranda et se taisant d'un coup dès qu'elle aperçut Sanji et Amina. Elle jeta un coup d'œil dans son dos et chuchota bruyamment : "C'est le chagrin d'avoir perdu un enfant.

— Sans blague", dit Amina, et Sanji lui donna une petite tape sur la main, mais Bala paraissait n'avoir pas entendu.

"On dit qu'il n'y a rien de pareil. Un chagrin si profond qu'il peut rendre les gens plus proches des morts que des vivants. J'ai vu ça dans une émission de Ricki Lake, toute une famille qui croyait que leur plus jeune fille était encore dans le garage où elle…

— Oh, ça suffit ! s'exclama Sanji.

— Non, c'est vrai ! Et l'une de mes sœurs a accouché d'un bébé mort ! Elle n'a plus jamais été bien après ça.

— Ranjana n'avait jamais été bien", déclara Chacko, arrivant du salon avec trois lampions dans la main. Il les montra à Amina : "Risque d'incendie."

Amina les prit. "Merci."

Son oncle la considéra d'un air sombre. "OK, *koche*. Maintenant, on sait. Là-dessus, il nous faut agir.

— Oui mais, que faire? demanda Sanji avec un regard anxieux vers la véranda. Tu les as entendus. Ils ne feront pas la chimio avant que tout ça soit terminé.

— Attends, quoi? demanda Amina. Ils ne m'ont pas dit ça. Quoi, terminé?

— La *visite* doit *prendre fin*, dit Bala, en pinçant l'air pour renforcer son propos. Il n'est venu que pour peu de temps, apparemment. Thomas a dit que tous les autres sont venus et repartis d'eux-mêmes au bout de quelques jours, vous savez, comme des extraterrestres repartis dans la lumière et…

— Il a dit ça? *Repartis dans la lumière?*

— Non." Sanji foudroya Bala du regard. "Il n'a pas dit ça. Il a dit qu'il reprendra le traitement quand Akhil sera parti, et qu'Akhil partira quand il y sera disposé.

— Mais il ne lui a même pas encore parlé! dit Bala. C'était ça, l'autre chose, non? Qu'Akhil doit lui parler et ne l'a pas encore fait? Donc c'est ça qu'il attend.

— Trop tard, déclara Chacko, qui oscillait d'avant en arrière, des talons aux pointes de ses pieds. Nous n'avons plus de temps à perdre. Il faut les séparer, faire reconnaître son incapacité et l'hospitaliser."

Incapacité? Amina se cramponna au comptoir, le cœur à l'envers.

"Chacko Kurian, as-tu perdu la tête? explosa Sanji. On n'est pas dans un épisode de *Laws & Orders*! On ne peut pas le traiter comme un criminel!"

Chacko fronça les sourcils. "Il nous en remerciera plus tard.

— Vraiment? Comme Dimple t'a remercié?" ricana Sanji, et Bala resta bouche bée. "Quoi? Vous savez que c'est vrai. Ça fait quinze ans que vous l'avez envoyée balader, et votre fille ne rentre toujours pas à la maison si elle peut l'éviter, et maintenant vous imaginez qu'on devrait essayer la même chose pour Thomas!

"— Eh bien, il faut que quelqu'un fasse ce qui doit être fait, répliqua Chacko, piqué. Et, de toute façon, je ne te vois pas faire une meilleure suggestion.

— Et si on lui parlait comme à un être humain ? Hein, Ami ? Ce ne serait pas mieux ?"

Tous deux se tournèrent vers Amina, dans l'expectative, mais elle en était encore à *incapacité*, avec en tête un tourbillon d'images horribles : Thomas abattu comme un lion du Serengeti, réduit à une masse de fourrure endormie tandis que des mains agiles contrôlaient ses plaques d'identité et ses dents ; Thomas ramené à l'hôpital, prisonnier d'une équipe qu'il avait un jour dirigée.

"Oui, dit-elle. Parlons-lui."

Raj fut le dernier à rentrer, manifestement secoué, avec des étoiles de coton écrasées au fond de son pantalon, là où il s'était assis sur le canapé. Contrairement aux autres, il n'avait pas grand-chose à proposer en matière de conseils et se mit simplement à préparer des *chapatis* à manger avec l'*aloo* de Gala, dans un nuage de farine qui lui montait au visage, révélant le parcours des quelques larmes qui lui échappèrent tandis qu'il roulait la pâte en rondelles plates. Une demi-heure après, les Eapen se laissèrent ramener dans la salle à manger, en dépit de réels grommellements de Thomas.

"Et tu peux voir Akhil, toi aussi ? demanda Bala à Kamala, en lui passant les pommes de terre.

— Bala ! protesta Sanji.

— Quoi ? Je demande, c'est tout !

— Non, dit Kamala. Mais est-ce que Thomas vous a dit comment il est habillé ?

— Oui", fit Raj précipitamment, en même temps que Bala disait "Non" et que Sanji paraissait prête à tuer quelqu'un.

"Il a un short en jean et de la peinture sur les mains !"

Sanji, alarmée, regarda Amina.

"Ils reviennent tous tels qu'ils étaient le plus beau jour de leur vie", expliqua celle-ci, dans l'espoir que ça semble moins fou de sa part, même si, à en juger d'après l'expression de Sanji, ce n'était clairement pas le cas.

"Et toi, tu l'as vu, Ami ?" demanda Bala.

Amina se sentit rougir et évita de regarder son père. Elle secoua la tête.

Kamala haussa les épaules. "Il n'est pas venu pour nous.

— Thomas, qu'est-ce que je peux aller te chercher ? demanda Raj. Tu ne manges pas. Que dirais-tu d'un peu de riz avec du lait caillé ?

— À vrai dire, je devrais sans doute retourner dehors." Thomas ôta sa serviette de ses genoux. "Il se fait tard.

— Mais on vient de se mettre à table !

— Restez et finissez, vous. Je serai juste là, dehors.

— Non, attends !" Sanji semblait agitée. Il y eut un bref silence, un échange soudain de regards entre les autres. "C'est seulement que, nous pensions que nous devrions tous parler de, euh…

— TU DOIS REPRENDRE LE TRAITEMENT !" asséna Chacko. Amina regarda son oncle, dressé, tendu au bout de la table, les poings serrés.

Surpris, Thomas haussa les sourcils. Il contempla Chacko en clignant des yeux plusieurs fois avant de répondre : "Bien sûr, je le ferai. Je te l'ai dit.

— Maintenant." Chacko frappa la table de ses doigts repliés. Ce soir.

Thomas eut un petit rire. "Ça me paraît peu probable.

— Ce n'est pas une plaisanterie, Thomas.

— J'en suis bien conscient.

— Alors arrête ça tout de suite."

Thomas inclina la tête, tel un chien écoutant une fréquence inaudible pour des oreilles humaines, et Amina se crispa.

"J'ai déjà appelé l'hôpital, poursuivit Chacko. Ils ont un lit pour toi aux admissions. Le Dr George dit que tu peux recommencer tes traitements dès demain matin."

Thomas garda le silence un moment, mais Amina sentait qu'il les enregistrait, tous, à sa périphérie. Elle perçut le léger déclic au fond de ses yeux lorsqu'il récupéra ses marques.

"Il n'est pas encore temps, dit-il à Chacko.

— Tu n'as plus de temps !

— Nous n'en savons rien.

— J'en suis tout à fait certain.

— Non, dit Thomas posément. Tu ne sais pas. Ma réaction au traitement a été anormale."

Une rougeur violente et furieuse envahit les joues de Chacko, comme sous le coup d'une gifle. "Tu sais aussi bien que moi que ça ne signifie foutre…

— Ce qu'il y a…", intervint Sanji avec douceur, en cherchant du regard l'appui de Raj. "Ce n'est pas comme si la guérison était une fenêtre ouverte indéfiniment, hein? Ta santé peut se dégrader jusqu'à un point irréversible, et alors aucun traitement ne sera plus efficace, pas vrai?

— C'est un risque calculé."

Chacko renifla, méprisant. "Et ta famille? Qu'est-elle censée faire de cette absurdité?"

Kamala, surprise, releva les yeux de son assiette. "Qui, moi?

— Tu acceptes de risquer aussi leur avenir?

— Je ne risque pas leur…

— Bien sûr que si!

— *Moi?* répéta Kamala.

— Ce n'est pas leur problème.

— *Eda!* Qu'est-ce que tu racontes? Tu crois qu'elles ne…

— Attends un peu, descends de tes grands chevaux, M. Je-sais-tout-mieux-que-tout-le-monde! cria Kamala à Chacko. Arrête de dire n'importe quoi en mon nom.

— Et Amina, insista Chacko, ignorant Kamala. Après tout le reste, tu vas lui faire subir ça?"

Alors, enfin, quelque chose parut pénétrer la mer scintillante de la bonne humeur de Thomas. Amina vit les mots s'enfoncer, la saccade acérée du doute froisser un front jusque-là serein. Elle sentait que son père ne la regardait pas.

"Elle s'en tirera très bien", dit-il, mais sa voix n'était plus animée de la même conviction.

"C'est faux! Comment le pourrait-elle? Un père qui préfère mourir que rester avec elle!"

Décoché avec une force éloquente, un *chapati* vint frapper Chacko en pleine figure. Il n'était pas sitôt tombé qu'un autre le remplaçait, envoyé par le bras étonnamment bon tireur de Kamala.

"Kam, arrête!" cria Sanji.

Amina vit sa mère en prendre un autre et, pour faire bonne mesure, le lancer sur Chacko. Il s'écrasa sur son torse.

"KAMALA", dit Thomas d'une voix sonore, et Kamala se tourna vers lui, furieuse, les yeux brûlants, tremblante d'adrénaline. Il attendit qu'elle rabaisse son bras avant d'ajouter doucement : "Assez."

Tous deux se regardèrent ; l'air, entre eux, frémissait de quelque chose de si cru et si intime que les autres durent se détourner.

"Va, dit Kamala. J'arrive."

Thomas s'écarta de la table sans un mot de plus et sortit.

Ils se rassirent et attendirent en silence, fixant sans les voir les taches de graisse sur la nappe et les petits bouts de pomme de terre épars, jusqu'à ce qu'ils entendissent se refermer la porte de la véranda. Alors ils attendirent encore un peu.

"Kam, dit enfin Sanji, s'il te plaît."

Kamala s'appuya au dossier de sa chaise et croisa les bras en fronçant les sourcils.

"Maman.

— Quoi ?

— Tu es la seule qu'il écoutera.

— Ha ! Ton père ? Ha *ha* !

— C'est vrai. Tu sais que c'est vrai. Il fera semblant de t'ignorer, mais à la fin il fera tout ce que tu diras."

Kamala renifla avec mépris.

— Mais alors, quoi ? demanda Sanji, d'une voix rauque de frustration. On se croise les bras et on le laisse mourir ? C'est ça que tu veux ?"

Kamala la dévisagea si longuement que l'atmosphère de la pièce parut se solidifier. "Tu crois que c'est ce qui peut arriver de pire ?"

Sanji semblait perdue.

"Idiots." Kamala fit siffler le mot d'un bout à l'autre de la table comme une fléchette et reprit, dans le silence qui suivit : "*Idiots. Ignorants.* Vous arrivez avec vos patates sans sauce et votre exigence idiote qu'il se lève demain matin et le lendemain et le surlendemain et pour quoi ? Pour que vous puissiez dire que vous avez fait tout ce que vous pouviez ?

— Maman, arrête. Ils sont venus parce que je le leur ai demandé.

— Et ton père ? Tu lui as demandé ce qu'il veut ?

— Il ne sait pas ce…

— *Il veut voir Akhil.*

— Une hallucination, objecta Chacko. Un effet secondaire !

— Un *miracle*.

— Et qu'est-ce que ça peut faire ? s'écria Raj d'une voix aiguë et mal assurée. Kamala, tu ne vois pas ? Il maigrit ! Il ne dort plus ! Ses os pointent à travers ses habits !

— Tu crois que je suis aveugle ? Que je ne vois rien ?

— Il faut que nous…

— Vous croyez que je ne connais pas cet homme avec qui je vis depuis trente-cinq ans ? Je le connais mieux que n'importe qui – que n'importe lequel d'entre vous. Et tu te trompes, miss Amina Je-sais-tout, il ne m'écoute pas ! Il ne m'a jamais écoutée. Vous croyez que *je* ne sais pas ce qui va se passer ?"

Le silence retomba sur la table, lourd comme une nasse, et pendant qu'il tombait la tête d'Amina s'emplit de l'intense mélopée électrique des lumières, de toutes les lumières, de leur bruit de fond soudain amplifié. Tel un public invisible qui se serait avancé d'un pas. Cela semblait personnel.

"Vous croyez qu'il a plus envie de rester avec nous que d'aller retrouver Akhil ?" demanda sa mère, d'une voix minuscule sous tous ces bourdonnements, et Amina eut l'impression que la vérité était un petit objet acéré, fiché dans son cœur.

Le reste de la famille se décomposait, Amina le sentait. À un bout de la table, Raj se couvrait le visage de ses mains et, à l'autre, Chacko secouait la tête de gauche à droite comme un chien tentant de se débarrasser de son collier. Assises entre eux, Bala et Sanji avaient les yeux béants et pleins de larmes, et Sanji murmurait déjà : "Je suis désolée, je suis désolée", comme si elle était cause de ce qui allait advenir.

"Alors, qu'est-ce que…" lança Chacko d'une bouche tremblante.

Un spasme de compassion traversa le visage de Kamala, qui recouvra aussitôt son calme.

"Rentrez chez vous", dit-elle.

4

"J'arrive", annonça Dimple le lendemain.

Amina ferma les yeux. Tout le monde semblait considérer que c'était la solution, comme si ça allait faire une différence. Monica était venue le matin même, elle avait supplié Thomas de changer d'avis et puis pleuré amèrement dans l'allée parce qu'il avait refusé. *Salaud*, avait-elle dit, en fumant coup sur coup deux cigarettes.

"Tu ne peux pas, répondit Amina.

— Pourquoi pas?"

Ce n'était pas qu'elle n'avait pas envie de voir Dimple. Elle n'avait juste pas envie de voir Dimple découvrir ce que tous les autres avaient vu. Amina soupira et se laissa rouler sur le dos, face à face avec les sourires éclatants des Grands.

"L'exposition. C'est dans trois semaines. Tu n'as pas le temps.

— Ne t'en fais pas pour ça. C'est pratiquement bouclé, déjà, et je peux m'occuper de la presse de là-bas. Ils ont envie de parler à Jane plus qu'à moi, de toute façon, à ce stade.

— Ah, super.

— Ce n'est pas ce que tu crois. Elle dit que ça lui plaît.

— Ça lui plaît?

— Non, banane, elle déteste. Mais elle nous fait de la pub parce que c'est la chose intelligente à faire. Elle prétend aussi que tu travailles encore avec elle, alors qu'elle m'a déclaré que si l'une de nous deux remet un pied aux Studios Wiley, elle nous surine.

— Elle a dit suriner?

— Elle a dit tuer.

— Oh." Amina s'efforça de ne pas s'en inquiéter. Que pensait-elle qui allait arriver?

Dehors, Prince Philip aboyait, une complainte incessante et sourde. Amina se leva et marcha jusqu'à la fenêtre. Ses parents arrachaient les mauvaises herbes dans le potager, malgré la chaleur de l'après-midi.

"Quoi ? demanda Dimple.

— Quoi ?

— Tu viens de dire « cinglés »."

Amina s'écarta de la fenêtre. "Mes parents. C'est vraiment bizarre. Ils vont partout ensemble maintenant. Le jardin, la véranda, la salle de bains probablement, pour autant que je sache. C'est comme s'ils venaient de tomber amoureux.

— C'est mignon.

— Non. C'est comme si le soleil allait se coucher du mauvais côté du ciel."

Dimple resta silencieuse un moment. "Comment tu vas ?"

Pourquoi demandaient-ils tous ça ? "Je vais bien.

— Maman m'a dit que c'était affreux, hier soir.

— Quand est-ce que tu vas lui parler de Sajeev ?

— Quoi ?" La voix de Dimple fit un bond de surprise. "Je sais pas. Je veux dire, c'est la dernière chose à laquelle on ait besoin de penser actuellement, non ?

— Il vaudrait pas mieux le dire à tout le monde une bonne fois pour toutes ?

— Bon Dieu, Ami. Comparé à tout ce qui se passe ? C'est pratiquement sans intérêt.

— Je veux dire, surtout si vous avez encore l'intention de vous marier en douce après l'exposition." Amina déambulait autour de la chambre. "Parce que, un mariage, ça pourrait être bien, tu sais. Leur donner à tous une perspective.

— Quoi ? Comme une distraction ?

— Non", dit Amina, bien que ce soit exactement ce qu'elle voulait dire. Était-ce vraiment si mal de souhaiter quelque chose dont on puisse se réjouir ? Elle souleva le plateau de la commode d'Akhil et son regard croisa celui d'une version poussiéreuse de son visage fatigué.

"Quand est-ce que tu arrives ?

— Minuit, cette nuit. On passera dans la matinée. C'est qui ?

— Quoi ?

« — Ami, sérieusement ? T'as les oreilles bouchées ? On vient de sonner à ta porte. »

La sonnette retentit à nouveau. Prince Philip se mit à aboyer comme s'il avait le dos en feu.

« Merde. » Amina regarda en bas. Elle ne portait pas de soutien-gorge et de ses aisselles moites émanait une vague odeur de café. Elle chercha ses sandales sur le plancher.

« Tu veux que je te rappelle ?

— Non, on se verra demain. » Elle laissa retomber le combiné sur la fourche et se rua dans l'escalier juste au moment où un tambourinage remplaçait la sonnette.

« J'arrive », cria-t-elle en courant vers la porte, ce qui déchaîna un torrent de désapprobation de la part de Prince Philip, lequel avait l'air de passer, de l'autre côté de cette porte, une audition pour le rôle d'un chien de garde féroce.

« Dieu soit loué », fit Jamie quand elle lui ouvrit, non sans jeter un coup d'œil aux dents dénudées. « Ton chien est en train de me rejouer *Cujo*.

— Oh ! » Amina croisa les bras sur sa poitrine. « Salut !

— Tu peux venir à mon secours, là ?

— LA FERME, PRINCE ! » cria Amina et le chien, immédiatement penaud, agita la queue. Il flaira le pantalon de Jamie.

« Prince comme le chanteur ? » Jamie, nerveux, le surveillait.

« Comme le Prince Philip, en Angleterre.

— Ah. »

Le chien s'éloigna et Jamie la regarda d'un air interrogateur.

« Tu es superbe », dit Amina.

À vrai dire, il avait l'air d'un banquier en tenue de bureau décontractée – pantalon de toile, chemise à carreaux et chaussures en beau cuir, visage rasé de près, du genre qui avait un contact caoutchouteux – mais, bon.

« Ouais ? Tant mieux. Je voulais présenter bien pour rencontrer tes parents.

— Ah ! » Amina essaya de réprimer un flamboiement de panique entre ses côtes. « Bien sûr. Oui. Et eux aussi, ils ont envie de te rencontrer ! On en a tous envie. Pas moi, je veux dire mais, tu sais, que tu les rencontres. Ce qu'il y a, c'est que ce n'est pas vraiment le bon moment.

— Ouais, je m'en doutais." Il recula d'un pas, jeta un coup d'œil à sa voiture comme s'il allait y retourner, et Amina crut un instant que ç'allait être aussi simple que ça. Alors il haussa les épaules. "Je veux dire que je pige. Vraiment. C'est pour ça qu'hier, quand on a raccroché, je me suis dit : *Tu sais quoi ? Ce ne sera peut-être jamais le bon moment. Alors autant y aller.*"

Elle hochait la tête comme une de ces poupées articulées qui passent de mignonnes à stupides en moins d'une seconde. Elle arrêta. "Bizarres."

Jamie fronça les sourcils.

Elle secoua la tête, réessaya. "On est bizarres en ce moment. Et la maison. C'est…" Elle contempla les belles chaussures en cuir. Les belles chaussures en cuir n'allaient pas apprécier ce qui était admis comme normal au-delà de la porte d'entrée. "C'est le bordel.

— Amina."

Ça paraissait une mauvaise idée, face à lui. Ça ressemblait à l'inévitable premier pas vers une conversation oiseuse et émotionnelle à propos du lamentable état des choses, de la façon chancelante dont elle y réagissait et du temps écoulé depuis sa dernière douche. Mais quand elle releva les yeux, elle vit dans ceux de Jamie de la sympathie et un léger amusement, et se rendit compte qu'elle reculait. Il entra. Il regarda lentement autour de lui, s'attardant sur les appuis de fenêtre, les meubles, le fauteuil aux pendules. Depuis la veille, des guirlandes de Noël étalées sur le sol de part et d'autre du couloir le métamorphosaient en une joyeuse piste d'envol.

Amina repoussa ses cheveux derrière ses oreilles. "Ce n'est pas toujours comme ça.

— D'accord.

— Tu veux du thé ou quelque chose ?

— Volontiers."

Ça faisait un drôle d'effet de le sentir derrière elle, si grand, disproportionné à sa maison. Elle avait l'impression de devoir montrer du doigt les interrupteurs, les portes, écarter un peu les murs. Ils gagnèrent la cuisine, où Thomas avait envahi le plan de travail de bougies de toutes formes et tailles, ce matin-là, en dépit de la désapprobation exprimée haut et fort par Kamala. Amina mit la bouilloire à chauffer et dénicha un sac en papier qu'elle ouvrit d'un petit geste efficace. Elle entreprit d'y jeter les bougies.

"Jolie maison", dit Jamie.

Amina lui lança un coup d'œil.

"Non, c'est vrai. Elle n'est manifestement pas, tu sais, au mieux de sa forme en ce moment, mais elle est quand même sympa. Les arbres sont immenses." Il regardait le jardin. "Et ça…?

— Un lampadaire halogène enveloppé de guirlandes lumineuses. Oui. C'est marrant comme c'est toujours ça que les gens remarquent. Qu'est-ce que tu veux comme thé?

— N'importe lequel. En fait, sans théine, si tu en as."

En ayant terminé avec les bougies, elle enroula bien serré le haut du sac en papier et le posa sur le sol. Au fond d'un placard, elle trouva une boîte d'échantillons d'infusions et en sortit un sachet de camomille pour lui et un de Red Label pour elle. "Tu as faim?

— Non."

Elle fit quelques pas vers la cuisinière et s'en écarta d'autant. Elle sentait qu'il l'observait.

"Je vais bien, déclara-t-elle préventivement. Enfin, je n'ai plus pris de douche depuis un bout de temps. Ni dormi, à vrai dire. Et je n'arrête pas de m'inquiéter à l'idée que mes parents fassent quelque chose d'encore plus cinglé que ce qu'ils ont fait jusqu'ici, mais ça… enfin… ça va.

— Plus cinglé?

— Tu sais, comme pousser le frigo dans le potager. Ou mettre le feu à la maison." Elle rit, embarrassée, et s'assit. Il y avait quelque chose de collant sur le plan de travail, et elle le gratta du bout de l'ongle, consciente que Jamie l'observait toujours mais incapable de s'arrêter.

"Et comment va-t-il?"

Elle haussa les épaules. "Je ne sais pas. Peut-être mieux? Peut-être en pleine métastase?

— Je suis désolé.

— Moi aussi", dit-elle, et quelque chose bondit dans sa poitrine quand il tendit la main par-dessus le comptoir pour prendre la sienne. L'eau chauffait avec un rugissement paisible. "C'était comme ça avec ta mère?

— Pas vraiment.

— Sauf le jour où elle a couvert toute la maison de lumière ?"
Jamie lui pressa la main.

Quand la bouilloire siffla, Amina versa l'eau dans les deux tasses, en pensant à toutes les autres choses dont elle avait supposé que Thomas pourrait mourir un jour. Les cigarettes. Le scotch. Une maladie extrêmement rare, transmise par le sang, qu'il attraperait mais dont il sauverait l'hôpital entier en un ultime geste héroïque.

"Je crois que je n'avais jamais imaginé que ça serait comme ça, dit-elle à haute voix.

— Hmm.

— Non, je veux dire… Ce n'est pas comme si je n'avais jamais pensé à la manière dont nous mourrons. Quand j'étais petite, je n'ai pensé *qu'à ça* pendant quelque temps – quand ça allait arriver et qui serait le prochain et quel effet ça ferait. J'étais certaine que l'un d'entre eux allait se désintégrer à force de devoir se lever chaque matin et prendre une douche. Ça, c'était le pire. Mais on l'a dépassé, tu sais? Je pensais qu'on était tirés d'affaire."

Elle entendit Jamie se lever et contourner le comptoir, et eut un petit sursaut lorsqu'il posa les mains sur ses épaules. Elle ne voulait pas pleurer et ne pleura donc pas, se bornant à garder son menton fourré contre son cou et à laisser Jamie l'enlacer par-derrière, l'étreindre de ses longs bras, son menton rasé de frais appuyé contre sa nuque.

"Et, la moitié du temps, je ne sais même plus ce qui est réel", dit-elle, plus calme à présent parce que ça lui semblait être le genre de secret qu'on garde. "Tous ces jours commencent à ressembler à un seul jour vraiment long, comme si ça ne faisait aucune différence qu'on soit éveillé ou endormi, un jour que rien ne fera jamais s'achever, sauf qu'il s'achève, et je le sais, et je ne sais pas ce que je suis censée foutre là-dedans.

— Je t'aime, dit Jamie.

— Ton visage, on dirait une fille."

Il croisa les mains de part et d'autre de sa cage thoracique, la maintenant en place, et une vague de soulagement traversa Amina, suscitant en elle une conscience aiguë de la fragilité, l'étrangeté et la nécessité de la respiration. Elle se laissa aller en arrière contre lui.

"J'ai été pris au dépourvu, hier, dit-il. Au téléphone. Je suis nul au téléphone.

— Ouais. Pourquoi ?

— Je ne sais pas. Je crois que c'est parce que j'ai grandi avec l'idée que l'État pouvait nous écouter. Ça me rend parano, maintenant.

— Parce que l'État ne veut pas que tu m'aimes ?

— Quelque chose comme ça."

La porte d'entrée s'ouvrit et le cliquetis des bracelets de Kamala les sépara.

"Oh ? fit Amina, en lissant sa jupe. Maman ?

— C'est moi, dit sa mère. Il est venu quelqu'un ?

— C'est mon ami Jamie."

Le bruit étouffé des pas de Kamala accéléra dans le couloir, et elle apparut soudain sur le seuil de la cuisine, toute en sari, chaussures de tennis, tresse et regard scrutateur.

"Bonjour." Jamie tendit la main. "Jamie Anderson."

Kamala regarda sa main mais ne la prit pas. "Qu'est-ce que vous faites ?

— Maman !

— Quoi ? Je demande seulement s'il reste dîner.

— Non, non, fit Amina précipitamment. Il ne fait que passer.

— Je serais ravi de rester dîner, dit Jamie.

— Quoi ?" Amina se retourna.

Il lui pressa doucement le bras, tout en disant à sa mère : "J'aimerais beaucoup rester dîner, Mme Eapen, si ça ne vous dérange pas.

— Non, pas du tout ! Au contraire. Je cuisine." Elle s'adressa à Amina : "Il aime le poisson ou le poulet ?

— J'aime les deux, dit Jamie. Et, en fait, j'adore cuisiner, si ça ne vous ennuie pas de m'avoir sur les bras."

Kamala fronça le nez, l'examina des chaussures aux épaules. "Nous verrons."

5

Ils préparèrent un festin. Ou, plutôt, Kamala prépara un festin, indiquant à Jamie exactement comment couper chaque légume avant qu'elle ne le plonge dans l'une de ses nombreuses casseroles, et répondant "un peu" chaque fois qu'il lui demandait combien d'épices elle ajoutait. Il semblait inconcevable qu'ils aient pu en faire autant en à peine plus de deux heures, même compte tenu de l'aide de Jamie, mais voilà, deux currys différents (poulet et poisson), quatre garnitures de légumes (choux, carottes, betteraves et chou-fleur), des *pooris*, du riz au citron vert, du riz normal, de la salade, du *raïta* et tout un choix de chutneys étincelants étaient étalés devant eux, tels des trésors comestibles.

Thomas ayant insisté pour ne pas perdre le potager de vue, Amina et lui avaient improvisé une table à l'aide de panneaux de contreplaqué et de tréteaux et, une demi-heure plus tard, ils flottaient tous les quatre, entre la maison et les plants de tomates, sur l'herbe dont le vert s'assombrissait.

"Alors, expliquez-moi", demanda Jamie tout en laissant Kamala le resservir de tout pour la troisième fois, "qu'est-ce qui rend la cuisine de l'Inde du Sud tellement meilleure que celle du Nord? Les épices? Le riz?"

Kamala se lança dans l'exposé de son sujet préféré, et Amina se détendit. Au début, il lui avait semblé étrange de voir tout le monde assis à la même table – comme d'assister à une pièce où elle en savait trop sur chacun des acteurs pour croire un mot de ce qu'ils disaient. Mais au fur et à mesure que le jour baissait autour d'eux, que le soleil du soir tombant déversait de l'or sur les champs et que Jamie continuait à poser le genre de questions auxquelles ses parents adoraient répondre, elle sentit qu'elle prenait plaisir à ce repas ou, au moins, qu'elle n'en passait pas chaque seconde à se faire du souci. L'installation de la table au milieu du pré y contribuait, en offrant à Thomas une vue dégagée du potager. Il paraissait calme et concentré, malgré les deux paires de jumelles (normales, et vision nocturne) qu'il avait à côté de lui sur la table.

"Et nous vivons mieux, aussi", dit Kamala, concluant une brève diatribe qui faisait ressortir des raisons aussi variées que de meilleures vaches (pour des *panirs* et des *ghis* plus savoureux) et un meilleur capital génétique ("nette supériorité" des papilles gustatives dravidiennes). "Qui rit? Ce n'est pas de la blague! Thomas, dis-lui! Tout est meilleur quand on n'est pas constamment inquiet à cause du froid et de la poussière, et de ces sauvages de Moghols qui massacrent tout le monde!

— Kamala a toujours été une excellente cuisinière, dit Thomas, omettant adroitement les assertions historiques. La première fois qu'elle a cuisiné pour moi, j'ai cru que j'étais mort et arrivé au paradis.

— Et quand était-ce?

— Dix-neuf cent soixante-quatre. Nous venions de nous marier, nous habitions chez ma mère pour un mois en attendant d'avoir notre appartement." Thomas raclait son assiette du bout des doigts. "Tu te rappelles, Kam? Comment Amma a dû soudoyer Mary-la-Cuisinière pour qu'elle te laisse la cuisine?

— Me la laisser? Elle est restée là à souffler et râler en surveillant tout ce que je faisais, en me disant que je ne coupais pas les oignons comme il faut, et trop de clous de girofle, et le biryani va être trop liquide!

— Il était parfait", dit Thomas en fermant les yeux comme s'il en sentait encore le goût. "Le meilleur que j'aie jamais mangé.

— Et en quelle année êtes-vous arrivés ici?" Jamie prit une gorgée de bière.

"Dix-neuf cent soixante-huit. De JFK à l'aéroport de Saint Louis à ici, dit Kamala, désignant les lieux sur son assiette du bout de son majeur. J'étais juste enceinte d'Amina. Nous sommes retournés chercher Akhil quelques mois plus tard.

— Eh bien! Albuquerque devait être tout petit à l'époque.

— Vous n'avez pas idée! La ville n'était qu'un grain de poussière dans tout ce brun!"

Thomas rouvrit brusquement les yeux. Il observa le potager. Se redressa un peu sur sa chaise.

"Avez-vous toujours eu envie d'être un chirurgien du cerveau?" lui demanda Jamie. Thomas ne répondit pas. Amina lui fila un petit coup de pied.

"Non", dit Thomas, ramenant non sans effort son attention du potager à Jamie. "Quand j'étais jeune, je voulais devenir pilote.

— Et vous?" demanda Kamala, en déposant encore un peu de riz sur l'assiette de Jamie. "Vous avez toujours voulu enseigner?

— Pas du tout. Je n'ai jamais aimé que les études que je faisais sur le terrain, et c'est un moyen de continuer à en faire.

— Amina nous a dit que vous faites de l'archéologie? dit Thomas.

— Anthropologie.

— Anthropologie, répéta Thomas. Et vous ne faites qu'enseigner toute la journée, ou…

— Non, en réalité, je conduis une étude qui devrait déboucher sur un poste permanent, et je passe donc une partie de ma semaine sur le terrain. C'est-à-dire dans des casinos.

— Comme le Casino des Sandia? demanda Kamala.

— En fait, c'est celui que j'étudie actuellement.

— *Tchi!*" Elle secoua la tête. "Quel endroit affreux. Si sombre, là-dedans. Et rien de mangeable au « buffet à volonté » !

— Pas même les doigts de poulet?"

Kamala parut horrifiée. "Qui mangerait des doigts de poulet?

— Alors Amina doit vous avoir parlé de cette terrible histoire avec sa photo, dit Thomas. Les Indiens Puyallup, et tout ça.

— Euh, non, en fait, dit Amina. Quelqu'un peut me passer les betteraves?

— Quelle photo? demanda Jamie.

— Rien." Amina secoua la tête, rejetant la question. "Une autre fois.

— L'Indien en train de sauter d'un pont! fit Kamala avec excitation. Pas un Indien de chez nous, un Indien avec des plumes sur la tête. Elle est célèbre! Elle ne vous en a pas parlé?

— Attendez, pas ce type, il y a quelques années, à Seattle? Ce chef?

— Leader d'une communauté", corrigea Amina, qui avait tressailli.

"C'est toi qui as pris *cette* photo?

— Vous la connaissez?" Kamala poussa Thomas du coude; il regardait de nouveau le potager avec nervosité. "Il la connaît!

— C'est toi qui l'as prise?" Jamie avait l'air impressionné.

"Oui! Et après ça, elle s'est spécialisée dans les mariages, dit Kamala en hochant la tête. Et maintenant, elle pourrait être en train de démarrer ici, avec un grand succès, sa propre affaire de photographie d'événements.

— *Maman.*

— Quoi? Tu pourrais! Est-ce qu'elle vous a dit, au moins, qu'il y aura une exposition de ses photos dans une galerie de Seattle dans quelques semaines?

— Oui, ça, je le sais.

— Je reviens tout de suite", dit Thomas en se levant de sa chaise, et il fila en droite ligne vers le potager.

"Mme Eapen, vous permettez que je prenne encore un *poori*?

— Prenez, prenez!" Kamala en passa deux à Jamie, et ils se lancèrent dans une discussion sur les *pooris* et les raisons pour lesquelles (de l'avis de Kamala) ils étaient supérieurs au *frybread* et pourquoi les siens (tout le monde vous le dira) étaient les meilleurs de tous. Amina se retourna pour regarder son père marcher avec raideur jusqu'au potager et s'arrêter à la barrière. Il se pencha par-dessus. Prononça quelques mots. Attendit. Les répéta. Et puis se détourna et revint, le visage hermétique.

"Oh, Dimple arrive demain, dit soudain Amina qui venait de s'en souvenir. Aujourd'hui, en fait, mais elle viendra ici demain matin."

Kamala fronça les sourcils. "Pourquoi?

— Elle a envie de voir papa.

— Pff. Elle ferait mieux de se soucier de ses parents. Bala n'arrête pas de se faire du souci pour elle."

Revenu à table, Thomas s'assit lourdement.

Amina se pencha vers lui, en essayant de croiser son regard. "J'étais justement en train de dire à maman que Dimple va venir te voir demain. Elle passera dans la matinée.

— Dimple est une vieille amie d'école d'Amina, expliqua Kamala à Jamie. N'ont plus grand-chose en commun, mais qu'y faire?

— Oui, je me souviens d'elle, à l'école.

— Oh!" Le visage de Kamala s'illumina. "Vous étiez à Mesa Preparatory? Je ne savais pas. Personne ne me l'a dit!

— Ce n'est pas si important, maman.

— Mais alors il doit connaître tous les gens que tu connais! Tous les enfants et tout le monde, là-bas. Vous avez gardé le contact? Vous sortez beaucoup?

— Euh, plus ou moins."

Amina se détourna, distraite par Thomas, dont les yeux oscillaient d'un côté à l'autre comme s'il tentait de se rappeler où il avait mis un objet important. Amina lui donna de nouveau un petit coup de pied.

Kamala mâcha un moment, avala avant de demander : "Alors vous connaissiez Akhil, aussi?

— Oui. En fait, il sortait avec ma sœur, Paige."

Kamala cligna rapidement des yeux, en remuant à peine la bouche, comme si elle terminait la phrase sans le son, et le regard de Thomas passa du potager à Jamie. "Vous êtes le frère de Paige?

— Oui."

Il se pencha en avant. "De l'école secondaire? Cette jeune fille avec qui il sortait?

— Paige Anderson.

— Paige *Anderson*", répéta Kamala doucement, comme les paroles d'une chanson qu'elle aurait essayé de se rappeler.

"La jeune fille." Thomas chercha confirmation dans le regard d'Amina. "Celle-là.

— Elle est venue ici un jour, je crois, dit Kamala, et Jamie opina de la tête.

— Incroyable! s'exclama Thomas, et il asséna une grande claque sur la table.

— Oui, commença Jamie. C'est comme une coïncidence étrange, je suppose."

Thomas éclata de rire, et Jamie sourit, en dépit de l'étrangeté de la situation, car qui aurait pu résister à ce soudain débordement de joie de Thomas, à son sourire qui s'élargissait d'une seconde à l'autre comme s'il avait gagné à une sorte de loterie cosmique?

"Tu as entendu?" cria Thomas en direction du potager. Le frère de Paige Anderson est *ici*!"

Amina lança à Kamala un coup d'œil inquiet.

"*Ici!*", cria son père, un peu plus fort. Il montrait Jamie du doigt. "Ici même!

— Papa", dit Kamala en lui effleurant le bras, mais il la remballa, cherchant à tâtons ses jumelles.

"Laisse, je veux voir la tête qu'il fait."

Penchée à l'oreille de Thomas, Kamala y glissa un intense chuchotement en malayalam qu'il ne fit même pas mine d'écouter.

"Il m'ignore. Il fait de nouveau semblant de ne pas m'entendre."

Amina saisit le bras de Jamie, mais il semblait cloué, la bouche entrouverte, comme s'il regardait un film.

"TU M'ENTENDS", hurla Thomas, d'une voix vibrante de frustration qui les fit sursauter. Il devenait agité, une main crispée sur les jumelles tandis qu'il serrait et desserrait l'autre poing. Le bras tremblant, il désigna le potager. "Vous voyez ça? Il fait comme s'il n'écoutait pas, mais il écoute! Je faisais la même chose. Rendais ma mère cinglée."

Amina observait, impuissante, le jardin autour duquel montait, comme de l'eau, le crépuscule bleu.

"Moi aussi", dit Jamie.

Thomas se tourna vers lui.

"Ma mère avait horreur de ça, poursuivit Jamie, dont les joues s'empourpraient. Elle me disait que je le regretterais un jour."

Thomas le dévisagea durant de longues secondes avant de se rasseoir lentement. "Et tu l'as regretté?

— Oui. En fait, oui.

— Et vous êtes proches, à présent?

— Elle est morte il y a quelques années. Cancer du sein.

— Et tu étais près d'elle quand elle est morte?

— Oui.

— Dans la chambre? Près d'elle?

— Papa!" protesta Amina, mais déjà Jamie hochait la tête, en souriant d'un sourire triste et étonné, comme s'il venait d'apercevoir un aspect inattendu d'un endroit qui lui manquait, et cela parut chargé de signification pour Thomas, qui se laissa aller contre le dossier de sa chaise en fermant les yeux.

"Tu n'as rien à regretter", dit-il.

Après le dîner, elle emmena Jamie dans sa chambre et alla prendre une douche au bout du couloir. Quand elle revint, il était étendu, démesuré, en travers de son lit, et contemplait le baldaquin.

"Alors c'est ça qui plaît aux filles ?" Il désignait le ciel du lit. La réflexion avait creusé les rides de son visage. "Avoir jour et nuit des petites fleurs sous les yeux ?

— Quand elles ont, genre, sept ans." Elle s'assit.

"On peut parler d'Air Supply ?

— Non.

— Zut." Il chassa une goutte d'eau de l'épaule d'Amina. "Je savais que tu dirais ça."

Il avait l'air exténué, des poches sous les yeux couleur d'hématomes. Amina se pencha et lui embrassa les joues, puis le front. "On t'a épuisé.

— Je dors mieux quand tu es dans le lit."

Amina sourit et promena les yeux de sa bouche à son cou et, de là, au bouton de sa chemise qu'elle avait le plus envie de défaire, en laissant son drap de bain s'entrouvrir.

"Holà. Attends, non." Jamie s'assit et le referma à deux mains. "Pas de ça. Pas ici.

— Tu es sérieux ? Ils n'en sauront rien.

— Si, ils sauront. Ton père saura. Et alors il montera ici et il me tuera avec ses pouces monstrueusement gros.

— Jamie.

— Et il est hors de question que je bande sur ce lit. Et, franchement, tu devrais douter de la fibre morale d'un type qui le pourrait."

Amina considéra la porte de la chambre avec perplexité. "Papa a de gros pouces ?

— Comment tu peux ne pas le savoir ?"

Elle se rallongea sur le lit. "Bon, tu as survécu à ce dîner."

Il grogna.

"Je suis désolée pour tout ça. Ta mère.

— Ce n'est rien", dit-il, et quand elle le regarda, il avait l'air bien, les plans de son visage s'étaient remis en place, effaçant ce qui pouvait avoir percé pendant sa conversation avec Thomas. "En tout cas, ils sont beaucoup plus sympas que tu ne le disais.

— Il y a un mois, ma mère ne t'aurait même pas parlé.

— Mais si.

— Tu ne connais pas ma mère !

— OK, d'accord. Elle m'aurait lancé des chutneys à la figure. Et alors ? Elle est trop préoccupée maintenant par ton père pour se soucier d'autre chose ?

— Non, elle est amoureuse", dit Amina, et elle comprit en le disant que c'était vrai. Elle pensa au visage de sa mère, à table, ce soir-là, attendant de rire à l'une ou l'autre histoire que Thomas avait racontée un millier de fois, et son cœur enfla comme si elle venait d'avaler une bouffée de vent.

"L'amour c'est bon", marmonna Jamie, les paupières lourdes.

Amina observa sa respiration, la légère pulsation qui tremblotait à la base de son cou. Juste comme elle le croyait endormi, il demanda : "Alors, cette photo. C'était celle-là, hein ?

— Oui."

Il battit des paupières, ouvrit les yeux. "Tu l'aimes ?

— Elle est atroce.

— Ce n'est pas ça que je t'ai demandé."

C'était une drôle de question parce que personne ne la lui avait encore posée, et parce qu'elle n'était pas sûre de connaître la réponse avant de s'apercevoir qu'elle hochait la tête affirmativement, et alors elle sut, absolument. Les yeux de Jamie se fermaient.

"J'aimerais la voir, dit-il.

— C'est vrai ?

— Oui, bien sûr."

Amina se mordilla le bord d'un ongle ; elle l'observait. "Tu veux prendre l'avion avec moi pour le vernissage ?

— La voiture.

— Quoi ?

— Allons-y en voiture.

— La route est longue en voiture", dit-elle, mais déjà il dérivait, le nœud entre ses sourcils se relâchait.

Amina se laissa rouler sur le dos, les yeux au ciel de lit. Tendant le bras, elle pinça entre deux doigts un coin du tee-shirt de Jamie, qu'elle sentait monter et descendre au rythme de sa respiration. Elle se les imagina, lui et elle, roulant vers le nord-ouest, les trembles, les Tétons, la côte déchiquetée de l'Oregon. Le profil de Jamie devant un flou de paysages. Ils dormirent.

6

Comment avait-elle pu oublier la beauté de Dimple ? Pouvait-elle avoir encore embelli en son absence ? Le lendemain matin, Amina, en contemplation devant sa cousine, s'efforçait de ne pas se laisser désarçonner par le caractère surréaliste de ses pommettes hautes et de ses yeux lumineux, sa peau radieuse comme un cul de bébé dans une pub pour des couches.

"Il est tellement maigre", dit Dimple en regardant, à travers la porte moustiquaire de la véranda, Kamala et Thomas en train de jardiner. Elle était arrivée avant les autres, prétextant l'envie de passer un moment seule avec lui, mais à présent qu'elle était là, elle paraissait bloquée, incapable de descendre pour de bon au jardin.

"Les médocs lui coupent l'appétit, expliqua Amina.

— On ne peut rien faire pour ça ? Genre une perfusion en permanence ou autre chose ?

— Pas vraiment.

— Ou comme des aliments qui font grossir ? Il peut pas simplement manger des choses qui font grossir ?

— Il n'arrive pas à les garder.

— Merde." Le menton de Dimple tremblait, elle le frictionna vivement.

"Tu veux que j'y aille avec toi ?" demanda Amina.

Dimple secoua la tête. Elle se mordillait un ongle en observant Thomas qui se penchait.

"Tu veux aller fumer sur le Balcon ?

— Oui. Enfin, non." Elle prit une brusque inspiration. "C'est juste… Je pense que, quelque part, je croyais réellement que c'était exagéré. Que, peut-être, il allait mieux que tout le monde ne le pensait, ou que, peut-être, tout le monde était sur place depuis trop longtemps pour y voir clair." Elle passa le bout d'un doigt sous son œil gauche, le débarrassant promptement de la larme qui menaçait d'en déborder. "Le comble du narcissisme, hein?"

Amina haussa les épaules. "C'est difficile à croire sans l'avoir vu."

Dehors, Thomas se relevait lentement, les jambes tremblantes, jusqu'à ce que Kamala se relève aussi et se cale sous son bras. Dimple se tourna, les paupières frémissantes, vers l'atelier, les lumières amoncelées, la masse parcheminée qui avait été le blouson d'Akhil. "Alors, y a-t-il quelque chose que je devrais savoir? Quelque chose dont, euh, je ne devrais pas parler?

— Oh, tu sais. Le traitement. Tumeurs, médications, pronostics. Manger, dormir. Akhil, mais ça, je crois que ça a toujours été le cas, sauf que si tu parles de lui maintenant, tu vas entendre toutes sortes de trucs.

— Comme le fait qu'ils reviennent tous tels qu'ils étaient le plus beau jour de leur vie?

— Comme le fait que les pendules les rendent plus difficiles à voir.

— Oh."

Elles regardèrent Thomas et Kamala s'éloigner des plants de tomates en direction du fond du potager.

"Tu sais ce que je ne pige pas? fit Dimple. Comment sait-on quel est son plus beau jour? Je veux dire, est-ce qu'il n'y en a pas qui sont liés?"

Amina sourit et donna à sa cousine un léger coup de coude. "Alors, tu y vas, ou quoi?"

Dimple hocha la tête mais ne bougea pas.

"C'est toujours lui", dit Amina. C'était un mensonge, et elle n'était pas sûre que ce n'était pas cruel, mais elle se sentit nettement reconnaissante lorsque Dimple finit par pousser la porte moustiquaire et sortir au soleil. Thomas se retourna en entendant claquer la porte, et une nébuleuse de dents illumina son visage sombre.

"Dimpledimpledimple!" s'écria-t-il, et il ouvrit les bras tandis qu'elle courait vers lui.

"Folie furieuse!" criait Chacko une heure plus tard, un doigt pointé en l'air. "Stupidité!

— Qui lui demande son avis? criait Thomas à son tour. Quelqu'un le lui a demandé?"

Cet après-midi-là, tandis que le reste de la famille se faisait tout petit et que Kamala écossait des pois comme si on la chronométrait en vue d'un record olympique, Thomas et Chacko s'affrontèrent dans le salon avec un entrain renouvelé, comme s'ils n'avaient rien fait depuis cinq jours qu'accumuler des arguments.

"Même un *enfant* sait cela, Thomas! Ma propre *fille* est revenue à la maison pour te supplier de…

— Est-ce que je viens chez lui pour lui crier dessus à propos de ses décisions? Non! Pourquoi? Parce que c'est CHEZ LUI!

— Oh!" Sanji voletait autour d'eux comme un perroquet affolé. "Eh! Voix d'intérieur! Discutons ça en adultes, non?

— Eh bien, si je me conduisais comme toi, j'espère que tu agirais EN HOMME et que tu viendrais chez moi me le dire en face!

— Asseyez-vous, supplia Raj. Nous devrions tous…

— Oh, non, laisse-le dire, je t'en prie! Peut-être Chacko arrivera-t-il à me tuer lui-même avec son complexe de supériorité!

— S'il vous plaît! cria Bala. Nos filles!"

Cela prit un moment, mais il apparut que cette tactique était la bonne car les deux hommes s'éloignèrent l'un de l'autre, les épaules voûtées, les regards en lames de rasoir. Thomas se laissa tomber en flageolant dans l'un des rares fauteuils qui restaient et Chacko alla se caler dans un angle de la pièce, les épaules coincées par les murs. Sanji, Bala et Raj erraient à l'endroit du tapis où aurait dû se trouver le canapé. Kamala écossait les pois.

"Doux Jésus." La voix de Dimple tremblait. "C'est comme ça tout le temps? Pas étonnant que tout le monde ait une mine de merde.

— Ni Jésus, ni merde! fit Kamala sèchement, sans relever la tête.

— Tu n'étais pas là, grommela Chacko. Tu ne sais pas.

— Je sais pas quoi? Qu'engueuler oncle Thomas ne le fera pas changer d'avis? Ouais, papa, ça me paraît assez clair. Et si vous n'êtes pas capables de parler d'autre chose, vous feriez sans doute mieux de rentrer chez vous et de ne plus vous voir pendant quelque temps.

— OK, OK." Sanji remuait la tête. "Pas besoin d'aller aux extrêmes.

— Non, cette enfant a raison, dit Chacko. Si nous ne sommes pas ici pour être honnêtes, pourquoi y sommes-nous? Qu'avons-nous d'autre à nous dire?

— Chackoji, fit Raj, le *s'il te plaît* inhérent à sa voix. Calmons-nous un moment."

Personne ne dit rien avant longtemps. Raj regardait Sanji, Bala regardait Dimple et Amina regardait le sol, à la fois irritée et épatée par le *plinc-plinc* régulier des pois contre le bol en métal. Alors on en était là? Trente ans pendant lesquels personne n'arrivait à en placer une, et maintenant ils n'avaient plus rien à se dire?

"Je me marie", annonça Dimple.

Amina en resta bouche bée.

"Quoi?" Le visage de Chacko était décomposé.

"Avec Sajeev.

— Quoi?" chuchota Bala, comme si parler plus fort risquait de déclencher une bombe capable de faire exploser l'avenir entier.

"Sajeev et moi, on va se marier."

Du sol où elle était assise, Kamala émit un bruit étranglé, les mains figées à mi-hauteur.

"OH MON DIEU!" Sanji se leva d'un bond en gesticulant, serra Dimple dans ses bras, la balança d'un côté à l'autre. "Tu vois? Tu vois? Depuis tout ce temps que je te dis d'être patiente et que tu trouveras l'homme de ta vie et que tu auras tes bébés avant que ton utérus ne soit aussi desséché qu'un abricot de Turquie, et voilà! C'est arrivé!

— Sajeev *Roy*? demanda Bala, tremblante.

— Oui, maman. Bon dieu, quel autre Sajeev on connaît?

— Il sait? demanda Kamala, les sourcils froncés. C'est ce qu'il veut?

— Maman, fit Amina, les yeux au ciel. Il le lui a *demandé*.

— SAJEEV ROY!" s'écria Bala d'une voix stridente, et elle se mit à sauter sur place, bracelets, sari et visage en une confusion de vert et d'or, et tout le monde devint cinglé. Thomas beuglait. Kamala marmonnait. Raj et Sanji s'embrassaient, étreignaient les deux jeunes femmes, tandis que Chacko clignait des yeux avec l'air sonné et désorienté d'un homme qui s'est endormi dans un pays et se réveille dans un autre.

"Viens ici, espèce de petit rat!" cria Thomas, et Dimple alla vers lui, se pencha pour qu'il puisse l'embrasser.

"Tout ce temps! disait Sanji au reste d'entre eux. Pendant tout ce temps vous vous êtes tous fait du souci à vous demander si Dimple trouverait jamais quelqu'un qui vous plaît, et voilà que cette petite choisit Sajeev Roy en personne!

— Tu te maries? demanda Chacko.

— Oh, Dimple, il va pleurer, dit Thomas, en la poussant vers lui. Regarde ce que tu as fait au cœur de ton pauvre père!

— Il faudra que nous allions à Mumbai pour trouver les *lehengas* et les bijoux qui conviennent! criait Bala à personne en particulier. Au moins trois tenues!

— Non, attends, maman, nous n'allons…

— Quelle saison? Hiver? Été? Alors seulement nous saurons quelle robe il faut, hein? Quelqu'un doit appeler les Roy!

— Pas encore! Sajeev doit être le premier à le leur dire, d'accord? Mais, écoute, nous ne…

— Ils voudront faire la réception de fiançailles dans le Wyoming, sans doute. Ça me va, d'accord, Chacko? Réception chez le fiancé, mariage chez la fiancée?

— Non, hurla Dimple. Arrêtez!"

Bala se renfrogna. "Mariage à Seattle?

— Pas de mariage. On file à deux."

Bala se tut, matraquée par l'incompréhension.

"On a déjà tout prévu, expliqua Dimple. On va chez le juge, à Seattle, dans trois semaines, rien que nous deux. Vous savez, on veut que ça reste simple."

La famille était catapultée dans le silence. Ils ne savaient pas. Bala, en particulier, ne savait pas, ses yeux parcouraient fiévreusement la pièce autour d'elle comme s'il y avait quelque part un mot de la fin à découvrir.

"Même pas nous?" Le visage de Sanji était pétrifié de désarroi.

"Nous avons déjà tout prévu, répéta Dimple, en quémandant du regard l'aide d'Amina. Ce n'est vraiment pas si important. Ça se fait tout le temps.

— Qui fait ça? demanda Sanji. Des Américains? Des orphelins?

— Ce sera tellement plus simple. Et pas cher! Pas cher, papa. Ne prétends pas que ça ne t'interpelle pas.

— Pas de mariage? demanda Chacko tristement. Je ne danserai pas avec ma fille?

— Tu as envie de *danser* avec ta fille?

— Bien sûr, qu'il en a envie! fit Thomas, offusqué. Qu'est-ce qui ne va pas, dans ta tête?

— Elle est folle, dit Sanji en agitant un doigt. Absolument complètement siphonnée. C'est très joli de ne jamais rentrer chez soi, femme active, trop occupée, mais un *mariage*? Sans *famille*? Pourquoi pas un zoo sans animaux!"

Les pleurs de Bala envahissaient la pièce, doux et pénétrants comme l'humidité ; Dimple lança à Amina un regard suppliant.

"Pourquoi pas une cérémonie simple et brève, et une toute petite réception d'une centaine de personnes seulement?" Raj hochait la tête d'un côté à l'autre comme si ce n'était vraiment pas différent d'une fugue à deux.

"Non, fit Dimple dans un soupir. Ça demanderait trop d'organisation. Nous avons juste envie de faire ça et…

— Je peux organiser! s'écria Bala, s'emparant de cette possibilité comme d'une bouée lancée dans l'océan. Tous les détails, OK? Les fleurs, les robes, le repas et le gâteau – rien ne sera laissé à ta charge, d'accord?

— Non, ce n'est pas… Écoute, maman, c'est gentil de le proposer, mais je ne veux pas.

— Mais une robe, gémit Bala. Tu as sûrement envie de quelque chose de beau? Nous n'avons même pas besoin d'y aller nous-mêmes, je peux faire commander un simple *lehenga neemzari* par ma sœur, et il pourrait être ici en six semaines et…

— NON. Rien de tout ça, OK? Je ne vais pas attendre six foutues semaines et inviter cent personnes à venir m'entourer et m'étouffer! Et il n'est pas question que je porte une de ces atrocités bollywoodiennes qui laissent le ventre nu!"

Sanji lui lança un regard pénétrant. "Tu es enceinte.

— Oh bon Dieu, dit Amina, se décidant enfin à intervenir. Sérieusement, vous autres, ce n'est pas comme s'il y avait de quoi être tellement surpris, hein ? Il s'agit de Dimple. Et, de toute façon, elle épouse toujours Sajeev, donc c'est toujours formidable, non ?

— Je suis enceinte, dit Dimple.

— Ho ! s'exclama Kamala, tandis que le visage de Chacko devenait livide. Ho, ho, ho ! Maintenant on voit !

— On voit *quoi* ? demanda Dimple, furieuse.

— Ça alors !" Sanji regardait fixement le sol, très surprise, apparemment, d'avoir vu aussi clair quelques instants plus tôt. Elle se battait les flancs des deux mains, comme pour activer sa circulation. "Alors, voilà. Maintenant nous savons.

— *Enceinte* ? demanda Amina.

— Je suis désolée." Dimple la regardait, les yeux écarquillés. "Je voulais te le dire d'abord. J'aurais dû te le dire d'abord. J'ai essayé, dans la véranda, ce matin. Je n'ai tout simplement pas pu.

— Les Roy savent ? demanda Kamala.

— *Maman.*

— Quoi ? Simple question.

— Oh, mon Dieu, gémit Bala, qui tenait ses bracelets serrés comme pour les protéger. C'est un *scandale*. Nous serons *scandalisés*.

— Oh, ça va." Dimple levait les yeux au ciel. "Est-ce que tu sais seulement ce que c'est qu'un scandale ? Je suis amoureuse et je vais avoir un enfant et nous allons nous marier. La belle affaire.

— Mais tout le monde saura quand le bébé naîtra ! Qu'est-ce que les Roy vont penser de nous ? *Ach !*

— On s'en fout, de ce qu'ils penseront, gronda Chacko, qui se reprenait enfin. Qu'est-ce que *nous* pensons ? Quel genre de famille fait ça ? Il faudra que j'aie une conversation avec ce garçon ! Lui remonter les bretelles.

— Papa, arrête. On n'est plus en 1950."

Mais n'était-on pas toujours en 1950 pour Chacko ? Et même pas 1950 en Amérique, mais 1950 en Inde, où une fille célibataire trentenaire enceinte était aussi inconcevable qu'une licorne en chaleur. Une telle indignité lui mettait le feu au visage.

"Eh", fit Thomas en tentant de croiser le regard de Chacko. "Elle a raison, tu sais. Ce n'est pas si grave.

— Qu'est-ce que tu en sais ? fit Chacko, fulminant.

— Bon, alors, faisons ça le plus vite possible", déclara Sanji comme si elle concluait une conversation avec elle-même. "D'accord, Dimple ? C'est pour ça que tu voulais faire ça seule, hein ? Pas parce que tu ne veux pas de nous, mais parce que tu voulais faire vite ?

— Je ne… c'est-à-dire, en bonne partie, oui.

— Alors pourquoi pas ce week-end ?

— Quoi ?

— Dans quatre jours ! Tu restes jusqu'à dimanche, de toute façon. Ça nous suffit pour préparer la fête. Un mariage, ce n'est jamais qu'une fête, hein ? Nous en faisons tout le temps, des fêtes.

— Oui, applaudit Raj. C'est une bonne idée. Tellement simple pour nous d'organiser quelque chose, pas vrai, Bala ?"

Dimple regardait nerveusement autour d'elle. "Nous n'avons pas besoin de faire ça. Je veux dire qu'oncle Thomas a assez de soucis en ce moment, nous n'avons pas besoin de…

— Le juge Montano est un de mes vieux patients ; il pourra célébrer la cérémonie. Et le jardin est tellement joli à cette saison, non ? dit Thomas. Et si vous faites ça ici, je n'aurai pas à voyager, ce qui serait merveilleux. Et les Roy peuvent facilement venir du Wyoming, et Kamala peut cuisiner.

— Je peux ?

— Nous cuisinerons tous les deux, dit Raj, approuvant avec enthousiasme.

— Qu'en penses-tu ?" demanda Amina calmement, comme si les autres n'écoutaient pas, et sa cousine palpa instinctivement sa poche, cherchant la présence rassurante d'un paquet de cigarettes, avant de se rappeler pourquoi il avait disparu.

Elle se mordilla l'ongle. "C'est-à-dire, il faudrait que Sajeev soit d'accord, évidemment.

— Alors appelle-le tout de suite ! dit Sanji. De quoi d'autre as-tu besoin ?"

De quoi d'autre avait-elle besoin ? Dimple tourna vers Chacko un visage d'une vacuité déconcertante, caveau renfermant trois décennies de désappointement. À sa périphérie, Amina apercevait Bala qui hochait la tête, adjurant intérieurement Chacko de céder, de ne pas rendre la rupture entre eux plus permanente qu'elle ne l'était déjà.

"Eh", fit Thomas doucement et, cette fois, Chacko le regarda. "Tu verras ta fille mariée. Tu connaîtras ses enfants. N'est-ce pas assez?"

La question resta en suspens dans l'air, missive tendre. Et alors, que dit Chacko, que fit-il pour susciter dans la pièce ce mol effondrement de soulagement? Amina l'ignora, parce qu'elle ne regardait plus son oncle mais l'espace vide, sur le sol, à l'emplacement du canapé, et sentait choir en elle, tel un roc, tout le poids de l'avenir qu'elle perdait avec Thomas. L'atmosphère changea, les membres de la famille s'agitaient, se penchaient, se tournaient les uns vers les autres. Dimple se dirigea vers le téléphone tandis que les autres commençaient à faire le genre de plans qu'ils adoraient faire, où chacun avait sa contribution à apporter. Amina, raidie, retenait son souffle, attendant que le pire s'éloigne. Elle, Kamala et Raj s'occuperaient du repas. Bala prendrait soin des décorations. Sanji tiendrait la liste de tout ce qu'il y aurait à faire et ferait toutes les courses. Chaude et sèche, la main de Thomas se posa sur la nuque d'Amina. Elle se retourna, étonnée de le voir debout, de le sentir si proche. Au prix de quels efforts s'était-il traîné jusqu'à elle? Il l'attira contre lui, et elle enfonça dans son épaule son visage brûlant, soulagée d'avoir un endroit où le cacher.

7

"Redis-moi", demanda Jamie, essoufflé, tout en hissant dans la robuste ramure d'un peuplier un lustre gigantesque fait d'au moins vingt lampions ronds en papier, "pourquoi c'est une bonne idée?

— Parce que si on installe ça, on pourra se débarrasser de la plupart des autres éclairages et la maison cessera d'avoir l'air d'une clinique psychiatrique dans un spectacle de Broadway.

— Il y a donc un quota de lumière?

— Apparemment, oui."

Il grogna, et enfonça ses talons dans la piste de danse pliable en linoléum que Thomas avait dénichée dans un coin de la véranda. Pauvre Jamie. Ils l'avaient vraiment mis à contribution lorsqu'ils s'étaient rendu compte des avantages de sa taille et avaient fait de lui le truchement de Thomas. Jusque-là, il avait repositionné le canapé dans le pré, ajouté une longueur à la table du repas, descendu pour Kamala la totalité de la vaisselle des étagères supérieures des placards et vidé le pick-up des sacs de terreau qui s'y trouvaient (une tâche sans rapport avec le mariage à proprement parler, mais à laquelle Kamala et Thomas avaient semblé tenir si vivement qu'il n'avait pas pu refuser). Amina zooma sur ses mains serrant la corde et puis, baissant l'appareil, regarda dans le viseur leur réplique instantanée.

"C'est assez haut?" demanda-t-il, haletant.

Elle leva la tête. "Encore un peu, si possible?

— Tu es folle.

— Regarde, c'est pas incroyable?" Tournant l'appareil vers lui, elle lui montra la minuscule image de ses mains.

L'appareil numérique était un cadeau de Sajeev, arrivé la veille dans un tourbillon de joues pincées par les femmes et de poignées de main des hommes (à l'exception de Chacko qui le salua d'un bref hochement de tête et puis s'en fut se promener aux limites du jardin, comme pour s'assurer de l'absence d'intrus). Amina avait promis de se familiariser avec ce nouvel appareil avant le mariage, bien que Dimple soit farouchement opposée à ce qu'elle l'utilise.

"Oh, mon Dieu!" disait à présent sa cousine, qui arrivait de l'angle de la maison avec deux plantes en pot. "C'est ça, l'éclairage? Ce truc au-dessus de nos têtes?

— Tu aimes?" demanda Jamie, les bras tremblants. Ils n'avaient jamais été vraiment bons amis, Jamie et Dimple, se bornant à se flairer mutuellement avec méfiance, mais ils faisaient un effort, plus enthousiastes l'un de l'autre qu'ils ne l'avaient jamais été seuls avec Amina.

"C'est inouï! Comment êtes-vous arrivés à faire ça? Toutes ces grappes?

— Pose pas la question, grommela-t-il tout en attachant le bout de la corde à un pieu. Sauf si tu as envie d'entendre le père d'Amina en parler pendant très, très longtemps.

— À propos, dit Dimple, en jetant un coup d'œil derrière elle. Il faudrait vraiment qu'on le fasse sortir de la cuisine avant que Raj et ta mère ne le tuent. Et puis on devrait aussi faire sortir Raj.

— À ce point?" Amina visa en gros plan le visage de sa cousine ; elle aimait le reflet ocre des soucis en fleur sur les joues et le menton de Dimple. Elle lui montra le résultat.

"Ah! Arrête ça. C'est trop embêtant.

— Satisfaction instantanée!

— La satisfaction devrait être différée.

— À ton gré, mère célibataire.

— Chut!" Dimple se retourna, cherchant du regard les Roy, arrivés le matin même, désorientés et aussi bien élevés que jamais, et qui, de l'avis de la famille, n'avaient pas réellement besoin d'être mis au courant de la grossesse de Dimple avant que le mariage ait eu lieu et que tout le monde soit bien rentré, chacun dans son État. ("Et même alors, avait dit Bala la veille, pendant le repas du soir, les bébés prématurés, ça arrive tout le temps, non? Qui ira dire que ce n'est pas le cas de celui-ci?")

"Je croyais que ta mère avait mis les Roy au travail sur les guir-landes de fleurs, dit Amina.

— C'est ce qu'elle a fait. Et, comme la plupart des gens nor-maux, le père de Sajeev a décidé qu'il préférerait se tirer une balle dans la tête. La dernière fois que je l'ai vu, il regardait une espèce de pancarte bizarre, là derrière, qui représente un chat.

— Un raton laveur, dit Amina. C'est le Racooner.

— OK", dit Jamie en se frottant les mains à sa chemise et en constatant les balafres rouges sur ses paumes. "On l'essaie?"

Amina se mit à reculer sur le pré, l'appareil contre son visage. "Vas-y."

Il se pencha, tête baissée, et, d'un coup, les lampions resplen-dirent au-dessus de lui, grappe sur grappe de ronds étincelants se renvoyant la lumière. Debout là-dessous, Jamie et Dimple, têtes levées, ressemblaient à un conte de fées : un géant, un lutin et, planant au-dessus d'eux, une lune effervescente.

"Venez ici. Faut que vous voyiez ça.

— Qui? demanda Dimple.

— Vous deux", dit Amina, et ils la rejoignirent, en regardant où ils marchaient dans l'herbe et en se retournant pour admirer.

Ce ne fut pas le plus beau mariage qu'elle eût jamais photo-graphié. D'abord, les soucis en pot ne possédaient pas la même valeur romantique que d'autres bouquets plus traditionnels, cal-las, par exemple, ou roses blanches. Ensuite, les nappes dépareil-lées, les chaises pliantes et un arc-en-ciel de serviettes faisaient ressembler la table du repas à celle d'un goûter d'enfants aliénés. Mais ce soir-là, tandis que Dimple et Sajeev prononçaient leurs vœux sous la constellation de Thomas, que Sanji s'éventait le visage avec assez d'énergie pour garder les yeux secs et que tous les autres adultes (Kamala exceptée) se laissaient aller à pleurer doucement, Amina comprit que ces photos-là seraient de celles qu'elle ne se fatiguerait jamais de revoir.

Dimple, debout dans la chambre d'Amina, enroulée dans un drap de bain, les épaules maigres, éreintée d'énervement. Bala descendant en courant porter des fleurs en bas de l'allée afin que les Roy n'entrent pas dans la propriété sans s'y voir accueillis par quelque chose de beau. Thomas et Chacko, têtes penchées sur le tableau des fusibles, s'efforçant de découvrir ce qui avait fait sauter le courant dans une moitié de la maison. Kamala ajoutant du piment en poudre au *sambar* de Raj pendant que celui-ci explorait le frigo. Sanji, fumant en douce une cigarette sur le Balcon parce que "vous êtes quoi, vous, les filles, sinon mon propre cœur devenu adulte une fois pour toutes ?"

Plus tard, il y aurait l'arrivée des Roy, Sajeev et Chacko se serrant enfin la main, l'embrouille des anneaux, le repas. Prince Philip filerait avec une cuisse de poulet *tandoori*, Chacko et Dimple danseraient la danse père-et-fille tant désirée, à laquelle Amina et Thomas se joindraient à la fin, encouragés par les autres.

À neuf heures du soir, alors même que les Roy semblaient prêts à annoncer leur départ pour leur hôtel, Amina mit *At last* et attendit que se manifeste la magie de la musique. Elle ne fut pas déçue. L'un après l'autre, les couples gagnèrent la piste de danse et bientôt tous les cinq dansaient. Sanji et Raj, épuisés, s'accrochaient l'un à l'autre, les Roy flottaient. Dimple et Sajeev se balançaient, la tête de l'une calée fermement sous le menton de l'autre. Bala n'arrêtait pas de parler à tout le monde, quelle que soit la direction dans laquelle Chacko la tournait. Kamala et Thomas bougeaient à peine, front contre front, les mains serrées autour de la taille l'un de l'autre. Amina monta sur une chaise pour avoir une vue d'ensemble, affermie par Jamie qui lui tenait les hanches.

Ça commença quelque temps après minuit. Amina le sut parce qu'elle n'avait pas l'impression de dormir depuis tellement longtemps quand, tout à coup, la voix de Thomas retentissant dans l'obscurité, aussi sonore et insistante qu'une sonnerie de téléphone, la tira de ses rêves. Elle s'assit dans son lit. Gagna la fenêtre.

Les lampions du mariage étaient encore allumés, projetant sur les prés une vague lueur dorée et définissant la face arrière du canapé et la légère bosse de la tête de Thomas, de telle sorte que, lorsque la brise agitait l'herbe, il avait l'air de naviguer sur un radeau dans une mer noire et vert. Ses paroles s'envolaient par bribes. Amina se pencha au dehors. Que disait-il ? Rien qu'elle pût comprendre de si loin. Elle descendit.

Il faisait sombre dans la cuisine, la vaisselle mise à sécher s'étalait sur tous les plans de travail, tels les ossements d'un animal préhistorique. Elle les contourna avec précaution, traversa la buanderie et parvint dans la véranda obscure.

"L'arc et la flèche, dit Thomas. Pour la concentration."

Près de lui, dans l'herbe, Prince Philip répondit d'un battement de queue.

"Eh, papa…" criait Amina quand une main lui écrasa la bouche.

"Non!" siffla Kamala en l'obligeant à reculer et à se baisser. "On se tait!

— Mmph!" Amina tenta de se relever mais Kamala se cramponnait à elle, les yeux brillants comme ceux d'un singe sauvage, jusqu'à ce qu'Amina parvienne à inspirer profondément et à signifier à sa mère, d'un signe de tête, qu'elle avait compris. *Oui. D'accord. On se tait.* Kamala relâcha lentement son étreinte. Dehors, Thomas se balançait d'avant en arrière sur son siège avec excitation.

"Tu as raison, dit-il. Absolument raison."

"C'est…?" commença Amina, mais elle n'avait pas besoin de finir. Ça ne pouvait vraiment être personne d'autre.

C'était un épanchement, une mousson. Toute la nuit et l'aube venue, un déluge s'écoula des lèvres de Thomas, assis sur le canapé. Si une grande partie de ce qu'il disait à Akhil était prononcé à une voix trop basse pour être intelligibles de leur poste dans la véranda, les petites parcelles qu'Amina arrivait à comprendre – comment fonctionne un aiguillage, pourquoi les matchs de cricket peuvent durer si longtemps et rester pourtant intéressants, quelle avait été l'émotion de ramener Akhil bébé de l'hôpital – paraissaient également sans rapport et urgentes, comme s'il y avait une liste de sujets qu'il aurait juré de traiter avant la fin du jour.

En milieu de matinée, il ne donnait pas signe de ralentissement ; Kamala prépara du thé et des toasts et contourna pour les lui apporter une Amina désapprobatrice.

"Je croyais que tu avais dit on se tait.

— Il ne s'agit pas de parler, idiote. Il s'agit de *manger*."

Amina suivit sa mère jusqu'au canapé, où son père les accueillit toutes deux d'une main préventivement levée, comme s'il était au téléphone.

"Thé, annonça Kamala. Toasts."

"Mais il a gagné l'Oscar, dit Thomas en lui signalant de poser le plateau. Et la Padma Shri! Tu crois que le gouvernement indien honorerait des gens qui insultent l'intégrité du pays?

— Ben Kinglsey?" Amina n'avait pu s'empêcher de poser la question et son père confirma d'un hochement de tête irrité, en la chassant d'un geste.

En fin d'après-midi, elles revinrent s'asseoir chacune à son tour à côté de lui sur le canapé. Kamala raccommoda des chaussettes pendant près d'une heure, et Amina prit trois rouleaux de gros plans. Ce n'était pas qu'elle voulût savoir ce qu'il disait, songeait Amina, en photographiant le profil très amaigri de Thomas, mais plutôt que ce monologue décousu était, d'une certaine façon, rafraîchissant, tel le *ta-ta-ta-ta-tat* d'une pluie d'été sur un toit de tôle, lavant la chaleur et le chagrin qu'ils avaient endurés.

Son père était enfin heureux. Cela sautait aux yeux. La joie épanouissait son visage, conférant à ses joues et à ses yeux une intensité disparue depuis qu'il avait pratiqué sa dernière opération. Ses mains voltigeaient comme pour récolter des phrases dans l'air. Il riait, à l'occasion. À un moment donné, il alla même jusqu'à se tourner vers elle en lui adressant un clin d'œil, lui donnant l'impression qu'elle participait à une conspiration inepte et compliquée.

"Peut-être que ça le guérit?" suggéra Raj quand il arriva le lendemain matin pour récupérer ses plats, et l'espoir contenu dans sa voix enfla le cœur d'Amina avant même qu'il n'aille s'asseoir sur le canapé, écouter et hocher la tête.

L'après-midi, la famille vint le relayer, d'abord Sanji, puis Bala, et enfin Chacko, qui étonna tout le monde par la remarquable endurance dont il fit preuve en supportant ce bavardage incessant pendant huit heures d'affilée avant de s'autoriser à rentrer dormir chez lui.

"Encore? demanda Jamie ce soir-là.

— Encore", confirma Amina. Elle approcha le téléphone de la fenêtre de sa chambre, où la voix de Thomas ronronnait comme un essaim d'abeilles. "Tu entends?

— Non.

— Oh. Eh bien, il est encore là."

Ce n'est que le quatrième jour, lorsque Thomas cessa de s'alimenter, qu'elle commença à s'inquiéter vraiment. Assises dans la cuisine, Sanji, Kamala et Amina contemplaient le bol de riz et de poulet refusé comme s'il était plein de serpents.

"Rien non plus au petit-déjeuner?" demanda Sanji, et Amina lui montra du doigt le pain grillé qu'elle avait laissé sur le comptoir, à tout hasard, comme s'il pouvait venir le chercher.

"Il a sans doute des nausées ou quelque chose comme ça", dit Sanji, mais elle appela tout de même Chacko à son bureau.

"*Eda*", dit Chacko ce soir-là, agenouillé devant Thomas pour l'obliger à croiser son regard, "tu dois manger.

— Plus tard", dit Thomas.

Chacko lui caressa la jambe. "Tu as besoin de tes forces. Tu t'épuises.

— Plus tard", répéta-t-il, ignorant toute nouvelle supplication de la part de quiconque, y compris Raj, qui apporta à l'heure du dîner un assortiment complet des aliments préférés de Thomas. Ce soir-là, la famille s'attarda dans la cuisine, dans un silence embarrassé qu'accentuait le bavardage de plus en plus frénétique de Thomas. Contrairement à la prédiction de Chacko, il était plus animé que jamais, sautant sans reprendre haleine d'un sujet à un autre comme un homme qui aurait vendu aux enchères des régions entières de pensée.

"L'exode diminue", dit-il.

"Ce n'était pas l'avis de ta mère."

"Des lance-pierres!"

Le sixième matin, il refusa thé et jus de fruits.

"Il faut que tu boives", dit Amina en lui apportant un simple verre d'eau, au cas où ç'aurait été le problème.

"Mais certaines narcolepsies réagissent aux inhibiteurs de la recapture de la noradrénaline", dit Thomas, et elle sentit une vrille de panique lui serrer les poumons.

"Papa, tu te déshydrates."

Thomas releva la tête. Ses pupilles se dilatèrent et se rétractèrent, la découvrirent pour la première fois depuis des jours.

"Je viens voir ton exposition, dit-il.

— Quoi?

— Je ne sais pas pourquoi nous n'y avons pas pensé plus tôt." Son haleine était fade et putride, comme du pain qui fermente dans un sac. "Ta mère sera ravie."

Elle trouva Kamala dans la buanderie, en train de laver des draps.

"Oui", dit sa mère après s'être laissé traîner jusqu'à la véranda pour le regarder. "Je vois.

— Bon, et maintenant?" Amina serrait et desserrait les mains, les frottaient sur son jean. Comment allaient-elles réussir à l'amener à la voiture? Il fallait qu'elles le fassent monter dans la voiture. Chacko et Raj devraient venir les aider – il n'y avait pas moyen de faire autrement.

"Comment ça?

— Il faut qu'on l'emmène à l'hôpital", répéta Amina, agacée. Kamala avait-elle perdu la tête, elle aussi? Pris des tranquillisants? Les cils de sa mère battirent lentement, rythmant la réflexion, ailes de papillon tâtant le vent.

"Pas encore", dit-elle.

Mais quand? Ce jour-là, tandis que la voix de Thomas, de rauque, devenait écorchée, que ses lèvres se réduisaient à deux minces bandes de viande de bœuf séchée et que le soleil se traînait dans le ciel, Amina marcha de long en large sur le pré, aussi incapable de rester assise à côté de son père que de le perdre de vue. Il parlait toujours, ou du moins s'y efforçait, d'une voix basse comme un moteur tournant au ralenti. Cela avait l'air pénible, à présent, sa langue sèche et raide dans sa bouche, les commissures de ses lèvres encroûtées de blanc. Il grimaçait lorsqu'il bougeait, et Amina se rendit compte qu'il devait également avoir cessé de prendre ses antidouleurs.

"Je t'en supplie", dit-elle en s'asseyant près de lui avec les comprimés, et comme il ne faisait même pas mine de remarquer sa présence, une voix qui devait être à elle hurla "JE T'EN SUPPLIE, JE T'EN SUPPLIE!"

"Amina?" Kamala arriva en courant de la maison. "Qu'est-ce que c'est? Qu'est-ce qui se passe?

— Il ne boit pas", dit Amina d'une voix brisée et sa mère, s'asseyant à côté d'elle sur le canapé, lui prit des mains les comprimés et le verre d'eau.

"Va, dit-elle à Amina. Dors."

Cette nuit-là, les mots de Thomas s'insinuèrent comme des insectes dans les rêves d'Amina, les remplissant d'un bourdonnement sourd et chantonnant qui la fit se tourner et retourner sur elle-même, et ne diminua pas quand elle s'éveilla. La tête lui pesait. Si Thomas était la Création, il serait à présent en train de créer l'Homme. Amina se leva et regarda par la fenêtre. Il était toujours sur le canapé.

Kamala détachait des feuilles de coriandre de leurs tiges quand elle entra dans la cuisine.

"Il a bu quelque chose ?" demanda Amina, et quand sa mère secoua la tête, elle saisit enfin, et c'était tellement évident et inimaginable qu'un grand fracas lui traversa le corps, réorganisant son squelette afin de faire place à un chagrin si gros qu'il semblait un nouvel organe. Elle agrippa le comptoir en haletant.

Debout devant elle, Kamala disait son nom, repoussait ses cheveux derrière son oreille. *Koche*, disait-elle. *Mon bébé, ma petite fille.* Elle embrassa les mains d'Amina, l'une après l'autre, et puis chacune de ses joues, les yeux brillants. "Ça va aller", dit-elle.

Mais se pouvait-il que ce fût Kamala ? Que ce fût cette mère avec laquelle Amina avait grandi, l'immigrante malgré elle, la partenaire incertaine, la solitaire accablée et accablante ? Cet après-midi-là, quand la grosse berline bleue de Monica s'arrêta dans l'allée, Amina vit sa mère étreindre la femme à laquelle, depuis vingt ans, elle adressait à peine la parole, avant de la prendre par la main et de l'emmener dans la maison.

"Merci de m'avoir appelée, dit Monica quand Kamala ouvrit la porte de la véranda.

— Il sera si content de vous voir", répondit Kamala.

Savoir si Thomas avait conscience de la présence de Monica n'était pas évident, sa voix s'étant réduite à quelques grognements espacés, mais Amina les regardait par la fenêtre tandis que la collaboratrice de son père pleurait en lui tenant la main et puis se relevait en l'embrassant sur le front. Revenue dans l'allée, elle confia à Amina une ampoule de morphine.

"S'il en a besoin", dit-elle et, se ruant dans sa voiture, elle redescendit l'allée sans laisser à Amina le temps de savoir quoi dire.

Le suivant fut Anyan George, qui ne resta pas longtemps et ne s'assit pas du tout mais dit néanmoins des choses très gentilles, les mains tiraillant les poignets de sa chemise, les yeux fixés au loin, par-dessus la tête de Thomas.

Vers la fin du jour, Kamala emmena la famille auprès de lui. Bala s'agenouilla et lui toucha les pieds. Sanji l'embrassa sur les joues et le front. Raj lui chuchota à l'oreille quelque chose de gentil et précipité avant de s'enfuir vers sa voiture. Chacko lui tint le visage à deux mains, comme s'il essayait de le graver dans sa mémoire, et Thomas le regarda en clignant des yeux. Il grogna.

"Quoi? demanda Chacko en se penchant vers lui. Qu'y a-t-il?

— *Plus tard*", murmura Thomas.

ÉPILOGUE

Jamie avait horreur de l'avion. Non qu'il se dégonflât, ni qu'il y fît allusion, mais c'était évident à le voir remuer sur son siège pendant que l'appareil roulait sur la piste, et tripoter les fiches de sécurité et le cendrier défunt depuis longtemps comme s'ils pouvaient renfermer une sortie de secours.

"Tu veux sortir? demanda Amina. Tu veux qu'on renonce tout de suite, tant que tu le peux encore?

— Oui." Jamie baissa et releva le store du hublot en grimaçant à chaque opération. "Tu me connais si bien."

Il lui prit la main et la porta vers son visage, inhalant son poignet comme si c'était un agent calmant, et Amina se tourna vers le hublot pour regarder la piste miroitante, l'étendue aride de la mesa s'étirant au-delà sur des kilomètres. Cela paraissait ridicule de partir si vite après l'enterrement.

"Comment, ridicule?" avait demandé Sanji lorsqu'elle en avait dit autant la veille, alors que toutes deux regardaient par la fenêtre de la cuisine Kamala en train de récurer le pavement en brique du jardin. "Tu ne peux pas. Tu ne peux pas manquer ta propre exposition, idiote. Et tu seras de retour dans quelques jours. Le chagrin sera toujours là, ta mère sera toujours là. Le foutoir pourrait même être encore là si cette sacrée bonne femme n'arrête pas de nous rendre cinglés de cinquante manières différentes!"

La raison pour laquelle le départ de Thomas avait déchaîné chez Kamala une frénésie de nettoyage, personne ne la connaissait mais, les jours suivants, elle avait semé la terreur dans chacune des pièces de la maison et, du même coup, dans la famille. Jusqu'alors, Raj et Chacko avaient battu une bonne vingtaine de tapis pendant que Sanji nettoyait le garde-manger et que Bala se chargeait du frigo. Et si tous se plaignaient à Amina d'être "réduits aux travaux forcés" (*dixit* Sanji), ils semblaient aussi étrangement heureux de faire cela, têtes et mains totalement occupées par ces travaux. Kamala, quant à elle, passait de chambre en chambre, zélée et tyrannique. La nuit, elle dormait dans le lit du côté de Thomas, cramponnée à un coussin du canapé comme à un engin de flottaison.

"Ça y est, hein?" fit Jamie comme l'avion prenait de la vitesse. "C'est maintenant que ça se passe?

— Attends, t'as jamais pris l'avion?" Amina entoura de sa main le poing crispé de Jamie.

Au dehors, la mesa devint floue, une simple ligne beige, et l'air les comprima, les plaquant sur leurs sièges pendant l'ascension de l'appareil. Jamie avait l'air pâle et un peu malade, les yeux hermétiquement fermés tandis que l'avion s'inclinait vers le nord.

Ils viraient à présent, découvrant une vue panoramique des Sandia, les profondes crevasses noires et vertes, les faces rocheuses, le ruban de route menant à la crête blanche. Amina contemplait Albuquerque, les ricochets de la lumière sur le quadrillage tentaculaire des maisons et des piscines, les voitures roulant sur l'autoroute, tels des insectes affairés. Elle imagina tout cela disparu, défait, effacé, revenu à 1968, quand la ville n'était rien de plus qu'une bonne centaine de kilomètres d'espoir tapi dans une tempête de poussière. Elle imagina Kamala sur l'aérodrome, marchant vers une vie dans le désert, le corps tiré de l'avant par la foi et un vent sale.

REMERCIEMENTS

Quand on met dix ans à écrire un livre, on a beaucoup de monde à remercier. Je tiens à exprimer mon immense gratitude à :

Mon mari, Jed Rothstein, pour m'avoir signalé quand une scène ne marchait pas, si inconfortable qu'en devienne le dîner ; mon agent, Michelle Tessler, pour avoir cru à ce livre quand ce n'était encore qu'une poignée de scènes ; ma meilleure amie et complice, Alison Hart, dont, au cours des années, les innombrables commentaires ont rendu ceci plus intelligent et plus pénétrant à chaque intervention.

Ma mère, pour m'avoir instillé très tôt l'amour des livres, de la politique et de la bonne cuisine ; mon frère, pour m'avoir instillé très tôt l'amour du heavy metal. Et aussi, merci d'avance à vous deux de ne pas gifler toute personne qui ferait l'erreur regrettable de croire que l'un de vous est Kamala ou Akhil.

Ma famille dans le monde, les Jacob de Seattle, les Rothstein, les Cheryan, les Abraham, et la formidablement charmante Eliamma Thomas. Ma "famille dans ce pays, en tout cas" – les Koshy, Avasthi, Kulasinghe, Weissman, Margalik, Kurian – et tout spécialement Anita Koshy, qui m'a fait profiter de son inestimable expertise médicale, et oncle Koshy, qui s'est mis en quête de faits obscurs avec la diligence d'un chien de chasse.

Sean Mills, qui m'a offert un espace où écrire et une série de conversations approfondies quand j'en avais le plus grand besoin. Jacob Chacko, qui a lu ce livre et a répondu ensuite à un plus grand nombre de questions qu'on ne devrait le faire sans en être ensuite dûment récompensé.

Mes merveilleux lecteurs tout au long des nombreuses étapes de ce livre : Amanda McBaine, Chelsea Badon, Joanna Yas, Alice Bradley, Karla Murthy, Sara Voorhees, Emily Vooorhees, Monica Belanco,

Deborah Copken Kogan, Noa Meyer, Garrett Carey et Abigail Walch. Mes mentors, Dani Shapiro, Abigail Thomas, Honor Moore, Sylvia Watanabe, Diane Vruels et Robert Polito. David Dunbar et ses City Terms classes.

Mon éditrice, Kendra Harper, pour son regard acéré et son enthousiasme ; Susan Kamil, Karen Fink, Kaela Myers et toute l'équipe de Random House pour leur incroyable énergie ; Diya Kar Hazra et Helen Garnons-Williams, de Bloomsbury, pour leur prévenance et leur contribution.

John D'Agata, pour son essai *Collage History of Art by Henry Darger*.

Tous ceux de Building on Bond qui m'ont nourrie et caféinée pendant que j'écrivais, et surtout Norman Lynn Vineyard.

Andy McDowel, Dave Thrasher, tous les gens épatants de Pete's Candy Store, et chacun des lecteurs qui ont gratifié notre scène de leur talent.

Mon fils, pour m'avoir aidée à réussir l'impossible.

Mon père, Philip Jacob. Je te vois encore partout.

NOTE

Comme si souvent dans les romans, les événements historiques évoqués dans celui-ci ont été déformés, embellis et réimaginés. Si le règlement de cent soixante-deux millions de dollars à la tribu des Indiens Puyallup de Tacoma est un événement réel, Bobby McCloud est un personnage inventé et sa tragédie, ainsi que les citations à ce propos de membres de la tribu relèvent totalement de la fiction ; toute autre ressemblance avec des événements, des lieux, des personnes vivantes ou mortes appartenant à la réalité ne serait qu'une coïncidence. Je n'ai pas l'intention de parler au nom de la tribu ou des sentiments que leur a inspirés ce règlement. Ce qui m'a intéressée, c'était l'intersection des récits "indiens" et ce que cela signifie, pour un immigrant, de se faire une vie dans un pays volé.

M. J.

OUVRAGE RÉALISÉ
PAR L'ATELIER GRAPHIQUE ACTES SUD
ACHEVÉ D'IMPRIMER
SUR ROTO-PAGE
EN MAI 2015
PAR L'IMPRIMERIE FLOCH
À MAYENNE
POUR LE COMPTE DES ÉDITIONS
ACTES SUD
LE MÉJAN
PLACE NINA-BERBEROVA
13200 ARLES

DÉPÔT LÉGAL
1ᵉ ÉDITION : JUIN 2015
N° impr. : 88422
(Imprimé en France)